O UNIVERSO ELEGANTE

BRIAN GREENE

O Universo elegante

*Supercordas, dimensões ocultas
e a busca da teoria definitiva*

Tradução
José Viegas Filho

Revisor técnico
Rogério Rosenfeld
(Instituto de Física
Teórica/Unesp)

16ª reimpressão

Copyright © 1999 by Brian R. Greene

Grafia atualizada segundo o Acordo Ortográfico da Língua Portuguesa de 1990, que entrou em vigor no Brasil em 2009.

Título original
The elegant universe: Superstrings, hidden dimensions, and the quest for the ultimate theory

Capa
Angelo Venosa

Índice Remissivo
Carla Aparecida dos Santos

Preparação
Cássio de Arantes Leite

Revisão
Carmem S. da Costa
Ana Maria Barbosa

Atualização ortográfica
Márcia Moura

Dados Internacionais de Catalogação na Publicação (CIP)
(Câmara Brasileira do Livro, SP, Brasil)

Greene, Brian
    O Universo elegante : supercordas, dimensões ocultas e a
busca da teoria definitiva / Brian Greene ; tradução José Viegas Filho;
revisor técnico Rogério Rosenfeld. — 1ª — São Paulo : Companhia
das Letras, 2001.

    Título original: The elegant universe: Superstrings, hidden
dimensions, and the quest for the ultimate theory.
    Bibliografia.
    ISBN 978-85-359-0098-9

    1. Cosmologia 2. Supercordas — Teorias I. Título.

01-0498   CDD-539.7258

Índices para catálogo sistemático:
1. Supercordas : Teorias : Física moderna   539.7258
2. Teoria das supercordas : Física moderna   539.7258

[2021]
Todos os direitos desta edição reservados à
EDITORA SCHWARCZ S.A.
Rua Bandeira Paulista, 702, cj. 32
04532-002 — São Paulo — SP
Telefone: (11) 3707-3500
www.companhiadasletras.com.br
www.blogdacompanhia.com.br
facebook.com/companhiadasletras
instagram.com/companhiadasletras
twitter.com/cialetras

A minha mãe e à memória de meu pai,
com amor e gratidão

Sumário

Prefácio. 9

PARTE I: A FRONTEIRA DO CONHECIMENTO

1. Vibrando com as cordas. 17

PARTE II: O DILEMA DO ESPAÇO, DO TEMPO E DOS QUANTA

2. O espaço, o tempo e o observador. 39
3. Das curvas e ondulações. 71
4. Loucura microscópica. 104
5. A necessidade de uma teoria nova: relatividade geral
   versus mecânica quântica. 138

PARTE III: A SINFONIA CÓSMICA

6. Pura música: a essência da teoria das supercordas. 155
7. O "super" das supercordas. 188
8. Mais dimensões do que o olhar alcança. 208
9. A evidência irrefutável: sinais experimentais. 234

PARTE IV: A TEORIA DAS CORDAS E O TECIDO DO ESPAÇO-TEMPO

10. Geometria quântica 257

11. A ruptura do tecido espacial 291

12. Além das cordas: em busca da teoria M 312

13. Buracos negros: uma perspectiva da teoria das cordas e
da teoria M. 352

14. Reflexões sobre a cosmologia 379

PARTE V: UNIFICAÇÃO NO SÉCULO XXI

15. Perspectivas. 409

Notas. 427

Glossário de termos científicos 449

Referências e sugestões de leituras 461

Índice remissivo. 463

Prefácio

Nos últimos trinta anos da sua vida, Einstein buscou sem descanso a chamada teoria do campo unificado — uma teoria capaz de descrever as forças da natureza por meio de um esquema único, completo e coerente. As motivações de Einstein não eram as que normalmente inspiram os empreendimentos científicos, como a busca de explicações para este ou aquele conjunto de dados experimentais. Ele acreditava apaixonadamente que o conhecimento mais profundo do universo revelaria a maior das maravilhas: a simplicidade e a potência dos princípios que o estruturam. Einstein queria iluminar os mecanismos da natureza com uma luz nunca antes alcançada, que nos permitiria contemplar, em estado de encantamento, toda a beleza e a elegância do universo.

Ele nunca realizou o seu sonho, em grande parte porque as circunstâncias não o favoreciam, já que em sua época várias características essenciais da matéria e das forças da natureza eram desconhecidas ou, quando muito, mal compreendidas. Mas durante os últimos cinquenta anos, as novas gerações de físicos — entre promessas, frustrações e incursões por becos sem saída — vêm aperfeiçoando progressivamente as descobertas feitas por seus predecessores e ampliando os nossos conhecimentos sobre a maneira como funciona o universo. E agora, tanto tempo depois de Einstein ter empreendido em vão a busca de uma teoria unificada, os físicos acreditam ter encontrado finalmente a forma de combinar esses avanços em um todo articulado — uma teoria integrada, capaz, em princípio, de descrever todos os fenômenos físicos. Essa teoria, a *teoria das supercordas*, é o tema deste livro.

Escrevi *O universo elegante* com o objetivo de tornar acessível a uma ampla faixa de leitores, especialmente aos que não conhecem física e matemática, o notável fluxo de ideias que compõe a vanguarda da física atual. Nas conferências que tenho feito nos últimos anos sobre a teoria das supercordas, percebi no público um vivo desejo de conhecer o que dizem as pesquisas atuais sobre as leis fundamentais do universo, de como essas leis requerem um gigantesco esforço de reestruturação dos nossos conceitos a respeito do cosmos e dos desafios que terão de ser enfrentados na busca da teoria definitiva. Espero que os dois elementos que constituem este livro — a explicação das principais conquistas da física desde Einstein e Heisenberg e o relato de como as suas descobertas vieram a florescer com vigor nos avanços radicais da nossa época — venham a satisfazer e enriquecer essa curiosidade.

Espero ainda que *O universo elegante* interesse também àqueles leitores que de fato têm conhecimentos científicos. Para os estudantes e professores de ciências, espero que o livro logre cristalizar alguns dos elementos básicos da física moderna, como a relatividade especial, a relatividade geral e a mecânica quântica, e ao mesmo tempo possa transmitir a euforia contagiante que sentem os pesquisadores ao se aproximarem da conquista tão ansiosamente aguardada da teoria unificada. Para o leitor ávido por ciência popular, tratei de explicar aspectos do extraordinário progresso que o nosso conhecimento do cosmos experimentou na última década. E para os meus colegas de outras disciplinas científicas, espero que o livro lhes dê uma indicação honesta e equilibrada de por que os estudiosos das cordas estão tão entusiasmados com os avanços alcançados na busca da teoria definitiva da natureza.

A teoria das supercordas engloba uma grande área. É um tema amplo e profundo, relacionado com muitas das descobertas capitais da física. Como ela unifica as leis do grande e do pequeno, leis que regem a física desde as unidades mínimas da matéria até as distâncias máximas do cosmos, são múltiplas as maneiras de abordá-la. Decidi focalizá-la a partir da evolução da percepção que temos do espaço e do tempo. Creio que esse é um caminho especialmente interessante por permitir uma visão fascinante e rica das novas maneiras de pensar. Einstein mostrou ao mundo que o espaço e o tempo comportam-se de maneiras incomuns e surpreendentes. Agora, as pesquisas mais recentes conseguiram integrar as suas descobertas a um universo quântico, com numerosas dimensões ocultas, enroladas dentro do tecido cósmico — dimensões cuja geometria prodigamente entrelaçada pode propiciar a chave para a compreensão de algumas das questões mais profundas que já enfrentamos. Embora alguns destes conceitos sejam sutis, veremos que podem ser apreendidos através de analogias comuns. Uma vez compreendidas, essas ideias proporcionam uma perspectiva deslumbrante e revolucionária do universo.

Em todo o transcorrer do livro, procurei manter o padrão científico e, ao mesmo tempo, dar ao leitor — frequentemente por meio de analogias e metáforas — a compreensão intuitiva de como os cientistas chegaram à concepção atual do cosmos. Embora eu tenha evitado o uso de linguagem técnica e a apresentação de equações, a natureza radicalmente nova dos conceitos aqui considerados pode forçar o leitor a fazer uma pausa em alguns pontos, a meditar aqui e ali, ou a refletir sobre as explicações dadas, de modo a acompanhar a progressão das ideias. Certas seções da parte IV (a respeito dos avanços mais recentes) são mais abstratas que as demais; tomei o cuidado de advertir o leitor sobre essas seções e de estruturar o texto de modo que elas possam ser lidas superficialmente ou mesmo saltadas sem maior impacto sobre o fluxo lógico do livro. Incluí um glossário de termos científicos com o objetivo de propiciar definições simples e acessíveis para as ideias apresentadas no texto. Embora o leitor menos comprometido possa ignorar totalmente as notas finais, o mais aplicado encontrará aí observações adicionais, esclarecimentos de ideias expostas de maneira simplificada no texto, bem como incursões técnicas para os que gostam de matemática.

Devo agradecer a muitas pessoas pela ajuda recebida durante a preparação deste livro. David Steinhardt leu o manuscrito com atenção e generosidade, além de propiciar inestimáveis incentivos e comentários editoriais precisos. David Morrison, Ken Vineberg, Raphael Kasper, Nicholas Boles, Steven Carlip, Arthur Greenspoon, David Mermin, Michael Popowitz e Shani Offen leram o manuscrito detalhadamente e ofereceram sugestões que em muito beneficiaram a apresentação da obra. Outros que leram o manuscrito total ou parcialmente e forneceram conselhos e incentivos foram Paul Aspinwall, Persis Drell, Michael Duff, Kurt Gottfried, Joshua Greene, Teddy Jefferson, Marc

Kamionkowski, Yakov Kanter, Andras Kovacs, David Lee, Megan McEwen, Nari Mistry, Hasan Padamsee, Ronen Plesser, Massimo Poratti, Fred Sherry, Lars Straeter, Steven Strogatz, Andrew Strominger, Henry Tye, Cumrun Vafa e Gabriele Veneziano. Devo agradecimentos especiais a Raphael Gunner, entre outras coisas pelas críticas feitas logo ao início do trabalho, que me ajudaram a dar-lhe a forma definitiva, e a Robert Malley, por seu incentivo suave e persistente para que eu passasse do estágio de pensar no livro para o de escrevê-lo. Steven Weinberg e Sidney Coleman contribuíram com sua assistência e conselhos valiosos, e é um prazer registrar as muitas interações positivas com Carol Archer, Vicky Carstens, David Cassel, Anne Coyle, Michael Duncan, Jane Forman, Wendy Greene, Susan Greene, Erik Jendresen, Gary Kass, Shiva Kumar, Robert Mawhinney, Pam Morehouse, Pierre Ramond, Amanda Salles e Eero Simoncelli. Devo a Costas Efthimiou a ajuda nas pesquisas de confirmação e na organização das referências, bem como na transformação de meus esboços preliminares em desenhos gráficos, a partir dos quais Tom Rockwell criou — com paciência de santo e olhos de artista — as figuras que ilustram o texto. Agradeço também a Andrew Hanson e Jim Sethna pela ajuda na preparação de algumas figuras especializadas.

Por concordarem em ser entrevistados e oferecer suas próprias perspectivas em diversos tópicos, agradeço a Howard Georgi, Sheldon Glashow, Michael Green, John Schwarz, John Wheeler, Edward Witten e, novamente, a Andrew Strominger, Cumrun Vafa e Gabriele Veneziano.

Fico feliz em reconhecer as penetrantes observações e as inestimáveis sugestões de Angela Von der Lippe e a aguda sensibilidade para o detalhe de Traci Nagle, minhas editoras na W. W. Norton, que aumentaram significativamente a clareza da apresentação. Agradeço ainda a meus agentes literários, John Brockman e Katinka Matson, por sua excelente orientação na arte de "pastorear" o livro do começo ao fim.

Por haverem apoiado com generosidade as minhas pesquisas em física teórica por mais de quinze anos, expresso meu reconhecimento e gratidão à National Science Foundation, à Alfred P. Sloan Foundation e ao Departamento de Energia do Governo dos Estados Unidos. Não é surpresa para ninguém que a minha pesquisa se concentrou no impacto da teoria das supercordas sobre os nossos conceitos de espaço e tempo, e nos capítulos finais do livro eu descrevo algumas das descobertas em que tive a felicidade de participar. Apesar da minha esperança de que o leitor aprecie a leitura destes relatos "íntimos", temo que eles possam dar uma ideia exagerada do papel que desempenhei no desenvolvimento da teoria das supercordas. Permitam-me, portanto, aproveitar esta oportunidade para homenagear os mais de mil físicos de todo o mundo que participam de maneira dedicada e crucial do esforço de compor a teoria definitiva do universo. Peço perdão a todos aqueles cujo trabalho não foi incluído neste relato; isso reflete apenas a perspectiva temática que escolhi e as limitações de tamanho de uma apresentação de caráter geral.

Agradeço também o trabalho de tradução deste texto para a língua portuguesa, feito por José Viegas Filho, assim como a revisão técnica realizada por Rogério Rosenfeld.

Finalmente, expresso os meus profundos agradecimentos a Ellen Archer por seu amor e seu apoio incansável, sem os quais este livro nunca teria sido escrito.

PARTE I

A fronteira do conhecimento

1. Vibrando com as cordas

Chamá-la de tentativa de abafar a verdade seria muito dramático. Porém, por mais de meio século — mesmo em meio às maiores conquistas científicas da história — os físicos conviveram em silêncio com a ameaça de uma nuvem escura no horizonte. O problema é o seguinte: a física moderna repousa em dois pilares. Um é a relatividade geral de Albert Einstein, que fornece a estrutura teórica para a compreensão do universo nas maiores escalas: estrelas, galáxias, aglomerados de galáxias, até além da imensa extensão total do cosmos. O outro é a mecânica quântica, que fornece a estrutura teórica para a compreensão do universo nas menores escalas: moléculas, átomos, descendo até as partículas subatômicas, como elétrons e quarks. Depois de anos de pesquisa, os cientistas já confirmaram experimentalmente, e com precisão quase inimaginável, praticamente todas as previsões feitas por essas duas teorias. Mas esses mesmos instrumentos teóricos levam de forma inexorável a uma outra conclusão perturbadora: tal como atualmente formuladas, a relatividade geral e a mecânica quântica *não podem estar certas ao mesmo tempo*. As duas teorias que propiciaram o fabuloso progresso da física nos últimos cem anos — progresso que explicou a expansão do espaço e a estrutura fundamental da matéria — são mutuamente incompatíveis.

Se você ainda não ouviu falar dessa feroz controvérsia, deve estar perguntando qual a razão dela. A resposta não é difícil. Em praticamente todos os casos, com exceção dos mais extremos, os físicos estudam coisas que ou são pequenas e leves (como os átomos e as partículas que os constituem) ou enormes e pesadas (como as estrelas e as galáxias), mas não ambos os tipos de coisas ao mesmo tempo. Isso significa que eles só necessitam utilizar *ou* a mecânica quântica *ou* a relatividade geral, e podem desprezar sem maiores preocupações as advertências do outro lado. Esta atitude pode não trazer tanta felicidade quanto a ignorância, mas anda perto.

Porém o universo está *cheio* de casos extremos. Nas profundezas do interior de um buraco negro uma massa enorme fica comprimida a ponto de ocupar um espaço minúsculo. No momento do big bang, o universo inteiro emergiu de uma pepita microscópica, perto da qual um grão de areia é algo colossal. Esses são mundos mínimos mas incrivelmente densos, que por isso requerem o emprego tanto da mecânica quântica quanto da relatividade geral. Por motivos que ficarão mais claros à medida que avançarmos, as equações da relatividade geral e da mecânica quântica, quando combinadas, começam a ratear, trepidar e fumegar, como um carro velho. Falando de maneira menos figurativa, quando se juntam as duas teorias, os problemas físicos, ainda que bem formulados, provocam respostas sem sentido. Mesmo que nos resignemos a deixar envoltas em mistério questões difíceis como o que ocorre no interior dos buracos negros ou como se deu a origem do universo, não se pode evitar a sensação de que a hostilidade entre a mecânica quântica e a relatividade geral clama por um nível de entendimento mais profundo. Será verdade que o universo, no seu nível mais fundamental, apresenta-se dividido, requerendo um conjunto de regras para as coisas grandes e outro, diferente e incompatível, para as coisas pequenas?

A teoria das supercordas, uma criança em comparação com as veneráveis teorias da mecânica quântica e da relatividade geral, responde a essa pergunta com um sonoro não. Pesquisas intensas de físicos e matemáticos em todo o mundo revelaram, na última década, que essa nova maneira de descrever a matéria no nível mais fundamental resolve a tensão entre a relatividade geral e a mecânica quântica. Na verdade, a teoria das supercordas revela ainda mais: a relatividade geral e a mecânica quântica *precisam uma da outra* para que a teoria faça sentido. De acordo com a teoria das supercordas, o casamento entre as leis do grande e do pequeno não só é feliz como também inevitável.

Essa é uma boa notícia. Mas a teoria das supercordas — ou simplesmente teoria das cordas — leva essa união muito mais adiante. Durante trinta anos Einstein buscou uma teoria unificada da física que entrelaçasse todas as forças e todos os componentes materiais da natureza em um único conjunto de teorias. Ele fracassou. Agora, ao iniciar-se o novo milênio, os proponentes da teoria das cordas proclamam que os fios dessa difícil obra de tecelagem já foram identificados. A teoria das cordas tem a capacidade potencial de demonstrar que todos os formidáveis acontecimentos do universo — da dança frenética dos quarks à valsa elegante das estrelas binárias, da bola de fogo do big bang ao deslizar majestoso das galáxias — são reflexos de um grande princípio físico, uma equação universal.

Como esses aspectos da teoria das cordas requerem uma mudança drástica nos nossos conceitos de espaço, tempo e matéria, é necessário deixar passar algum tempo para que nos acostumemos a essas transformações. Mas logo ficará claro que, vista no contexto correto, a teoria das cordas é uma consequência natural, ainda que extraordinária, das descobertas revolucionárias da física nos últimos cem anos. Veremos que o conflito entre a relatividade geral e a mecânica quântica na verdade não é o primeiro, mas sim o terceiro de uma série de choques cruciais ocorridos no século XX, confrontos cujos resultados provocaram revisões estonteantes na nossa visão do universo.

OS TRÊS CONFLITOS

O primeiro conflito, conhecido desde o fim do século passado, tem a ver com certas propriedades curiosas do movimento da luz. Em síntese, segundo as leis da mecânica de Newton, se você se deslocar com rapidez suficiente, poderá acompanhar um raio de luz, mas segundo as leis do eletromagnetismo, de James Clerk Maxwell, não. Como veremos no capítulo 2, Einstein resolveu esse conflito com a teoria da relatividade especial e, ao fazê-lo, aniquilou a nossa concepção do espaço e do tempo. De acordo com a relatividade especial, não se pode pensar no espaço e no tempo como conceitos universais e imutáveis, experimentados de maneira idêntica por todos. Ao contrário, o espaço e o tempo aparecem nos trabalhos de Einstein como elementos maleáveis, cuja forma e aparência dependem da situação do observador.

O desenvolvimento da relatividade especial armou imediatamente o cenário para o segundo conflito. Uma das conclusões do trabalho de Einstein era a de que nenhum objeto — na verdade nenhum tipo de influência ou efeito — pode viajar a velocidades maiores do que a da luz. Mas, como veremos no capítulo 3, a teoria da gravitação universal de Newton, tão bem comprovada e tão agradável à nossa intuição, envolve influências que se transmitem *instantaneamente* por todo o espaço. Foi Einstein, novamente, quem resolveu o conflito, graças a uma nova concepção da gravidade, apresentada em 1915 com a teoria da relatividade geral. Assim como a relatividade especial, a relatividade geral também derrubou as concepções anteriores do espaço e do tempo mostrando que eles não só são influenciados pelo movimento do observador, mas também podem empenar-se e curvar-se em reação à presença da matéria ou da energia. Essas distorções no tecido do espaço e do tempo, como veremos, transmitem a força da gravidade de um lugar a outro. O espaço e o tempo, portanto, não podem mais ser vistos como um cenário inerte no qual os acontecimentos do universo se desenrolam; ao contrário, a relatividade especial e a relatividade geral revelam que eles exercem uma influência profunda sobre os próprios acontecimentos.

De novo o padrão se repete: a descoberta da relatividade geral, ao resolver um conflito, leva a outro. Durante as três primeiras décadas do século XX, os físicos desenvolveram a mecânica quântica (que discutiremos no capítulo 4) em resposta a uma série de problemas gritantes surgidos quando as concepções da física do século XIX foram aplicadas ao mundo microscópico. Como dito acima, o terceiro conflito, de todos o maior, deriva da incompatibilidade entre a mecânica quântica e a relatividade geral. Como veremos no capítulo 5, a curva suave que dá a forma do espaço na relatividade geral não consegue conviver com o comportamento frenético e imprevisível do universo no nível microscópico da mecânica quântica. Uma vez que somente a partir de meados da década de 80 a teoria das cordas passou a oferecer uma solução para esse conflito, ele é considerado, com justiça, como o problema capital da física moderna. Além disso, ao desenvolver-se a partir da relatividade especial e geral, a teoria das cordas requer outra grande rearrumação das nossas concepções de espaço e tempo.

Por exemplo, a maioria de nós dá como certo que o nosso universo tem três dimensões espaciais, mas isso não é verdade segundo a teoria das cordas, que afirma que o nosso universo tem muito mais dimensões do que parece — dimensões recurvadas, que ocupam espaços mínimos no tecido espacial. Essas incríveis observações a respeito da natureza do espaço e do tempo são tão essenciais que nos servirão como guias em tudo o que a partir daqui se disser. Na verdade, a teoria das cordas é a história do espaço e do tempo a partir de Einstein.

Para sabermos bem o que é a teoria das cordas, temos de recuar um pouco para descrever brevemente o que aprendemos nos últimos cem anos sobre a estrutura microscópica do universo.

O UNIVERSO NA ESCALA MICROSCÓPICA:
O QUE SABEMOS SOBRE A MATÉRIA

Os gregos antigos propuseram que a matéria do universo é composta por partículas mínimas e indivisíveis, que denominaram *átomos*. Assim como em uma língua alfabética as incontáveis palavras são o resultado de um enorme número de combinações de um pequeno número de letras, eles supuseram que a grande variedade de objetos materiais também fosse o resultado das combinações de uma pequena variedade de partículas ínfimas e elementares. Foi uma suposição clarividente. Mais de 2 mil anos depois, ainda acreditamos nela, embora a identidade dessas unidades fundamentais tenha sofrido numerosas revisões. No século XIX os cientistas demonstraram que muitas substâncias familiares, como o oxigênio e o carbono, tinham um limite mínimo para o seu tamanho. Seguindo a tradição dos gregos eles os chamaram *átomos*. O nome ficou, embora a história tenha revelado que ele era inadequado, uma vez que hoje sabemos que os átomos são divisíveis. No começo da década de 30, o trabalho coletivo de J. J. Thomson, Ernest Rutherford, Niels Bohr e James Chadwick já havia consagrado o modelo que assemelha o átomo a um sistema solar e que todos nós conhecemos bem. Longe de ser os constituintes mais elementares da matéria, os átomos consistem de um núcleo que contém prótons e nêutrons e é envolvido por um enxame de elétrons orbitantes.

Durante algum tempo os físicos acreditaram que os prótons, nêutrons e elétrons fossem os verdadeiros "átomos" dos gregos. Mas, em 1968, experiências de alta tecnologia feitas no Stanford Linear Accelerator Center [Centro do Acelerador Linear de Stanford] para pesquisar as profundezas microscópicas da matéria revelaram que os prótons e nêutrons tampouco são "indivisíveis". Descobriu-se que eles são formados por três partículas menores chamadas *quarks* — nome imaginativo, tirado de uma passagem de *Finnegan's Wake*, de James Joyce, e dado pelo físico teórico Murray Gell-Mann, que anteriormente já propusera a sua existência. As experiências confirmaram ainda que os quarks apresentam-se em duas variedades, que receberam os nomes, algo menos criativos, de *up* e *down*. Um próton consiste de dois quarks up e um down; um nêutron consiste de um quark up e dois down.

Tudo o que se vê no mundo terrestre e na abóbada celeste parece ser feito de combinações de elétrons, quarks up e quarks down. Não existe nenhuma indicação experimental de que qualquer uma dessas três partículas seja formada por algo ainda menor. Mas muitas experiências indicam que o universo conta também com outras partículas de matéria. Em meados da década de 50, Frederick Reines e Clyde Cowan comprovaram experimentalmente a existência de uma quarta espécie de partícula fundamental, chamada *neutrino* — cuja existência já fora prevista por Wolfgang Pauli no início dos anos 30. É extremamente difícil detectar um neutrino, partícula fantasma que só muito raramente interage com qualquer outra espécie de matéria: um neutrino com nível normal de energia pode atravessar com facilidade um bloco de chumbo com a espessura de muitos trilhões de quilômetros sem experimentar a menor perturbação em seu movimento. Você pode sentir-se muito aliviado com isso, porque agora mesmo, enquanto está lendo esta frase, bilhões de neutrinos lançados ao espaço pelo Sol estão atravessando o seu corpo, assim como toda a Terra, em suas longas e solitárias viagens através do cosmos. No final dos anos 30, outra partícula, chamada *múon* — idêntica ao elétron, exceto por ser cerca de duzentas vezes mais pesada — foi descoberta por físicos que estudavam os raios cósmicos (chuvas de partículas que bombardeiam a Terra do espaço exterior). Como não havia nada na ordem cósmica que demandasse a existência do múon, nenhum enigma por resolver, nenhuma área específica que pudesse ser por ele explicada, Isidor Isaac Rabi, físico de partículas ganhador do prêmio Nobel, saudou a descoberta do múon com muito pouco entusiasmo: "Quem foi que encomendou isto?", ele perguntou. Mas lá estava o múon. E ainda viria mais.

Os físicos continuaram a provocar choques entre partículas, usando tecnologias cada vez mais poderosas e níveis de energia cada vez mais altos, recriando, por um momento, condições que nunca mais ocorreram depois do big bang. Entre os traços deixados pelos estilhaços dessas colisões, eles procuravam outros componentes fundamentais, que se iam somando a uma lista sempre crescente de partículas. Eis o que eles encontraram: mais quatro quarks — *charm, strange, bottom* e *top* — e outro primo do elétron, ainda mais pesado, chamado *tau*, assim como duas partículas com propriedades similares às do neutrino (chamadas *neutrino do múon* e *neutrino do tau*, para distingui-las do neutrino original, que passou a chamar-se *neutrino do elétron*). Essas partículas são produzidas em colisões a altas energias e sua existência é efêmera; elas não são componentes de nada que possamos encontrar normalmente. Mas a história ainda não terminou. Cada uma dessas partículas tem uma *antipartícula* que lhe corresponde como par — com igual massa, mas oposta a ela em outros aspectos, como a carga elétrica (assim como as cargas relativas a outras forças que discutiremos abaixo). A antipartícula do elétron, por exemplo, chama-se *pósitron* — tem exatamente a mesma massa do elétron, mas a sua carga elétrica é +1, enquanto a carga elétrica do elétron é –1. Quando entram em contato, a matéria e a antimatéria podem aniquilar-se mutuamente, produzindo energia pura — e é por isso que há tão pouca antimatéria ocorrendo naturalmente no mundo à nossa volta.

Os físicos identificaram a existência de um padrão entre essas partículas, mostrado na tabela 1.1. As partículas de matéria enquadram-se claramente em três grupos, frequentemente denominados *famílias*. Cada família contém dois quarks, um elétron ou um dos seus primos, e um exemplar da espécie dos neutrinos. Os tipos correspondentes das partículas de cada família têm propriedades idênticas, exceto quanto à massa, que aumenta sucessivamente de uma família para outra. Em resumo, os físicos pesquisaram a estrutura da matéria até a escala de um bilionésimo de bilionésimo de metro e verificaram que *tudo* o que foi encontrado até agora — seja na natureza, seja produzido artificialmente nos gigantescos despedaçadores de átomos — consiste de combinações das partículas dessas três famílias, ou dos seus pares de antimatéria.

Uma olhada na tabela 1.1 sem dúvida dá uma ideia mais clara do espanto de Rabi diante da descoberta do múon. A distribuição das partículas em famílias pelo menos dá uma perspectiva de ordem, mas inumeráveis "porquês" saltam à vista. Por que há tantas partículas fundamentais, especialmente quando praticamente tudo o que existe no mundo não parece requerer mais do que elétrons, quarks up e quarks down? Por que há três famílias? Por que não uma só, ou quatro, ou outro número qualquer? Por que as partículas apresentam uma variedade de massas aparentemente aleatórias — por que, por exemplo, o tau pesa 3520 vezes mais que o elétron? Por que o quark top pesa 40 200 vezes mais que o quark up? Esses números são muito estranhos e aparentemente aleatórios. Eles aconteceram por acaso, por escolha divina, ou existirá alguma razão científica para essas características básicas do nosso universo?

Família 1		Família 2		Família 3	
Partícula	*Massa*	*Partícula*	*Massa*	*Partícula*	*Massa*
Elétron	0,00054	Múon	0,11	Tau	1,9
Neutrino do elétron	$<10^{-8}$	Neutrino do múon	$<0,0003$	Neutrino do tau	$<0,033$
Quark up	0,0047	Quark charm	1,6	Quark top	189
Quark down	0,0074	Quark strange	0,16	Quark bottom	5,2

Tabela 1.1 *As três famílias de partículas fundamentais e suas massas (em múltiplos da massa do próton). Os valores das massas dos neutrinos ainda não puderam ser determinados experimentalmente.*

AS FORÇAS, OU ONDE ESTÁ O FÓTON?

As coisas complicam-se ainda mais quando consideramos as forças da natureza. O mundo à nossa volta está repleto de maneiras de exercer influência: você pode chutar uma bola, os praticantes de *bungee* podem atirar-se de altas plataformas, trens super-rápidos trafegam suspensos por ímãs sem contato com os trilhos metálicos, contadores Geiger registram a presença de material radioativo, bombas nucleares explodem. Podemos influenciar objetos puxando, empurrando ou sacudindo-os; lançando ou atirando outros objetos sobre eles; rasgan-

24

do, torcendo ou esmagando-os; congelando, aquecendo ou queimando-os. Nos últimos cem anos os físicos acumularam provas crescentes de que todas essas interações entre objetos e materiais diversos, assim como qualquer outra interação, entre milhões e milhões que acontecem diariamente, podem ser reduzidas a combinações de quatro forças fundamentais. Uma delas é a *força da gravidade*. As outras três são a *força eletromagnética*, a *força fraca* e a *força forte*.

A gravidade é a força mais conhecida, responsável por nos manter em órbita à volta do Sol e com os pés sobre a Terra. A massa de um objeto determina a força gravitacional que ele exerce ou sofre. A força eletromagnética é a segunda mais conhecida das quatro. É a força que produz todos os confortos da vida moderna — luzes, computadores, televisores, telefones — e está presente tanto no poder devastador das tempestades de relâmpago quanto no toque suave da mão humana. Microscopicamente, a carga elétrica de uma partícula está para a força eletromagnética assim como a massa está para a gravidade: ela determina a intensidade com que uma partícula pode exercer ou sofrer o eletromagnetismo.

As forças forte e fraca são menos conhecidas porque a sua intensidade diminui rapidamente além das distâncias subatômicas; são as forças nucleares. Por essa razão só foram descobertas muito depois. A força forte é responsável por manter os quarks presos dentro dos prótons e dos nêutrons e manter os prótons e nêutrons comprimidos no interior do núcleo atômico. A força fraca é mais conhecida por ser responsável pela desintegração radioativa de elementos como o urânio e o cobalto.

Durante o último século, os físicos descobriram dois aspectos que são comuns a todas essas forças. Em primeiro lugar, como veremos no capítulo 5, no nível microscópico cada uma delas tem uma partícula associada, que pode ser considerada como a unidade mínima em que a força pode existir. Se você disparar um raio laser — que é um raio eletromagnético — estará disparando um feixe de *fótons*, a unidade mínima da força eletromagnética. Do mesmo modo, os componentes mínimos dos campos das forças fraca e forte são partículas chamadas *bósons da força fraca* e *glúons*. (O termo *glúon* deriva de *glue*, a palavra inglesa para "cola": você pode imaginar o glúon como o componente microscópico da cola que mantém coesos os núcleos atômicos.) Em 1984 os cientistas já haviam provado definitivamente a existência e as propriedades des-

25

Força	Partícula de força	Massa
Forte	Glúon	0
Eletromagnética	Fóton	0
Fraca	Bósons da força fraca	86 e 97
Gravidade	Gráviton	0

Tabela 1.2 *As quatro forças da natureza, juntamente com as partículas de força a elas associadas e as suas massas, em múltiplos da massa do próton. (As partículas da força fraca apresentam-se em variedades, com duas massas possíveis. Estudos teóricos indicam que o gráviton deve ser destituído de massa.)*

ses três tipos de partículas de força, registrados na tabela 1.2. Os físicos acreditam que também a força da gravidade tem uma partícula associada — o gráviton —, mas a sua existência ainda não foi confirmada experimentalmente.

O segundo aspecto comum das forças é o de que assim como a massa determina o efeito da gravidade sobre uma partícula e a carga elétrica determina o efeito da força eletromagnética sobre ela, as partículas são dotadas de certa quantidade de "carga forte" e "carga fraca", que determinam como são afetadas pelas forças forte e fraca. (Essas propriedades são descritas pormenorizadamente na tabela que se encontra nas notas a este capítulo.[1]) Mas tal como no caso das massas das partículas, ainda que as experiências científicas tenham conseguido quantificar cuidadosamente essas propriedades, ninguém explicou ainda por que o nosso universo é composto especificamente por essas partículas, com essas massas e com essas cargas de força.

Apesar das características comuns das forças fundamentais, examiná-las só faz aumentar o número das perguntas. Por que, por exemplo, as forças fundamentais são quatro? Por que não cinco, ou três, ou quem sabe uma só? Por que elas têm propriedades tão diferentes? Por que as forças forte e fraca confinam-se às escalas microscópicas enquanto a gravidade e a força eletromagnética têm alcance ilimitado? E por que a variação da intensidade intrínseca dessas forças é tão grande?

Para considerar essa última questão, imagine que você tem um elétron na mão esquerda e outro na mão direita e procura aproximar ambas as partículas, que têm cargas elétricas idênticas. A atração gravitacional mútua entre elas favorece a aproximação e por outro lado a repulsão eletromagnética as afasta. Quem ganha? É covardia: a repulsão eletromagnética é 1 milhão de bilhões de bilhões de bilhões de bilhões de vezes (10^{42}) mais forte! Se o seu braço direito representasse a intensidade da força da gravidade, o seu braço esquerdo teria de ser maior do que todo o universo para representar a intensidade da força eletromagnética. A única razão pela qual a força eletromagnética não suplanta totalmente a força da gravidade no mundo à nossa volta é que quase todas as coisas contêm quantidades iguais de carga elétrica positiva e negativa, e as forças cancelam-se mutuamente. Por outro lado, como a gravidade sempre atrai, não há uma força oposta que a cancele — quanto mais matéria, mais atração gravitacional. Mas essencialmente a gravidade é uma força extremamente débil. (Isso explica a dificuldade de confirmar experimentalmente a existência do gráviton. Encontrar a unidade mínima da força mais débil de todas é um grande desafio.) As experiências realizadas mostram também que a força forte é cerca de cem vezes mais intensa que a força eletromagnética e 100 mil vezes mais intensa que a força fraca. Mas qual a razão para que o nosso universo tenha essas características?

Não é uma questão meramente filosófica a de saber por que certos detalhes acontecem de uma maneira e não de outra; o universo seria um lugar radicalmente diferente se as propriedades da matéria e das partículas de força se modificassem, ainda que ligeiramente. Por exemplo, a existência dos núcleos atômicos estáveis que formam todos os elementos da tabela periódica depende de uma delicada proporcionalidade entre a força forte e a força eletromagnética. Os prótons que se comprimem em um núcleo atômico repelem-se mutuamente pela ação eletromagnética; a força forte, que age em meio aos quarks que os compõem, felizmente supera essa repulsão e mantém os prótons juntos. Mas bastaria uma pequena mudança nas intensidades relativas dessas duas forças para fazer desaparecer o equilíbrio entre elas, o que provocaria a desintegração da maior parte dos núcleos atômicos. Além disso, se a massa dos elétrons fosse umas poucas vezes maior, eles tenderiam a combinar-se com os prótons e formar nêutrons, em lugar de núcleos de hidrogênio (o elemento mais simples do universo, cujo núcleo contém um único próton), o que, por sua vez, impediria a produção dos elementos complexos. As estrelas são o produto da fusão de núcleos atômicos estáveis, e com essas alterações nos fundamentos da natureza elas não chegariam a formar-se. A intensidade da força da gravida-

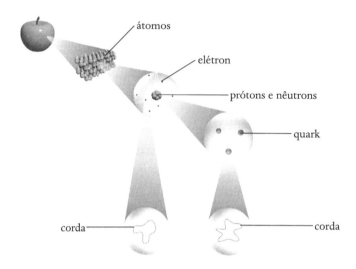

Figura 1.1 *A matéria é composta de átomos, que por sua vez são formados por quarks e elétrons. De acordo com a teoria das cordas, todas essas partículas são, na verdade, laços mínimos de cordas vibrantes.*

de também tem um papel na formação do cosmos. A densidade esmagadora da matéria socada no coração das estrelas alimenta as suas fornalhas nucleares e produz o seu brilho. Se a intensidade da força da gravidade fosse maior, a massa da estrela seria ainda mais densa, o que aumentaria significativamente o ritmo das reações nucleares. Mas assim como uma labareda brilhante queima seu combustível muito mais depressa do que a lenta chama de uma vela, o aumento do ritmo das reações nucleares levaria estrelas como o Sol a esgotar-se muito mais rapidamente, o que teria um efeito devastador sobre a formação da vida como a conhecemos. Por outro lado, se a intensidade da força da gravidade fosse significativamente menor, a matéria não chegaria a concentrar-se, o que também impediria a formação das estrelas e das galáxias.

Poderíamos prosseguir, mas a ideia está clara: o universo existe da maneira que existe porque a matéria e as partículas de força têm as propriedades que têm. Mas haverá uma explicação científica para *por que* elas têm essas propriedades?

TEORIA DAS CORDAS: A IDEIA BÁSICA

A teoria das cordas oferece, pela primeira vez, um paradigma conceitual capaz de produzir uma maneira articulada de responder a essas perguntas. Primeiro vejamos a ideia básica.

As partículas da tabela 1.1 são as "letras" que formam toda a matéria. Assim como as suas correspondentes linguísticas, elas não parecem ter subestruturas internas. Mas a teoria das cordas diz o contrário. De acordo com ela, se pudéssemos examinar essas partículas com precisão ainda maior — um grau de precisão que está várias ordens de magnitude além da nossa capacidade tecnológica atual —, verificaríamos que elas, em vez de assemelhar-se a um ponto, têm a forma de um *laço*, mínimo e unidimensional. Cada partícula contém um filamento, comparável a um elástico infinitamente fino, que vibra, oscila e dança e que os físicos, carentes da criatividade de Gell-Mann, chamaram de *corda*. Na figura 1.1 ilustramos essa ideia essencial da teoria das cordas começando com algo comum como uma maçã e ampliando repetidamente a sua estrutura para revelar os seus componentes em escalas cada vez menores. A teoria das cordas acrescenta um novo nível microscópico — o do laço vibrante — à progressão já conhecida do átomo aos prótons, nêutrons, elétrons e quarks.[2]

Embora isso não seja de modo algum óbvio, veremos no capítulo 6 que a simples substituição dos componentes materiais de tipo partícula puntiforme por cordas resolve a incompatibilidade entre a mecânica quântica e a relatividade geral. A teoria das cordas desata, portanto, o nó górdio da física teórica contemporânea. Essa é uma tremenda conquista, mas é apenas uma das razões pelas quais a teoria das cordas despertou tanta comoção.

TEORIA DAS CORDAS E A TEORIA SOBRE TUDO

Nos dias de Einstein, a força forte e a força fraca ainda não haviam sido descobertas, mas para ele a existência de duas forças diferentes — a gravidade e o eletromagnetismo — já era algo profundamente perturbador. Einstein não conseguia aceitar que a natureza tivesse por base uma concepção tão extravagante. Isso o levou a uma viagem de trinta anos em busca da chamada *teoria do campo unificado*, que ele esperava viesse a mostrar que essas duas forças são, na verdade, manifestações de um único e grande princípio fundamental. Essa busca quixotesca isolou Einstein da corrente principal da física, compreensivelmente muito mais preocupada com as evoluções decorrentes da mecânica quântica. Nos anos 40, ele escreveu a um amigo: "Tornei-me um velho solitário, mais conhecido porque não uso meias, e que é exibido em ocasiões especiais como uma curiosidade".[3]

Einstein estava simplesmente à frente do seu tempo. Mais de cinquenta anos depois, o seu sonho de encontrar uma teoria unificada tornou-se o Santo Graal da física moderna. E uma proporção considerável da comunidade da física e da matemática está cada vez mais convencida de que a teoria das cordas é capaz de dar a resposta. A partir de um único princípio — o de que no nível mais microscópico tudo consiste de combinações de cordas que vibram — a teoria das cordas oferece um esquema explicativo capaz de englobar todas as forças e toda a matéria.

Ela afirma, por exemplo, que as propriedades que observamos nas partículas, os dados resumidos nas tabelas 1.1 e 1.2, são reflexos das diversas maneiras em que uma corda pode vibrar. Assim como as cordas de um piano ou de um violino têm frequências ressonantes em que vibram de maneira especial — e que os nossos ouvidos percebem como as notas musicais e os seus tons harmônicos —, o mesmo também ocorre com os laços da teoria das cordas. Veremos, no entanto, que em vez de produzir notas musicais, os tipos de vibração preferidos pelas cordas na teoria das cordas dão lugar a partículas cujas massas e cargas de força são determinadas pelo padrão oscilatório da corda. O elétron é uma corda que vibra de uma maneira, o quark up é uma corda que vibra de outra maneira, e assim por diante. Desse modo, longe de constituir um conjunto caótico de dados experimentalmente verificados, as propriedades das partículas, na teoria das cordas, são manifestações de uma única característica física: os padrões ressonantes de vibração — ou seja, a "música" — dos laços fundamentais das cordas. A mesma ideia aplica-se também às forças da natureza. Veremos que as partículas de força também se associam a padrões de vibração das cordas, e, desse modo, tudo o que existe, toda a matéria e todas as forças, está unificado sob o mesmo princípio das oscilações microscópicas das cordas — as "notas" que as cordas tocam.

Pela primeira vez na história da física dispomos, portanto, de um esquema que tem a capacidade de explicar todas as características fundamentais com as quais o universo foi construído. Por essa razão diz-se que a teoria das cordas pode ser, afinal, a "teoria sobre tudo" (TST), ou a teoria "definitiva", ou a "última" das teorias. Com esses termos grandiosos, quer-se significar a teoria física mais profunda possível — que alimenta todas as outras e que não requer nem permite nenhuma base explicativa ainda mais profunda. Na prática, muitos dos cientistas ligados à teoria das cordas têm uma filosofia mais pragmática e veem a TST no sentido mais modesto de uma teoria que logra explicar as propriedades das partículas fundamentais e as propriedades das forças que permitem às partículas interagir e influenciar-se mutuamente. Um reducionista ferrenho afirmaria que não há aí limitação alguma e que, em princípio, absolutamente tudo, desde o big bang até as fantasias oníricas, pode ser descrito em termos de processos físicos microscópicos que envolvem os componentes fundamentais da matéria. Se você souber tudo a respeito dos componentes, diria ele, você compreenderá tudo.

A filosofia reducionista acende facilmente um crepitante debate. Muitos a consideram ilusória e sentem repulsa à ideia de que as maravilhas da vida e do universo sejam apenas reflexos da dança aleatória das partículas, coreografada pelas leis da física. Será verdade que os sentimentos de alegria, de sofrimento ou de preguiça não passam de meras reações químicas no cérebro? — reações entre moléculas e átomos que, em escala ainda mais microscópica, são reações entre as partículas da tabela 1.1, que na verdade são apenas cordas que vibram? Em resposta a essa linha de pensamento, Steven Weinberg, ganhador do prêmio Nobel, adverte, em *Dreams of a Final Theory* [Sonhos de uma teoria final],

> Do outro lado do espectro estão os oponentes do reducionismo, aterrorizados pelo que percebem como a aridez da ciência moderna. Admitir a hipótese de que eles próprios e o seu mundo possam ser reduzidos a uma questão de partículas ou campos de força e suas interações faz com que se sintam diminuídos. [...] Não vou tentar convencê-los com um sermão sobre as belezas da ciência moderna. A visão de mundo dos reducionistas é mesmo fria e impessoal. Ela tem de ser aceita como é, não porque seja do nosso agrado, mas sim porque essa é a maneira como funciona o mundo.[4]

Alguns concordam, outros não.

Outros ainda argumentam que formulações como a teoria do caos nos informam que as leis que conhecemos são substituídas por outras quando o nível de complexidade de um sistema aumenta. Entender o comportamento de um elétron ou de um quark é uma coisa; usar esse conhecimento para compreender o comportamento de um ciclone é algo totalmente diferente. Acho que todos concordamos quanto a isso. Mas as opiniões divergem quanto a se os fenômenos diversos e muitas vezes inesperados que ocorrem nos sistemas mais complexos do que as partículas individualmente consideradas significam verdadeiramente que novos princípios físicos entram em ação, ou se esses princípios são derivados, ainda que de modos incrivelmente complicados, dos princípios físicos que governam o número imenso dos componentes elementares. Minha impressão é a de que eles não representam leis físicas novas e independentes. Embora seja difícil explicar as propriedades de um ciclone em termos da física dos elétrons e dos quarks, creio que essa é uma questão de impasse de cálculo, e não uma indicação da necessidade de novas leis físicas. Mas aqui também haverá os que discordam de mim.

O que, no entanto, está fora de dúvida, e tem uma importância fundamental no argumento deste livro, é que, mesmo que se aceite o raciocínio discutível do reducionista ferrenho, uma coisa é um princípio e outra muito diferente é a prática. Há consenso geral quanto a que a descoberta da TST não significará de modo algum que a psicologia, a biologia, a geologia, a química, ou mesmo a própria física tenham chegado ao estado de resolução completa. O universo é um lugar de tal maneira rico e complexo que a descoberta da teoria definitiva, no sentido que lhe atribuímos aqui, não determinará o fim dos avanços científicos. Muito pelo contrário, a descoberta da TST — a explicação final sobre o universo em seu nível mais microscópico, que não dependerá de nenhuma explicação mais profunda — proporcionaria o mais firme dos alicerces para a *construção* da nossa compreensão do mundo. Marcaria um começo e não um fim. A teoria definitiva proporcionaria uma coerência a toda prova, que nos asseguraria para sempre de que o universo é um lugar compreensível.

O ESTADO DA TEORIA DAS CORDAS

A preocupação maior deste livro é a de explicar os mecanismos do universo de acordo com a teoria das cordas, com a ênfase recaindo sobre as implicações dessas conclusões com relação às noções que temos do espaço e do tempo. Ao contrário de muitos outros relatos a respeito de avanços científicos, o que aqui fazemos não se refere a uma teoria já totalmente desenvolvida, confirmada por testes experimentais rigorosos e integralmente aceita pela comunidade científica. A razão disso, como veremos nos capítulos subsequentes, é que a teoria das cordas é uma estrutura teórica tão profunda e sofisticada que, mesmo com o progresso impressionante feito nas duas últimas décadas, ainda temos muito o que caminhar até podermos afirmar que conseguimos dominá-la.

Desse modo, a teoria das cordas deve ser vista como um trabalho em andamento, cujo desenvolvimento parcial já revela surpreendentes percepções sobre a natureza do espaço, do tempo e da matéria. A união harmoniosa entre a relatividade geral e a mecânica quântica é um êxito notável. Além disso, ao contrário de todas as teorias anteriores, a teoria das cordas é capaz de responder a perguntas essenciais sobre a natureza dos componentes materiais e das forças mais elementares. Igualmente importante, embora mais difícil de intuir, é a extrema elegância das respostas da teoria das cordas e da estrutura que possibilita tais respostas. Por exemplo, na teoria das cordas muitos aspectos da natureza que podiam parecer aspectos técnicos estabelecidos arbitrariamente — como o número das diferentes partículas fundamentais e suas respectivas propriedades — surgem como decorrência de aspectos essenciais e tangíveis da geometria do universo. Se a teoria das cordas estiver certa, o tecido microscópico do nosso universo é um labirinto multidimensional ricamente urdido, no qual as cordas do universo retorcem-se e vibram sem cessar, dando ritmo às leis do cosmos. Longe de serem detalhes acidentais, as propriedades desse material de construção básico da natureza estão profundamente ligadas ao tecido do espaço e do tempo.

Em última análise, no entanto, nada pode substituir o teste definitivo da confirmação das previsões, que determinará se a teoria das cordas realmente é capaz de levantar o véu de mistério que oculta as verdades mais profundas do nosso universo. Pode ser que ainda passe algum tempo até que o nosso nível de compreensão tenha alcançado a profundidade suficiente para chegar a esse ponto. Contudo, como veremos no capítulo 9, alguns testes experimentais poderão proporcionar um claro apoio circunstancial em favor da teoria das cordas dentro dos próximos dez anos. Além disso, veremos no capítulo 13 como a teoria das cordas resolveu recentemente um importante quebra-cabeça associado à chamada entropia de Bekenstein-Hawking, relativa a buracos negros, o qual vinha resistindo aos meios convencionais de resolução por mais de 25 anos. Esse êxito convenceu muitos cientistas de que a teoria das cordas tem reais condições de propiciar-nos o conhecimento mais profundo sobre o funcionamento do universo.

Edward Witten, um dos pioneiros e principais peritos da teoria das cordas, resume a situação dizendo que "a teoria das cordas é uma parte da física do século XXI que caiu por acaso no século XX", avaliação articulada em primeiro lugar pelo físico italiano Daniele Amati.[5] Em certo sentido, é como se os nossos antepassados deparassem, no final do século XIX, com um supercomputador dos dias de hoje, sem as instruções de operações. Aprendendo por tentativa e erro, provavelmente poderiam perceber algo da capacidade do supercomputador, mas o verdadeiro domínio requereria, sem dúvida, muitíssimos esforços prolongados e vigorosos. Os indícios do potencial do computador, assim como os indícios que temos do poder explicativo da teoria das cordas, teriam propiciado uma forte motivação para a realização desses esforços. Hoje, uma motivação similar dá energia a toda uma geração de físicos teóricos que buscam o entendimento analítico preciso e completo da teoria das cordas.

As observações de Witten e de outros peritos indicam que podem se passar ainda décadas ou séculos até que a teoria das cordas seja desenvolvida e compreendida por inteiro. Isso pode bem ser verdade. Com efeito, a matemática da teoria das cordas é tão complexa que até hoje ninguém conhece as equações exatas da teoria. O que os físicos conhecem são apenas aproximações das suas equações, e mesmo essas equações aproximadas são tão complicadas que até aqui foram resolvidas apenas parcialmente. No entanto, uma série de avanços ocorridos na segunda metade dos anos 90 — avanços que deram resposta a questões teóricas de dificuldade inimaginável — parece indicar que o entendimento quantitativo da teoria das cordas pode estar muito mais próximo do que se supunha originalmente. Os físicos do mundo inteiro estão desenvolvendo técnicas novas e poderosas com vistas a transcender os numerosos métodos aproximativos usados até agora, e com a sua atuação conjunta têm conseguido agrupar os elementos dispersos do quebra-cabeça da teoria das cordas em uma progressão impressionante.

Surpreendentemente, esses avanços vêm proporcionando novos pontos de vista para a reinterpretação de alguns aspectos básicos da teoria que vinham prevalecendo já por algum tempo. Por exemplo, uma pergunta natural que pode ter lhe ocorrido ao ver a figura 1.1 é — por que cordas? Por que não pequenos discos de *frisbee*? Ou pepitas microscópicas em forma de bolha? Ou uma combinação de todas essas possibilidades? Como veremos no capítulo 12, os estudos mais recentes revelam que esses outros tipos de componentes *têm* um papel importante na teoria das cordas e indicam também que a teoria é, na verdade, parte de uma síntese ainda maior, que atualmente recebe o nome (misterioso) de teoria M. Esses últimos avanços serão o tema dos capítulos finais deste livro.

O progresso científico se faz por meio de saltos intermitentes. Em certos períodos ocorrem grandes progressos; em outros, nada. Os cientistas apresentam as suas conclusões, tanto teóricas quanto experimentais. Os resultados são debatidos pela comunidade científica e podem ser descartados ou modificados, mas também podem proporcionar fontes de inspiração para maneiras novas e mais precisas de compreender o universo físico. Em outras palavras, a ciência progride em ziguezagues pelo caminho que esperamos leve à verdade final, caminho que começou com as primeiras tentativas de entender o cosmos e cujo fim é imprevisível. Ainda não sabemos se a teoria das cordas é apenas uma escala nesse caminho, ou um importante ponto de inflexão, ou mesmo a chave para o destino final. Mas as pesquisas feitas nas duas últimas décadas por centenas de dedicados físicos e matemáticos de muitos países nos dão fundadas esperanças de estarmos no caminho correto, e possivelmente no seu trecho final.

A riqueza e o alcance da teoria das cordas revela-se no fato de que mesmo com o atual nível incompleto de entendimento já somos capazes de descobrir coisas fantásticas sobre o funcionamento do universo. A narrativa que se segue terá como fio condutor os progressos que permitiram a revolução que ocorreu com os nossos conhecimentos sobre o tempo e o espaço, iniciada com as teorias da relatividade especial e da relatividade geral, de Albert Einstein. Veremos que se a teoria das cordas está certa, o tecido do nosso universo tem propriedades que teriam deixado até o próprio Einstein boquiaberto.

PARTE II

O dilema do espaço, do tempo e dos quanta

2.O espaço, o tempo e o observador

Em junho de 1905, Albert Einstein, com 26 anos de idade, apresentou um artigo técnico aos *Anais da Física*, no qual ele se confrontou com um paradoxo a respeito da luz que o fascinava desde a adolescência. Ao terminar de ler a última página do manuscrito de Einstein, o editor do periódico, Max Planck, percebeu que a ordem estabelecida e aceita pela ciência havia sido destruída. Sem nenhum alarde, um funcionário do departamento de patentes de Berna, Suíça, tinha virado de cabeça para baixo as noções tradicionais de espaço e tempo, substituindo-as por um novo conceito cujas propriedades divergiam de tudo o que a nossa experiência comum ensinava ser certo.

O paradoxo que perturbou Einstein por dez anos era o seguinte. Em meados do século XIX, depois de estudar atentamente o trabalho experimental do físico inglês Michael Faraday, o físico escocês James Clerk Maxwell conseguiu unificar a eletricidade e o magnetismo por meio do *campo eletromagnético*. Se você já esteve no alto de uma montanha logo antes de uma trovoada forte, ou se já ficou perto de um gerador de Van de Graaf, sabe bem o que é um campo eletromagnético porque já sentiu os seus efeitos. Mas se ainda não passou por isso, posso descrevê-lo como algo semelhante a uma maré montante de linhas de força elétricas e magnéticas que permeiam a região do espaço por onde passam. Se você salpicar fragmentos de ferro perto de um ímã, por exemplo, a forma ordenada

39

em que eles se distribuem mostra-nos algumas das linhas invisíveis da força magnética. Quando você tira o suéter de lã em um dia seco e ouve estalos, ou talvez sinta até um pequeno choque elétrico, está testemunhando a existência de linhas de força elétricas, geradas por cargas elétricas acumuladas nas fibras do suéter. Além de unir esse e todos os demais fenômenos elétricos e magnéticos em um esquema matemático único, a teoria de Maxwell demonstrou — inesperadamente — que os distúrbios eletromagnéticos viajam a uma velocidade constante e imutável, igual à velocidade da luz. A partir daí, Maxwell concebeu a ideia de que a própria luz é um tipo específico de onda eletromagnética, uma onda, como hoje se sabe, capaz de interagir com elementos químicos na retina e produzir o sentido da visão. Além disso (e isto é crucial), a teoria de Maxwell revelou também que todas as ondas eletromagnéticas — inclusive a luz visível — são o protótipo do viajante peripatético: nunca param. Nunca desaceleram. A luz viaja *sempre* à velocidade da luz.

Tudo vai muito bem até fazermos, como fez Einstein aos dezesseis anos, a pergunta: que acontece se sairmos perseguindo um raio de luz à velocidade da luz? O raciocínio intuitivo, que está na base das leis de movimento de Newton, nos diz que ficaremos emparelhados com as ondas de luz e que elas, portanto, nos parecerão estacionárias; a luz fica parada. Mas de acordo com a teoria de Maxwell e com todas as observações confiáveis, luz estacionária é algo que simplesmente não existe: ninguém jamais pôde colher um punhado de luz estacionária na palma da mão. Aí está o problema. Felizmente Einstein não sabia que muitos dos principais físicos do mundo estavam a braços com essa questão (e andando por vários caminhos espúrios) e pôde refletir sobre o paradoxo de Maxwell e Newton na pura privacidade dos seus próprios pensamentos.

Neste capítulo discutiremos como Einstein resolveu o conflito por meio da teoria da relatividade especial, e com isso mudou para sempre as nossas noções de espaço e tempo. Em certo sentido, é surpreendente que a preocupação essencial da relatividade especial seja a de entender precisamente como o mundo se mostra aos indivíduos, comumente chamados "observadores", que se movem uns com relação aos outros. À primeira vista isso pode parecer um exercício intelectual de importância mínima. Muito pelo contrário: nas mãos de Einstein, com a sua fantasia de observadores que perseguem raios de luz, revelaram-se implicações profundas para que possamos compreender como até mesmo as situações mais corriqueiras são vistas por diferentes indivíduos em estado de movimento relativo.

A INTUIÇÃO E SUAS FALHAS

A experiência comum nos mostra como certas observações feitas por indivíduos em movimento relativo podem variar. As árvores à beira de uma estrada, por exemplo, estão aparentemente se movendo do ponto de vista do motorista, mas parecem estacionárias para um carona sentado no *guardrail*. Da mesma forma, o capô do carro não parece mover-se (espera-se!) do ponto de vista do motorista, mas sim, juntamente com todo o carro, do ponto de vista do carona. Essas são propriedades tão básicas e intuitivas do mundo em que vivemos que nem chegamos a dar-lhes atenção.

A relatividade especial, contudo, proclama que as diferenças entre as observações feitas por esses indivíduos são mais sutis e profundas. A teoria faz a estranha afirmação de que cada observador em movimento relativo tem uma percepção diferente das distâncias e do tempo. Isso significa, como veremos, que os ponteiros de dois relógios idênticos usados por dois indivíduos em movimento relativo avançarão a *ritmos diferentes* e, portanto, não estarão de acordo quanto ao tempo transcorrido entre dois eventos determinados. A relatividade especial demonstra que essa afirmação não é uma denúncia quanto à falta de precisão dos relógios, mas sim que ela reflete uma característica do próprio tempo.

Do mesmo modo, dois observadores em movimento relativo não concordarão quanto ao comprimento das distâncias que medem. Também aqui, isso não se deve à imprecisão dos instrumentos de medida nem a erros cometidos em seu uso. Os instrumentos de medida mais precisos do mundo confirmam que pessoas diferentes não percebem de maneira idêntica o espaço e o tempo — medidos em termos de distâncias e durações. A relatividade especial, delineada com precisão por Einstein, resolve o conflito entre a nossa visão intuitiva do movimento e as propriedades da luz, mas há um preço a pagar: os indivíduos que se movem, uns com relação aos outros, não estarão de acordo em suas observações a respeito do espaço e do tempo.

Já faz quase um século que Einstein revelou ao mundo a sua descoberta sensacional e, no entanto, praticamente todos nós continuamos a pensar no espaço e no tempo em termos absolutos. A relatividade especial não existe dentro de nós; nós não a sentimos. As suas implicações não formam parte da nossa intuição. E a razão é bem simples: os efeitos da relatividade especial dependem da velocidade do deslocamento e, para as velocidades dos automóveis, dos aviões e até mesmo dos veículos espaciais, esses efeitos são minúsculos. As diferenças na percepção do espaço e do tempo entre indivíduos estacionários e outros que viajam de carro ou de avião existem de fato, mas são tão ínfimas que não chegam a ser notadas. Contudo, se você estivesse a bordo de uma nave espacial fantástica, capaz de viajar a uma fração substancial da velocidade da luz, os efeitos da relatividade tornar-se-iam óbvios. Evidentemente, estamos aqui no domínio da ficção científica. No entanto, como veremos mais adiante, algumas experiências bem arquitetadas permitem a observação clara e precisa das propriedades relativas do espaço e do tempo que Einstein previra em sua teoria.

Para que se tenha uma ideia das escalas aqui consideradas, imagine que estamos no ano de 1970 e que os carros grandes e possantes estão na moda. Crispim, que gastou toda a poupança para comprar um carrão, vai com seu irmão Joaquim a uma pista de corridas para fazer um teste não recomendado nem pelo fabricante nem pelo revendedor. Crispim leva o motor a 8 mil rotações, solta a embreagem e chega a 180 quilômetros por hora, enquanto Joaquim fica na beira da estrada para cronometrar. Crispim também leva um cronômetro para obter uma confirmação independente do tempo que leva para completar o circuito. Antes de Einstein, ninguém teria dúvida de que se os cronômetros dos dois irmãos estivessem em bom estado, ambos mediriam o mesmo tempo. Mas de acordo com a relatividade especial, se Joaquim cronometrar um tempo de trinta segundos, o relógio de Crispim marcará 29,99999999999952 segundos — *uma diferença quase infinitesimal*. Evidentemente a diferença é tão pequena que só poderia ser detectada por métodos muito mais sofisticados do que os de um cronômetro de mão, de um sistema de cronometragem de qualidade olímpica ou mesmo do mais preciso relógio atômico que possa ser produzido hoje. Não é de admirar que a nossa experiência diária não revele o fato de que a passagem do tempo depende do nosso estado de movimento.

Desacordos similares ocorrem com as medições das distâncias. Por exemplo, em um outro teste Joaquim usa a imaginação para medir o comprimento do carro de Crispim: ele aciona o cronômetro assim que o para-choque dianteiro do carro passa à sua frente e o interrompe assim que passa o para-choque traseiro. Como ele sabe que a velocidade do automóvel é de 180 quilômetros por hora, deduz o comprimento multiplicando essa velocidade pelo tempo marcado em seu relógio. Também aqui, antes de Einstein ninguém duvidaria de que a medida obtida por Joaquim coincidiria *exatamente* com a que Crispim tomou, com todo o cuidado, quando o carro estava parado na loja. Mas, ao contrário, a relatividade especial proclama que se ambos executarem com precisão as operações e se Crispim obtiver um resultado de, digamos, 4,88 metros, nesse caso, a medida obtida por Joaquim será de 4,8799999999999992 metros — *uma diferença quase infinitesimal*. Como no caso das medidas do tempo, a diferença é tão minúscula que não pode ser detectada por instrumentos comuns.

Apesar de extremamente diminutas, essas diferenças revelam uma falha insanável na noção geral de que o tempo e o espaço são universais e imutáveis. À medida que a velocidade relativa de pessoas como Crispim e Joaquim aumenta, a falha se torna mais evidente. Para que as diferenças possam ser notadas, as velocidades têm de ser uma fração importante da maior velocidade possível — a da luz —, que a teoria de Maxwell e as medições experimentais comprovam ser de aproximadamente 300 mil quilômetros por segundo, ou 1,08 bilhão de quilômetros por hora, suficiente para dar a volta à Terra mais de sete vezes em um segundo. Se, por exemplo, Crispim estivesse viajando não a 180 quilômetros por hora, mas a 940 milhões de quilômetros por hora (cerca de 87 por cento da velocidade da luz), a matemática da relatividade especial prevê que a medida do carro tomada por Joaquim seria de 2,44 metros, substancialmente diferente da medida tomada por Crispim (e também das especificações do manual do proprietário). Do mesmo modo, o tempo da corrida do automóvel medido por Joaquim será o dobro do medido por Crispim.

Como essas enormes velocidades estão muitíssimo além do que se pode atingir hoje, os efeitos da "dilação do tempo" e da "contração de Lorentz", que são os nomes técnicos desses fenômenos, são ínfimos na vida cotidiana. Se vivêssemos em um mundo em que as coisas se movessem normalmente a velocidades próximas à da luz, essas propriedades do espaço e do tempo seriam tão intuitivas — uma vez que nós as experimentaríamos constantemente — que nem mereceriam discussão, como nós, na verdade, não discutimos o movimento aparente das árvores à beira da estrada, de que falamos no começo do capítulo. Mas como não vivemos nesse mundo, essas características nos são estranhas. Como veremos, compreendê-las e aceitá-las requer que submetamos a nossa visão de mundo a uma reforma completa.

O PRINCÍPIO DA RELATIVIDADE

Há duas estruturas simples e profundas na base da relatividade especial. Como mencionamos, uma delas tem a ver com as propriedades da luz e nós a discutiremos mais na próxima seção. A outra é mais abstrata e não se relaciona com nenhuma lei física específica, mas sim com *todas as* leis físicas e é conhecida como o *princípio da relatividade*. O princípio da relatividade resulta de um fato simples: sempre que discutimos a velocidade e a direção do movimento de um objeto, temos de especificar com precisão quem está fazendo a medição. Pode-se compreender facilmente o significado e a importância dessa afirmação examinando a seguinte situação.

Suponha que João, vestido com um traje espacial que tem um pisca-pisca de luz vermelha, está flutuando na escuridão absoluta do espaço completamente vazio, longe de qualquer planeta, estrela ou galáxia. De sua perspectiva, ele está completamente estacionário, circundado pela escuridão silenciosa e uniforme do cosmos. Bem ao longe, João percebe uma luzinha verde que pisca e que parece aproximar-se. Por fim, ela chega suficientemente perto para que ele veja que a luz provém de um traje espacial de uma outra astronauta, Maria, que flutua lentamente. Ao passar, ela lhe acena, João também acena, e pouco a pouco ela volta a desaparecer na distância. Essa história pode ser contada com a mesma validade da perspectiva de Maria. Começa do mesmo modo, com Maria completamente só na escuridão imensa e silenciosa do espaço exterior. À distância ela percebe uma luzinha vermelha que pisca e que parece aproximar-se. Por fim, chega suficientemente perto para que Maria veja que a luz provém de um traje espacial de um outro astronauta, João, que flutua lentamente. Ao passar, ele lhe acena, Maria também acena, e pouco a pouco ele volta a desaparecer na distância.

As duas histórias descrevem a mesma situação de dois pontos de vista distintos, mas igualmente válidos. Cada um dos observadores sente-se estacionário e percebe o outro em movimento. Ambas as perspectivas são compreensíveis e justificáveis. Como há simetria entre os dois astronautas, é impossível dizer, e por razões bem fundamentais, que uma perspectiva esteja "certa" e a outra "errada". Ambas têm o mesmo direito a se proclamar verdadeiras.

Esse exemplo capta o significado do princípio da relatividade: o conceito de movimento é relativo. Só podemos falar do movimento de um objeto se o relacionarmos com outro objeto. Portanto, a afirmação "João está viajando a dez quilômetros por hora" não tem nenhum significado se não especificarmos um outro objeto para fazer a comparação. Já a afirmação "João está passando por Maria a dez quilômetros por hora" *tem* significado porque especificamos Maria como referência. Como o nosso exemplo ilustrou, essa última afirmação é inteiramente igual à de que "Maria está passando por João a dez quilômetros por hora (na direção oposta)". Em outras palavras, não existe uma noção "absoluta" de movimento. O movimento é relativo.

Um elemento-chave nessa história é que nem João nem Maria estão sendo puxados ou empurrados nem sofrem a ação de qualquer outra força ou influência capaz de interferir em seu sereno estado de movimento, livre de forças e a velocidade constante. Assim, podemos fazer a afirmação mais precisa de que o movimento *livre de forças* só tem significado em comparação com outros objetos. Esse é um esclarecimento importante porque, havendo o envolvimento de forças, ocorrem mudanças no movimento dos observadores — mudanças na velocidade e/ou na direção do movimento — e essas mudanças podem ser sentidas. Por exemplo, se João estivesse usando um jato às costas, ao acioná-lo ele experimentaria claramente a sensação de movimento. Essa sensação é intrínseca. Se o jato é acionado, João *sabe* que está em movimento, mesmo com os olhos fechados, e por isso não pode fazer comparações com outros objetos. Mesmo sem essas comparações, ele já não poderia atribuir-se um estado estacionário enquanto "o resto do mundo passa à sua frente". O movimento a velocidade constante é relativo; mas isso não é verdade para o movimento a velocidade não constante, ou *movimento acelerado*. (Reexaminaremos essa afirmação no próximo capítulo, quando focalizarmos o movimento acelerado e discutirmos a teoria da relatividade geral de Einstein.)

Essas histórias que ocorrem na escuridão do espaço vazio ajudam a compreensão porque retiram do cenário coisas familiares como ruas e edifícios, às quais normalmente, embora injustificadamente, atribuímos a condição especial de "estacionárias". Apesar disso, o mesmo princípio se aplica aos cenários terrestres e é, na verdade, sentido por todos.[1] Imagine, por exemplo, que depois de adormecer em um trem, você acorda justamente quando o seu trem está cruzando com outro na linha ao lado. Como o outro trem está bloqueando por completo a visão da paisagem e você não consegue ver nenhum outro objeto externo, pode ser que momentaneamente você fique inseguro se o seu trem está ou não em movimento, ou se é o outro trem que está em movimento, ou ambos. Evidentemente, se o trem sacolejar ou mudar de direção em uma curva, você sentirá o movimento. Mas se não houver trepidação alguma e se a velocidade permanecer constante, você observará o movimento relativo entre os trens sem saber com certeza qual deles está se movendo.

Vamos aprofundar o raciocínio um pouco mais. Imagine que você está nesse trem e que puxou as cortinas de modo que a janela está completamente tapada. Sem poder ver nada fora da cabine, e supondo que o trem se mova a uma velocidade absolutamente constante, você não terá como determinar o seu estado de movimento. A cabine terá *precisamente* o mesmo aspecto, quer o trem esteja parado, quer esteja deslocando-se a alta velocidade. Einstein formalizou essa ideia, que na verdade remonta de muito antes, às inferências de Galileu, proclamando que é impossível, para você e para qualquer viajante no interior de uma cabine fechada, comprovar experimentalmente se o trem está ou não em movimento. Aqui também se percebe o princípio da relatividade: como todo movimento livre de forças é relativo, ele só tem significado em comparação com outros objetos ou indivíduos que também estejam em movimento livre de forças. Não há maneira de determinar as características do seu estado de movimento sem fazer comparações, diretas ou indiretas, com objetos "externos". A noção de movimento uniforme "absoluto" simplesmente não existe. Só as comparações têm significado físico.

Com efeito, Einstein percebeu que o princípio da relatividade tem uma acepção ainda mais ampla: as leis da física — quaisquer que sejam — têm de ser absolutamente idênticas para todos os observadores em estado de movimento uniforme. Se João e Maria não estivessem apenas flutuando no espaço, e sim fazendo experiências idênticas em seus respectivos veículos espaciais, os resultados obtidos seriam os mesmos. Também aqui, ambos teriam toda razão de crer que o seu próprio veículo está parado, ainda que haja movimento relativo entre eles. Se os seus equipamentos forem totalmente iguais, não haverá nenhuma diferença entre os dois projetos experimentais — eles serão inteiramente simétricos. As leis físicas que cada um dos dois deduzirá das suas experiências também serão idênticas.

Nem eles nem as experiências podem sentir a viagem a velocidade constante. Esse é o conceito simples que estabelece a simetria completa entre os observadores; esse é o conceito que está incorporado no princípio da relatividade. Logo faremos uso desse princípio, com consequências profundas.

A VELOCIDADE DA LUZ

O segundo componente-chave da relatividade especial tem a ver com a luz e as propriedades do seu movimento. Ao contrário da afirmação que fizemos de que não há significado na frase "João está viajando a dez quilômetros por hora", sem que haja um ponto de referência específico para a comparação, quase um século de esforços por parte de uma série de dedicados físicos experimentais deixou claro que todo e qualquer observador concordará em que a luz viaja a 1,08 bilhão de quilômetros por hora *independentemente da existência de um ponto de comparação.*

Esse fato provocou uma revolução na nossa visão do universo. Tentemos avançar na compreensão do seu significado contrastando-o com afirmações similares aplicadas a objetos mais comuns. Imagine que temos um dia bonito e que você sai para brincar de atirar uma bola de beisebol com um amigo. Vocês passam algum tempo jogando a bola um para o outro a uma velocidade de, digamos, seis metros por segundo, até que de repente começa uma tempestade com raios e trovões e vocês saem à procura de abrigo. Quando a tempestade passa, vocês voltam para jogar novamente, mas vê-se que algo mudou. Os cabelos do seu amigo estão desgrenhados e arrepiados, os olhos parecem os de um louco e quando você olha para a mão dele, vê, perplexo, que ele já não está com vontade de brincar com a bola de beisebol, mas sim que está a ponto de lançar uma granada contra você. Compreensivelmente, o seu entusiasmo pelo jogo decai de forma sensível e você começa a correr. Quando o seu amigo lança a granada, ela avançará na sua direção, mas como você está correndo, a velocidade com que ela se aproxima será menor do que seis metros por segundo. A prática ensina que se você correr, digamos, a quatro metros por segundo, a granada se aproximará a (6 − 4 =) dois metros por segundo. Em outro exemplo, se você estiver em uma montanha e uma avalancha começar a cair na sua direção, a sua tendência será correr, porque isso reduzirá a velocidade com que a neve se aproxima — o que, em princípio, é uma medida acertada. Também aqui, um indivíduo estacionário percebe a velocidade da neve que desce como sendo maior do que a que é percebida por alguém que bate em retirada.

Comparemos agora essas observações básicas sobre bolas de beisebol, granadas e avalanchas com as referentes à luz. Para aperfeiçoar as comparações, pense que um raio de luz é formado por unidades mínimas chamadas fótons (uma característica da luz que discutiremos mais a fundo no capítulo 4). Quando acendemos uma lanterna ou disparamos um raio laser, estamos, na verdade, emitindo um feixe de fótons na direção em que apontamos o instrumento. Assim como fizemos com relação às granadas e às avalanchas, consideremos como o movimento de um fóton aparece para alguém que esteja em movimento. Imagine que o seu amigo enlouquecido tenha trocado a granada por um poderoso laser. Se você dispuser do equipamento de medidas apropriado, quando ele disparar o laser você verificará que a velocidade com que os fótons se aproximam é de 1,08 bilhão de quilômetros por hora. Mas o que acontece se você correr, como fez quando se viu diante da perspectiva de jogar beisebol com uma granada de mão? Que velocidade você registrará para os fótons que se aproximam? Para tornar o exemplo mais convincente, imagine que você consiga pegar uma carona na nave espacial *Enterprise* e fugir do seu amigo à velocidade de, digamos, 180 milhões de quilômetros por hora. Seguindo o raciocínio baseado na visão tradicional de Newton, uma vez que você está se afastando, deveria medir uma velocidade *menor* para os fótons que se aproximam. Especificamente, você esperaria registrar uma velocidade de aproximação de (1,08 bilhão — 180 milhões =) 900 milhões de quilômetros por hora.

Constantes comprovações, originárias de experiências realizadas desde 1880, assim como interpretações e análises cuidadosas da teoria eletromagnética da luz, de Maxwell, pouco a pouco convenceram a comunidade científica de que, de fato, isso *não* é o que acontece. *Muito embora você esteja recuando, continuará a registrar a velocidade dos fótons que se aproximam como exatamente 1,08 bilhão de quilômetros por hora.* Ainda que à primeira vista pareça absurdo, ao contrário do que acontece quando você foge de uma granada ou de uma avalancha, a velocidade de aproximação dos fótons é sempre de 1,08 bilhão de quilômetros por hora. Assim é, quer você se aproxime dos fótons, quer você se afaste deles. A velocidade de aproximação ou de afastamento dos fótons não varia nunca; eles sempre parecerão viajar a 1,08 bilhão de quilômetros por hora. Independentemente do movimento relativo entre a fonte dos fótons e o observador, a velocidade da luz é sempre a mesma.*

As limitações tecnológicas impedem a realização de "experiências" com a luz como as aqui descritas. Mas podem-se fazer experiências comparáveis. Em 1913, por exemplo, o físico holandês Willem de Sitter sugeriu que as estrelas binárias de movimento rápido (duas estrelas que orbitam uma à volta da outra) podem ser usadas para medir o efeito de uma fonte móvel sobre a velocidade da luz. Várias experiências desse tipo, executadas ao longo dos últimos oitenta anos, verificaram que a velocidade da luz que chega de uma estrela que se move é *a mesma* que provém de uma estrela estacionária — 1,08 bilhão de quilômetros por hora —, por mais refinados e precisos que sejam os instrumentos de medida. Além disso, inumeráveis experiências foram realizadas durante o último século — experiências que mediram a velocidade da luz em várias circunstâncias e que testaram muitas das implicações decorrentes das características da luz descritas acima — e todas confirmaram a constância da velocidade da luz.

Se você achar difícil aceitar essa propriedade da luz, não será o único. Cem anos atrás, os cientistas se empenharam ao máximo para refutá-la. Não conseguiram. Einstein, ao contrário, aceitou a constância da velocidade da luz, pois aí estava a resposta para o paradoxo que o perturbava desde a adolescência: qualquer que seja a velocidade com que você persegue um raio de luz ele se afasta de você à velocidade da luz. Você é incapaz de reduzir, ainda que minimamente, a velocidade aparente com que a luz parte, e muito menos desacelerá-la a ponto de torná-la estacionária. Caso encerrado. E esse triunfo sobre o paradoxo não foi pouca coisa. Einstein entendeu que a constância da velocidade da luz significava o fim da física newtoniana.

---

* Mais precisamente, a velocidade da luz através do vácuo do espaço vazio é de 1,08 bilhão de quilômetros por hora. Quando a luz viaja através de uma substância como o ar ou o vidro, a sua velocidade diminuiu, assim como uma pedra que cai de um rochedo sobre o mar perde velocidade ao atingir a água. Essa diminuição da velocidade da luz com relação à que ela apresenta no vácuo é irrelevante para a nossa discussão sobre a relatividade e pode ser ignorada em todo o transcurso do texto.

A VERDADE E SUAS CONSEQUÊNCIAS

A velocidade é a medida da distância que um objeto atravessa em um tempo determinado. Se estivermos em um carro a cem quilômetros por hora, isso significa, é claro, que, se o estado de movimento não se alterar, em uma hora teremos percorrido cem quilômetros. Assim descrita, a velocidade é um conceito bastante corriqueiro e você se perguntará por que tanta confusão a respeito da velocidade de bolas de beisebol, avalanchas e fótons. Notemos, contudo, que a *distância* é uma noção relativa ao espaço — em particular, é a medida de quanto espaço existe entre dois pontos. Notemos também que a *duração* é uma noção relativa ao tempo — quanto tempo transcorre entre dois eventos. Portanto, a velocidade está intimamente ligada às nossas noções de espaço e tempo. Assim descrita a velocidade, vemos que qualquer fato experimental que desafie a nossa ideia comum a respeito dela, tal como a constância da velocidade da luz, tem a capacidade de desafiar também a nossa ideia comum do espaço e do tempo. É por isso que esse fato estranho a respeito da velocidade da luz merece um exame cuidadoso — exame que quando foi feito por Einstein levou-o a conclusões notáveis.

O EFEITO SOBRE O TEMPO: PARTE I

Com um mínimo de esforço, podemos fazer uso da constância da velocidade da luz para mostrar que o conceito cotidiano e familiar do tempo está simplesmente errado. Imagine que os chefes de dois países em guerra, sentados frente a frente em uma mesa, tenham acabado de concluir um acordo de cessar-fogo, mas que nenhum dos dois quer ser o primeiro a assiná-lo. O secretário-geral da ONU surge com uma brilhante solução. Uma lâmpada, inicialmente apagada, será colocada a meia distância entre os dois presidentes. Quando ela se acender, a luz emitida chegará a ambos simultaneamente, uma vez que eles estão equidistantes com relação à lâmpada. Os dois presidentes concordam em assinar o texto do acordo ao acender-se a luz. O plano é executado e o acordo é assinado para a satisfação de ambos os lados.

Animado pelo êxito, o secretário-geral utiliza o mesmo método com dois outros países em guerra que também chegaram a um entendimento. A única diferença é que dessa vez os dois presidentes estão sentados frente a frente em uma mesa dentro de um trem que viaja a velocidade constante. O presidente da Frentália está de frente para a direção em que o trem se desloca e o presidente da Traslândia está de costas. O secretário-geral, que está a par de que as leis da física têm precisamente a mesma forma, independentemente do estado de movimento da pessoa, desde que esse movimento não se altere, despreza essa peculiaridade e efetua novamente a cerimônia de assinatura ao acender-se a lâmpada. Ambos os presidentes assinam o acordo e celebram, juntamente com os seus séquitos de conselheiros, o fim das hostilidades.

Imediatamente chega a notícia do início de uma briga entre os assessores dos dois países que estavam na plataforma, esperando pela cerimônia de assinatura, do lado de fora do trem que passava. Todos os que estavam dentro do trem ficam perplexos ao saber que a razão da briga era o fato de que os assessores da Frentália acham que foram enganados, pois o seu presidente assinou o acordo *antes* do presidente da Traslândia. Ora, se todos os que estavam no trem — de ambos os lados — concordam em que o acordo foi assinado simultaneamente, como pode ser que os observadores externos que assistiam à cerimônia pensem diferentemente? Consideremos com maior detalhe a perspectiva de um observador na plataforma. Inicialmente a lâmpada no trem está apagada até que em determinado momento se acende e emite raios de luz em direção a ambos os presidentes. Da perspectiva de uma pessoa na plataforma, o presidente da Frentália está se deslocando em direção à luz emitida e o presidente da Traslândia está se afastando dela. Isso significa que, para os observadores na plataforma, o raio de luz viaja menos para alcançar o presidente da Frentália, que se desloca ao encontro da luz que dele se aproxima, do que para alcançar o presidente da Traslândia, que se afasta dela. Observe que isso não tem a ver com a *velocidade* da luz, em sua viagem em direção aos dois chefes de Estado — já vimos que, independentemente do estado de movimento da fonte e do observador, a velocidade da luz é sempre a mesma. Estamos discutindo apenas a *distância* que a luz tem de percorrer, do ponto de vista dos observadores na plataforma, até chegar a cada um dos dois presidentes. Como essa distância é menor para o presidente da Frentália do que para o da Traslândia e como a velocidade da luz é a mesma nos dois sentidos, a luz chegará ao presidente da Frentália primeiro. É por isso que os assessores da Frentália acham que foram enganados.

Quando a CNN noticia a renovação das hostilidades, o secretário-geral, os dois presidentes e todos seus conselheiros não podem acreditar. Todos estão de acordo em que a lâmpada estava bem colocada, exatamente a meia distância entre os dois mandatários, e que, portanto, sem nenhuma dúvida, a luz emitida viajou a mesma distância até chegar a eles. Todos no trem creem, o que corresponde às suas observações, que, como a velocidade da luz emitida em ambas as direções é a mesma, é evidente que ela chegou simultaneamente a ambos os presidentes.

Quem está certo — os do trem ou os da plataforma? As explicações e arrazoados de cada grupo são impecáveis. A resposta é que *os dois* estão certos. Tal como os nossos dois viajantes espaciais, João e Maria, ambas as perspectivas têm igual direito a se considerarem corretas. A única sutileza aqui é que as respectivas verdades parecem ser contraditórias. E uma questão política importante depende disso: os presidentes assinaram o acordo simultaneamente ou não? As observações e o raciocínio levam-nos inevitavelmente à conclusão de que *segundo os que estão no trem a resposta é sim* e *segundo os que estão na plataforma a resposta é não*. Em outras palavras, coisas que são simultâneas do ponto de vista de alguns observadores não são simultâneas do ponto de vista de outros, se os dois grupos estiverem em movimento relativo.

Essa é uma conclusão surpreendente. É uma das descobertas mais profundas que já se fizeram a respeito da natureza da realidade. Contudo, se tempos depois de você fechar este livro a única coisa de que você se lembrar deste capítulo for o fracasso da tentativa de distensão militar, você terá retido a essência da descoberta de Einstein. Sem matemáticas sofisticadas e sem retorcidos exercícios de lógica, essa característica completamente inesperada do tempo decorre diretamente da constância da velocidade da luz, como demonstra esse cenário. Note que se a velocidade da luz não fosse constante e se comportasse de acordo com a nossa intuição, baseada em lentas bolas de beisebol e bolas de neve, os observadores da plataforma concordariam com os do trem. Os observadores da plataforma continuariam a achar que os fótons têm de viajar mais para chegar ao presidente da Traslândia do que para chegar ao presidente da Frentália. No entanto, a intuição usual implica que a luz que se aproxima do presidente da Traslândia estaria movendo-se mais rapidamente por estar recebendo um "impulso" do movimento do trem. Do mesmo modo, esses observadores veriam que a luz que se aproxima do presidente da Frentália estaria movendo-se mais vagarosamente, por estar sendo "freada" pelo movimento do trem. Ao considerar esses efeitos (falsos), os observadores da plataforma veriam que os raios de luz alcançam ambos os presidentes simultaneamente. No entanto, no mundo real a luz não sofre acelerações ou desacelerações e não pode ser "impulsionada" nem "freada". Os observadores da plataforma podem, portanto, afirmar justificadamente que a luz alcançou o presidente da Frentália antes.

A constância da velocidade da luz requer que abandonemos a noção tradicional de que a simultaneidade é um conceito universal a respeito do qual todos, independentemente do seu estado de movimento, estão de acordo. O relógio universal que nós imaginávamos pudesse marcar segundos idênticos tanto na Terra como em Marte, em Júpiter, na galáxia de Andrômeda e em todo e qualquer recanto do cosmos não existe. Ao contrário, os observadores em movimento relativo não concordarão sobre quais eventos ocorrem ao mesmo tempo. A razão pela qual essa conclusão — uma característica do mundo que habitamos — parece tão estranha deriva de que os seus efeitos são extremamente diminutos quando as velocidades envolvidas são as que encontramos na vida cotidiana. Se a mesa de negociação tivesse trinta metros e o trem viajasse a quinze quilômetros por hora, os observadores da plataforma "veriam" que a luz alcançou o presidente da Frentália cerca de um milionésimo de bilionésimo de segundo antes de alcançar o presidente da Traslândia. Embora essa seja uma diferença autêntica, é tão mínima que não pode ser detectada pelos sentidos humanos. Se o movimento do trem fosse consideravelmente mais rápido, próximo a 1 bilhão de quilômetros por hora, por exemplo, da perspectiva de alguém na plataforma a luz demoraria quase vinte vezes mais tempo para chegar ao presidente da Traslândia do que para chegar ao presidente da Frentália. A velocidades altas, os efeitos surpreendentes da relatividade especial tornam-se cada vez mais importantes.

O EFEITO SOBRE O TEMPO: PARTE II

É difícil dar uma definição abstrata de tempo — as tentativas nesse sentido muitas vezes terminam recorrendo à própria palavra "tempo", ou então a contorcionismos linguísticos, de forma a evitá-lo. Em vez de seguir esse caminho, podemos adotar um ponto de vista pragmático e definir o tempo como aquilo que os relógios medem. É lógico que isso transfere o problema para a definição de "relógio"; aqui podemos pensar que um relógio é um instrumento caracterizado por ciclos de movimento perfeitamente regulares. Medimos o tempo contando o número de ciclos por que passa o relógio. Um relógio comum, como o que você usa no pulso, pode ser definido assim; tem ponteiros que se movem em ciclos regulares, e a medida do tempo é dada efetivamente pela contagem do número de ciclos (ou suas frações) transcorridos entre dois eventos escolhidos.

Evidentemente, o significado de "ciclos de movimento perfeitamente regulares" envolve implicitamente a noção de tempo, uma vez que o qualificativo regular se refere a que cada ciclo dura o mesmo lapso de tempo. Na prática, isso se resolve construindo relógios com componentes físicos simples, que sabemos estarem submetidos a evoluções cíclicas repetitivas que não variam nunca de um ciclo para outro. Os antigos relógios de pêndulo e os relógios atômicos, baseados em processos atômicos repetitivos, proporcionam exemplos simples.

O nosso objetivo é compreender como o movimento afeta a passagem do tempo, e como demos uma definição operacional do tempo em termos de relógios, podemos reformular a pergunta da seguinte maneira: como o movimento afeta o "tique-taque" dos relógios? É crucial deixar claro desde o começo que a nossa discussão não se preocupa com a maneira pela qual os elementos mecânicos de um relógio qualquer reagem com relação aos solavancos e trepidações que podem resultar do movimento. Na verdade, vamos considerar apenas a forma mais simples e serena de movimento — o movimento a velocidade absolutamente constante — e por isso não haverá nenhum solavanco ou trepidação. Ao contrário, estamos interessados na questão universal de como o movimento afeta a passagem do tempo e, por conseguinte, de como ele afeta fundamentalmente o tique-taque de *todo e qualquer* relógio, independentemente do seu formato ou fabricação.

Com esse fim, apresentamos o relógio conceitualmente mais simples (e menos prático) do mundo. Trata-se de um "relógio de luz", que consiste de dois pequenos espelhos montados em uma haste, um voltado para o outro, com um único fóton de luz a oscilar continuamente entre eles (ver a figura 2.1). Se os espelhos estiverem a quinze centímetros um do outro, o fóton levará um bilionésimo de segundo para completar um percurso de ida e volta. Cada vez que o fóton completa o percurso, contamos um "tique-taque". Um bilhão de tique-taques significam o transcurso de um segundo.

O relógio de luz pode ser usado como cronômetro para medir o tempo que passa entre dois eventos. Simplesmente contamos quantos são os tique-taques ocorridos no período que interessa e multiplicamos o resultado pelo tempo que corresponde a um tique-taque. Por exemplo, se estamos tomando o tempo de uma corrida de cavalos e contamos 55 bilhões de tique-taques entre a partida e a chegada, podemos concluir que a corrida durou 55 segundos.

Usamos o relógio de luz na nossa discussão porque a sua simplicidade mecânica elimina os fatores estranhos e nos proporciona uma visão clara de como o movimento afeta a passagem do tempo. Para termos uma ideia concreta, imaginemos que estamos observando a passagem do tempo olhando para um relógio em cima de uma mesa. De repente, um segundo relógio passa deslizando sobre a mesa a uma velocidade constante (ver a figura 2.2). A pergunta a ser feita é se o relógio que se move marcará o tempo no mesmo ritmo que o relógio que está parado.

Para responder à pergunta, consideremos, da nossa perspectiva, o caminho que o fóton do relógio que se move tem de percorrer para completar um tique-taque. O fóton começa na base do relógio, como na figura 2.2, e viaja em

Figura 2.1 *Um relógio de luz consiste de dois espelhos paralelos com um fóton que oscila entre ambos. O relógio faz um "tique-taque" cada vez que o fóton completa uma viagem de ida e volta.*

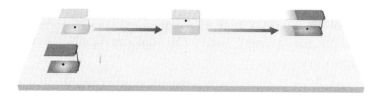

Figura 2.2 *Relógio de luz estacionário no primeiro plano e outro relógio de luz que se desloca a velocidade constante.*

direção ao espelho de cima. Como, da nossa perspectiva, o relógio está em movimento, a trajetória do fóton não pode ser vertical, como se vê na figura 2.3. Se o fóton não fizer uma trajetória inclinada, ele não atingirá o espelho superior e se perderá no espaço. Como o relógio que se move tem todo o direito de afirmar que está estacionário e que tudo o mais está em movimento, sabemos que o fóton alcançará o espelho superior e que, por conseguinte, o caminho que traçamos está correto. O fóton rebate no espelho superior e viaja novamente por um caminho inclinado até atingir o espelho inferior e então o relógio completa um tique-taque. O essencial é que o caminho duplamente inclinado que o fóton percorre é *mais longo* que o caminho vertical do fóton do relógio estacionário: além de atravessar a distância vertical entre os dois espelhos, o fóton do relógio que se move também tem de avançar para a direita, da nossa perspectiva. Ora, a constância da velocidade da luz nos informa que o fóton do relógio que se move viaja exatamente à mesma velocidade que o fóton do relógio estacionário. Como ele tem de fazer uma viagem maior para completar um tique-taque, pulsará *com uma frequência menor*. Essa argumentação simples demonstra que o relógio de luz que se move pulsa mais vagarosamente, da nossa perspectiva, do que o relógio de luz estacionário. E como concordamos quanto a que o número de tique-taques reflete diretamente o tempo transcorrido, verificamos que o tempo passa mais devagar para o relógio que se move.

Figura 2.3 *Da nossa perspectiva, o fóton do relógio que se desloca percorre uma trajetória diagonal.*

Você poderá perguntar se isso não reflete simplesmente alguma característica específica dos relógios de luz e que, portanto, não se aplicaria aos relógios de pêndulo ou a um Rolex de pulso. Será que o tempo marcado por esses relógios mais comuns também ficaria mais lento? A resposta é um claro sim, e isto pode ser visto mediante uma aplicação do princípio da relatividade. Coloquemos um Rolex em cima dos nossos dois relógios de luz e façamos de novo a experiência. Como vimos, o relógio de luz estacionário e o Rolex que está em cima dele medem a passagem do tempo de modo idêntico, com 1 bilhão de tique-taques do relógio de luz correspondendo a um segundo no Rolex. E o relógio de luz que se move com o seu respectivo Rolex? O ritmo da marcação do tempo do Rolex que se move também diminuirá, de maneira que permaneça sincronizado com o relógio de luz sobre o qual foi colocado? Bem, para aperfeiçoar a nossa argumentação, imaginemos que a combinação relógio de luz/Rolex está em movimento porque está aparafusada no chão de uma cabine sem janelas de um trem que viaja sobre trilhos retos e perfeitos a uma velocidade constante. De acordo com o princípio da relatividade, não há maneira pela qual um observador dentro dessa cabine possa detectar qualquer influência causada pelo movimento do trem. Mas se o relógio de luz e o Rolex perdessem a sincronização, claramente estaria ocorrendo aí uma influência verificável. Portanto, o relógio de luz e o seu Rolex que se movem *têm de* continuar a medir o tempo de maneira idêntica; o Rolex *tem de* atrasar-se na mesma medida que o relógio de luz. Qualquer que seja a sua marca ou tipo, os relógios que se movem com relação aos outros marcam a passagem do tempo em ritmos diferentes.

A discussão sobre o relógio de luz também deixa claro que a diferença específica no ritmo do tempo entre um relógio estacionário e um relógio que se move depende de quão maior seja a distância que o fóton do relógio que se desloca tem de percorrer para completar uma viagem de ida e volta a partir do espelho inferior. Isso, por sua vez, depende da velocidade com que o relógio se desloca — do ponto de vista de um observador estacionário, quanto mais rapidamente o relógio se deslocar, tanto maior será a inclinação do trajeto do fóton para a direita. Concluímos que, em comparação com o ritmo de um relógio estacionário, o ritmo da marcação do tempo pelo relógio que se move será tão mais lento quanto mais rapidamente ele se mova.[2]

Para ter uma ideia das proporções envolvidas, note que o fóton faz uma viagem de ida e volta entre os espelhos em cerca de um bilionésimo de segundo.

Para que a distância que o fóton viaja durante esse tempo seja apreciável é preciso que o relógio esteja viajando a uma velocidade enormemente alta — ou seja, uma fração significativa da velocidade da luz. Se ele estiver viajando a velocidades mais corriqueiras, como quinze quilômetros por hora, a distância que ele pode percorrer para a direita, no tempo correspondente a um ciclo, será minúscula — cerca de cinco milionésimos de milímetro. A distância suplementar que o fóton deslizante deve viajar é mínima, assim como mínimo é o efeito correspondente sobre o ritmo de pulsação do relógio que se move. Mais uma vez, o princípio da relatividade diz que isso é válido para todos os relógios, ou seja, para o próprio tempo. É por isso que seres como nós, que nos deslocamos, uns em relação aos outros, a velocidades tão baixas, geralmente não nos damos conta das distorções na passagem do tempo. Os efeitos, embora presentes, são incrivelmente pequenos. Por outro lado, se pudéssemos subir no relógio deslizante e viajar com ele a, digamos, três quartas partes da velocidade da luz, as equações da relatividade especial mostram que para os observadores estacionários o pulsar do relógio que se move seria um terço mais lento que o dos seus próprios relógios. Um efeito bastante notável.

VIDA ÀS CARREIRAS

Vimos que a constância da velocidade da luz implica que um relógio de luz em movimento marca o tempo mais vagarosamente do que outro estacionário. E que pelo princípio da relatividade isso tem de ser válido para todos os relógios e não só para os relógios de luz — ou seja, tem de ser válido para o próprio tempo. O tempo passa mais devagar para um indivíduo em movimento do que para um indivíduo estacionário. Se o raciocínio bastante simples que nos levou a essa conclusão estiver correto, então isso significa que uma pessoa em movimento viveria mais tempo que outra estacionária? Afinal, se o tempo passa mais devagar para um indivíduo em movimento, essa disparidade deve revelar-se não só no tempo medido pelos relógios, mas também no tempo medido pelas pulsações cardíacas e pelo processo de envelhecimento do corpo. E *assim é* de verdade, o que já foi diretamente confirmado — não com relação à expectativa de vida dos seres humanos, mas para certas partículas do mundo microscópico:

os múons. Há, porém, um detalhe importante, que nos impede de proclamar a descoberta da fonte da juventude.

Em repouso, nos laboratórios, os múons se desintegram por um processo muito semelhante ao da desintegração espontânea, em um tempo médio de cerca de dois milionésimos de segundo. Essa desintegração é um fato comprovado por um enorme número de experiências. É como se o múon vivesse com um revólver apontado para a própria cabeça: quando ele atinge a idade de dois milionésimos de segundo, o gatilho dispara e o múon se despedaça em elétrons e neutrinos. Mas se esses múons não estiverem em repouso em um laboratório, e sim viajando por meio de um equipamento denominado acelerador de partículas, o qual os leva a velocidades bem próximas à da luz, há um aumento expressivo na sua expectativa de vida, verificado pelos cientistas. Isso acontece *de verdade*. A 99,5 por cento da velocidade da luz, o tempo de vida do múon é multiplicado por dez. A explicação, segundo a relatividade especial, é que os "relógios de pulso" usados pelos múons andam muito mais devagar que os relógios do laboratório, de modo que bem depois de os relógios do laboratório indicarem o momento em que os revólveres dos múons devem disparar, os relógios dos múons apressados ainda estão dentro do tempo permitido. Essa é uma demonstração direta e clara do efeito do movimento sobre a passagem do tempo. Se as pessoas pudessem viajar com a mesma velocidade desses múons, a sua expectativa de vida aumentaria na mesma proporção. Em vez de viver setenta anos elas viveriam *setecentos*.[3]

Agora, o detalhe importante: embora os observadores no laboratório vejam que os múons do acelerador de partículas vivem muito mais que os seus companheiros estacionários, isso se deve ao fato de que para os múons em movimento *o tempo passa mais devagar*. A desaceleração do tempo aplica-se não só aos relógios usados pelos múons, mas também a todas as atividades que eles realizam. Por exemplo, se um múon estacionário pode ler cem livros durante a sua curta vida, o seu irmão que vive às carreiras só poderá ler os mesmos cem livros, porque embora ele pareça viver mais que o múon estacionário, o ritmo da sua leitura — assim como o ritmo de tudo o mais que faça na vida — também se desacelera. Da perspectiva do laboratório, é como se o múon em movimento vivesse a vida em câmara lenta; desse ponto de vista, o múon em movimento viverá mais tempo que o múon estacionário, mas o "total de vida" experimentado por ele será exatamente o mesmo. A conclusão seria idêntica, é claro, para as pessoas em movimento acelerado que tivessem uma expectativa de vida de vários séculos. Da *sua* perspectiva, a vida seguiria igual. Da nossa perspectiva, elas estariam levando a vida em câmara superlenta e, portanto, cada coisa que elas façam na vida toma uma quantidade enorme do *nosso* tempo.

AFINAL, QUEM ESTÁ EM MOVIMENTO?

A relatividade do movimento é a chave para a compreensão da teoria de Einstein, mas é também uma fonte potencial de confusão. Você deve ter notado que a reversão das perspectivas troca os papéis dos múons "em movimento", cujos relógios, de acordo com a argumentação, andam devagar, e dos múons "estacionários". Assim como João e Maria tinham, ambos, igual direito a considerar-se estacionários e atribuir ao outro o movimento, também os múons que dissemos estar em movimento têm todo o direito a proclamar, desde a sua perspectiva, que estão imóveis e que os múons ditos "estacionários" são os que se movem, na direção oposta. Os argumentos apresentados aplicam-se igualmente bem a essa perspectiva, o que leva à conclusão aparentemente oposta de que os relógios dos múons que chamamos de "estacionários" andam devagar em comparação com os dos múons que descrevemos como em movimento.

Já vimos uma situação, a cerimônia de assinatura ao acender da lâmpada, na qual pontos de vista diferentes levam a resultados que parecem incompatíveis. Naquele caso, fomos forçados pelo raciocínio básico da relatividade especial a abandonar a ideia enraizada em nós de que todos, independentemente do estado de movimento, concordam a respeito da simultaneidade de eventos. A presente incongruência, contudo, parece ser maior. Como pode ser que dois observadores proclamem que o relógio do outro é que anda mais devagar? Mais ainda: as perspectivas, diferentes mas igualmente válidas, dos dois grupos de múons parecem levar-nos à conclusão de que cada um dos grupos poderá afirmar que é o outro grupo que morre antes. Estamos aprendendo a ver que o mundo apresenta aspectos inesperadamente estranhos, mas sempre mantemos a esperança de que isso não nos faça chegar ao absurdo lógico. Então, o que é que está havendo?

Como acontece com todos os paradoxos aparentes que derivam da relatividade especial, também esse dilema lógico dissolve-se diante de uma boa análise e traz novas percepções dos mecanismos do universo. Evitemos novos esforços de antropomorfização de partículas e voltemos dos múons para João e Maria, que agora levam em seus trajes espaciais, além das lanternas coloridas, brilhantes relógios digitais. Da perspectiva de João, ele está estacionário enquanto Maria, com a lanterna verde e o grande relógio digital, aparece à distância e passa por ele na escuridão do espaço vazio. Ele nota que o relógio de Maria está andando devagar em comparação com o seu (a proporção do retardamento depende da velocidade com que eles se cruzam). Se fosse um pouquinho mais esperto, João notaria também que além da passagem do tempo no seu relógio, tudo o mais que se refere a Maria — o seu aceno, a velocidade com que pisca os olhos e assim por diante — ocorre em câmara lenta. Da perspectiva de Maria, exatamente o mesmo ocorre com João.

Embora isso pareça paradoxal, imaginemos uma experiência precisa que revele um absurdo lógico. A possibilidade mais simples é arranjar as coisas de modo que quando João e Maria passem um pelo outro, acertem os seus relógios para marcar, digamos, doze horas. Prosseguindo nos seus caminhos, ambos afirmarão que o relógio do outro está andando mais devagar. Para enfrentar diretamente esse desacordo, João e Maria têm de reencontrar-se e comparar o tempo transcorrido nos seus relógios. Mas como fazê-lo? João tem um propulsor a jato que pode ser usado, a partir da sua perspectiva, para alcançar Maria. Mas se ele fizer isso, a simetria das duas perspectivas, que é a causa do aparente paradoxo, se quebrará, uma vez que João passará a um movimento *acelerado*, e não livre de forças. Se eles se reencontrarem dessa maneira, realmente terá transcorrido menos tempo no relógio de João, porque ele poderá dizer com certeza que está em movimento uma vez que é capaz de senti-lo. As perspectivas de João e Maria já não estarão em pé de igualdade. Ao usar o propulsor, João perde o direito de se dizer estacionário.

Se João for ao encalço de Maria dessa maneira, a diferença de tempo entre os seus relógios dependerá das suas velocidades relativas e dos pormenores referentes ao modo em que João usa o jato. Como sabemos, se as velocidades forem pequenas, a diferença será minúscula. Mas se chegarmos a frações substanciais da velocidade da luz, as diferenças podem ser de minutos, dias, anos, séculos, ou mais. Para um exemplo concreto, imaginemos que a velocidade relativa de João e Maria ao se cruzarem seja de 99,5 por cento da velocidade da luz. Digamos ainda que João espera três anos, segundo o seu relógio, para acionar o propulsor que o levará ao reencontro de Maria, à mesma velocidade com que um se afastara do outro, ou seja, 99,5 por cento da velocidade da luz. Quando ele reencontrar Maria, seis anos terão passado em seu relógio, pois a viagem de regresso tomará também três anos. No entanto, a matemática da relatividade especial mostra que no relógio de Maria terão passado sessenta anos. Não há truque: Maria terá de recorrer ao fundo da sua memória para lembrar-se do episódio da passagem de João por ela na escuridão do espaço vazio. Por outro lado, para João terão passado apenas seis anos. Em um sentido muito real se pode dizer que João viajou no tempo, embora o sentido seja bem estrito: ele viajou no futuro de Maria.

Pôr novamente os dois relógios em contato para uma comparação direta pode parecer um mero problema logístico, mas isso, na verdade, é o que mais importa. Podemos imaginar uma série de expedientes para evitar essa rachadura na estrutura do paradoxo, mas em última análise todos eles fracassarão. Por exemplo, por que não tentar, em vez de reunir novamente os relógios, que João e Maria comparem a hora dos seus relógios comunicando-se por telefone celular? Se essa comunicação fosse instantânea, estaríamos diante de uma inconsistência insuperável: raciocinando a partir da perspectiva de Maria, o relógio de João estaria andando devagar e, portanto, ele teria de assinalar um tempo menor; raciocinando a partir da perspectiva de João, o relógio de Maria estaria andando devagar e, portanto ela teria de assinalar um tempo menor. Os dois não poderiam estar certos ao mesmo tempo, e nós nos afundaríamos na contradição. A questão é que, tal como ocorre com todas as formas de comunicação, os telefones celulares não transmitem os seus sinais de modo instantâneo. Eles operam com ondas de rádio, uma forma de luz, e o sinal que transmitem viaja, portanto, com a velocidade da luz. Isso significa que passa algum tempo para que os sinais sejam recebidos — na verdade, justamente o tempo suficiente para tornar as duas perspectivas compatíveis entre si.

Vejamos a situação inicialmente a partir da perspectiva de João. Imagine que a cada hora, em cima da hora, João recita no telefone "São doze horas e tudo está bem"; "É uma hora e tudo está bem", e assim por diante. Como a partir da perspectiva de João o relógio de Maria anda devagar, a sua tendência é acreditar que Maria receberá essas mensagens antes de que o seu relógio marque a mesma hora. Desse modo, conclui ele, Maria terá de concordar que o relógio dela é o que se atrasa. Mas depois ele pensa melhor: "Como Maria está se afastando de mim, o sinal que eu lhe envio pelo telefone celular tem de viajar distâncias cada vez maiores para alcançá-la. Talvez esse tempo adicional de viagem compense o vagar do seu relógio". Ao compreender que esses efeitos competem um com o outro — a lentidão do relógio de Maria e o tempo de viagem do sinal — João senta-se e calcula quantitativamente a combinação dos efeitos. O resultado que ele obtém indica que o efeito do tempo de viagem mais do que compensa a lentidão do relógio de Maria. Ele chega à surpreendente conclusão de que Maria receberá os seus sinais que marcam a passagem das horas *depois* de cada uma das horas assinaladas. Na verdade, como João sabe que Maria é boa em física, deduz que ela levará em conta o tempo de viagem do sinal para chegar a conclusões a respeito do relógio *dele*, com base nas comunicações por telefone celular. Um pouco mais de cálculo revela que, mesmo levando em conta o tempo de viagem, a análise de Maria à levará a conclusão de que o relógio de João anda mais devagar do que o dela.

O mesmo raciocínio se aplica quando tomamos por base a perspectiva de Maria, fazendo-a mandar a João os sinais telefônicos a cada hora. Inicialmente a lentidão do relógio de João, a partir da perspectiva dela, a levará a pensar que ele receberá as mensagens dela antes de enviar as suas próprias. Mas quando ela leva em conta as distâncias cada vez maiores que o seu sinal tem de viajar para alcançar João à medida que ela se afasta na escuridão, verifica que João, na verdade, receberá as mensagens *depois* de mandar as suas próprias. Também nesse caso ela percebe que mesmo que João leve em conta o tempo de viagem, ele concluirá, a partir das chamadas dela, que o seu relógio anda mais devagar do que o dele.

Contanto que nem João nem Maria alterem os seus movimentos, as suas perspectivas estarão precisamente no mesmo pé. Mesmo que pareça paradoxal, dessa maneira ambos verificam que é perfeitamente coerente para cada um deles pensar que o relógio do outro anda devagar.

O EFEITO DO MOVIMENTO SOBRE O ESPAÇO

A discussão anterior revela que qualquer observador percebe que os relógios que se movem marcam o tempo com mais vagar do que o seu — isto é, que o tempo é influenciado pelo movimento. Daí a admitirmos que o movimento exerce um efeito igualmente importante sobre o espaço é questão de dar apenas mais um passo. Voltemos a Crispim e Joaquim na pista de corrida. Quando estava na loja de automóveis, como vimos, Crispim mediu cuidadosamente o comprimento do seu carro com uma fita métrica. Mas enquanto ele dirige em alta velocidade na pista, Joaquim, que observa de fora, não pode usar o mesmo método para medir o comprimento do carro. Ele tem de proceder de uma maneira indireta. Uma possibilidade, como indicamos antes, é a seguinte: Joaquim aciona o cronômetro exatamente quando o para-choque dianteiro do carro passa à sua frente e o interrompe exatamente quando passa o para-choque traseiro. Multiplicando o tempo marcado pela velocidade do carro ele determina o seu comprimento.

Usando os nossos conhecimentos recém-adquiridos a respeito das sutilezas do tempo, verificamos que, da perspectiva de Crispim, ele está estacionário enquanto Joaquim se move e, portanto, Crispim percebe que o relógio de Joaquim anda mais devagar. Em consequência, Crispim se dá conta de que a medição indireta de Joaquim dará um resultado *menor do que* o que ele mesmo obteve na loja de automóveis, uma vez que, em seu cálculo (o comprimento é igual à velocidade multiplicada pelo tempo transcorrido), Joaquim está medindo o tempo em um relógio que anda devagar. Se ele anda devagar, o tempo transcorrido que ele marca será menor e o resultado final será um comprimento menor.

Desse modo, Joaquim perceberá que quando o carro de Crispim está em movimento o seu comprimento é menor do que quando está parado. Esse é um exemplo de um fenômeno geral, pelo qual os observadores percebem comprimentos menores nos objetos que se movem. As equações da relatividade especial, por exemplo, mostram que se um objeto se desloca a cerca de 98 por cento da velocidade da luz, um observador estacionário o verá oitenta por cento mais curto do que se estivesse em repouso. Esse fenômeno está ilustrado na figura 2.4.[4]

Figura 2.4 *Um objeto que se move fica mais curto na direção do movimento.*

O MOVIMENTO ATRAVÉS DO ESPAÇO-TEMPO

A constância da velocidade da luz resulta na substituição da visão tradicional do espaço e do tempo como estruturas rígidas e objetivas por um novo conceito no qual ambos dependem intimamente do movimento relativo entre o observador e a coisa observada. Poderíamos terminar a nossa discussão aqui, ao concluir que os objetos que se movem o fazem em câmara lenta e ficam menores. A relatividade especial proporciona, porém, uma perspectiva unificada e mais profunda que engloba todos esses fenômenos.

Para compreender essa perspectiva, imaginemos um automóvel na verdade muito pouco prático, que alcança rapidamente a velocidade de 150 quilômetros por hora e a mantém invariável até ser desligado e parar. Imaginemos também que, graças a sua reputação de chofer competente, Crispim tenha sido escolhido como piloto de provas em um teste que ocorre em uma pista longa, reta e larga no meio de um deserto plano. Como a distância entre as linhas de partida e de chegada é de quinze quilômetros, o carro deve percorrê-la em um décimo de hora, ou seja, em seis minutos. Joaquim, que de noite trabalha como engenheiro automobilístico, confere os dados de dezenas de testes já realizados e fica intrigado ao ver que, embora a maioria dos registros indique seis minutos, os últimos resultados são mais demorados: 6,5, 7 e até mesmo 7,5 minutos. Inicialmente ele suspeita de algum problema mecânico, uma vez que esses tempos parecem indicar que o carro andava a menos de 150 quilômetros por hora nos últimos três testes. Mas depois de fazer um exame completo do veículo, fica convencido de que ele está em perfeitas condições. Incapaz de explicar a anomalia dos tempos longos, consulta Crispim a respeito das três últimas saídas. Crispim tem uma explicação simples. Ele conta que como a pista vai de Leste para Oeste, no final da tarde o Sol lhe ofuscava a vista e nos três últimos testes o problema foi tão grande que ele apontou o carro um pouco mais para a direita. Crispim desenhou um esboço do caminho que fez nas três últimas vezes, tal como mostra a figura 2.5. A explicação agora é perfeitamente clara: o caminho do começo ao fim da pista é maior quando o carro se move em uma direção inclinada com relação ao comprimento da pista e, portanto, mesmo mantendo-se à velocidade de 150 quilômetros por hora, o percurso tomará mais tempo. Dito de outra maneira, quando se viaja em uma linha inclinada com

65

relação à direção Leste-Oeste, parte da velocidade de 150 quilômetros por hora é gasta em um deslocamento do Sul para o Norte, o que resulta em uma velocidade um pouco menor para cumprir o trajeto do Leste para o Oeste. Isso implica um tempo maior para a travessia da pista.

A explicação de Crispim é de fácil entendimento; contudo, vale a pena melhorar um pouco a sua redação para que possamos dar um salto conceitual. As direções Norte-Sul e Leste-Oeste são duas dimensões espaciais independentes em que um carro pode mover-se. (Ele também pode mover-se verticalmente, quando sobe uma montanha, por exemplo, mas nós não vamos precisar disso aqui.) A explicação de Crispim ilustra que, embora o carro estivesse viajando a 150 quilômetros por hora em todos os testes, nos três últimos ele dividiu a sua velocidade entre duas dimensões e com isso pareceu desenvolver uma velocidade menor na direção Leste-Oeste. Nos testes anteriores, a totalidade dos 150 quilômetros por hora destinou-se ao movimento Leste-Oeste; nos três últimos, uma parte dessa velocidade foi usada no movimento Norte-Sul.

Einstein percebeu que exatamente essa ideia — a divisão do movimento entre as diferentes dimensões — está presente em todos os aspectos da física da relatividade especial. Isso se nos dermos conta de que não são apenas as dimensões espaciais que envolvem o movimento de um objeto, pois a dimensão do *tempo* também o envolve. Com efeito, na maioria das circunstâncias, *a maior parte* do movimento de um objeto dá-se no tempo e não no espaço. Vejamos o que isso significa.

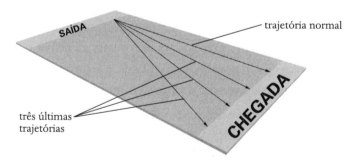

Figura 2.5 *Devido à claridade do Sol no fim da tarde, Crispim dirigiu o carro em trajetórias cada vez mais inclinadas.*

O movimento através do espaço é um conceito que aprendemos cedo na vida. Embora muitas vezes não pensemos nas coisas nestes termos, sabemos que nós, os nossos amigos e os nossos pertences *também se movem através do tempo*. Basta olhar para um relógio, mesmo que estejamos quietos vendo televisão, para verificar que a leitura do relógio muda constantemente, "movendo-se para a frente no tempo". Nós, e tudo o que está à nossa volta, envelhecemos e passamos inevitavelmente de um momento do tempo para o seguinte. Com efeito, o matemático Hermann Minkowski, e em última análise o próprio Einstein, sustentaram que o tempo poderia ser visto como uma outra dimensão do universo — a quarta dimensão —, em alguns aspectos muito similar às três dimensões espaciais em que nos encontramos imersos. Ainda que pareça abstrata, a noção do tempo como dimensão é concreta. Quando marcamos um encontro com alguém, dizemos o lugar do "espaço" em que queremos nos encontrar — por exemplo, no nono andar do edifício que fica na esquina da rua 53 com a Sétima Avenida. Aqui há três informações (nono andar, rua 53 e Sétima Avenida) que se referem às três dimensões espaciais do universo. Igualmente importante é a especificação de *quando* esperamos que o encontro se realize — por exemplo, às três horas da tarde. Essa informação nos diz em que lugar "do tempo" o encontro ocorrerá. A especificação dos eventos se dá, portanto, com *quatro* informações: três para o espaço e uma para o tempo. Diz-se que esses dados especificam a localização do evento no espaço e no tempo, ou, abreviadamente, no espaço-tempo. Nesse sentido, o tempo é uma dimensão.

Se podemos dizer que o espaço e o tempo são simples exemplos de dimensões diferentes, será então possível falar da velocidade de um objeto no tempo, assim como falamos da velocidade no espaço? Sim, podemos.

Uma boa pista a esse respeito provém de uma informação que já temos. Quando um objeto se move através do espaço com relação a nós, o seu relógio anda devagar em comparação com o nosso. Ou seja, a velocidade do seu *movimento através do espaço se reduz*. Aqui está o salto: Einstein proclamou que todos os objetos do universo estão *sempre* viajando através do espaço-tempo a uma velocidade fixa — a velocidade da luz. Essa é uma ideia estranha; estamos acostumados à noção de que os objetos viajam a velocidades consideravelmente menores que a da luz. Repetidas vezes salientamos que essa é a razão por que os efeitos relativísticos são tão incomuns no dia a dia. Tudo isso é verdade. Aqui estamos falando da velocidade de um objeto combinada através *das quatro* dimensões — três espaciais e uma temporal —, e é a velocidade do objeto nesse sentido generalizado que é igual à da luz. Para facilitar a compreensão e ressaltar a importância desse ponto, notemos que, tal como no caso do carro de velocidade constante, que discutimos anteriormente, essa velocidade constante distribui-se entre as diferentes dimensões — ou seja, as diferentes dimensões do espaço *e também* a do tempo. Se um objeto está em repouso (com relação a nós) e consequentemente não se move através do espaço, então, tal como aconteceu nos primeiros testes realizados com o carro, a totalidade do seu movimento é usada para viajar através de uma única dimensão — nesse caso, a dimensão do tempo. Além disso, todos os objetos que estão em repouso com relação a nós e também com relação aos outros objetos movem-se através do tempo — envelhecem — exatamente no mesmo ritmo, ou à mesma velocidade. Contudo, se um objeto se move através do espaço, isso significa que uma parte do seu movimento anterior através do tempo tem de ser redistribuída. Tal como o carro, que nos últimos testes viajava em uma linha inclinada, a repartição do movimento entre as diferentes dimensões implica que o objeto viajará mais devagar através do tempo do que os objetos estacionários, uma vez que uma parte do seu movimento está sendo usada na viagem através do espaço. Ou seja, o relógio desse objeto anda mais devagar se ele se move através do espaço. Isso é exatamente o que havíamos concluído antes. Vemos agora que o tempo passa mais devagar quando um objeto se move com relação a nós porque isso converte uma parte do seu movimento através do tempo em movimento através do espaço. Assim, a velocidade de um objeto através do espaço é simplesmente um reflexo da proporção em que esse movimento através do tempo é desviado.[5]

Vemos também que esse esquema incorpora automaticamente o fato de que há um limite para a velocidade espacial de um objeto: a velocidade máxima através do espaço só pode ocorrer se *a totalidade* do movimento de um objeto através do tempo for convertida em movimento espacial. Isso ocorre quando a totalidade do movimento à velocidade da luz, que anteriormente se dava no tempo, converte-se em movimento à velocidade da luz no espaço. Se um objeto converter a totalidade do seu movimento à velocidade da luz através do tempo em movimento espacial, ele — e qualquer outro objeto — alcançará a máxima velocidade espacial possível. Isso é o que ocorreria, em termos das dimensões espaciais, se o nosso carro percorresse a pista exatamente no sentido Norte-Sul. Nesse caso, não lhe sobraria nenhuma velocidade para o movimento no sentido Leste-Oeste; do mesmo modo, um objeto que viaje à velocidade da luz através do espaço não terá nenhuma velocidade disponível para o movimento através do tempo. Portanto, a luz não envelhece; um fóton proveniente do big bang tem hoje a mesma idade que tinha então. À velocidade da luz, o tempo não passa.

E QUANTO A $E=MC^2$?

Embora Einstein não tenha defendido o nome de "relatividade" para a sua teoria (sugerindo, em vez disso, o nome de teoria da "invariança", para refletir, entre outras coisas, o caráter imutável da velocidade da luz), o significado do termo ficou claro. A obra de Einstein mostrou que conceitos como os de espaço e tempo, que antes pareciam ser separados e absolutos, são, na verdade, entrelaçados e relativos. Surpreendentemente, Einstein mostrou também que outras propriedades físicas do mundo são também entrelaçadas. A sua equação mais famosa constitui um dos exemplos mais importantes. Nela, Einstein afirmou que a energia (E) de um objeto e a sua massa (m) não são conceitos independentes; podemos determinar a energia se conhecermos a massa (multiplicando a massa duas vezes pela velocidade da luz, c^2) e podemos determinar a massa se conhecermos a energia (dividindo a energia duas vezes pela velocidade da luz). Em outras palavras, a energia e a massa — como dólares e francos — são moedas passíveis de conversão. Ao contrário do que acontece com o dinheiro, no entanto, a taxa de câmbio, que é o quadrado da velocidade da luz, é fixa e eterna. Como essa taxa é tão grande (c^2 é um número grande), uma pequena massa produz uma enorme quantidade de energia. O mundo conheceu o poder devastador resultante da conversão de menos de dez gramas de urânio em energia em Hiroshima; um dia, por meio de usinas de fusão, poderemos usar produtivamente a fórmula de Einstein para satisfazer a demanda mundial de energia com o nosso inesgotável suprimento de água do mar.

Do ponto de vista dos conceitos ressaltados neste capítulo, a equação de Einstein nos dá a explicação mais completa do fato crucial de que nada pode viajar mais rápido do que a luz. Você pode ter pensado, por exemplo, por que razão não se pode tomar um objeto, digamos um múon, que um acelerador de partículas tenha levado a 99,5 por cento da velocidade da luz e "empurrá-lo um pouquinho mais", até 99,9 por cento da velocidade da luz, e então "empurrá-lo *mais ainda*", impelindo-o a atravessar a barreira da velocidade da luz. A fórmula de Einstein explica por que esses esforços nunca terão êxito. Quanto mais rapidamente um objeto se mover, mais energia ele terá e pela fórmula de Einstein vemos que quanto mais energia um objeto tiver, maior será a sua massa. Um múon que viaje a 99,9 por cento da velocidade da luz, por exemplo, pesa muito mais que outro estacionário. Com efeito, pesa cerca de 22 vezes mais — literalmente. (As massas apontadas na tabela 1.1 referem-se a partículas em repouso.) Mas quanto maior for a massa de um objeto, mais difícil será aumentar a sua energia. Empurrar uma criança em um carrinho de bebê é uma coisa e empurrar um caminhão de seis eixos é outra muito diferente. Assim, quanto mais depressa se mover o múon, mais difícil será aumentar ainda mais a sua velocidade. A 99,999 por cento da velocidade da luz a massa do múon estará multiplicada por 224; a 99,99999999 por cento da velocidade da luz, estará multiplicada por 70 mil. Como a massa do múon cresce sem limites à medida que a sua velocidade se aproxima da velocidade da luz, seria necessário um empurrão com uma quantidade *infinita* de energia para que ele alcançasse ou ultrapassasse a barreira da velocidade da luz. Isso, evidentemente, é impossível e, por conseguinte, absolutamente nada pode viajar a uma velocidade maior do que a da luz.

Como veremos no próximo capítulo, essa conclusão planta a semente do segundo maior conflito que a física enfrentou no século passado e em última análise sela a sorte de outra teoria querida e venerada — a teoria da gravitação universal, de Newton.

3. Das curvas e ondulações

Por meio da relatividade especial, Einstein resolveu o conflito entre a "intuição tradicional" a respeito do movimento e a constância da velocidade da luz. Em síntese, a solução é que a nossa intuição está errada — ela é informada por movimentos extremamente lentos em comparação com a velocidade da luz e essas velocidades baixas ocultam o verdadeiro caráter do espaço e do tempo. A relatividade especial revela a natureza do espaço e do tempo e mostra que eles diferem radicalmente das concepções anteriores. Mas alterar a nossa noção básica de espaço e tempo não foi tarefa fácil. Einstein logo viu que dentre todas as revelações da relatividade especial havia uma particularmente profunda: o fato de que nada pode ser mais rápido do que a luz revela-se incompatível com a reverenciada teoria universal da gravidade, proposta por Newton na segunda metade do século XVII. Assim, ao resolver um conflito, a relatividade especial criou outro. Depois de uma década de estudos intensos e por vezes tormentosos, Einstein resolveu o dilema com a teoria da relatividade geral. Nela, Einstein revolucionou novamente a nossa noção de espaço e tempo, mostrando que eles sofrem curvas e distorções para comunicar a força da gravidade.

71

A VISÃO NEWTONIANA DA GRAVIDADE

Isaac Newton, nascido em 1642 em Lincolnshire, na Inglaterra, mudou o panorama da pesquisa científica pondo plenamente a força da matemática a serviço da investigação física. Newton tinha um intelecto de tal modo monumental que, por exemplo, quando a matemática existente na sua época era insuficiente para a realização das suas pesquisas, ele inventava uma matemática nova. Foram necessários quase três séculos mais para que o mundo viesse a conhecer um outro gênio científico comparável. Dentre todos os avanços profundos feitos por ele no conhecimento dos mecanismos do universo, o que mais nos interessa aqui é a sua teoria da gravitação universal.

A força da gravidade permeia a vida cotidiana. Ela nos mantém, a nós e a todos os objetos que nos rodeiam, presos à superfície da Terra; impede que o ar que respiramos se perca no espaço exterior; conserva a Lua em órbita à volta da Terra e a Terra em órbita à volta do Sol. A gravidade dita o ritmo da dança cósmica incansável e meticulosa executada por bilhões e bilhões de asteroides, planetas, estrelas e galáxias. Mais de três séculos de influência newtoniana levaram-nos a achar simplesmente natural que uma única força — a gravidade — seja responsável por essa pletora de fatos terrestres e extraterrestres. Mas antes de Newton não se sabia que uma maçã que cai da árvore e a marcha dos planetas à volta do Sol obedecem ao mesmo princípio físico. Em um passo audacioso no sentido da afirmação da hegemonia da ciência, ele unificou a física terrestre e a física celeste e declarou que a força da gravidade é a mão invisível que opera em ambos os níveis.

Pode-se dizer que Newton via a gravidade como o grande equalizador. Ele declarou que absolutamente todas as coisas exercem uma força de atração gravitacional sobre absolutamente todas as demais coisas. Independentemente da sua composição física, *todas as coisas* exercem e sofrem a força da gravidade. Newton estudou intimamente a análise de Johannes Kepler a respeito dos movimentos dos planetas e deduziu a partir daí que a força da atração gravitacional entre dois corpos depende *precisamente* de dois fatores: a quantidade de material que compõe cada um desses corpos e a distância entre eles. "Material" significa matéria — o que compreende o número total de prótons, nêutrons e elétrons, que, por sua vez, determina a *massa* do objeto. A teoria da gravitação universal de Newton assinala que a força de atração entre dois objetos é tanto maior quanto maior seja a sua massa e quanto menor seja a distância entre eles.

Newton foi muito além desse relato qualitativo e desenvolveu as equações que descrevem quantitativamente a força da atração gravitacional entre dois objetos. Traduzidas em palavras, essas equações dizem que a força gravitacional entre dois corpos é proporcional ao produto das suas massas e inversamente proporcional ao quadrado da distância entre eles. Essa "lei da gravidade" serve para prever o movimento dos planetas e cometas à volta do Sol, o da Lua à volta da Terra, o dos foguetes que saem em explorações interplanetárias e também o de elementos menos celestes, como uma bola de beisebol voando através do ar ou mergulhadores que pulam de um trampolim para cair em espirais numa piscina. A concordância entre as previsões e as observações reais dos movimentos dos objetos é espetacular. O êxito rendeu à teoria de Newton um prestígio inigualado até o início do século XX. Mas quando Einstein descobriu a relatividade especial, ela teve de enfrentar com um obstáculo que se mostrou insuperável.

A INCOMPATIBILIDADE ENTRE A GRAVIDADE NEWTONIANA E A RELATIVIDADE ESPECIAL

O limite absoluto que a luz determina para todas as velocidades é um dos traços fundamentais da relatividade especial. É importante ter em mente que esse limite não se aplica apenas aos objetos materiais, e sim também aos sinais e às influências de todo tipo. É simplesmente impossível comunicar qualquer informação ou alteração de um lugar a outro a uma velocidade maior do que a da luz. Naturalmente existem inumeráveis maneiras de transmitir influências a velocidades *menores* do que a da luz. A sua voz e todos os demais sons, por exemplo, são transmitidos por meio de vibrações que viajam pelo ar a mais de 1100 quilômetros por hora, feito medíocre se comparado à velocidade da luz, que é de quase 1100 milhões de quilômetros por hora. Essa diferença de velocidade fica evidente quando se assiste a um jogo de beisebol, por exemplo, de assentos muito distantes da base. Quando o batedor rebate a bola, o som só chega a você alguns momentos *depois* que você viu a bola ser rebatida. O mesmo ocorre em uma tempestade, quando você vê o clarão do raio e fica esperando pelo ruído do trovão, embora ambos tenham sido produzidos simultaneamente. Esses exemplos refletem a diferença substancial de velocidade entre o som e a luz. O êxito da relatividade especial nos informa de que a situação oposta, em que algum sinal pudesse alcançar-nos *antes* da luz que ele emite, simplesmente não é possível. Nada é mais rápido do que um fóton.

Aí está o problema. Na teoria da gravitação de Newton, um corpo exerce atração gravitacional sobre outro com uma intensidade determinada apenas pela massa dos objetos envolvidos e pela distância que os separa. Essa intensidade não varia segundo o tempo que os objetos fiquem na presença um do outro. Isso significa que, de acordo com Newton, se a massa ou a distância se modificarem, os objetos sentirão *imediatamente* a mudança ocorrida na sua interação gravitacional. A teoria da gravitação de Newton diz, por exemplo, que, se o Sol explodisse repentinamente, a Terra — a uns 150 milhões de quilômetros — sofreria instantaneamente uma alteração na sua órbita elíptica normal. Muito embora a luz leve mais de oito minutos para viajar do Sol à Terra, na concepção da teoria de Newton o evento da explosão seria instantaneamente sentido na Terra devido à repentina alteração na força gravitacional que regula o seu movimento.

Essa conclusão entra em conflito direto com a relatividade especial, que assegura que nenhuma informação pode ser transmitida mais depressa do que a velocidade da luz — a transmissão instantânea viola mortalmente esse princípio.

Portanto, no começo do século XX, Einstein percebeu que a sacrossanta e comprovada teoria da gravitação de Newton conflitava com a teoria da relatividade especial. Confiante na exatidão da sua teoria, apesar do número colossal de comprovações experimentais já obtidas em favor da teoria de Newton, Einstein buscou uma nova teoria da gravitação que fosse compatível com a relatividade especial. Isso o levou, finalmente, à descoberta da relatividade geral, na qual as características do espaço e do tempo sofreriam outra notável transformação.

O PENSAMENTO MAIS FELIZ DE EINSTEIN

Mesmo antes da descoberta da relatividade especial, a teoria de Newton já era insuficiente em um aspecto importante. Embora faça previsões altamente precisas a respeito dos movimentos dos objetos que sofrem a influência da gravidade, ela não oferece qualquer informação quanto à *natureza* dessa força. Ou seja, como podem dois corpos fisicamente separados, a bilhões de quilômetros ou mais de distância um do outro, influenciar-se mutuamente os movimentos? Com que meios a gravidade consegue cumprir a sua missão? Newton estava bem consciente desse problema. Em suas próprias palavras,

> É inconcebível que a matéria bruta inanimada possa, sem a mediação de algo mais, que não seja material, afetar outra matéria e agir sobre ela sem contato mútuo. Que a gravidade seja algo inato, inerente e essencial à matéria, de tal maneira que um corpo possa agir sobre outro à distância através do vácuo e sem a mediação de qualquer outra coisa que pudesse transmitir sua força, é, para mim, um absurdo tão grande que não creio possa existir um homem capaz de pensar com competência em matérias filosóficas e nele incorrer. A gravidade tem de ser causada por um agente, que opera constantemente, de acordo com certas leis; mas se tal agente é material ou imaterial é algo que deixo à consideração dos meus leitores.[1]

Ou seja, Newton aceitou a existência da gravidade e desenvolveu equações que descrevem com exatidão os seus efeitos, mas nunca ofereceu qualquer indicação sobre como ela atua. Ele deu ao mundo um "manual do proprietário" da gravidade, que ensina como "usá-la" — instruções que físicos, astrônomos e engenheiros utilizaram com êxito para estabelecer trajetórias de foguetes interplanetários, antecipar eclipses do Sol e da Lua, prever a passagem de cometas e assim por diante. Mas deixou os processos internos — o conteúdo da "caixa-preta" da gravidade — envoltos em completo mistério. Ao usar o seu computador ou ouvir o seu CD, você pode encontrar-se em um estado similar de ignorância com respeito aos mecanismos internos de funcionamento. Desde que saiba como operar o equipamento, nem você nem ninguém mais precisa saber *como* ele executa a tarefa que lhe é atribuída. Mas se seu aparelho de som ou seu computador sofre um defeito, é fundamental conhecer os mecanismos internos deles para poder repará-los. Do mesmo modo, Einstein percebeu que, apesar de centenas de anos de confirmações experimentais, a relatividade especial sutilmente implicava que a teoria de Newton tinha um "defeito" e que para repará-lo era necessário resolver a questão da natureza real e completa da gravidade.

Em 1907, quando pensava sobre esses problemas no seu escritório da repartição de patentes de Berna, na Suíça, Einstein concebeu o pensamento essencial que finalmente o levaria a propor uma teoria da gravitação radicalmente nova — um enfoque que não só preencheria a lacuna da teoria de Newton como também reformularia totalmente a maneira de encarar a gravidade e, o que é da maior importância, de um modo inteiramente compatível com a relatividade especial.

A contribuição de Einstein é relevante para uma pergunta que pode ter deixado você intrigado no capítulo 2, quando ressaltávamos o nosso interesse em entender como o mundo aparece para indivíduos que se deslocam em movimento relativo emvelocidade constante. Comparando cuidadosamente as observações desses indivíduos, encontramos algumas implicações notáveis sobre a natureza do espaço e do tempo. Mas e os indivíduos que experimentam movimento *acelerado*? A análise dessas observações é mais complexa do que a relativa aos observadores que se deslocam em velocidade constante, cujo movimento é mais sereno, mas é possível perguntar se existe alguma maneira de domar essa complexidade e colocar o movimento acelerado dentro dos limites do nosso novo entendimento do espaço e do tempo.

O "pensamento mais feliz" de Einstein mostrou-nos como fazê-lo. Para compreender o seu ponto de vista, imagine que estamos no ano 2050 e que você é o principal perito em explosivos do FBI, razão pela qual acaba de receber uma chamada telefônica urgente para investigar o que parece ser uma sofisticada bomba deixada no coração de Washington, D.C. Você corre para o local, examina o artefato e confirma o seu pior pressentimento: é uma bomba nuclear tão poderosa que, mesmo que fosse enterrada nas profundidades da Terra ou jogada no fundo do mar, o dano causado pela sua explosão seria catastrófico. Depois de estudar atentamente o mecanismo de detonação, você verifica que não há nenhuma esperança de desarmá-la e ainda por cima descobre um outro detalhe: a bomba está montada sobre uma balança e se o peso por ela registrado variar mais de cinquenta por cento em qualquer sentido, a bomba explode. O mecanismo de tempo revela que você tem apenas uma semana para agir. O destino de milhões de pessoas depende de você — que fazer?

Sabendo que não há nenhum lugar, nem na superfície da Terra, nem no seu interior, em que o artefato pudesse ser detonado com segurança, você parece ter apenas uma opção: lançar a bomba nas profundezas do espaço exterior, onde a explosão não causará nenhum mal. Você apresenta a ideia em uma reunião na sala de operações e o seu plano é imediatamente derrubado por um jovem assessor. "O seu plano tem um problema sério", diz Isaac, o assessor. "À medida que a bomba se afaste no espaço, o seu peso diminuirá com a diminuição da atração gravitacional da Terra. Com isso, o peso registrado na balança também diminuirá, o que levará a bomba a explodir bem antes de alcançar a segurança do espaço profundo." Antes que você tenha tempo de refletir, outro jovem assessor toma a palavra: "Pensando bem, há um outro problema", diz Albert, o outro assessor, "tão importante quanto o que Isaac levantou, mas um pouco mais sutil. Permitam-me, então, explicar". Você continua querendo pensar no que dissera Isaac e trata de fazer com que Albert fique quieto, mas, como sempre, depois que ele começa, não há quem o faça parar.

"Para lançar a bomba no espaço precisamos pô-la em um foguete. À medida que o foguete *acelere* verticalmente, o registro do peso na balança *aumentará*, e isso também causará a explosão prematura da bomba. A base da bomba pressionará a balança com maior força, do mesmo modo como o seu corpo pressiona com maior força o assento do seu carro quando você o acelera. A bomba comprimirá a balança, o registro do peso aumentará e o artefato explodirá quando esse aumento chegar a cinquenta por cento."

Você agradece a Albert, mas como ficara com o comentário de Isaac na cabeça, assinala com ironia que basta um golpe mortal para matar uma ideia, o que a observação de Isaac, obviamente correta, já havia feito. Desesperançado, você pede novas sugestões, mas nesse exato momento Albert tem uma inspiração: "Pensando melhor", continua ele, "não acho que a sua ideia esteja morta. A observação de Isaac de que a gravidade diminui à medida que o artefato ganha o espaço significa que o registro do peso na balança também *diminui*. A minha observação de que a aceleração vertical do foguete levará a bomba a pressionar com maior força a balança significa que o registro do peso *aumenta*. Em conjunto, isso significa, portanto, que se ajustarmos precisamente e a cada momento a aceleração do foguete, os dois efeitos *se cancelarão*! Especificamente, no início da ascensão, enquanto o foguete ainda sente intensamente a força da gravidade da Terra, ele não pode acelerar muito, de modo a que a pressão sobre a balança fique dentro do limite de cinquenta por cento. À medida que ele se afaste da Terra — e sinta, portanto, cada vez menos a gravidade terrestre — precisamos aumentar a aceleração vertical para compensar. O aumento do registro causado pela aceleração vertical pode ser exatamente igual à diminuição resultante do decréscimo da atração gravitacional, de modo que, na verdade, o registro do peso na balança ficará estável!".

Pouco a pouco a sugestão de Albert começa a fazer sentido. "Em outras palavras", responde você, "a aceleração vertical funciona como uma alternativa para a gravidade. Podemos imitar o efeito da gravidade por meio de um movimento acelerado adequado."

"Exatamente", responde Albert.

"Então", continua você, "*é possível* lançar a bomba no espaço e ajustar criteriosamente a aceleração do foguete de modo que o registro do peso da bomba na balança não mude. Com isso se evita a detonação até que se alcance uma distância segura da Terra." Assim, com um jogo entre a gravidade e o movimento acelerado — e com o progresso da ciência no século XXI — você consegue evitar o desastre.

O reconhecimento de que a gravidade e o movimento acelerado são intimamente entrelaçados foi a revelação que ocorreu dentro da cabeça de Einstein, aquele belo dia, na repartição de patentes de Berna. Ainda que a experiência da bomba revele a essência da ideia, convém reapresentá-la em um esquema mais parecido com o do capítulo 2. Para isso, lembre-se de que se você for colocado em um compartimento selado e sem janelas que *não* sofra aceleração, não há maneira de determinar a sua velocidade. O compartimento conserva o seu aspecto, e qualquer experiência que você faça dará os mesmos resultados, independentemente da velocidade com que você esteja se movendo. Mais importante ainda: sem um ponto externo para comparar, não há maneira de determinar a que velocidade você está viajando. Por outro lado, se estiver em movimento acelerado, mesmo que a sua percepção esteja limitada aos confins do seu compartimento selado, você *sentirá* uma força em seu corpo. Por exemplo, se a sua cadeira estiver presa no chão e a aceleração do compartimento for na direção em que você está sentado, você sentirá a força da cadeira nas suas costas, como no caso do carro mencionado por Albert. Do mesmo modo, se o compartimento for acelerado verticalmente, você sentirá a força do chão nos seus pés. Einstein percebeu que no interior do compartimento você não será capaz de distinguir essas situações de aceleração de outras situações *sem aceleração* mas *com gravidade*: se as suas intensidades forem ajustadas de maneira exata, a força provocada pelo campo gravitacional e a força provocada pelo movimento acelerado são indistinguíveis. Se o seu compartimento estiver placidamente pousado na superfície terrestre, você sentirá a conhecida força do chão contra os seus pés exatamente do mesmo modo em que sentiria a força de uma aceleração vertical, tal como no cenário que descrevemos. Essa é exatamente a mesma equivalência que Albert usou para solucionar o problema da bomba. Se o compartimento for colocado com a parede de trás no chão, você sentirá a força da cadeira nas suas costas do mesmo modo em que sentiria a força de uma aceleração horizontal. Einstein deu a essa impossibilidade de distinguir entre o movimento acelerado e a gravidade o nome de *princípio da equivalência*.[2]

Essa descrição mostra que a relatividade geral completa o trabalho iniciado pela relatividade especial. Através do princípio da relatividade, a teoria da relatividade especial estabelece a democracia dos pontos de vista observacionais: as leis da física são idênticas para todos os observadores que se movem a velocidades constantes. Mas essa é uma democracia muito limitada, pois exclui um número enorme de outros pontos de vista — os dos indivíduos que sofrem aceleração. A revelação de Einstein em 1907 mostrou-nos como abarcar *todos* os pontos de vista — com velocidade constante e com aceleração — em um só esquema igualitário. Não há diferença entre um ponto de vista acelerado *sem* um campo gravitacional e um ponto de vista não acelerado *com* um campo gravitacional. Podemos, então, invocar o mesmo princípio e declarar que *todos os observadores, independentemente do seu estado de movimento, podem considerar-se estacionários e dizer que "o resto do mundo passa por eles", desde que incluam um campo gravitacional adequado na descrição do ambiente que os envolve.* Nesse sentido, com a inclusão da gravidade, a relatividade geral assegura que todos os pontos de vista observacionais possíveis estão em pé de igualdade. (Como veremos depois, isso significa que as distinções entre os observadores feitas com base no movimento acelerado, como no capítulo 2 — quando João foi ao encontro de Maria ativando o seu propulsor a jato e a viu muito mais velha do que ele —, admitem uma descrição equivalente, sem a aceleração e com a gravidade.)

A descoberta desse vínculo profundo entre a gravidade e o movimento acelerado é, sem dúvida, uma conclusão notável, mas por que Einstein ficou tão feliz assim? A razão está em que a gravidade é misteriosa. É uma grande força, presente em toda a vida do cosmos, mas é fugidia e etérea. Por outro lado, o movimento acelerado, embora algo mais complicado que o movimento uniforme, é concreto e tangível. Ao encontrar um nexo fundamental entre ambos, Einstein verificou que poderia usar o conhecimento do movimento como um instrumento poderoso para alcançar o conhecimento da gravidade. Pôr em prática essa estratégia não foi nada fácil, mesmo para um gênio como ele, mas, em última análise, foi esse o método que o levou à relatividade geral. Para chegar a esse objetivo foi necessário que Einstein estabelecesse um segundo elo na cadeia que une a gravidade e o movimento acelerado: a *curvatura* do espaço e do tempo, que agora vamos considerar.

A ACELERAÇÃO E A CURVATURA DO ESPAÇO E DO TEMPO

Einstein estudou o problema da gravidade com um vigor quase obsessivo. Cerca de cinco anos depois da feliz revelação na repartição de patentes de Berna, ele escreveu ao físico Arnold Sommerfeld: "Agora estou trabalhando exclusivamente no problema da gravidade. [...] [U]ma coisa é certa — nunca na minha vida algo me atormentou tanto quanto isso. [...] Comparada a esse problema, a primeira teoria da relatividade [ou seja, a especial] é um brinquedo de criança".[3]

Aparentemente ele só conseguiu fazer novos progressos em 1912 — uma consequência simples mas sutil da aplicação da relatividade especial ao vínculo entre a gravidade e o movimento acelerado. Para bem compreender esse passo do raciocínio de Einstein, será mais fácil que nos concentremos, como ele também parece ter feito, em um exemplo particular do movimento acelerado.[4] Lembre-se de que um objeto sofre aceleração sempre que ou a sua velocidade ou a direção do seu movimento sofram alteração. Para tornar as coisas mais simples, focalizaremos o movimento acelerado em que *apenas* a direção do movimento do nosso objeto se modifica e a sua velocidade se mantém constante. Especificamente consideraremos o movimento circular, semelhante ao que você experimenta no Tornado de um parque de diversões. Caso você nunca tenha testado a estabilidade da sua constituição física nesse brinquedo, trata-se de ficar de costas contra a parede interna de uma estrutura circular de Plexiglas que gira em alta velocidade. Como em todo movimento acelerado, você sente o movimento — sente o seu corpo sendo empurrado no sentido oposto ao do centro da estrutura e sente a parede circular de Plexiglas pressionando contra as suas costas, mantendo-o em um movimento circular. (Na verdade, embora essa informação não seja relevante aqui, o movimento giratório "prega" o seu corpo no Plexiglas com tanta força que quando o chão em que você pisava se afasta, você não escorrega para baixo.) Se o movimento for suave e se você fechar os olhos, a pressão nas suas costas — semelhante à de uma cama — faz com que se sinta quase como se estivesse deitado. O "quase" se deve a que você continua a sentir a gravidade normal, vertical, e por isso o seu cérebro não pode ser totalmente enganado. Mas se você andar de Tornado no espaço sideral, e se ele girar no ritmo certo, a sensação seria igualzinha à de estar deitado numa cama estacionária na Terra. E mais, se você se "levantar" e sair andando pelo lado interno do Plexiglas giratório, os seus pés sentiriam a mesma pressão que sentem ao caminhar na Terra. Na verdade, as estações espaciais são projetadas para girar exatamente assim e criar a sensação de gravidade no espaço exterior.

Já que nos valemos do movimento acelerado do Tornado para imitar a gravidade, podemos agora seguir Einstein para ver como o espaço e o tempo aparecem para uma pessoa que esteja andando no brinquedo. O seu raciocínio, adaptado a essa situação, é assim. Para nós, observadores estacionários, é fácil medir a circunferência e o raio do trajeto giratório. Para medir a circunferência, por exemplo, podemos usar uma régua e deslocá-la sucessivamente ao longo de sua linha de comprimento; para medir o raio, podemos empregar o mesmo método usando a régua desde o centro até essa linha. Como já vimos nas aulas de geometria da escola primária, a razão entre as duas medidas é igual a duas vezes o número pi — cerca de 6,28 —, do mesmo modo como seria para qualquer círculo desenhado numa folha plana de papel. Mas como é que essas coisas são da perspectiva de quem está dentro do brinquedo?

Para descobrir, vamos pedir a Crispim e Joaquim, que justamente estão dando uma volta no Tornado, que nos ajudem fazendo algumas medições. Jogamos uma das réguas para Crispim, para que ele meça a circunferência do trajeto, e outra para Joaquim, que medirá o raio. Para termos a melhor perspectiva, observemos o aparelho em movimento do alto, como na figura 3.1. Colocamos uma flecha no desenho para indicar a direção do movimento em

Figura 3.1 *A régua de Crispim contrai-se, uma vez que ela aponta na direção do movimento do rotor. Mas a régua de Joaquim aponta na direção da haste radial, perpendicular ao movimento do rotor. Portanto, o seu comprimento não se contrai.*

cada ponto. Quando Crispim começa a medir a circunferência, vemos imediatamente, da nossa perspectiva, que obterá um resultado diferente do nosso. Quando ele põe a régua no chão, no sentido da circunferência, notamos que o *comprimento da régua está menor*. Isso não é nada mais que a contração de Lorentz, vista no capítulo 2, em que o comprimento de um objeto aparece menor na direção do seu movimento. Se a régua é mais curta, ela terá de ser usada *mais vezes* para medir a circunferência inteira. Como Crispim ainda considera que a régua tem trinta centímetros (como não há movimento relativo entre ele e a régua, ele não percebe nenhuma alteração em suas dimensões), isso significa que Crispim obterá para a circunferência uma medida *mais longa* do que a nossa.

E o raio? Bem, Joaquim também usa o método da régua para obter a medida do comprimento da haste radial, e nós, da nossa perspectiva, vemos que ele obterá uma medida igual à nossa. A razão disso é que a régua não está apontando instantaneamente na direção do movimento do aparelho (como no caso da medição da circunferência). Em vez disso, ela aponta para um ângulo de noventa graus com relação à direção do movimento e por isso o seu comprimento não sofre *nenhuma* contração. Por conseguinte, Joaquim obterá a mesma medida que nós, para o comprimento do raio.

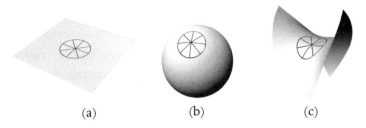

(a) (b) (c)

Figura 3.2 *Um círculo desenhado em uma esfera (b) tem uma circunferência menor do que outro desenhado em um papel plano (a), enquanto que um círculo desenhado na superfície de uma sela (c) tem uma circunferência maior, muito embora todos tenham o mesmo raio.*

Mas então, quando os dois calcularem a razão entre a circunferência do trajeto e o raio, o número que eles encontrarão será maior do que nossa resposta de duas vezes pi, uma vez que a circunferência é maior e o raio é igual. Isso é estranho. Como pode ser que algo que tem a forma de um círculo viole o antigo postulado grego de que para qualquer círculo essa razão é sempre e *exatamente igual* a duas vezes pi?

Eis a explicação de Einstein. O resultado obtido na Grécia antiga vale para todos os círculos desenhados em uma superfície plana. Mas assim como a superfície recurvada de um espelho de parque de diversões distorce na sua imagem as relações espaciais normais, se um círculo for desenhado em uma superfície curva ou empenada as suas relações espaciais normais também serão distorcidas: nesse caso, a razão entre a circunferência e o raio *não* será igual a duas vezes pi.

Por exemplo, a figura 3.2 põe em comparação três círculos cujos raios são idênticos. Note, porém, que as circunferências *não* são iguais. A circunferência do círculo (b), desenhada na superfície curva de uma esfera, é menor do que a do círculo desenhado na superfície plana de (a), muito embora ambos tenham o mesmo raio. O caráter curvo da superfície da esfera faz com que as linhas radiais convirjam ligeiramente, o que provoca um pequeno decréscimo na medida da circunferência. Já a circunferência do círculo (c), também desenhado em uma superfície curva — em forma de sela —, é maior do que a do círculo plano; o caráter curvo da superfície da sela faz com que as linhas radiais divirjam ligeiramente, o que provoca um pequeno acréscimo na medida da circunferência. Essas observações implicam que a razão entre a circunferência e o raio do círculo (b) será menor do que duas vezes pi, enquanto a mesma razão em (c) será maior do que duas vezes pi. Mas esses desvios, especialmente o valor maior encontrado em (c), coincidem com o que verificamos no caso do Tornado. Isso levou Einstein a propor uma ideia — a curvatura do espaço — para explicar a violação da geometria euclidiana "comum". A geometria plana dos gregos, ensinada nas escolas por milhares de anos, simplesmente não se aplica a uma pessoa numa viagem giratória. A generalização da geometria para espaços curvos, desenhada esquematicamente na parte (c) da figura 3.2, toma o seu lugar.[5]

Desse modo, Einstein viu que a geometria das relações espaciais codificada pelos gregos, que se correlaciona com figuras geométricas "planas", como um círculo em uma superfície plana, *não valem* para a perspectiva de um observador em movimento acelerado. Evidentemente, discutimos apenas um tipo particular de movimento acelerado, mas Einstein mostrou que para todas as instâncias de movimento acelerado verifica-se um resultado similar: a curvatura do espaço.

Com efeito, o movimento acelerado resulta não só na curvatura do espaço, mas também em uma curvatura análoga do tempo. (Historicamente, Einstein considerou primeiro a curvatura do tempo e subsequentemente viu a importância da curvatura do espaço.[6]) Em um nível, não chega a surpreender que o tempo também seja afetado, pois, como vimos no capítulo 2, a relatividade especial articula a união entre o espaço e o tempo. Essa fusão foi sintetizada nas palavras poéticas de Minkowski, que, em uma conferência sobre a relatividade especial, em 1908, disse: "Daqui em diante, o espaço e o tempo, como categorias separadas, se converterão em meras sombras, e apenas a união entre ambos se manterá como conceito independente".[7] Numa linguagem mais corriqueira, mas igualmente imprecisa, ao unir o espaço e o tempo em uma estrutura unificada de espaço-tempo, a relatividade especial declara que "o que vale para o espaço vale para o tempo". Mas isso levanta o seguinte problema: é possível descrever o espaço curvo por meio de uma forma encurvada, mas qual o significado exato da expressão tempo curvo?

Para termos uma ideia da resposta, vamos novamente recorrer a Crispim e Joaquim no Tornado e pedir-lhes que façam a seguinte experiência. Crispim fica em pé, de costas para a parede, no ponto em que a haste radial se encontra com ela, enquanto Joaquim engatinha vagarosamente em direção a ele, a partir do centro do aparelho. A cada metro, Joaquim pára de engatinhar e os dois irmãos comparam a leitura dos seus relógios. Qual o resultado? Do nosso ponto de vista aéreo e estacionário podemos novamente prever a resposta: os relógios não coincidirão. Chegamos a essa conclusão porque vemos que Crispim e Joaquim andam em velocidades diferentes — quanto mais distante do centro do Tornado a pessoa esteja, maior será o percurso para se completar uma volta e, portanto maior terá de ser a velocidade. Mas por causa da relatividade especial, quanto mais depressa a pessoa anda, mais devagar anda o seu relógio e por isso concluímos que o relógio de Crispim andará mais devagar que o de Joaquim. Além disso, os dois verão que à medida que Joaquim se aproxima de Crispim, o ritmo do seu relógio decrescerá e se aproximará do ritmo do relógio de Crispim. Isso reflete o fato de que à medida que Joaquim avança em seu percurso pela haste a sua velocidade circular aumenta e tende a igualar-se à de Crispim.

Concluímos que para os observadores no dispositivo giratório, como Crispim e Joaquim, o ritmo da passagem do tempo depende da sua posição — nesse caso, da sua distância com relação ao centro do aparelho. Isso ilustra o que entendemos por tempo curvo: o tempo é curvo se o ritmo da sua passagem difere de um lugar para outro. É particularmente importante para essa nossa discussão o fato de que Joaquim também notará algo mais enquanto engatinha ao longo da haste radial. Ele sentirá uma força centrífuga crescente, não só porque a velocidade cresce, mas também porque a aceleração aumenta à medida que ele se afasta do centro. Vemos assim que a uma aceleração maior corresponde um relógio mais vagaroso — ou seja, o aumento da aceleração resulta em uma curvatura mais acentuada do tempo.

Essas observações levaram Einstein ao salto final. Como ele já havia mostrado que a gravidade e o movimento acelerado são efetivamente indistinguíveis e também que o movimento acelerado está associado à curvatura do espaço e do tempo, formulou a seguinte proposição para explicar o funcionamento interno da "caixa preta" da gravidade — o mecanismo pelo qual ela opera. De acordo com Einstein, a gravidade *é* a curvatura do espaço e do tempo. Vejamos o que isso significa.

RELATIVIDADE GERAL BÁSICA

Para termos uma ideia dessa nova visão da gravidade, consideremos a situação prototípica de um planeta como a Terra, que gira à volta de uma estrela como o Sol. Na gravidade newtoniana o Sol mantém a Terra em órbita por meio de um "cabo" gravitacional não identificado, que de algum modo alcança instantaneamente vastas extensões do espaço e segura a Terra (enquanto, reciprocamente, a Terra segura o Sol). Einstein ofereceu uma nova concepção da realidade. Será útil para a nossa discussão que tenhamos um modelo visual concreto do espaço-tempo para que possamos manipulá-lo adequadamente. Para isso, simplificaremos as coisas de duas maneiras. Em primeiro lugar, ignoraremos, por agora, o tempo e trabalharemos exclusivamente com um modelo visual do espaço. Posteriormente reincorporaremos o tempo. Em segundo lugar, para que possamos desenhar e manipular imagens nas páginas deste livro, faremos referências frequentes a uma representação *bidimensional* do espaço tridimensional. A maioria das conclusões a que chegarmos, raciocinando com o nosso modelo bidimensional, poderá ser aplicada diretamente ao ambiente físico tridimensional, de modo que o modelo simplificado é um excelente instrumento pedagógico.

Na figura 3.3 fazemos uso dessas simplificações para desenhar um modelo bidimensional de uma região espacial do nosso universo. A estrutura em forma de malha é uma maneira conveniente para especificar posições, assim como a malha rodoviária de uma cidade permite especificar endereços. Numa cidade, naturalmente, um endereço especifica um local na malha bidimensional das ruas e também pode dar uma localização na direção vertical, como o número do andar. Essa última informação, a localização na terceira dimensão espacial, é o que a nossa analogia bidimensional suprime, para maior clareza visual.

Na ausência de qualquer matéria ou energia, Einstein imaginava que o espaço seria *plano*. No nosso modelo bidimensional isso significa que a "forma" do espaço seria tal qual a superfície lisa de uma mesa, como na figura 3.3. Essa é a imagem do nosso universo espacial que fazemos há milhares de anos. Mas o que acontece ao espaço se estiver presente um objeto de grande massa como o Sol? Antes de Einstein a resposta era *nada*; o espaço (e o tempo) eram vistos como um simples teatro inerte onde se desenrolam os eventos do universo. A cadeia do raciocínio de Einstein, que estamos acompanhando, leva, contudo, a uma conclusão diferente.

Um corpo de grande massa como o Sol, qualquer corpo, na verdade, exerce uma força gravitacional sobre os demais objetos. No exemplo da bomba terroris-

86

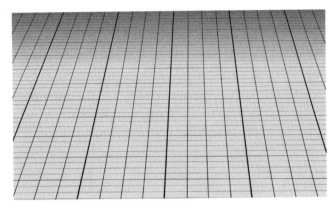
Figura 3.3 *Representação esquemática de um espaço plano.*

ta, vimos que a força gravitacional é indistinguível do movimento acelerado. No exemplo do Tornado, vimos que a descrição matemática do movimento acelerado *requer* as relações de um espaço curvo. Esses vínculos entre a gravidade, o movimento acelerado e o espaço curvo levaram Einstein à notável sugestão de que a presença de uma massa, como a do Sol, faz com que o tecido do espaço à sua volta *se curve*, como se vê na figura 3.4. Uma comparação útil e bem conhecida é a de uma superfície de borracha sobre a qual se coloca uma bola de boliche. Assim como a borracha, o tecido do espaço se distorce devido à presença de um objeto de grande massa como o Sol. De acordo com essa proposta radical, o espaço não é simplesmente algo passivo que proporciona uma arena para os eventos do universo; em vez disso, a forma do espaço *reage* aos objetos do ambiente.

Essa curvatura, por sua vez, afeta outros objetos que se movem na vizinhança do Sol, os quais se veem na contingência de atravessar o tecido espacial distorcido. Usando a analogia da membrana de borracha e da bola de boliche, se pusermos uma esfera de rolamento sobre a borracha e lhe dermos um bom impulso, o caminho que ela percorrerá depende de que a bola de boliche esteja ou não sobre a borracha. Se ela não estiver, a membrana de borracha estará plana e a pequena esfera seguirá uma linha reta. Se a bola de boliche estiver presente, no entanto, a borracha se curvará e a esfera fará uma trajetória curva. Com efeito, desprezando a fricção, se dermos à pequena esfera a velocidade e a direção certas, ela continuará a mover-se em uma curva recorrente à volta da

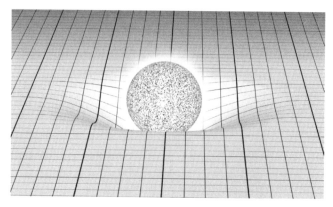

Figura 3.4 *Um corpo de grande massa como o Sol provoca o encurvamento do tecido espacial, de maneira semelhante ao efeito causado por uma bola de boliche em uma superfície de borracha.*

bola de boliche — na verdade, ela "entrará em órbita". Nossa linguagem pressagia a aplicação dessa analogia à gravidade.

O Sol, como a bola de boliche, encurva o tecido do espaço à sua volta e o movimento da Terra, como o da esfera de aço, é determinado pela forma da curvatura. A Terra, como a pequena esfera, se moverá em órbita à volta do Sol se a sua velocidade e orientação tiverem os valores adequados. Esse efeito sobre o movimento da Terra é o que normalmente denominamos influência gravitacional do Sol e está ilustrado na figura 3.5. A diferença está em que, ao contrário de Newton, Einstein especificou o *mecanismo* pelo qual a gravidade é transmitida: a curvatura do espaço. Na visão de Einstein, o cabo gravitacional que segura a Terra em sua órbita não é uma ação misteriosa e instantânea do Sol, e sim a curvatura do tecido espacial causada pela presença do Sol.

Esta figura nos permite compreender de uma maneira nova as duas características essenciais da gravidade. Em primeiro lugar, quanto maior for a massa da bola de boliche, maior será a distorção que ela causa na superfície de borracha; do mesmo modo, na descrição que Einstein faz da gravidade, quanto maior for a massa de um objeto, maior será a distorção que ele causa no espaço adjacente. Isso implica que, quanto maior for a massa de um objeto, maior será a influência gravitacional que ele pode exercer sobre outros corpos, o que está precisamente de acordo com as nossas experiências. Em segundo lugar, assim como a distorção da superfície de borracha, devido à presença da bola de boliche, vai diminuindo à medida que nos afastamos dela, também o valor da cur-

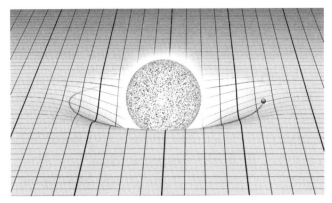

Figura 3.5 *A Terra mantém-se em órbita à volta do Sol porque se desloca ao longo de uma depressão no tecido espacial curvo. Usando uma linguagem mais precisa, ela segue a "trajetória de menor resistência" na região distorcida à volta do Sol.*

vatura espacial devida a um corpo de grande massa como o Sol vai diminuindo à medida que aumenta a distância dele. Novamente aqui vemos uma consonância com o nosso entendimento da gravidade, cuja influência se enfraquece com o aumento da distância entre os objetos.

É importante observar que a pequena esfera de aço também causa uma curvatura na superfície de borracha, embora muito ligeira. Do mesmo modo, a Terra, que também é um corpo de grande massa, provoca uma curvatura do espaço, embora muito menor do que a do Sol. É assim, na linguagem da relatividade geral, que a Terra mantém a Lua em órbita e também é assim que ela nos mantém presos à sua superfície. Quando um paraquedista pula do avião, ele desliza por uma depressão no tecido espacial causada pela massa da Terra. Além disso, cada um de nós — como qualquer objeto dotado de massa — também provoca uma curvatura no tecido do espaço adjacente aos nossos corpos, ainda que a massa relativamente pequena do corpo humano não produza mais que uma pequeníssima mossa.

Em resumo, pois, Einstein estava de pleno acordo com a afirmação de Newton no sentido de que "a gravidade tem de ser causada por um agente" e enfrentou o desafio de Newton, que deixara a identificação do agente "à consideração dos meus leitores". O agente da gravidade, segundo Einstein, é o tecido do cosmos.

ALGUMAS RESSALVAS

A analogia da bola e da borracha é útil porque nos dá uma imagem visual que nos permite perceber tangivelmente o que se entende por curvatura do tecido espacial do universo. Os físicos usam essa e outras analogias similares para orientar a sua própria intuição com relação à gravitação e à curvatura. Contudo, apesar da utilidade, ela não é perfeita e, para efeitos de clareza, é bom chamar a atenção para alguns dos seus pontos fracos.

Em primeiro lugar, quando o Sol provoca uma curvatura no espaço à sua volta, isso não se deve a que o espaço esteja sendo "puxado para baixo" pela gravidade, como no caso da bola de boliche, que encurva a superfície de borracha porque é atraída pela gravidade em direção à Terra. No caso do Sol, não há nenhum outro objeto que "puxe". Com efeito, Einstein nos ensinou que a curvatura do espaço *é* a gravidade. A mera presença de um objeto dotado de massa leva o espaço a responder, curvando-se. Assim também, a Terra não se mantém em órbita por causa da atração gravitacional de algum outro objeto externo que a guie pelas depressões de um ambiente espacial curvo, como ocorre com a pequena esfera de aço na superfície de borracha. Ao contrário, Einstein mostrou que os objetos se movem através do espaço (do espaço-tempo, mais precisamente) pelo caminho mais curto possível — o "caminho mais fácil possível", ou o "caminho de menor resistência". Se o espaço é curvo, esse caminho também será curvo. Assim, embora o modelo da bola e da borracha propicie uma boa analogia visual de como um objeto como o Sol encurva o espaço à sua volta, influenciando com isso o movimento de outros corpos, o mecanismo físico através do qual essas distorções ocorrem é totalmente diferente. O modelo corresponde à nossa intuição sobre a gravidade no esquema newtoniano tradicional, enquanto o conceito de Einstein expressa uma reformulação da gravidade em termos de um espaço curvo.

Uma segunda limitação da analogia deriva de que a superfície de borracha é bidimensional. Na realidade, embora isso seja mais difícil de visualizar, o Sol (assim como todos os objetos dotados de massa) encurva o espaço que o envolve nas três dimensões espaciais. A figura 3.6 é uma tentativa tosca de descrever esse fato; *todo* o espaço à volta do Sol — "abaixo", "ao lado" e "acima" — sofre o mesmo tipo de distorção e a figura 3.6 representa esquematicamente uma amostra parcial. Um corpo como a Terra viaja *através* do ambiente espacial tridimensional curvo causado pela presença do Sol. É possível que a figura lhe traga alguma dificuldade: por que a Terra não se choca com a "parte vertical" do espaço curvo da imagem? Tenha em mente, no entanto, que o espaço, ao contrário da superfície de borracha, não é uma barreira sólida. Em vez disso, as malhas encurvadas da imagem são apenas duas membranas finíssimas em um espaço curvo tridimensional no qual nós, a Terra e tudo mais, estamos totalmente imersos e em meio ao qual nos movemos livremente. Talvez você ache que isso complica ainda mais o problema: por que não *sentimos* o espaço se estamos totalmente envolvidos em sua contextura? Mas acontece que sim, nós o sentimos. Sentimos a gravidade, e o espaço é o meio pelo qual a força da gravidade se comunica. Como disse tantas vezes o eminente físico John Wheeler para descrever a gravidade, "a massa maneja o espaço ensinando-o como curvar-se; o espaço maneja a massa ensinando-a como mover-se".[8]

Uma terceira limitação da analogia é a supressão da dimensão do tempo. Assim fizemos em nome da clareza visual, porque, embora a relatividade especial nos lembre que devemos sempre pensar na dimensão do tempo no mesmo nível e do mesmo modo em que pensamos nas três dimensões espaciais conhecidas, é muito mais difícil "ver" o tempo. Mas o exemplo do Tornado nos mostrou que a aceleração — e portanto a gravidade — encurva *tanto o espaço quanto o tempo*. (Com efeito, a matemática da relatividade geral revela que no caso de um corpo que se move a uma velocidade relativamente baixa, como a Terra,

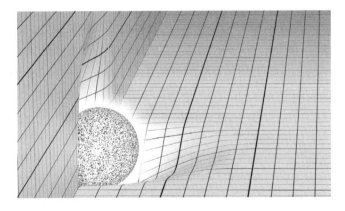

Figura 3.6 *Exemplo de espaço tridimensional encurvado à volta do Sol.*

girando à volta de uma estrela típica, como o Sol, a curvatura do tempo exerce um impacto muito mais significativo sobre o movimento da Terra do que a curvatura do espaço.) Voltaremos ao tema da curvatura do tempo depois da próxima seção.

Ainda que essas ressalvas sejam importantes, desde que você tenha consciência delas é perfeitamente legítimo recorrer à imagem da curvatura do espaço proporcionada pelo exemplo da borracha e da bola como uma síntese intuitiva da visão einsteiniana da gravidade.

RESOLUÇÃO DE CONFLITOS

Ao tratar o espaço e o tempo como parceiros dinâmicos, Einstein propiciou uma imagem conceitual clara de como atua a gravidade. A questão principal, no entanto, é saber se essa reformulação da força gravitacional resolve o conflito com a relatividade especial que aflige a teoria newtoniana da gravidade. Sim. A analogia da superfície de borracha transmite novamente a essência da ideia. Imagine uma esfera de rolamento movendo-se em linha reta sobre uma superfície de borracha, sem a bola de boliche. No momento em que pusermos a bola de boliche sobre a borracha, o movimento da pequena esfera será afetado, mas *não instantaneamente*. Se filmássemos a sequência de eventos e a examinássemos em câmara lenta, veríamos que a perturbação causada pela presença da bola se expande, como os círculos que se formam na superfície da água de um lago, e acaba chegando até a posição da esfera. Depois de certo tempo, as oscilações transitórias da borracha cessarão e teremos uma superfície curva estável.

Assim é também para o tecido do espaço. Sem a presença de qualquer massa, o espaço é plano, e um objeto pequeno ou estará serenamente em repouso ou viajará em velocidade constante. Se entra em cena um corpo com massa considerável, o espaço se encurvará — mas como no caso da borracha, a distorção não será instantânea. Em vez disso, ela se expandirá a partir do corpo até acomodar-se em uma forma curva que comunica a atração gravitacional da sua massa. Na nossa analogia, as perturbações sofridas pela borracha viajam por sua superfície com uma velocidade ditada por sua própria composição mate-

92

rial. No cenário real da relatividade geral, Einstein calculou a velocidade com que viajam as perturbações do tecido do universo e obteve como resposta que elas viajam *precisamente à velocidade da luz*. Isso significa, por exemplo, que na situação hipotética que discutimos, em que o desaparecimento do Sol afetaria a Terra em virtude da modificação da atração gravitacional mútua, a influência não seria comunicada instantaneamente. Quando um objeto muda de posição ou mesmo quando desaparece em uma explosão, ele produz uma alteração na distorção do tecido do espaço e do tempo, que se expande à velocidade da luz, precisamente de acordo com o limite cósmico da velocidade na relatividade especial. Assim, nós, na Terra, tomaríamos conhecimento visual da destruição do Sol ao mesmo tempo que sentiríamos as consequências gravitacionais — pouco mais de oito minutos depois da explosão. A formulação de Einstein resolve, portanto, o conflito; as perturbações gravitacionais acompanham a velocidade dos fótons, mas não a ultrapassam.

A CURVATURA DO TEMPO REVISITADA

As ilustrações das figuras 3.2, 3.4 e 3.6 transmitem a essência do significado de "espaço curvo". A curva distorce a forma do espaço. Os físicos inventaram imagens análogas para tratar de transmitir o significado de "tempo curvo", mas decifrá-las é tarefa bem mais difícil e por isso não as apresentaremos aqui. Vamos então retomar o exemplo de Crispim e Joaquim no Tornado e tentar entender a experiência da curvatura do tempo induzida gravitacionalmente.

Para chegar até eles, vamos primeiro visitar João e Maria, que já não estão na escuridão profunda do espaço vazio, e sim flutuando nas cercanias do sistema solar. Eles continuam usando aqueles grandes relógios digitais, sincronizados ao início da experiência. Em nome da simplicidade, ignoraremos os efeitos dos planetas e consideraremos apenas o campo gravitacional do Sol. Imaginemos também que uma nave espacial que navega próximo a João e Maria tenha desenrolado um longo cabo que se estende até a vizinhança da superfície do Sol. João usa o cabo para deslocar-se, vagarosamente, na direção do Sol. Ao fazê-lo, ele para periodicamente para comparar o ritmo do seu relógio com o de Maria. A curvatura do tempo prevista pela relatividade geral de Einstein implica que o relógio de João andará cada vez mais devagar em comparação com o de Maria, à medida que o campo gravitacional em que ele se encontra se torna mais forte. Ou seja, quanto mais próximo ao Sol ele chega, mais devagar o seu relógio andará. É nesse sentido que a gravidade distorce o tempo assim como o espaço.

Deve-se notar que, ao contrário do caso do capítulo 2, em que João e Maria estavam no espaço vazio e se moviam um em relação ao outro a velocidades constantes, no cenário atual não há simetria entre eles. Ao contrário de Maria, João *sente* que a força da gravidade se torna cada vez mais forte — e tem de agarrar-se ao cabo cada vez com mais força, à medida que se aproxima do Sol, para não se precipitar nele. Ambos concordam em que o relógio de João anda mais devagar. Não há aqui as "perspectivas igualmente válidas" que permitem a troca dos papéis e a reversão das conclusões. Isso, na verdade, foi o que encontramos no capítulo 2, quando João sofreu uma aceleração ao recorrer ao seu propulsor a jato para reencontrar-se com Maria. A aceleração sentida por ele resultou em que o seu relógio efetivamente andasse mais devagar em relação ao de Maria. Agora que já sabemos que sentir uma aceleração é o mesmo que sentir uma força gravitacional, vemos que a situação atual de João envolve o mesmo princípio e novamente vemos que o seu relógio, e tudo mais na sua vida, anda em câmara lenta em comparação com Maria.

Em um campo gravitacional semelhante ao da superfície de uma estrela comum como o Sol, o retardamento dos relógios é bem pequeno. Se Maria permanecer a 1,5 bilhão de quilômetros do Sol, quando João estiver a poucos quilômetros da superfície solar o ritmo do seu relógio será cerca de 99,9998 por cento do relógio de Maria. Mais devagar, é certo, mas não muito.[9] Se, no entanto, João estivesse pendurado em um cabo muito próximo à superfície de uma estrela de nêutrons, cuja massa, similar à do Sol, estivesse comprimida em uma densidade milhões de bilhões de vezes maior do que a do Sol, esse campo gravitacional mais forte levaria o seu relógio a andar a cerca de 76 por cento do ritmo do relógio de Maria. Campos gravitacionais ainda mais fortes, como os que existem nas proximidades de um buraco negro (como discutiremos a seguir), levam o fluxo do tempo a retardar-se ainda mais; quanto maior for o campo gravitacional mais intensa será a curvatura do tempo.

VERIFICAÇÃO EXPERIMENTAL DA RELATIVIDADE GERAL

A maioria das pessoas que estuda a relatividade geral se apaixona pela sua elegância estética. Substituindo a visão newtoniana fria e mecanicista do espaço e da gravidade por uma descrição dinâmica e geométrica que leva a um espaço-tempo curvo, Einstein incorporou a gravidade à contextura básica do universo. Em vez de aparecer como uma estrutura adicional, a gravidade se torna parte integrante do universo no seu nível mais fundamental. O efeito de dar vida ao espaço e ao tempo, permitindo que eles se encurvem, se empenem e ondulem, resulta no que nós comumente chamamos de gravidade.

Deixando de lado a estética, o teste definitivo de uma teoria física é a capacidade de explicar e prever com precisão os fenômenos físicos. Desde a sua apresentação, no final do século XVII, até o começo do século XX, a teoria da gravitação de Newton passou com honras em todos os testes. Seja com relação a uma bola lançada ao ar, um objeto que cai, um cometa que se aproxima do Sol ou um planeta que desliza em sua órbita, a teoria de Newton proporciona explicações extremamente precisas para todas as observações e previsões, as quais foram verificadas inumeráveis vezes em situações as mais distintas. A motivação para que se questionasse essa teoria tão bem-sucedida experimentalmente foi, como ressaltamos, a transmissão instantânea da força da gravidade, que entrava em conflito com a relatividade especial.

Embora fundamentais para a compreensão básica do espaço, do tempo e do movimento, os efeitos da relatividade especial são extremamente diminutos no mundo das velocidades baixas em que vivemos. Do mesmo modo, os desvios entre a relatividade geral de Einstein — uma teoria da gravitação compatível com a relatividade especial — e a teoria da gravitação de Newton também são extremamente diminutos na maior parte das situações comuns. Isso é bom e é mau. É bom porque uma teoria que vise a suplantar a teoria da gravitação de Newton tem a obrigação de concordar com ela quando aplicada às áreas em que a velha teoria passou no teste da verificação experimental. É mau porque se torna muito difícil discriminar experimentalmente entre as duas teorias, uma vez que isso requer medições de enorme precisão em experiências que têm de ser particularmente sensíveis às divergências entre as duas teorias. Se você chuta uma bola, tanto a gravidade newtoniana quanto a einsteiniana são capazes de

95

prever onde ela tocará o solo. As respostas serão diferentes, mas as diferenças serão tão mínimas que não poderão ser detectadas pela grande maioria dos nossos instrumentos. Seria preciso fazer uma experiência mais sutil e Einstein a sugeriu.[10]

É de noite que vemos as estrelas, mas é lógico que também de dia elas estão no céu. Normalmente não as vemos porque a luz que emitem à distância é ofuscada pela luz do Sol. Durante um eclipse solar, no entanto, a Lua bloqueia temporariamente a luz do Sol, e as estrelas distantes se tornam visíveis. A presença do Sol, todavia, ainda exerce um efeito. A luz de algumas estrelas tem de passar tangencialmente a ele em seu caminho em direção à Terra. A teoria da relatividade geral prevê que o Sol provoca a curvatura do espaço a ele adjacente e essa distorção *afetará o caminho da luz da estrela*. Os fótons longínquos viajam pelo tecido do universo; se esse tecido se encurva, o movimento dos fótons sofrerá os efeitos, do mesmo modo que um corpo material. O desvio dos raios de luz será maior para os fótons que passam mais próximos ao Sol. O eclipse permite que se veja a luz dessas estrelas sem que a claridade do Sol a ofusque completamente.

O ângulo do desvio do raio de luz estelar pode ser medido de um modo simples. O desvio resulta em uma mudança na posição *aparente* da estrela, a qual pode então ser comparada com a posição *real* da estrela, conhecida pelas observações anteriores (livres da influência gravitacional do Sol), efetuadas quando a Terra se encontra em posição apropriada, cerca de seis meses antes ou depois. Em novembro de 1915, Einstein calculou o ângulo do desvio de uma estrela cuja luz passaria raspando o Sol e obteve como resposta 0,00049 de grau (1,75 segundos de arco, sendo um segundo de arco igual a 1/3600 de grau). Esse pequeno ângulo é igual uma moeda de pé vista a três quilômetros de distância. Sua detecção era possível, contudo, com a tecnologia da época. A pedido de *Sir* Frank Dyson, diretor do observatório de Greenwich, *Sir* Arthur Eddington, astrônomo reconhecido e secretário da Royal Astronomical Society da Inglaterra, organizou uma expedição à ilha de Príncipe, próxima à costa ocidental da África, para testar a previsão de Einstein durante o eclipse solar de 29 de maio de 1919.

No dia 6 de novembro de 1919, depois de cinco meses de análises das fotografias tiradas durante o eclipse em Príncipe (e de outras fotos tiradas por uma segunda equipe britânica, conduzida por Charles Davidson e Andrew Crommelin, em Sobral, no Brasil), a Royal Society e a Royal Astronomical

Society anunciaram em um encontro conjunto que as previsões de Einstein baseadas na relatividade geral haviam sido confirmadas. Em pouco tempo a notícia — que significava a superação total das concepções anteriores sobre o espaço e o tempo — espalhou-se muito além dos limites da comunidade dos físicos e tornou Einstein mundialmente célebre. Em 7 de novembro de 1919, o *Times* de Londres publicava o seguinte título: "REVOLUÇÃO NA CIÊNCIA — NOVA TEORIA DO UNIVERSO — IDEIAS NEWTONIANAS DERRUBADAS".[11] Esse foi o momento de glória para Einstein.

Nos anos que se seguiram a essa experiência, a confirmação da relatividade geral obtida por Eddington sofreu um escrutínio crítico. Numerosas dificuldades e sutilezas relativas às medições efetuadas tornaram difícil reproduzi-la e permitiram que se levantassem algumas questões quanto à confiabilidade da experiência original. Nos últimos quarenta anos, no entanto, diversas outras experiências tecnologicamente avançadas verificaram múltiplos aspectos da relatividade geral com grande precisão. As previsões da relatividade geral foram confirmadas de modo uniforme. Já não há nenhuma dúvida de que a descrição einsteiniana da gravidade não só é compatível com a relatividade especial como também produz previsões mais coerentes com os resultados experimentais do que a teoria de Newton.

OS BURACOS NEGROS, O BIG BANG E A EXPANSÃO DO ESPAÇO

Se a relatividade especial manifesta-se sobretudo quando as coisas se movem com rapidez, a relatividade geral sobressai quando as coisas têm grande massa e o encurvamento do espaço e do tempo é correspondentemente intenso. Vejamos dois exemplos.

O primeiro é uma descoberta feita pelo astrônomo alemão Karl Schwarzschild. Em 1916, na frente russa da Primeira Guerra Mundial, em meio aos cálculos de trajetórias balísticas, ele estudava as revelações de Einstein sobre a gravidade. Poucos meses depois de Einstein ter dado os toques finais à relatividade geral, Schwarzschild conseguiu aplicar a sua teoria para captar a maneira exata como o espaço e o tempo se curvam na vizinhança de uma estrela perfeitamente esférica. Ele enviou os resultados da frente russa para Einstein, que os apresentou, em nome de Schwarzschild, à Academia da Prússia.

Além de confirmar e dar precisão matemática ao encurvamento esquematicamente ilustrado na figura 3.5, o trabalho de Schwarzschild — hoje conhecido como "a solução de Schwarzschild" — revelou uma implicação estonteante da relatividade geral. Ele demonstrou que se a massa de uma estrela estiver concentrada em uma região esférica suficientemente pequena para que o resultado da divisão da sua massa pelo seu raio seja maior do que um determinado valor crítico, o encurvamento do espaço-tempo assim produzido será de tal modo radical que *nada* que esteja muito próximo à estrela, nem mesmo a luz, é capaz de escapar da sua atração gravitacional. Como nem mesmo a luz pode escapar dessas "estrelas comprimidas", elas foram inicialmente denominadas *estrelas escuras*, ou *frias*. Posteriormente John Wheeler deu-lhes um nome mais atraente — buracos negros (*black holes*). Negros porque esses objetos não podem emitir luz, e buracos porque qualquer coisa que esteja perto demais cai dentro dele e nunca mais sai. O nome pegou.

A figura 3.7 ilustra a solução de Schwarzschild. Embora os buracos negros tenham uma reputação de voracidade, os objetos que passam por eles a uma dis-

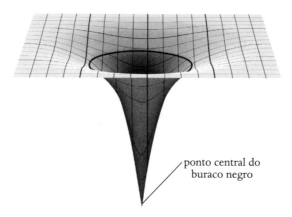

Figura 3.7 *Um buraco negro encurva o tecido do espaço-tempo adjacente de maneira tão intensa que qualquer coisa que passe para dentro do seu "horizonte de eventos" — ilustrado pelo círculo escuro — não consegue escapar da sua atração gravitacional. Ninguém sabe exatamente o que acontece no ponto central e mais profundo de um buraco negro.*

tância "segura" sofrem um desvio comparável ao que sofreriam ao passar perto de uma estrela normal e prosseguem sua viagem. Mas se um objeto, qualquer que seja a sua composição, se aproxima demais — dentro do que se denomina o *horizonte de eventos* do buraco negro — ele está condenado: será tragado inexoravelmente para o centro do buraco negro e sofrerá uma tensão gravitacional crescente que terminará por destruí-lo. Por exemplo, se você mergulhasse, com os pés à frente, no horizonte de eventos, à medida que você se aproximasse do centro do buraco negro sentiria um desconforto cada vez maior. A força gravitacional do buraco negro aumentaria em uma proporção tão gigantesca que os seus pés seriam puxados com muito mais intensidade que a sua cabeça (uma vez que os seus pés estarão sempre um pouco mais perto do centro do buraco negro); tanta intensidade mais, na verdade, que você seria esticado com uma força que rapidamente rasgaria seu corpo em tiras.

Se, ao contrário, você for mais prudente em suas andanças nas proximidades do buraco negro e tomar todo o cuidado para não transpor o horizonte de eventos, poderá usar o buraco negro para um feito realmente impressionante. Imagine, por exemplo, que você descobriu um buraco negro cuja massa é mil vezes maior do que a do Sol e que vai usar um cabo, tal como fez João, para descer até uns dois centímetros acima do horizonte de eventos. Como vimos, os campos gravitacionais causam o encurvamento do tempo, o que significa que a sua passagem pelo tempo se desacelerará. Com efeito, como os buracos negros têm campos gravitacionais extremamente fortes, a sua passagem pelo tempo se desacelerará *muitíssimo*. O ritmo do seu relógio será 10 mil vezes mais lento que os dos seus amigos aqui na Terra. Se você ficar na beira do horizonte de eventos por um ano e depois subir de novo pelo cabo, entrar na sua nave espacial e efetuar uma curta e deliciosa viagem de volta à Terra, quando chegar verificará que transcorreram mais de 10 mil anos desde que você partiu. Você terá usado o buraco negro como uma espécie de máquina do tempo que o leva em uma viagem ao futuro remoto da Terra.

Para dar uma ideia das escalas de que estamos falando, uma estrela com a massa do Sol seria um buraco negro se o seu raio, em vez de medir o que mede na realidade (uns 720 mil quilômetros), tivesse três quilômetros. Imagine: o Sol inteiro espremido a tal ponto que caberia com folga na parte alta de Manhattan. Uma colher de chá da matéria desse Sol pesaria tanto quanto o monte Everest.

Para converter a Terra em um buraco negro, seria necessário comprimi-la até que o seu raio medisse cerca de um centímetro. Por muito tempo os físicos permaneceram céticos quanto à possibilidade de que essas configurações extremas da matéria pudessem existir. Muitos pensavam que os buracos negros não eram mais que um efeito do excesso de trabalho sobre as mentes imaginativas dos cientistas.

No entanto, durante a última década acumulou-se um importante acervo de experiências cujos resultados indicam a existência dos buracos negros. Logicamente, como eles são negros, não podem ser observados diretamente com telescópios. O que os astrônomos fazem para buscá-los é tentar localizar comportamentos anômalos em estrelas normais que estejam próximas ao horizonte de eventos de um buraco negro. Por exemplo, a poeira e o gás que caem das camadas exteriores da estrela normal em direção ao horizonte de eventos do buraco negro sofrem uma aceleração que as leva a aproximar-se da velocidade da luz. A essas velocidades, a fricção do material sugado no rodamoinho gera temperaturas extraordinárias, o que leva a mistura de poeira e gás a brilhar, emitindo luz visível e raios X. Como essa radiação é produzida no limite exterior do horizonte de eventos, ela consegue escapar do buraco negro, atravessar o espaço e ser observada e estudada diretamente por nós. A relatividade geral faz previsões específicas a respeito das características dessas emissões de raios X; a observação das características previstas oferece uma comprovação significativa, ainda que indireta, da existência dos buracos negros. Há cada vez maiores indícios, por exemplo, de que um buraco negro de massa enorme, 2,5 milhões de vezes maior do que a do Sol, existe no centro da nossa própria galáxia, a Via Láctea. E mesmo esse gigantesco buraco negro empalidece diante do que os astrônomos acreditam constituir os quasares incrivelmente luminosos que povoam o universo: buracos negros cujas massas podem ser *bilhões* de vezes maiores do que a do Sol.

Schwarzschild morreu poucos meses depois de encontrar a sua solução em decorrência de uma doença de pele contraída na frente russa. Ele tinha 42 anos. O seu encontro tragicamente breve com a teoria da gravitação de Einstein pôs a nu uma das facetas mais estranhas e misteriosas da natureza.

O segundo exemplo em que se desdobra a relatividade geral concerne à origem e evolução do universo. Como vimos, Einstein demonstrou que o espaço e

o tempo reagem à presença da massa e da energia. Essa distorção do espaço-
-tempo afeta o movimento de outros corpos cósmicos que se deslocam nas ime-
diações das curvaturas resultantes. Por sua vez, a maneira exata em que esses
corpos se movem, em razão da sua própria massa e energia, produz um novo
efeito sobre o encurvamento do espaço-tempo, o qual, por sua vez, volta a afetar
o movimento dos corpos, e assim por diante, em uma dança cósmica. Por meio
das equações da relatividade geral, equações derivadas do estudo da geometria
dos espaços curvos, cujo pioneiro foi o grande matemático do século XIX Georg
Bernhard Riemann (há mais sobre Riemann a seguir), Einstein pôde descrever
quantitativamente a evolução mútua do espaço, do tempo e da matéria. Para
sua grande surpresa, quando as equações são aplicadas em um contexto maior
do que o de um local específico do universo como um planeta ou um cometa
em órbita de uma estrela, chega-se a uma conclusão espetacular: *o tamanho do
universo espacial tem de mudar com o tempo.* Ou seja, o tecido do universo pode
estar se expandindo ou contraindo, mas simplesmente não pode permanecer
estático. As equações da relatividade geral o demonstram explicitamente.

Essa conclusão era demasiado estranha mesmo para Einstein. Ele já des-
truíra a intuição coletiva sobre a natureza do espaço e do tempo, formada pela
humanidade ao longo de milhares de anos, mas a noção de um universo eterno
e imutável tinha raízes tão profundas que nem mesmo ele, pensador radical,
foi capaz de abandoná-la. Por essa razão Einstein revisitou as suas equações e
as modificou mediante a introdução de uma *constante cosmológica*, termo aditi-
vo que lhe permitiu neutralizar a sua própria previsão e voltar ao conforto de
um universo estático. Doze anos depois, contudo, através de medições porme-
norizadas de galáxias distantes, o astrônomo norte-americano Edwin Hubble comprovou experimentalmente que o universo está *em expansão.* Em uma
história hoje famosa nos anais da ciência, Einstein voltou à forma original das
suas equações, referindo-se à constante cosmológica como o maior erro da sua
vida.[12] Apesar da relutância inicial de Einstein em aceitar aquela conclusão, a sua
teoria efetivamente previa a expansão do universo. Com efeito, no começo da
década de 20 — anos antes das medições de Hubble — o meteorologista russo
Alexander Friedmann usara as equações originais de Einstein para demonstrar,
com detalhes, que todas as galáxias teriam de acompanhar o substrato de um
tecido espacial que se esticava, o que implica que elas tinham de afastar-se umas

das outras. As observações de Hubble e muitas outras que se sucederam confirmaram plenamente essa surpreendente conclusão da relatividade geral. A contribuição de Einstein para a explicação da expansão do universo foi uma das maiores conquistas intelectuais de todos os tempos.

Se o tecido do universo está se estirando, o que aumenta a distância entre as galáxias que acompanham o fluxo cósmico, podemos imaginar o caminho inverso da evolução, recuando no tempo para aprender sobre a origem do universo. Caminhando para trás, o tecido do espaço se encolhe e as galáxias se aproximam cada vez mais umas das outras. O encolhimento do universo faz com que as galáxias se comprimam e, tal como em uma panela de pressão, a temperatura aumenta extraordinariamente, as estrelas se desintegram e se forma um plasma superaquecido, composto pelos constituintes elementares da matéria. À medida que o tecido espacial continua a encolher-se, a temperatura e a densidade do plasma primordial continuam a elevar-se. Se imaginarmos que o tempo retrocedeu cerca de 15 bilhões de anos, que é aproximadamente a idade atual do universo, veremos que ele se encolhe mais e mais e a matéria que forma *tudo* — todos os automóveis, casas, edifícios e montanhas da Terra; a própria Terra; a Lua; Júpiter, Saturno e todos os planetas; o Sol e todas as estrelas da Via Láctea; a galáxia de Andrômeda com seus 100 bilhões de estrelas e todas as outras galáxias que são mais de 100 bilhões — comprime-se até alcançar densidades espantosas. À medida que se retrocede no tempo, a totalidade do cosmos reduz-se ao tamanho de uma laranja, de um limão, de uma ervilha, de um grão de areia e a volumes cada vez menores. Extrapolando esse percurso até "o começo", o universo pareceria ter se iniciado como um *ponto* — imagem que reexaminaremos e criticaremos nos capítulos posteriores — no qual toda a matéria e toda a energia estariam contidas, a uma densidade e temperatura inimagináveis. Acredita-se que uma bola de fogo cósmica, o big bang, irrompeu dessa mistura volátil e espargiu as sementes do universo em que hoje vivemos.

A imagem do big bang como uma explosão cósmica que expeliu o conteúdo material do universo como os estilhaços de uma bomba é útil, mas também é enganadora. Quando uma bomba explode, esse é um acontecimento que tem lugar em um local particular do *espaço* e em um momento particular do *tempo* e os estilhaços se espalham pelo espaço adjacente. No big bang, no entanto, não havia espaço adjacente. Ao percorrermos para trás o caminho do universo, na direção do seu começo, a contração de todo o conteúdo material ocorre porque *todo o espaço* está se encolhendo. A laranja, a ervilha e o grão de areia representam a *totalidade* do universo — e não algo que sucede dentro dele. Chegando ao começo, simplesmente não havia espaço fora do ponto universal. O big bang é justamente a irrupção do espaço comprimido, cujo desdobramento, como a onda de um maremoto, arrasta consigo a matéria e a energia até os dias de hoje.

A RELATIVIDADE GERAL ESTÁ CERTA?

As experiências realizadas com o nível tecnológico atual não revelaram qualquer desvio com relação às previsões da relatividade geral. Só o tempo dirá se com o aperfeiçoamento tecnológico algum desvio ocorrerá, o que demonstraria que a teoria é apenas uma descrição aproximada do funcionamento do universo. O teste sistemático das teorias em níveis cada vez maiores de precisão é uma das maneiras principais pelas quais a ciência avança, mas não é a única. Com efeito, já vimos o seguinte exemplo: a busca de uma nova teoria da gravitação teve início não com uma refutação experimental da teoria de Newton, e sim com o conflito entre a gravidade newtoniana e uma outra *teoria* — a relatividade especial. Só depois da descoberta da relatividade geral como teoria alternativa da gravidade é que se identificaram falhas experimentais na teoria de Newton, quando se começou a explorar aspectos mínimos, mas mensuráveis, em que as duas teorias divergiam. Assim, as inconsistências teóricas internas podem ter também um papel crucial na promoção do progresso.

Nos últimos cinquenta anos, os físicos depararam com outro conflito teórico tão grave quanto o que surgiu entre a relatividade especial e a gravitação newtoniana. A relatividade geral parece ser fundamentalmente incompatível com outra teoria extremamente bem testada: a *mecânica quântica*. Com relação ao conteúdo deste capítulo, o conflito impede que os físicos possam ter certeza do que realmente acontece com o espaço, o tempo e a matéria no estado de compressão que caracteriza o big bang, ou no ponto central de um buraco negro. De um modo geral, o conflito nos alerta para uma deficiência fundamental na nossa concepção da natureza. A solução desse conflito tem resistido aos esforços dos maiores cientistas, o que lhe valeu a reputação de ser o problema *capital* da física teórica moderna. Para compreendê-lo, será necessário que nos familiarizemos com algumas características básicas da teoria quântica.

4. Loucura microscópica

Ainda meio esgotados da expedição através do sistema solar, João e Maria, de volta à Terra, dão um pulo no H-Bar para tomar uns drinques refrescantes. João pede o de sempre — suco de mamão com gelo para ele e vodca com água tônica para ela — e se afunda na cadeira, com as mãos atrás da cabeça, desfrutando de um charuto recém-acendido. De repente, ao puxar uma tragada, não sente mais o charuto na boca e, perplexo, vê que ele desapareceu. Pensando que o charuto de alguma forma escorregou de seus dentes, João se senta na ponta da cadeira, esperando encontrar um buraco de queimadura em sua camisa ou em suas calças. Mas não encontra nada. O charuto sumiu. Maria, reagindo ao movimento brusco de João, corre os olhos pela sala e acha o charuto do outro lado, *atrás* da cadeira de João. "Estranho", diz ele, "como é que pode ter caído ali? Só passando por dentro da minha cabeça — mas a minha língua não se queimou, nem eu tenho nenhum buraco novo em mim." Maria o examina bem e tem de admitir que a língua e a cabeça parecem perfeitamente normais. O garçom traz os drinques e João e Maria dão de ombros, incluindo o charuto caído na lista dos pequenos mistérios da vida. Mas a loucura continua no H-Bar.

João olha para o suco de mamão e repara que os cubos de gelo não param de se mexer, chocando-se uns contra os outros e contra o vidro do copo, como os carrinhos de batidas de parque de diversões. E dessa vez ele não está só. Maria ergue o seu copo, bem menor do que o outro, e tanto ela quanto ele veem que os cubos de gelo de seu drinque se agitam ainda mais freneticamente. Mal se podem distinguir os cubos, de tal maneira eles se confundem, formando uma espécie de massa gélida. Mas o melhor é o que está por vir. João e Maria ficam estáticos, diante dos gelos trêmulos, com os olhos esbugalhados, e veem que um dos cubos *passa através* do vidro do copo e cai no bar. Pegam o gelo e veem que ele está absolutamente normal. De algum modo atravessou o vidro sem produzir nenhum dano. "Deve ser alucinação pós-viagem espacial", diz João. Eles enfrentam com coragem o dinamismo dos cubinhos e engolem os drinques de uma vez, para ir para casa descansar. Não chegam a perceber que, na pressa de sair, tomam por verdadeira uma porta pintada na parede. Mas os frequentadores do H-Bar já estão acostumados a ver gente atravessando as paredes e nem se incomodam com o súbito sumiço de João e Maria.

Cem anos atrás, enquanto Conrad e Freud iluminavam o coração e a alma das trevas, o físico alemão Max Planck dirigia o primeiro raio de luz sobre a mecânica quântica, um esquema conceitual que proclama, entre outras coisas, que — na escala microscópica — as experiências de João e Maria no H-Bar não têm por que ser atribuídas a falhas das faculdades mentais. Acontecimentos assim, bizarros e estranhos, são na verdade típicos da maneira como o nosso universo se comporta nas escalas extremamente pequenas.

O ESQUEMA QUÂNTICO

A mecânica quântica é um esquema conceitual que possibilita a compreensão das propriedades microscópicas do universo. E assim como a relatividade especial e a relatividade geral demandaram mudanças radicais na nossa visão do mundo quanto às coisas que se movem muito depressa ou têm massas muito grandes, a mecânica quântica revela que na escala das distâncias atômicas e subatômicas o universo tem propriedades ainda mais espantosas. Em 1965, Richard Feynman, um dos maiores expoentes da mecânica quântica, escreveu:

Houve uma época em que os jornais diziam que só havia doze pessoas no mundo que entendiam a teoria da relatividade. Acho que essa época nunca existiu. Pode ter havido uma época em que só uma pessoa entendia, porque foi o primeiro a intuir a coisa e ainda não havia formulado a teoria. Mas depois que as pessoas leram o trabalho, muitas entenderam a teoria da relatividade, de uma maneira ou de outra; certamente mais de doze. Por outro lado, acho que posso dizer sem medo de errar que ninguém entende a mecânica quântica.[1]

Feynman disse isso mais de trinta anos atrás, mas a observação tem plena vigência nos dias de hoje. Ele quis dizer que as teorias da relatividade especial e geral requerem uma revisão drástica da nossa maneira de ver o mundo, mas quando se aceitam os princípios básicos que as informam, as implicações sobre o espaço e o tempo, ainda que novas e estranhas, podem ser deduzidas diretamente, por meio de um raciocínio lógico cuidadoso. Se você refletir com a intensidade adequada sobre a descrição do trabalho de Einstein que fizemos nos capítulos anteriores, reconhecerá, ainda que só por um momento, a inevitabilidade das conclusões a que chegamos. A mecânica quântica é diferente. Por volta de 1928, muitas das fórmulas e regras matemáticas da mecânica quântica já haviam sido reveladas e desde então ela se converteu na fonte das previsões numéricas *mais corretas e precisas* de toda a história da ciência. Mas, de algum modo, quem faz mecânica quântica sempre se vê seguindo fórmulas estabelecidas pelos fundadores da teoria — procedimentos de cálculo de execução simples — sem chegar nunca a entender *por que* esses procedimentos funcionam nem *o que* significam. Ao contrário do que ocorre com a relatividade, poucas pessoas, se é que existe alguma, serão capazes de entender a "alma" da mecânica quântica.

Que dizer disso? Será que o universo opera no nível microscópico de maneira tão estranha e obscura que a mente humana — que evoluiu ao longo de muitos milênios com o fim de manejar os fenômenos cotidianos da nossa escala de tamanho — não é capaz de compreendê-lo totalmente? Ou será que em função de um acidente histórico os cientistas elaboraram uma formulação da mecânica quântica tão desengonçada e incompleta, embora quantitativamente precisa, que tolda a verdadeira natureza da realidade? Ninguém sabe. Talvez no futuro alguém mais hábil consiga chegar a uma nova formulação que revele por completo os "porquês" e os "o quês" da mecânica quântica. Talvez não. A única coisa que sabemos com certeza é que a mecânica quântica demonstra de modo absoluto e inequívoco que vários conceitos básicos essenciais para o nosso entendimento do mundo cotidiano *perdem totalmente o sentido* nos domínios microscópicos. Em consequência, temos de alterar significativamente tanto a nossa linguagem quanto o nosso raciocínio para tentarmos compreender e explicar o universo nas escalas atômica e subatômica.

Nas seções seguintes desenvolveremos os aspectos básicos dessa linguagem e descreveremos algumas das maiores surpresas que ela nos traz. Se a mecânica quântica lhe parecer bizarra ou mesmo ridícula enquanto avançamos pelo caminho, tenha presentes duas coisas. Primeiro, além da coerência matemática, a única razão pela qual se pode acreditar na mecânica quântica é o fato de que ela faz previsões que foram verificadas com precisão extraordinária. Se aparece uma pessoa que é capaz de contar inumeráveis aspectos íntimos da sua infância com uma constrangedora riqueza de detalhes, é difícil não lhe dar crédito quando ele diz que é o seu irmão desaparecido. Segundo, você não será o único a reagir assim diante da mecânica quântica. Em maior ou menor medida, essa sensação é compartilhada por alguns dos físicos mais consagrados de todos os tempos. Einstein recusou-se a aceitá-la por completo. Até mesmo Niels Bohr, um dos principais pioneiros e proponentes da teoria quântica, observou que se você não ficar tonto de vez em quando ao pensar em mecânica quântica, é porque não entendeu nada.

QUENTE DEMAIS NA COZINHA

O caminho da mecânica quântica começou com um problema interessante. Imagine que o forno em sua cozinha conta com isolamento perfeito, e que você o regula a uma temperatura, digamos, cerca de duzentos graus Celsius. Mesmo que você tenha retirado todo o ar de dentro do forno antes de acendê-lo, o aquecimento das paredes gera ondas de radiação no interior. Trata-se do mesmo tipo de radiação — calor e luz sob a forma de ondas eletromagnéticas — emitida pela superfície do Sol ou por um espeto de ferro incandescente.

Esse é o problema. As ondas eletromagnéticas transportam energia — a vida na Terra, por exemplo, depende basicamente da energia solar, transmitida à Terra por ondas eletromagnéticas. No começo do século XX, tentou-se calcular a energia total transportada pela soma de toda a radiação eletromagnética no interior de um forno a uma temperatura dada. O emprego dos procedimentos de cálculo tradicionais produziu um resultado ridículo: qualquer que fosse a temperatura, a energia total dentro do forno seria *infinita*.

Todos sabiam que a resposta não fazia sentido — um forno quente pode abrigar muita energia, mas não uma quantidade infinita. Para que possamos entender bem a solução proposta por Planck, vale a pena conhecer o problema com um pouco mais de profundidade. Acontece que quando se aplica a teoria eletromagnética de Maxwell à radiação existente no interior de um forno, verifica-se que as ondas geradas pelas paredes aquecidas devem ter um número *inteiro* de picos e depressões que caibam exatamente no espaço entre as paredes opostas. A figura 4.1 mostra alguns exemplos. Os físicos descrevem essas ondas por meio de três elementos: o comprimento, a frequência e a amplitude da onda. O *comprimento da onda* é a distância entre dois picos ou duas depressões sucessivos das ondas, como se vê na figura 4.2. Quanto maior o número de picos e depressões, tanto menor será o comprimento da onda, uma vez que eles têm de apertar-se para caber entre as paredes do forno. A *frequência* é o número de oscilações cíclicas que a onda completa em cada segundo. Resulta que a frequência é determinada pelo comprimento da onda e vice-versa: quanto maior o comprimento da onda, menor a frequência; quanto menor o comprimento da onda, maior a frequência. Para entender, pense no que acontece quando você sacode uma corda cuja outra ponta está amarrada em um poste. Para produzir um comprimento de onda grande, você sacode a corda vagarosamente. A frequência das ondas coincidirá com o número de ciclos por segundo que o seu

Figura 4.1 *A teoria de Maxwell diz que as ondas de radiação no interior de um forno têm números inteiros de picos e depressões. Elas preenchem o espaço interior com ciclos completos.*

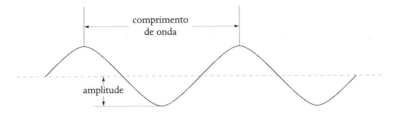

Figura 4.2 *O comprimento de onda é a distância entre os sucessivos picos, ou depressões, de uma onda. A amplitude é a altura, ou a profundidade, máxima da onda.*

próprio braço provoca, razão por que ela é relativamente baixa. Mas para produzir comprimentos de onda curtos, você sacode a corda com mais vigor — pode-se dizer, com maior frequência —, o que produz uma onda de frequência mais alta. Finalmente, usa-se o termo *amplitude* para descrever a altura ou a profundidade máxima das ondas, como se vê também na figura 4.2.

Caso você ache as ondas eletromagnéticas muito abstratas, outra boa analogia é a das ondas que se formam quando você toca a corda de um violão. As diferentes frequências da onda correspondem às diferentes notas musicais: quanto mais alta a frequência, mais alta a nota. A amplitude de uma onda em uma corda de violão é determinada pela força com que você a toca. Um puxão mais forte significa que você adiciona energia ao movimento oscilatório da corda; mais energia corresponde, portanto, a maiores amplitudes. O ouvido percebe essa alteração como um som de maior volume. Do mesmo modo, menos energia corresponde a menores amplitudes e a sons de menor volume.

Com os recursos da termodinâmica do século XIX, pôde-se determinar a quantidade de energia que as paredes de um forno converteriam em ondas eletromagnéticas para cada comprimento de onda exato e permitido, o que corresponde à força com que as paredes "tocam", por assim dizer, as ondas. O resultado encontrado é fácil de expor: todas as ondas permitidas — *independentemente do comprimento de onda* — transportam a mesma quantidade de energia (cujo valor é determinado pela temperatura do forno). Em outras palavras, todos os tipos possíveis de onda no interior do forno estão em pé de igualdade quanto à quantidade de energia que encerram.

À primeira vista isso parece interessante mas inócuo. Nada disso. Marca o fim do que veio a chamar-se física clássica. A razão é a seguinte: embora o requisito de que todas as ondas tenham um número inteiro de picos e depressões elimine uma enorme variedade de tipos de onda no interior do forno, ainda persiste um número infinito de ondas possíveis — com números inteiros cada vez maiores de picos e depressões. Como todos os tipos de onda transportam a mesma quantidade de energia, um número infinito de comprimentos de onda significa uma quantidade infinita de energia. No fim do século XIX havia uma mosca gargantuana na sopa da física teórica.

VISÃO GRANULADA NO COMEÇO DO SÉCULO

Em 1900, Planck aventou uma hipótese que resolveu o quebra-cabeça e valeu-lhe o prêmio Nobel de Física em 1918.[2] Para ter uma ideia do que ele propôs, imagine que você e uma enorme multidão — um número "infinito" de pessoas — estão aglomerados em um galpão grande e frio, administrado por um velho pão-duro. Na parede há um lindo termostato digital que controla a temperatura, mas você arregala os olhos quando vê o preço que o velho cobra pela calefação. Se o termostato for programado para aquecer a cinquenta graus Fahrenheit (o equivalente a dez graus Celsius), cada pessoa tem de pagar cinquenta dólares. Se for programado para 55 graus, o preço que cada pessoa pagará é 55 dólares, e assim por diante. Você logo vê que, como há um número infinito de pessoas no galpão, o velho receberá uma soma infinita de dinheiro se alguém puser a calefação para funcionar.

Lendo melhor as regras de pagamento, você descobre um furo. Como o velho é muito ocupado e não quer perder tempo dando troco, sobretudo para um número infinito de pessoas, ele recebe o dinheiro da seguinte maneira: todo mundo tem de pagar a soma exata. Quem não tiver a quantia exata, paga o valor mais próximo possível do preço, de modo que não haja troco. Como você quer contar com todos os demais e não quer pagar taxas exorbitantes pela calefação, induz os seus companheiros a organizar o grupo do seguinte modo: uma pessoa leva todas as moedas de um centavo, outra leva todas as moedas de cinco centavos, outra todas as de dez, outra as de 25, e assim por diante até as notas de um dólar, de cinco, de dez, de vinte, de cinquenta, de cem, de mil e até de valores maiores (e desconhecidos). Você então, atrevidamente, programa o termostato para oitenta graus e fica esperando o velho chegar. Quando finalmente ele chega, a primeira pessoa a pagar é a que traz as moedas de um centavo, que lhe entrega 8 mil moedas. A seguir vem o que tem as moedas de cinco centavos e deixa 1600 moedas, o das moedas de dez centavos deixa oitocentas, o das de 25 centavos deixa 320, a pessoa com notas de um dólar deixa-lhe oitenta notas, a das notas de cinco dá dezesseis notas, a das de dez dá oito notas, a pessoa com notas de vinte dá quatro e a pessoa que tem as notas de cinquenta dá uma nota só (uma vez que duas notas de cinquenta excederiam o valor do pagamento, o que exigiria um troco). Todos os demais têm consigo apenas notas cujo valor — um "grão" (*lump*) mínimo de dinheiro — excede o valor do pagamento. Por conseguinte, não podem pagar nada ao velho, que, assim, em vez de receber uma soma infinita, fica com apenas 690 dólares.

Planck usou uma estratégia muito similar a essa para reduzir a termos finitos o resultado ridículo de um forno que produz quantidades infinitas de energia. Veja como: ele audaciosamente imaginou que a energia transportada por uma onda eletromagnética em um forno, tal como acontece com o dinheiro, aparece em quantidades padronizadas. Ela se manifesta em múltiplos de uma determinada unidade de energia, e sempre em números inteiros. Você pode ter uma, ou duas, ou três unidades, e assim por diante, mas não pode haver, por exemplo, um terço de unidade, assim como não pode haver um terço de centavo ou a metade de 25 centavos. Planck declarou, portanto, que quando se trata de energia, não se admitem frações. Ora, os valores de nossa moeda são determinados pelo Tesouro dos Estados Unidos. Planck, que buscava uma explicação mais profunda, sugeriu que a unidade básica da energia de uma onda, a quantidade mínima de energia que ela pode conter — a "granulação" mínima dessa energia, por assim dizer — é determinada pela sua frequência. Especificamente, ele postulou que a energia *mínima* que uma onda pode conter é *proporcional à sua frequência*: quanto maior for a frequência (quanto menor o comprimento de onda) tanto maior será o grão mínimo de energia; quanto menor for a frequência (quanto maior o comprimento de onda) tanto menor será esse grão mínimo de energia. *Grosso modo*, pode-se dizer que, assim como no mar as ondas longas e harmoniosas são mais suaves e as ondas curtas e crespas são mais fortes, a radiação com comprimento de onda longo é intrinsecamente menos energética que a radiação com comprimento de onda curto.

Aqui está o segredo: os cálculos de Planck demonstraram que essa "granulação" das quantidades permitidas de energia em cada onda elimina o ridículo resultado anterior de um total infinito de energia. Não é difícil ver por quê. Quando se aquece um forno a uma certa temperatura, os cálculos feitos com base na termodinâmica do século XIX preveem a energia que cada onda supostamente aportaria para a formação da energia total. Mas assim como no caso dos companheiros que não podiam contribuir para o pagamento da calefação porque o valor das notas que possuíam era grande demais, também aqui, se a energia mínima de uma determinada onda for maior do que o valor da energia que ela deveria aportar, ela não pode prestar a sua contribuição e fica inerte. Como, segundo Planck, a energia mínima que uma onda pode transportar é proporcional à sua frequência, à medida que vamos examinando as ondas do forno em ordem crescente de frequência (comprimentos de onda mais curtos), mais cedo ou mais tarde a energia mínima que elas podem transportar *será* maior do que a contribuição de energia que elas devem fazer. Tal como as pessoas do galpão que detinham as notas de valor superior a cinquenta dólares, essas ondas de frequências maiores não podem aportar o valor de energia requerido pela física do século XIX. Portanto, assim como só um número finito de pessoas consegue contribuir para o pagamento da calefação — o que leva a um total finito de dinheiro —, também só um número finito de ondas consegue contribuir para a energia total do forno — o que leva a um total finito de energia. Tanto no caso da energia quanto no do dinheiro, o caráter "granulado" das unidades fundamentais — e o tamanho crescente dessas unidades à medida que aumenta a frequência ou a denominação monetária — transforma uma resposta infinita em finita.[3]

Eliminando o despropósito evidente de um resultado infinito, Planck deu um passo importante. Mas o que fez com que se acreditasse realmente na validade da sua proposição foi o fato de que a resposta finita que o seu método propiciava concordava de maneira espetacular com as experiências já realizadas. Especificamente, Planck verificou que ajustando *um único* parâmetro que entrava em suas equações era possível prever com precisão a medida da energia no interior de um forno a qualquer temperatura dada. Esse parâmetro é o fator de proporcionalidade entre a frequência de uma onda e a quantidade mínima de energia que ela pode ter. Ele obteve como medida desse fator — hoje conhecido como *constante de Planck* e designado $\hbar$ (pronuncia-se "h-barra") — cerca de um bilionésimo de bilionésimo de bilionésimo das nossas unidades normais de medida.[4] Esse valor diminuto da constante de Planck significa que o tamanho das quantidades mínimas de energia é normalmente muito pequeno. É por isso, por exemplo, que temos a *impressão* de podermos fazer com que a energia de uma onda de uma corda de violino — e por conseguinte o volume do som por ela produzido — modifique-se de maneira gradual e contínua. Na verdade, a energia da onda se modifica por degraus, *à* Planck, mas o tamanho dos degraus é tão pequeno que os saltos de um nível de volume para o outro são imperceptíveis aos nossos ouvidos. De acordo com a afirmação de Planck, o tamanho desses saltos de energia cresce à medida que a frequência das ondas aumenta (e à medida que o comprimento das ondas diminui). Esse é o elemento essencial da resolução do paradoxo da energia infinita.

Como veremos, a hipótese quântica de Planck tem um alcance muito maior do que simplesmente o de permitir-nos conhecer o total da energia de um forno. Ela liquida com boa parte das coisas do mundo que consideramos evidente. A pequenez de $\hbar$ confina a maior parte desses desvios radicais de comportamento aos níveis microscópicos, mas se $\hbar$ fosse bem maior do que é, os estranhos acontecimentos do H-Bar seriam, na verdade, lugar-comum. No nível microscópico é o que eles são.

O QUE SÃO OS GRÃOS?

Planck não tinha uma justificativa para introduzir o conceito fundamental da energia granulada. Além do fato de que funcionava, nem ele nem ninguém era capaz de apresentar uma razão convincente para afirmar que o conceito corresponde à verdade. Como disse o cientista George Gamow, é como se a natureza permitisse que uma pessoa tomasse ou um copo inteiro de cerveja ou então nada, mas nunca os valores intermediários.[5] Em 1905, Einstein encontrou uma explicação e por causa disso ganhou o prêmio Nobel de Física em 1921.

Ele desenvolveu a explicação ao estudar algo conhecido como efeito fotoelétrico. Em 1887, o físico alemão Heinrich Hertz foi o primeiro a descobrir que quando a radiação eletromagnética — a luz — incide sobre certos metais, estes emitem elétrons. Isso por si só não constitui nada de particularmente notável. Os metais têm a propriedade de que alguns dos seus elétrons ligam-se aos átomos de maneira tênue (e por isso são tão bons condutores de eletricidade). Quando a luz incide sobre a superfície metálica, ela perde energia. Isso é o que acontece também quando ela incide sobre a sua pele, em consequência do que você experimenta a sensação de calor. Essa energia transferida agita os elétrons do metal, e alguns dos que têm as conexões mais tênues podem ser expelidos da superfície.

As características estranhas do efeito fotoelétrico tornam-se perceptíveis quando se estudam mais detalhadamente as propriedades dos elétrons expelidos. À primeira vista, você poderia supor que à medida que a intensidade da luz — o seu brilho — aumenta, a velocidade dos elétrons expelidos também aumentaria, uma vez que a onda eletromagnética incidente tem mais energia. Mas isso *não* acontece. O que aumenta é o *número* dos elétrons expelidos, enquanto a velocidade permanece constante. Por outro lado, observou-se experimentalmente que a velocidade dos elétrons expelidos *de fato* aumenta com o aumento da *frequência* da luz incidente. Do mesmo modo, a velocidade diminui quando a frequência da onda diminui. (Para as ondas eletromagnéticas da parte visível do espectro, o aumento da frequência corresponde à variação da cor, do vermelho para o laranja, o amarelo, o verde, o azul, o anil e finalmente o violeta. As frequências mais altas que a do violeta não são visíveis e correspondem ao ultravioleta e a seguir aos raios X; as frequências mais baixas que a do vermelho tampouco são visíveis e correspondem à radiação infravermelha.) Com efeito, se reduzimos progressivamente a frequência da luz, chegamos a um ponto em que a velocidade dos elétrons emitidos cai para zero e eles deixam de ser expelidos da superfície, *mesmo que a luz emitida tenha uma intensidade ofuscante*. Por alguma razão desconhecida, a *cor* do raio de luz incidente — e não a sua energia total — determina se um elétron será ou não expelido e, caso o seja, a energia que ele terá.

Para entendermos como Einstein explicou esses fatos intrigantes, voltemos ao galpão, agora aquecido à temperatura amena de oitenta graus Fahrenheit (26,6 graus Celsius). Imagine que o velho dono do galpão, que está sempre mal-humorado e que odeia crianças, obriga todos os que têm menos de quinze anos a permanecer no subterrâneo, de modo que os adultos possam vê-los de uma varanda que se estende ao longo de um dos lados da estrutura. Para as crianças, cujo número é enorme, a única maneira de sair do subterrâneo é pagar ao guarda uma taxa de 85 centavos. (O velho é *realmente* um tirano.) Os adultos, impelidos a ajudá-las, juntaram dinheiro nos valores descritos acima, e têm de dar o dinheiro às crianças jogando-o da varanda. Vejamos o que acontece.

A pessoa que tem as moedas de um centavo começa a jogá-las, mas isso não é suficiente para que qualquer das crianças consiga juntar o necessário para pagar a taxa. Como o número delas é essencialmente "infinito" e como elas lutam ferozmente entre si para pegar o dinheiro que cai, mesmo que o adulto possuidor das moedas de um centavo atirasse um número enorme de moedas, nenhuma das crianças sequer chegaria perto de juntar os 85 centavos necessários para pagar ao guarda. O mesmo acontece com os adultos que jogam as moedas de cinco, de dez, de 25. Ainda que joguem quantidades fabulosas de dinheiro, as crianças terão sorte se conseguirem apanhar uma moeda (a maioria não consegue apanhar nada) e com certeza nenhuma delas conseguirá juntar os 85 centavos necessário para sair. Mas quando o adulto que detém as notas de um dólar começa a jogá-las — ainda que somas relativamente pequenas, uma nota de cada vez —, a criança afortunada que conseguir apanhar a nota poderá sair imediatamente. Observe ainda que, mesmo que esse adulto atire maços de notas, o número de crianças capazes de sair cresce demais, mas cada uma deixa exatamente quinze centavos de troco após pagar o guarda. Isso é verdade independentemente do número total de dólares atirados.

Aqui está o que isso tem a ver com o efeito fotoelétrico. Com base nos dados experimentais assinalados acima, Einstein sugeriu que se tratasse a luz da mesma maneira como Planck tratara a energia das ondas, ou seja, aplicando-se a ela a descrição granulada. Segundo Einstein, um raio de luz deve ser visto como *um feixe de grãos mínimos* — grãos mínimos de luz — que vieram a receber o nome de *fótons*, dado pelo químico Gilbert Lewis (ideia que utilizamos no nosso exemplo do relógio de luz no capítulo 2). Para termos uma noção das escalas envolvidas, de acordo com a visão da luz como partícula, uma lâmpada normal de cem watts emite cerca de 100 bilhões de bilhões (10^{20}) de fótons por segundo. Einstein usou essa nova concepção para sugerir a existência de um mecanismo microscópico responsável pelo efeito fotoelétrico: um elétron é expelido de uma superfície metálica, propôs ele, quando é atingido por um fóton com energia suficiente. E o que determina a energia de um fóton? Para explicar os dados obtidos nas experiências, Einstein seguiu o rumo de Planck e afirmou que a energia de *cada* fóton é proporcional à frequência da onda de luz (sendo que o fator de proporcionalidade é a constante de Planck).

Tal como no caso da taxa de saída que as crianças tinham de pagar, os elétrons do metal têm de ser atropelados por um fóton que possua uma certa quantidade mínima de energia para poderem ser expulsos da superfície metálica. (Como no caso das crianças que lutavam pelo dinheiro, é extremamente improvável que um mesmo elétron seja atingido por mais de um fóton — a maioria simplesmente não é atingida.) Mas se a frequência do raio de luz incidente for baixa demais, os fótons individualmente não produzirão o impacto necessário para expulsar os elétrons. Assim como nenhuma das crianças consegue sair só juntando moedas, qualquer que seja o total das moedas jogadas pelos adultos, nenhum elétron é expulso qualquer que seja o total da energia contida no raio de luz incidente se a sua frequência (e portanto a energia individual dos fótons) for baixa demais.

E do mesmo modo como as crianças começam a sair do subterrâneo tão logo a denominação monetária atirada da varanda alcance um certo valor, também os elétrons começam a ser expelidos do metal tão logo a frequência da luz que incide sobre eles — que é a denominação em que a energia se reparte — atinge um certo nível. Igualmente, do mesmo modo como o adulto que joga as notas de um dólar aumenta o total de dinheiro existente no subterrâneo ao aumentar o número de notas que atira, também a intensidade de um raio de luz de determinada frequência aumenta ao aumentar o número de fótons que ele contém. E do mesmo modo como mais dólares significam mais crianças capazes de sair, mais fótons significam que mais elétrons serão atingidos e expelidos da superfície metálica. Observe ainda que a energia que resta em cada um desses elétrons após a expulsão varia apenas em função da energia do fóton que o atingiu — e é determinada pela frequência do raio de luz e não por sua intensidade. Do mesmo modo como todas as crianças saem do subterrâneo com a mesma quantidade de dinheiro no bolso — quinze centavos — por mais que se joguem notas de um dólar, também cada elétron deixa a superfície com a mesma energia — e portanto com a mesma velocidade — por maior que seja a intensidade total da luz incidente. Mais dinheiro significa simplesmente que mais crianças podem sair; mais energia no raio de luz significa simplesmente que mais elétrons são liberados. Para que as crianças saiam do subterrâneo com mais dinheiro é preciso aumentar o valor monetário das notas lançadas; para que os elétrons deixem a superfície com maior velocidade é preciso aumentar a frequência do raio de luz incidente — ou seja, aumentar o valor energético dos fótons que emitimos na superfície metálica.

Isso está perfeitamente de acordo com os resultados experimentais. A frequência da luz (a sua cor) determina a velocidade dos elétrons expelidos; a intensidade da luz determina o seu número. E assim Einstein demonstrou que a hipótese da energia granulada de Planck corresponde a um aspecto fundamental das ondas eletromagnéticas: elas são compostas por partículas — fótons — que são pequenos pacotes, ou *quanta*, de luz. O aspecto granulado da energia contida nessas ondas deve-se a que elas são compostas por grãos.

A contribuição de Einstein representou um grande progresso. Mas, como veremos agora, a história não é tão simples assim.

É UMA ONDA OU É UMA PARTÍCULA?

Todo mundo sabe que a água — e portanto as ondas de água — compõe-se de um número enorme de moléculas de água. Portanto, não chega a ser surpreendente que as ondas de luz também sejam compostas por um número enorme de partículas, ou seja, de fótons, não é verdade? Não, não é verdade. Mas a surpresa está nos detalhes. Há mais de trezentos anos Newton proclamou que a luz consiste de um fluxo de partículas, o que mostra que essa ideia não é particularmente nova. Mas alguns dos colegas de Newton, especialmente o holandês Christian Huygens, discordaram e argumentaram que a luz é uma onda. O debate prolongou-se até que no começo do século XIX o físico inglês Thomas Young realizou experiências que mostravam que Newton estava errado.

A figura 4.3 reproduz esquematicamente uma versão — conhecida como a experiência das duas fendas — da experiência de Young. Feynman gostava de dizer que toda a mecânica quântica pode ser deduzida a partir de uma reflexão cuidadosa sobre as implicações dessa experiência. Vamos, então, analisá-la. Como se vê na figura 4.3, joga-se luz sobre uma barreira sólida e fina na qual há duas

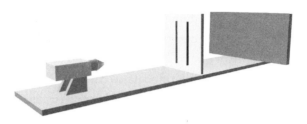

Figura 4.3 *Na experiência das duas fendas, um raio de luz incide sobre uma barreira em que há duas fendas. A luz que passa por elas é registrada em uma placa fotográfica quando uma das fendas, ou ambas, estão abertas.*

fendas. Uma placa fotográfica colocada atrás da barreira registra a luz que passa através das fendas — as partes mais claras da fotografia indicam maior incidência de luz. A experiência consiste em comparar as imagens que resultam quando uma, ou outra, ou ambas as fendas estão abertas e deixam passar a luz.

Se a fenda da esquerda estiver fechada e a da direita aberta, a fotografia aparecerá como o que mostra a figura 4.4. Isto faz sentido uma vez que a luz que atinge a placa fotográfica tem de passar através da única fenda aberta e se concentrará, portanto, na parte direita da fotografia. Do mesmo modo, se a fenda da direita estiver fechada e a da esquerda aberta, a fotografia aparecerá como o que mostra a figura 4.5. Se as duas fendas estiverem abertas, a visão newtoniana da luz como partícula leva à previsão de que a placa fotográfica aparecerá como o que mostra a figura 4.6, uma fusão das figuras 4.4 e 4.5.

Essencialmente, se você pensar nos corpúsculos de luz de Newton como pequenas esferas que atira contra a barreira, aqueles que atravessarem as fendas ficarão concentrados nas duas áreas que se alinham com as fendas. Ao con-

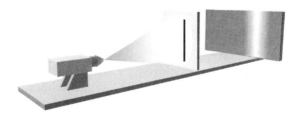

Figura 4.4 *Nesta experiência a fenda da direita está aberta, o que produz na placa fotográfica a imagem aqui mostrada.*

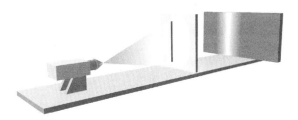

Figura 4.5 *Tal como na figura 4.4, mas com a fenda da esquerda aberta.*

trário, a visão da luz como onda leva a uma previsão muito diferente para o que acontece quando as duas fendas estão abertas. Vejamos.

Imagine que em vez de estarmos tratando aqui de ondas de luz estivéssemos considerando ondas de água. O resultado será o mesmo, mas é mais fácil exemplificar com a água. Quando as ondas de água atingem a fenda, do outro lado da barreira surgem ondas circulares, semelhantes às que faz um pedregulho em um lago, tal como na figura 4.7. (É fácil fazer a experiência, colocando uma barreira de papelão em uma bacia cheia d'água.) As ondas que saem de cada uma das fendas encontram-se umas com as outras e algo interessante acontece. Se, ao se encontrarem, as duas ondas estiverem no pico, a altura da onda nesse ponto aumentará: é a soma das alturas das duas ondas. Se, ao se encontrarem, as duas ondas estiverem no ponto mínimo, a profundidade da depressão da água nesse ponto também aumentará. Finalmente, se o pico de uma onda encontra-se com a depressão de outra, *eles se cancelarão mutuamente*. (Com efeito, essa é a ideia básica dos fones de ouvido, que eliminam ruídos — eles medem a forma da onda de som que entra e produzem outra cuja forma é exatamente a "oposta", o que leva ao cancelamento dos ruídos indesejados.) Entre essas pos-

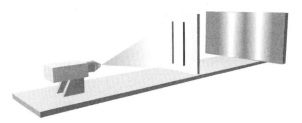

Figura 4.6 *A visão newtoniana da luz como partícula prevê que quando ambas as fendas estão abertas, a placa fotográfica apresentará a superposição das imagens das figuras 4.4 e 4.5.*

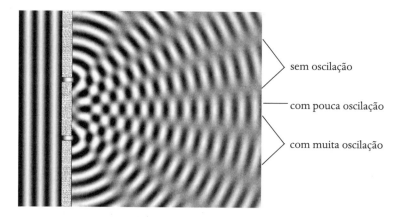

Figura 4.7 As ondas circulares de água que emergem de cada fenda sobrepõem-se umas às outras, o que faz com que a onda resultante seja maior em alguns lugares e menor em outros.

sibilidades de encontros — pico com pico, depressão com depressão e pico com depressão — estão todos os aumentos e diminuições parciais da altura da onda resultante. Se você e uma porção de amigos formarem uma fila de barquinhos paralela à barreira e cada um registrar o tamanho da oscilação que sofre com a passagem da onda, o resultado será algo parecido com o que mostra o lado direito da figura 4.7. Os lugares de maior oscilação serão aqueles em que os picos (ou as depressões) das ondas procedentes de cada fenda coincidem. Os lugares de oscilação mínima ou igual a zero serão aqueles em que os picos procedentes de uma fenda coincidem com as depressões procedentes da outra, o que resulta em um cancelamento.

Como a placa fotográfica registra as oscilações da luz incidente, o mesmo raciocínio, aplicado ao tratamento do raio de luz como onda, indica que quando as duas fendas estiverem abertas, a fotografia aparecerá como o que mostra a figura 4.8. As áreas mais brilhantes da figura 4.8 estão onde coincidem os picos (ou as depressões) das ondas procedentes de cada fenda. As áreas escuras estão onde os picos das ondas de um lado coincidem com as depressões das do outro, o que resulta em um cancelamento. A sequência de faixas de luz e de ausência de luz é conhecida como *padrão de interferência*. Essa fotografia é significativamente diferente da que foi mostrada na figura 4.6, e aí está, portanto, uma experiência concreta para distinguir entre as visões da luz como partícula ou como

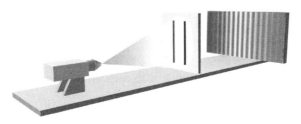

Figura 4.8 *Se a luz é uma onda, quando ambas as fendas estiverem abertas haverá interferência entre as ondas que emergem de cada fenda.*

onda. Young executou uma versão dessa experiência e os resultados que obteve correspondem à figura 4.8, confirmando assim a visão ondulatória. A visão corpuscular de Newton estava derrotada (embora os físicos tenham demorado algum tempo para aceitar o fato). A interpretação da luz como onda foi posteriormente posta em termos matematicamente sólidos por Maxwell.

Mas Einstein, o homem que derrubou a consagrada teoria da gravitação de Newton, provocou uma ressurreição do modelo dos corpúsculos newtonianos com a incorporação do fóton. A pergunta continua de pé: como pode o modelo corpuscular explicar o padrão de interferência mostrado na figura 4.8? De imediato, você poderia fazer a seguinte sugestão. A água compõe-se de moléculas de H_2O — que são os "corpúsculos" da água. No entanto, quando um grande número dessas moléculas flui em conjunto, produzem-se ondas de água, as quais têm as propriedades de interferência ilustradas na figura 4.7. Desse modo, parece razoável supor que as propriedades típicas das ondas, como o padrão de interferência, possam também ocorrer no modelo corpuscular da luz, desde que estejamos diante de um grande número de fótons, que são os corpúsculos, ou as partículas da luz.

Na verdade, contudo, o mundo microscópico é muito mais sutil. Mesmo que a intensidade da fonte de luz da figura 4.8 diminua cada vez mais, até o ponto em que os fótons atinjam a barreira *um por um* — ao ritmo de um a cada dez segundos, por exemplo —, a placa fotográfica resultante *continuará* a parecer-se com a da figura 4.8: desde que esperemos o tempo suficiente para que um número bem grande desses pacotes de luz passe pelas fendas e seja registrado como um ponto na placa fotográfica, esses pontos terminarão por compor a imagem de um padrão de interferência, que é a imagem da figura 4.8. Isso é incrível. Como é que os fótons que passam um de cada vez pelas fendas e se imprimem um de cada vez na placa fotográfica podem conspirar entre si para produzir as faixas claras e escuras das ondas que se interferem? O raciocínio convencional nos indica que cada fóton passa ou por uma fenda ou pela outra e, portanto seria de esperar a produção do padrão mostrado na figura 4.6. Mas isso não acontece.

Se você não ficou profundamente impressionado com esse fato da natureza, ou é porque você já o conhecia e ficou *blasé*, ou porque a descrição dada aqui não foi suficientemente vívida. Se for esse o caso, tentemos de novo, de uma maneira ligeiramente diferente. Você fecha a fenda da esquerda e lança os fótons um por um contra a barreira. Alguns a atravessam e outros não. Os que a atravessam criam na placa, ponto por ponto, uma imagem semelhante à da figura 4.4. Em seguida você faz de novo a experiência com uma nova placa fotográfica, mas dessa vez você abre as duas fendas. Naturalmente você espera que com isso aumentará o número de fótons que passam pelas fendas e atingem a placa, razão por que a película fotográfica receberá uma maior quantidade de luz do que na experiência anterior. Mas quando você examina a imagem produzida, verifica que não só há regiões da placa fotográfica que antes estavam escuras e que agora aparecem claras, como era de esperar, mas também que há regiões que antes estavam claras e que agora aparecem escuras, como na figura 4.8. O *aumento* do número de fótons que atinge a placa fotográfica produziu uma *diminuição* de brilho em certas áreas. De algum modo, os fótons corpusculares e separados no tempo conseguem cancelar-se mutuamente. Veja bem que loucura: há fótons que teriam passado pela fenda da direita se a outra estivesse fechada (criando uma faixa clara na placa), mas que não passam por ela quando a fenda da esquerda está aberta (razão por que essa faixa da placa fica escura). Mas como é que um minúsculo pacote de luz que passa por uma fenda pode ser afetado pelo estado *da outra* fenda, quer aberta ou fechada? É tão estranho, como disse Feynman, quanto se você estivesse atirando com uma metralhadora contra a barreira e, quando as duas fendas estivessem abertas, as balas começassem a cancelar-se mutuamente, deixando ilesas certas regiões do alvo que *teriam sido* atingidas se apenas uma fenda estivesse aberta.

Essas experiências revelam que as partículas de luz de Einstein são bem diferentes das de Newton. De alguma maneira, os fótons, mesmo sendo partículas, incorporam aspectos característicos da visão ondulatória da luz. O fato de que a energia dessas partículas seja determinada por uma característica das ondas — a frequência — é o primeiro indício de que uma estranha união está ocorrendo. Mas o efeito fotoelétrico e a experiência das duas fendas resolvem a questão. O efeito fotoelétrico revela que a luz tem características de partícula. A experiência das duas fendas revela que a luz manifesta as propriedades de interferência das ondas. Em conjunto, eles mostram que a luz tem *propriedades tanto de onda quanto de partícula*. O mundo microscópico nos obriga a desfazer-mo-nos da nossa intuição de que uma coisa ou é uma partícula ou é uma onda e aceitar a possibilidade de que seja partícula e onda *ao mesmo tempo*. É aqui que a frase de Feynman, de que "ninguém entende a mecânica quântica", ganha o seu contexto. Podemos criar expressões como "dualidade onda-partícula". Podemos traduzi-las em fórmulas matemáticas que descrevem experiências reais com incrível precisão. Mas é extremamente difícil entender no nível da intuição profunda esse aspecto fascinante do mundo microscópico.

AS PARTÍCULAS DE MATÉRIA TAMBÉM SÃO ONDAS

Nas primeiras décadas do século XX, muitos dos maiores teóricos da física empenharam-se sem descanso na tarefa de encontrar uma explicação matematicamente correta e fisicamente aceitável para essas características microscópicas da realidade, até então ocultas. Niels Bohr e seus colaboradores em Copenhague, por exemplo, progrediram muito na explicação das propriedades da luz emitida por átomos de hidrogênio incandescente. Mas os trabalhos anteriores a meados da década de 20 eram mais uma tentativa de fazer convergir as ideias do século XIX com os recém-descobertos conceitos quânticos do que um esquema coerente de explicação do universo físico. Em comparação com a estrutura clara e lógica das leis de movimento de Newton e da teoria eletromagnética de Maxwell, a teoria quântica, ainda não totalmente desenvolvida, estava em estado caótico.

Em 1923, o jovem príncipe francês Louis de Broglie acrescentou um novo elemento à desordem quântica, o qual, no entanto, veio a propiciar, pouco depois, o desenvolvimento do esquema matemático da mecânica quântica moderna e lhe valeu o prêmio Nobel de Física de 1929. Inspirado em uma cadeia de raciocínio que derivava da relatividade especial de Einstein, De Broglie sugeriu que a dualidade onda-partícula não se aplicava somente à luz, mas sim à matéria como um todo. Por assim dizer, ele pensou que se a equação $E = mc^2$ relaciona massa e energia e se o próprio Einstein e Planck relacionaram a energia à frequência das ondas, então, combinando-se as duas coisas, a massa também deveria ter uma encarnação ondulatória. Depois de muito elaborar essa linha de raciocínio, ele sugeriu que, assim como a luz é um fenômeno ondulatório para o qual a teoria quântica tem uma descrição igualmente válida em termos de partículas, os elétrons — que normalmente imaginamos como partículas — poderiam ter uma descrição igualmente válida em termos de ondas. Einstein aceitou imediatamente essa ideia de De Broglie, a qual era um desdobramento natural dos seus trabalhos sobre relatividade e fótons. Mesmo assim, nada substitui a prova experimental, e ela viria com o trabalho de Clinton Davisson e Lester Germer.

Em meados da década de 20, Davisson e Germer, físicos experimentais da Bell Telephone Company, estavam estudando a maneira como um feixe de elétrons ricocheteia sobre uma superfície de níquel. O único detalhe que nos interessa aqui é que nessa experiência os cristais de níquel agem de modo similar ao das duas fendas da experiência ilustrada nas figuras da última seção — com efeito, é perfeitamente cabível pensar que se trata da mesma experiência, levando-se em conta que, em lugar da luz, emprega-se um feixe de elétrons. Esse é o ponto de vista que adotamos aqui.

Na sua experiência, Davisson e Germer examinavam os elétrons que passavam pelas "fendas" do níquel e atingiam uma tela fosforescente, que registrava com um ponto brilhante a localização do impacto de cada elétron — o que, essencialmente, é o que ocorre dentro de uma televisão. Verificaram então algo notável. Surgiu um desenho muito semelhante ao da figura 4.8. A experiência mostrou, assim, que os elétrons também apresentam fenômenos de interferência, o sinal que identifica as *ondas*. Nos pontos escuros da tela fosforescente, os elétrons, de alguma forma, "cancelavam-se mutuamente", tal como os picos e depressões das ondas de água. Mesmo que o feixe de elétrons fosse tão "fino" que apenas um elétron fosse emitido, por exemplo, a cada dez segundos, os elétrons, um por um, iam construindo as faixas claras e escuras, ponto por ponto. De algum modo, os elétrons, assim como os fótons, "interferem" uns com os outros, no sentido de que cada um deles, ao longo do tempo, reconstrói o padrão de interferência associado às ondas. Somos forçosamente levados à conclusão de que todos os elétrons, além da sua caracterização como partículas, têm também características de ondas.

Embora tenhamos descrito apenas o caso dos elétrons, experiências similares levam à conclusão de que *todas* as formas da matéria apresentam características de ondas. Mas como conciliar isso com a nossa percepção de que a matéria é algo sólido e concreto, de modo algum ondulatório? De Broglie estabeleceu uma fórmula para o comprimento das ondas da matéria, que mostra que o comprimento de onda é proporcional à constante de Planck, $\hbar$. (Mais precisamente, o comprimento de onda é igual a $\hbar$ dividido pelo momento do corpo material.) Como $\hbar$ é muito diminuto, os comprimentos de onda resultantes são também minúsculos, comparados com as escalas normais. Por essa razão, o caráter ondulatório da matéria só se torna apreciável mediante cuidadosas pesquisas microscópicas. Assim como o enorme valor de c, a velocidade da luz, oculta, em grande medida, a verdadeira natureza do espaço e do tempo, o valor mínimo de $\hbar$ oculta os aspectos ondulatórios da matéria no mundo cotidiano.

ONDAS DE QUÊ?

O fenômeno de interferência encontrado por Davisson e Germer tornou evidente a natureza ondulatória dos elétrons. Mas ondas de *quê*? Erwin Schrödinger, o físico austríaco, foi um dos primeiros a sugerir que essas ondas eram assim como um "borrifo" de elétrons, o que capta algo do sentido de uma onda eletrônica, mas deixa muito a desejar. Afinal, quando algo é borrifado, um pouco fica por aqui, um pouco mais para lá, mas nunca ninguém encontrou meio elétron por aqui ou um terço de elétron mais para lá. É difícil entender o que seria um borrifo de elétrons. Como alternativa, em 1926 o físico alemão Max Born refinou a interpretação de Schrödinger, e a sua conclusão — desenvolvida por Bohr e seus colegas — é o que nos ilumina até hoje. A sugestão de Born é um dos aspectos mais estranhos da teoria quântica, mas a sua comprovação experimental é avassaladora. Ele afirmou que a onda eletrônica deve ser interpretada do ponto de vista da *probabilidade*. Os lugares em que a magnitude (ou melhor, o quadrado da magnitude) da onda for *grande* serão os lugares em que é *mais pro-*

vável encontrar o elétron; os lugares em que a magnitude for *pequena* serão os lugares em que é *menos provável* encontrá-lo. A figura 4.9 mostra um exemplo.

Esta sim é uma ideia peculiar. Que papel pode desempenhar a probabilidade na formulação dos fundamentos da física? Normalmente o cálculo de probabilidades aparece nas corridas de cavalos, no cara ou coroa e nas mesas dos cassinos, mas nesses casos ele reflete apenas o caráter *incompleto* do nosso conhecimento. Se conhecêssemos *precisamente* a velocidade da roleta, o peso e a elasticidade da bolinha, a sua localização e velocidade no momento em que toca a roleta que gira, as especificações exatas do material que constitui os cubículos e assim por diante, e se tivéssemos computadores suficientemente potentes para efetuar todos os cálculos, conseguiríamos prever, segundo a física clássica, o local preciso em que a bolinha repousaria. Os cassinos vivem do fato de que não somos capazes de coligir todas as informações e fazer todos os cálculos necessários a tempo de fazermos a aposta. Mas é fácil ver que esse cálculo de probabilidades sobre a roleta não revela nada fundamental a respeito de como funciona o mundo. Já a mecânica quântica introduz o conceito de probabilidade em um nível muito mais profundo. De acordo com Born e com mais de cinquenta anos de experiências posteriores, a natureza ondulatória da matéria implica que a própria matéria tem de ser descrita, no nível fundamental, de modo probabilístico. Para os objetos macroscópicos, como uma xícara de café ou uma roleta, a regra de De Broglie mostra que o caráter ondulatório passa virtualmente despercebido, e para quase todos os propósitos práticos as probabilidades da mecânica quântica

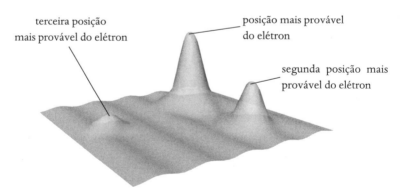

Figura 4.9 *A onda associada a um elétron é maior onde a probabilidade de encontrar o elétron também é maior e decresce progressivamente nos lugares onde a probabilidade de encontrar o elétron também decresce.*

podem ser completamente ignoradas. Mas no nível microscópico, vemos que o máximo que podemos fazer, hoje e sempre, é determinar a probabilidade de que um elétron possa ser encontrado em um lugar específico.

A interpretação probabilística tem a virtude de indicar que se uma onda eletrônica for capaz de fazer o que as outras ondas fazem — por exemplo, chocar-se contra um obstáculo e produzir, em consequência, ondulações de tipos diferentes —, isso não significa que o elétron se tenha despedaçado. Significa, em vez disso, que há vários lugares em que ele *poderia* ser encontrado com probabilidade não desprezível. Na prática, quer dizer que se se repetir muitas vezes e de maneira absolutamente idêntica uma experiência que envolva um elétron, para determinar, por exemplo, a sua posição, *não* se obterá o mesmo resultado todas as vezes. Ao contrário, as sucessivas repetições da experiência produzirão uma gama de resultados diferentes, com a propriedade de que o número de vezes em que o elétron é encontrado em uma certa posição é determinado pela forma da sua onda de probabilidade. Se a onda de probabilidade (ou melhor, o quadrado da onda de probabilidade) for duas vezes maior no local A do que no local B, a teoria prevê que na série de experiências o elétron será encontrado em A com frequência duas vezes maior do que em B. Não se podem prever resultados exatos nessas experiências; o máximo que se pode pretender é prever a *probabilidade* da ocorrência de um resultado específico.

Mesmo assim, desde que possamos determinar com precisão matemática a forma das ondas de probabilidade, as previsões probabilísticas podem ser testadas com a repetição da experiência em um grande número de vezes, com o objetivo de medir experimentalmente a probabilidade de obtenção dos diferentes resultados. Poucos meses após a sugestão de De Broglie, Schrödinger deu o passo decisivo nesse sentido, quando estabeleceu a equação que comanda a forma e a evolução das ondas de probabilidade, ou, como vieram a ser conhecidas, as *funções de ondas*. Logo, a equação de Schrödinger e a interpretação probabilística estavam em pleno uso e produziam previsões incrivelmente precisas. Em 1927, a física já havia perdido a inocência clássica. Estavam terminados os dias do universo mecânico, cujos componentes, uma vez postos em marcha, funcionavam como um relógio, para cumprir obedientemente o seu destino inexorável e predeterminado. Segundo a mecânica quântica, o universo evolui de acordo com uma formalização matemática rigorosa e precisa, mas que se limita a determinar a probabilidade de que um futuro em particular venha a acontecer — e não qual o futuro que acontecerá.

Muitas pessoas ficam confusas com essa conclusão e a consideram total-mente inaceitável. Einstein foi uma delas. Em uma das expressões mais citadas da história da física, ele alertou os partidários da mecânica quântica para o fato de que "Deus não joga dados com o universo". Ele achava que o aparecimento da probabilidade na física fundamental devia-se, ainda que de forma mais sutil, à mesma razão pela qual ela aparece no jogo da roleta: por causa do caráter basicamente incompleto do nosso conhecimento. Na visão de Einstein, a forma precisa do futuro do universo não poderia ser uma questão de sorte. A física teria de prever *como* o universo evolui, e não simplesmente a probabilidade da ocorrência de cada evolução possível. Mas experiência após experiência — feitas em sua maioria depois da sua morte — foi-se confirmando o fato de que Einstein estava errado. Como disse o cientista britânico Stephen Hawking, "A confusão era de Einstein, e não da mecânica quântica".[6]

Contudo, o debate sobre o verdadeiro significado da mecânica quântica continua vivo. Todos estão de acordo quanto ao uso das equações da teoria quântica para fazer previsões precisas. Mas não há consenso quanto a se as ondas de probabilidade têm significado real, ou ainda quanto à maneira pela qual uma partícula "escolhe", dentre os múltiplos futuros possíveis, aquele que ela seguirá, ou mesmo sobre se ela realmente o escolhe. Pode ser ainda que ela se divida, como um ramo de árvore, e viva todos os futuros possíveis em uma sucessão de universos paralelos que se duplicam eternamente. Essas questões de interpretação merecem ser tratadas em um livro à parte, e com efeito exis-tem muitos livros excelentes que esposam essa ou aquela maneira de pensar a respeito da teoria quântica. O que parece certo, no entanto, é que, qualquer que seja a maneira pela qual a mecânica quântica é interpretada, ela mostra, sem a menor dúvida, que o universo está baseado em princípios que, do ponto de vista das nossas experiências diárias, são bizarros.

A metalição da relatividade e da mecânica quântica é a de que quando examinamos o funcionamento básico do universo encontramos aspectos que diferem enormemente das nossas expectativas. A coragem de fazer perguntas profundas requer uma flexibilidade cada vez maior para aceitar as respostas.

A PERSPECTIVA DE FEYNMAN

Richard Feynman foi um dos maiores teóricos da física desde Einstein. Ele abraçou francamente a essência probabilística da mecânica quântica e, nos anos que se seguiram à Segunda Guerra Mundial, ofereceu uma maneira nova de pensar a teoria. Do ponto de vista das previsões numéricas, a perspectiva de Feynman *concorda exatamente* com tudo o que foi dito antes. Mas a sua formulação é bem diferente. Vamos descrevê-la no contexto da experiência do elétron e das duas fendas.

O aspecto perturbador da figura 4.8 é que imaginamos que cada elétron tem de passar ou pela fenda direita ou pela esquerda, o que nos leva a esperar que os dados resultantes possam ser representados adequadamente pela união das figuras 4.4 e 4.5, tal como na figura 4.6. O elétron que passa pela fenda da direita não deveria importar-se com o que possa acontecer com a fenda da esquerda, e vice-versa. Mas acontece que ele se importa. O padrão de interferência que é gerado requer uma sobreposição e uma interação que envolve *algo* que é sensível a ambas as fendas, mesmo que disparemos os elétrons um por um. Schrödinger, De Broglie e Born explicaram esse fenômeno associando uma onda de probabilidade a cada elétron. Como as ondas de água da figura 4.7, a onda de probabilidade do elétron "vê" ambas as fendas e fica sujeita ao mesmo tipo de interferência decorrente da interação. Os lugares em que a onda de probabilidade cresce em consequência da interação, tal como os lugares de oscilação significativa da figura 4.7, são aqueles onde é mais provável que o elétron seja encontrado; os lugares em que a onda de probabilidade diminui em consequência da interação, tal como os lugares de oscilação mínima ou nula da figura 4.7, são aqueles onde é menos provável que o elétron seja encontrado. Os elétrons atingem a tela fosforescente um por um, distribuem-se em concordância com esse perfil de probabilidade e constroem, assim, um padrão de interferência semelhante ao da figura 4.8.

Feynman tomou um caminho diferente. Ele desafiou a premissa clássica de que cada elétron ou passa pela fenda da direita ou pela da esquerda. Você pode perfeitamente achar que essa é uma propriedade tão elementar do funcionamento das coisas que desafiá-la é uma tolice. Afinal de contas, será que não se pode *olhar* a região que existe entre as fendas e a tela fosforescente e assim determinar por qual fenda o elétron passa? Sim, pode-se. Mas se o fizermos, modificaremos a experiência. Para *ver* o elétron é preciso *fazer* algo com ele — por exemplo iluminá-lo, ou seja, lançar fótons sobre ele. Nas escalas normais, os fótons atingem árvores, quadros e pessoas, sem provocar qualquer consequência sobre o estado de movimento desses corpos materiais relativamente grandes. Mas os elétrons são como pequenas fagulhas de matéria. Por mais que se procure realizar a operação de maneira delicada, o fóton que atinge o elétron para determinar por qual fenda ele terá passado afeta necessariamente o seu movimento posterior, e essa mudança no movimento modifica o resultado da experiência. Se se altera a experiência para determinar por qual fenda passa cada elétron, o resultado deixa de ser o da figura 4.8 e passa a ser o da figura 4.6! O mundo quântico faz com que a interferência entre as duas fendas desapareça no momento em que se determina por qual fenda entrou cada elétron. E assim Feynman tinha razão ao fazer o desafio — apesar de que a nossa experiência de vida suponha que cada elétron passe ou por uma ou pela outra fenda —, uma vez que, no final da década de 20, os físicos chegaram à conclusão de que qualquer tentativa que se faça para verificar essa característica aparentemente básica da realidade invalida a experiência.

Feynman proclamou que cada elétron que consegue atravessar a barreira e atingir a tela fosforescente passa, na verdade, *pelas duas* fendas. Parece loucura mas não é: as coisas ainda vão ficar mais estranhas. Feynman argumentou que, ao viajar da fonte para um determinado ponto da tela fosforescente, todos e cada um dos elétrons percorrem *todas as trajetórias possíveis simultaneamente*; algumas delas são mostradas na figura 4.10. Ele segue ordeiramente pela fenda esquerda. Simultaneamente, também passa tranquila e ordeiramente através da fenda direita. Ele aponta para a fenda da esquerda, mas de súbito muda de curso e toma a direção da fenda direita. Oscila para cá e para lá até finalmente tomar a direção da fenda esquerda. Empreende uma longa jornada até a galáxia de Andrômeda antes de voltar e passar pela fenda esquerda em seu caminho até a tela. E assim vai — segundo Feynman, o elétron "fareja" simultaneamente *todos* os caminhos possíveis que ligam o início ao final da viagem.

Feynman mostrou que é possível atribuir um número a cada uma dessas trajetórias, de maneira que a sua média combinada produz exatamente o mesmo resultado que seria obtido com o cálculo de probabilidades baseado na função de onda. Assim, da perspectiva de Feynman, não é necessário associar ondas de probabilidade ao elétron. Em lugar disso, devemos imaginar algo ainda mais estranho. A probabilidade de que o elétron — sempre visto aqui como uma partícula — chegue a um ponto determinado na tela é o resultado do efeito combinado de todas as maneiras possíveis de aí chegar. Esse método é conhecido

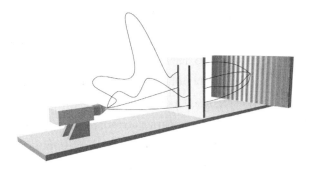

Figura 4.10 *Segundo a formulação de Feynman para a mecânica quântica, deve-se supor que as partículas viajam de um lugar a outro através de todas as trajetórias possíveis. Aqui se mostram algumas das infinitas trajetórias possíveis para a viagem de um elétron da fonte à tela fosforescente. Note que esse elétron passa pelas duas fendas.*

como a "soma sobre as trajetórias", a famosa contribuição de Feynman à mecânica quântica.[7]

A essa altura, a sua educação clássica está em crise: como é que um elétron pode tomar diferentes caminhos *simultaneamente* — e ainda por cima um número infinito de caminhos? Parece uma objeção legítima, mas a mecânica quântica — a física do nosso mundo — requer que você renuncie a essas preocupações mundanas. Os resultados do cálculo feito com base no método de Feynman concordam com os do método da função de onda, que, por sua vez, concordam com os fatos experimentais. Você tem de permitir que a natureza resolva o que é que faz e o que é que não faz sentido. Como o próprio Feynman escreveu, "[A mecânica quântica] descreve a natureza como absurda, do ponto de vista do bom senso. E ela concorda plenamente com os fatos experimentais. Portanto, eu espero que você aceite a natureza como ela é — absurda".[8]

Mas por mais absurda que seja a natureza quando examinada em escalas microscópicas, é preciso que as coisas se reacomodem de alguma maneira para que possamos recuperar a visão dos fatos que compõem a nossa experiência prosaica do mundo das escalas normais. Com esse fim, Feynman demonstrou que se examinarmos o movimento dos objetos grandes — como bolas de beisebol, aviões e planetas, que são grandes em comparação com as partículas subatômicas —, a regra de atribuição de números para cada trajetória se encarrega de garantir que, quando se combinam todas as contribuições, *todas as trajetórias se cancelam mutuamente, menos uma.* Com efeito, só uma das trajetórias importa do ponto de vista do movimento do objeto. E essa trajetória é exatamente a prevista pelas leis de movimento de Newton. É por isso que no mundo de todos os dias os objetos — como uma bola jogada para cima — *parecem* seguir um caminho único e previsível, desde a origem até o destino. Mas para os objetos microscópicos, a regra de Feynman para a atribuição de números às trajetórias mostra que muitas delas podem contribuir para o movimento de um objeto, e muitas vezes contribuem de verdade. Na experiência das duas fendas, por exemplo, algumas das trajetórias passam por fendas diferentes, dando lugar ao padrão de interferência observado. No reino microscópico, por conseguinte, não podemos determinar se um elétron passa apenas por uma fenda ou por outra. O padrão de interferência e a formulação alternativa de Feynman para a mecânica quântica atestam categoricamente o contrário.

Assim como as distintas interpretações de um livro ou de um filme podem ser úteis para ajudar a compreensão de alguns aspectos da obra, o mesmo acontece com os distintos enfoques dados à mecânica quântica. Embora as suas previsões sempre estejam totalmente de acordo entre si, o enfoque da função de onda e o da soma sobre as trajetórias, de Feynman, proporcionam maneiras diferentes de entender o que está ocorrendo. Como veremos posteriormente, para certas aplicações, cada um dos enfoques pode propiciar esquemas explicativos de valor inestimável.

LOUCURA QUÂNTICA

Você já deve ter uma ideia de como o mundo é diferente quando visto com os olhos da mecânica quântica. Se ainda não caiu vítima da tontura sentenciada por Bohr, com a loucura quântica que vamos discutir agora, você vai ficar pelo menos um pouquinho delirante.

É mais difícil aceitar intimamente a mecânica quântica — imaginar-se e pensar em si mesmo como uma minipessoa, nascida e criada no reino microscópico — do que as teorias da relatividade. Mas existe um aspecto da teoria que pode funcionar como guia para a sua intuição, um princípio cardeal, que distingue fundamentalmente a mecânica quântica do pensamento clássico. É o princípio da incerteza, descoberto pelo físico alemão Werner Heisenberg em 1927.

O princípio decorre de uma objeção que já pode ter-lhe ocorrido. Observamos que o ato de determinar a fenda pela qual passa cada elétron (a sua posição) afeta necessariamente o seu movimento subsequente (a sua velocidade). Mas se é possível fazer contato com uma pessoa dando-lhe um expressivo tapa nas costas ou tocando-a suavemente, por que então não poderíamos determinar a posição do elétron com fontes de luz cada vez mais suaves, de modo a produzir consequências cada vez menores sobre o seu movimento? Do ponto de vista da física do século XIX, isso seria possível. Usando fontes de luz cada vez mais fracas (e detectores de luz cada vez mais sensíveis) podemos produzir um impacto mínimo sobre o movimento do elétron. Mas a própria mecânica quântica identifica um erro nesse raciocínio. Ao reduzirmos a intensidade da fonte de luz, sabemos que estamos reduzindo o número de fótons que ela emite. Quando chegamos ao ponto em que os fótons estão sendo emitidos um a um, não podemos mais reduzir a intensidade da luz: teríamos de apagá-la. Existe um limite básico, imposto pela mecânica quântica, à "suavidade" da nossa intervenção. E portanto haverá sempre um efeito mínimo sobre a velocidade do elétron, causado pelo nosso ato de determinar a sua posição.

Bem, é quase assim. A lei de Planck diz que a energia de um fóton é proporcional à sua frequência (e inversamente proporcional ao seu comprimento de onda). Utilizando luz de frequências cada vez mais baixas (comprimentos de onda cada vez maiores), podemos produzir fótons cada vez mais suaves. Mas aqui está a questão. Quando lançamos uma onda sobre um objeto, a informação que recebemos só nos permite determinar a posição do objeto dentro de uma *margem de erro igual ao comprimento da onda lançada*. Para uma percepção intuitiva desse fato importante, imagine que você esteja tentando determinar a localização de uma grande rocha ligeiramente submersa, observando a maneira como ela afeta as ondas do mar. Antes de chegar à pedra, as ondas compõem uma bela sucessão de ciclos ordenados. Ao passarem pela rocha, esses ciclos se distorcem — e com isso dão o sinal da presença da rocha submersa. Mas, assim como os traços de uma régua, os ciclos das ondas configuram a sua unidade de medida, marcando os intervalos do movimento das ondas, de modo que, concentrando-nos no exame da maneira como os ciclos se desorganizam, nós só conseguimos determinar a localização da rocha com uma margem de erro igual ao comprimento do ciclo das ondas, ou seja, o comprimento de onda das ondas, que, no caso, corresponde ao intervalo entre elas. No caso da luz, os fótons constituem, por assim dizer, os ciclos das ondas (sendo que a altura dos ciclos é determinada pelo número de fótons); o fóton, por conseguinte, só pode ser usado para indicar a localização de um objeto com uma margem de erro igual a um comprimento de onda.

Portanto, estamos diante de um número de equilibrismo da mecânica quântica. Se usarmos luz de frequência alta (comprimento de onda curto), poderemos localizar um elétron com maior precisão. Mas os fótons de frequência alta têm muita energia e por isso afetam fortemente a velocidade do elétron. Se usarmos luz de frequência baixa (comprimento de onda longo), minimizaremos o impacto sobre o movimento do elétron, uma vez que os fótons têm energia comparativamente baixa, mas com isso sacrificaremos a precisão na determinação da posição do elétron. Heisenberg quantificou esse jogo e encontrou uma relação matemática entre a precisão com que se pode medir a posição do elétron e a precisão com que se pode medir a sua velocidade. Ele verificou — em concordância com a nossa discussão — que uma é inversamente proporcional à outra: quanto maior for a precisão na determinação da posição, tanto maior será, necessariamente, a imprecisão na determinação da velocidade, e vice-versa. E o que é mais importante: embora a nossa discussão se tenha relacionado com o caso particular da determinação do paradeiro de um elétron, Heisenberg demonstrou que esse intercâmbio entre a precisão da medida da posição e a de velocidade é um fato fundamental, que se mantém qualquer que seja o equipamento usado ou o procedimento empregado. Ao contrário dos esquemas de Newton e mesmo de Einstein, em que se descreve o movimento de uma partícula pelo registro de sua posição e sua velocidade, a mecânica quântica mostra que no nível microscópico *não se pode saber jamais ambas as coisas com precisão total*. Além disso, quanto maior for a precisão com relação a uma, tanto maior será a imprecisão com relação à outra. E embora tenhamos exemplificado esse fato com elétrons, ele se aplica diretamente a *todos* os componentes da natureza.

Einstein tentou minimizar esse desvio com relação à física clássica argumentando que, embora seja certo que o raciocínio quântico parece limitar o *conhecimento* da posição e da velocidade do elétron, este, no entanto, *tem* uma posição e uma velocidade definidas, como sempre se supôs. Mas os avanços propiciados pelo falecido cientista irlandês John Bell nas duas últimas décadas e os resultados das experiências de Alain Aspect e seus colaboradores demonstraram convincentemente que Einstein estava errado. Não é possível afirmar simultaneamente que um elétron — e tudo mais, na verdade — esteja nesta ou naquela posição *e* tenha essa ou aquela velocidade. A mecânica quântica revela que tal afirmação não só nunca poderia ser verificada — tal como vimos acima — como também contradiz diretamente outros resultados experimentais mais recentes.

Com efeito, se se capturasse um único elétron dentro de uma caixa sólida e se pouco a pouco se fossem aproximando as paredes umas das outras de modo a ir reduzindo os espaços internos com o objetivo de determinar com precisão crescente a posição do elétron, veríamos que ele pouco a pouco se moveria de maneira cada vez mais frenética. Como se sofresse de claustrofobia, o elétron pareceria desesperado, batendo contra as paredes da caixa com velocidade cada vez maior e em trajetórias cada vez mais imprevisíveis. A natureza não permite que os seus componentes sejam encurralados. No H-Bar, onde imaginamos para $\hbar$ um valor muito maior do que o que tem no mundo real, os objetos cotidianos eram afetados diretamente pelos efeitos quânticos e os cubos de gelo das bebidas de João e Maria trepidavam freneticamente como se também eles sofressem de claustrofobia. Embora o H-Bar seja uma fantasia — na realidade o valor da $\hbar$ é incrivelmente pequeno —, esse tipo de claustrofobia quântica é uma característica sempre presente no mundo microscópico. O movimento das partículas microscópicas torna-se cada vez mais agitado quando elas são confinadas e examinadas em espaços cada vez menores.

O princípio da incerteza também faz surgir um fenômeno sumamente interessante conhecido como *tunelamento quântico*. Se você jogar uma bola de plástico contra uma parede de concreto de três metros de largura, a física clássica confirmará o que os seus instintos lhe dizem: a bola rebaterá na parede e voltará para você. A razão é que a bola simplesmente não tem energia suficiente para penetrar em um obstáculo tão formidável. Mas no nível das partículas fundamentais, a mecânica quântica demonstra inequivocamente que as funções de ondas — ou seja, as ondas de probabilidade — de cada uma das partículas que compõem a bola têm uma pequeníssima parte que se prolonga através da parede. Isso significa que existe uma chance — mínima, mas maior do que zero — de que a bola consiga penetrar na parede e sair do outro lado. Como é que pode? A razão está novamente com as implicações do princípio da incerteza de Heisenberg.

Imagine que você é absolutamente pobre e de repente recebe a notícia de que uma tia que vive no exterior morreu e deixou uma grande fortuna que de direito lhe pertence. O problema está em que você não tem o dinheiro para pagar a passagem até o fim do mundo onde a tia morava. Você explica a situação para os amigos e diz que se eles lhe emprestarem o dinheiro da viagem, ao seu regresso receberão régios dividendos, mas ninguém tem dinheiro para emprestar. Você se lembra então de um velho amigo dos bons tempos, que trabalha em uma companhia de aviação, procura-o e lhe implora uma passagem. Ele tampouco tem como lhe emprestar o dinheiro, mas sugere uma solução. O sistema de contabilidade da companhia funciona de um modo tal que se você creditar o pagamento da passagem nas 24 horas seguintes ao voo, não há como saber que o dinheiro só foi creditado depois da partida do avião. E assim você consegue ir reclamar a herança.

Os procedimentos de contabilidade da mecânica quântica são bastante similares. Heisenberg demonstrou que não só existe um intercâmbio entre a precisão da medida da posição e a da velocidade, como também entre a precisão da medida da *energia* e *o tempo que se leva* para fazer a medição. A mecânica quântica afirma que não se pode dizer que uma partícula tenha precisamente essa ou aquela energia precisamente neste ou naquele momento. Para que as medidas sejam precisas é preciso tempo para efetuá-las. Ora, em outras palavras, isso significa que a energia de uma partícula pode flutuar violentamente desde que por um tempo muito curto. Portanto, assim como o sistema de contabilidade da companhia de aviação "permite" que você "tome emprestado" o dinheiro da passagem desde que o reponha com suficiente rapidez, também a mecânica quântica permite que uma partícula "tome emprestada" a energia, desde que esta seja devolvida dentro de um período de tempo determinado pelo princípio da incerteza de Heisenberg.

A matemática da mecânica quântica demonstra que quanto maior for a barreira de energia, tanto menor será a probabilidade de que essa criativa operação de contabilidade microscópica chegue a ocorrer. Mas as partículas microscópicas que enfrentam um muro de concreto podem e às vezes conseguem tomar emprestada uma quantidade de energia suficiente para fazer o que é impossível do ponto de vista da física clássica — penetrar, por um momento, como se fosse por um túnel, em uma região onde inicialmente elas não tinham energia suficiente para entrar. À medida que aumenta a complexidade de um objeto, com um número cada vez maior de partículas em sua composição, os tunelamentos quânticos podem ainda ocorrer, mas vão se tornando muito improváveis, uma vez que *todas* as partículas componentes teriam de ter a sorte de sofrer a mesma flutuação ao mesmo tempo. Mas os episódios do desaparecimento do charuto de João, do cubo de gelo que atravessa o vidro do copo e da passagem de João e Maria pela parede do bar *podem* acontecer. Em um lugar de fantasia como o H-Bar, em que $\hbar$ é grande, esses tunelamentos quânticos são eventos corriqueiros. Mas as regras de probabilidade da mecânica quântica — e em particular a pequenez de $\hbar$ no mundo real — indicam que se você tentar atravessar uma parede uma vez a cada segundo, teria de esperar mais tempo do que a idade atual do universo para poder ter uma boa chance de obter êxito em uma das tentativas. Com eterna paciência (e longevidade), no entanto, mais cedo ou mais tarde você aparecerá do outro lado.

O princípio da incerteza é o coração da mecânica quântica. Coisas que consideramos básicas a ponto de jamais as questionarmos — que os objetos tenham posições e velocidades definidas e níveis de energia definidos a qualquer momento dado, por exemplo — agora têm de ser vistas como simples consequências do fato de que a constante de Planck é bastante diminuta, se comparada à nossa escala cotidiana. De importância fundamental é o fato de que, quando se aplica essa concepção quântica ao tecido do espaço e do tempo, revelam-se imperfeições fatais nas "malhas da gravidade" que nos levam ao terceiro conflito principal da física neste último século.

5. A necessidade de uma teoria nova: relatividade geral *versus* mecânica quântica

A compreensão que temos do universo físico aprofundou-se durante os últimos cinquenta anos. Os instrumentos teóricos da mecânica quântica e da relatividade geral permitem-nos compreender e prever acontecimentos físicos desde as escalas atômica e subatômica até as das galáxias, dos aglomerados de galáxias e da estrutura do próprio universo. Essa é uma realização monumental. É extraordinário que seres confinados a um planeta que orbita uma estrela prosaica nos confins de uma galáxia bastante comum tenham conseguido, por meio do pensamento e da experiência, descobrir e compreender algumas das características mais misteriosas do universo físico. Além do que, os físicos, por sua própria natureza, não se satisfarão enquanto não desvendarem os fatos mais profundos e fundamentais do universo. Stephen Hawking se referiu a isso como o primeiro passo no rumo do conhecimento da "mente de Deus".[1]

Está cada vez mais claro que a mecânica quântica e a relatividade geral não chegam a alcançar esse nível mais profundo do conhecimento. Como os seus campos de aplicação são normalmente tão diferentes, na grande maioria dos casos, *ou* se aplica a mecânica quântica, *ou* a relatividade geral, mas nunca as duas em conjunto. Em certas condições extremas, no entanto, em que os objetos têm grandes massas *e* são muito pequenos — como no ponto central de um buraco negro, ou no próprio universo no momento do big bang, para dar dois exemplos —, precisamos tanto da mecânica quântica quanto da relatividade geral para o entendimento correto. Mas, tal como acontece com a pólvora e o fogo, quando tentamos combinar a mecânica quântica e a relatividade geral, a união gera catástrofes violentas. Problemas bem formulados produzem respostas sem sentido quando associamos as equações das duas teorias. A forma mais frequente que tomam esses absurdos é que o resultado obtido para a probabilidade de ocorrência de um processo não seja, por exemplo, de vinte por cento, ou de 73 por cento, ou de 91 por cento, mas sim o *infinito*. Ora, qual é o significado de uma probabilidade maior do que um? Ou, pior, de uma probabilidade infinita? Somos forçados a concluir que há algo de errado. Examinando cuidadosamente as propriedades básicas da relatividade geral e da mecânica quântica, podemos verificar que realmente há algo de errado.

A ESSÊNCIA DA MECÂNICA QUÂNTICA

Quando Heisenberg descobriu o princípio da incerteza, a física mudou de rumo e nunca mais regressou ao caminho anterior. Probabilidades, funções de ondas, interferências, quanta, tudo isso envolve maneiras radicalmente novas de encarar a realidade. Um físico "clássico" particularmente renitente poderia ainda apegar-se à esperança de que, afinal de contas, todos esses desvios terminassem por produzir algo não muito diferente do antigo modo de pensar. Mas o princípio da incerteza liquidou, clara e definitivamente, com qualquer possibilidade de aferrar-se ao passado.

O princípio da incerteza nos informa que o universo é um lugar frenético quando visto em escalas cada vez menores de espaço e tempo. Vimos alguns exemplos na tentativa que fizemos, no capítulo anterior, de determinar a localização de partículas elementares como os elétrons: se jogamos sobre o elétron luz de frequências cada vez maiores, podemos determinar a sua posição com precisão crescente, mas temos de pagar um custo uma vez que as nossas observações se tornam cada vez mais intrusivas. Os fótons de frequência alta têm muita energia e, portanto, dão um forte "empurrão" nos elétrons, o que altera significativamente o seu movimento. É uma confusão semelhante à de uma sala cheia de crianças: a cada momento você pode determinar a posição de todas elas com grande precisão, mas não tem nenhum controle sobre os seus movimentos — velocidade e direção. Essa impossibilidade de conhecer simultaneamente a posição e a velocidade das partículas elementares implica que o mundo microscópico é intrinsecamente turbulento.

Embora esse exemplo dê a ideia da relação básica existente entre a incerteza e o frenesi, na verdade ele só conta uma parte da história. Poderia levá-lo a pensar, por exemplo, que a incerteza só ocorre quando nós, na qualidade de observadores desastrados, entramos em cena. Isso *não* é verdade. O exemplo do elétron que reage violentamente ao ser confinado em um espaço pequeno, chocando-se contra as paredes em alta velocidade, está mais perto da verdade. Mesmo sem o "impacto direto" causado por um fóton intrusivo lançado pelo experimentador, a velocidade do elétron muda, pronunciada e imprevisivelmente, de um momento a outro. Mas nem mesmo esse exemplo revela por completo as surpreendentes características microscópicas da natureza que a descoberta de Heisenberg implica. Mesmo no cenário mais tranquilo que se possa imaginar, uma região vazia do espaço, o princípio da incerteza nos diz que, do ponto de vista microscópico, ocorre uma tremenda atividade. E quanto menores as escalas de espaço e tempo, mais agitada é essa atividade.

Para compreender isso é essencial fazer uma contabilidade quântica. No capítulo precedente, vimos que, assim como pode tornar-se necessário tomar algum dinheiro emprestado para superar um problema financeiro, também uma partícula como um elétron pode tomar emprestada alguma energia, por algum tempo, para superar um obstáculo físico. Isso é verdade. Mas a mecânica quântica nos força a levar a analogia um passo adiante. Imagine uma pessoa que tem a compulsão de sair pedindo dinheiro a todos os amigos. Quanto menor o tempo em que fica com o dinheiro, maior o montante do empréstimo que ela pede. Pede e paga, pede e paga — sem parar nem esmorecer, tomando dinheiro apenas para pagá-lo em seguida. Assim como o preço das ações em um dia turbulento em Wall Street, o dinheiro em poder do nosso amigo compulsivo sofre oscilações extremas, mas depois de tudo, quando se faz a contabilidade das suas finanças, verifica-se que a situação permanece estável.

O princípio da incerteza de Heisenberg afirma que flutuações frenéticas de energia e de momento também ocorrem perpetuamente no universo, em escalas microscópicas de espaço e tempo. Mesmo em uma região vazia do espaço — dentro de uma caixa vazia, por exemplo — o princípio da incerteza diz que a energia e o momento são *incertos*: eles flutuam em escalas que se tornam mais amplas à medida que o volume da caixa ou o intervalo de tempo diminuem. É como se a região do espaço no interior da caixa "tomasse emprestadas" compulsivamente quantidades de energia e de momento, "contraindo e pagando dívidas" do universo constantemente. Mas quais são as coisas que participam dessas interações em uma região quieta e *vazia* do espaço? Todas. Literalmente. A energia (e também o momento) é a "moeda conversível" fundamental do universo. $E = mc^2$ nos informa de que a energia pode converter-se em matéria e vice-versa. Assim, uma flutuação de energia suficientemente grande pode, por exemplo, fazer com que um elétron e um pósitron, seu par de antimatéria, apareçam de repente, mesmo em uma região em que antes não havia nada! Como a energia tem de ser rapidamente devolvida, as duas partículas se aniquilam mutuamente em um instante, com o que liberam a energia usada quando da sua criação. Isso também é verdade para todas as formas que a energia e o momento venham a tomar — aparecimentos e aniquilações de outras partículas, fortes oscilações nos campos eletromagnéticos, flutuações nos campos das forças fraca e forte. A incerteza da mecânica quântica nos informa que o universo é um lugar frenético, prolífico e caótico nas escalas microscópicas. Nas palavras zombeteiras de Feynman: "Criar e aniquilar; criar e aniquilar — que perda de tempo".[2] Como os empréstimos e os pagamentos cancelam-se mutuamente na média, as regiões vazias do espaço parecem calmas e plácidas quando examinadas em escalas maiores. Contudo, o princípio da incerteza revela que essas médias macroscópicas ocultam a exuberância da atividade microscópica.[3] Como veremos daqui a pouco, esse frenesi é *o* obstáculo que tem impedido a fusão entre a relatividade geral e a mecânica quântica.

TEORIA QUÂNTICA DE CAMPO

Durante as décadas de 30 e 40, físicos teóricos, guiados por cientistas como Paul Dirac, Wolfgang Pauli, Julian Schwinger, Freeman Dyson, Sin-Itiro Tomonaga e Feynman, para mencionar alguns, empenharam-se ardorosamente em encontrar fórmulas matemáticas capazes de lidar com essa bagunça microscópica. Eles verificaram que a equação de onda quântica, de Schrödinger (mencionada no capítulo 4), é apenas uma descrição aproximada da física microscópica — aproximação que funciona muito bem desde que não nos aprofundemos demasiado no frenesi microscópico (tanto experimental quanto teoricamente), mas que fracassa com certeza se o fizermos.

O elemento central da física que Schrödinger ignorou na sua formulação da mecânica quântica foi a relatividade especial. Na verdade, inicialmente Schrödinger *tentou* incorporar a relatividade especial, mas as previsões feitas pela equação quântica gerada por essa tentativa não eram compatíveis com as medidas experimentais já obtidas para o hidrogênio. Isso levou Schrödinger a apelar para a tradição secular da física, a de dividir para conquistar. Em vez de tentar incorporar de uma só vez tudo o que se sabe sobre o universo físico, muitas vezes, ao se desenvolver uma teoria nova, é mais vantajoso dar uma série de pequenos passos para incluir progressivamente as descobertas mais novas geradas pelos pesquisadores de vanguarda. Schrödinger buscou e encontrou um esquema matemático que compreendia a descoberta experimental da dualidade onda-partícula, mas não incorporou, nesse estágio, a relatividade especial.[4]

Logo se descobriu, contudo, que a relatividade especial era essencial para a formulação da mecânica quântica. Isso se deve a que o frenesi microscópico requer que se reconheça que a energia pode se manifestar em uma enorme variedade de maneiras — noção que provém da afirmação da relatividade especial de que $E = mc^2$. Ao ignorar a relatividade especial, Schrödinger ignorou o inter-relacionamento entre matéria, energia e movimento.

Os cientistas concentraram os seus esforços iniciais de desbravamento do caminho que levaria à compatibilização entre a relatividade especial e os conceitos quânticos no estudo da força eletromagnética e suas interações com a matéria. Uma série de avanços fascinantes conduziu à criação da *eletrodinâmica quântica*. Esse é um exemplo do que mais tarde ficou conhecido como *teoria relativística quântica de campo*, ou, para resumir, *teoria quântica de campo*. É uma teoria quântica porque todas as questões de probabilidade e incerteza estão incorporadas desde o início; é teoria de campo porque associa os princípios quânticos com a noção clássica de campo de força — nesse caso, o campo eletromagnético de Maxwell; e é relativística porque a relatividade especial também está incorporada desde o início. (Se preferir uma metáfora visual para um campo quântico, você pode perfeitamente recorrer à imagem de um campo clássico — digamos, como um oceano de linhas de campo invisíveis permeando todo o espaço —, mas terá de aperfeiçoá-la em dois sentidos. Em primeiro lugar, imagine que o campo quântico é composto por partículas — como os fótons no caso de um campo eletromagnético. Em segundo lugar, imagine que a energia, sob a forma da massa e do movimento das partículas, oscila incessantemente entre os diversos campos quânticos que vibram continuamente através do espaço e do tempo.)

A eletrodinâmica quântica é provavelmente a teoria mais precisa sobre os fenômenos naturais jamais formulada. Um exemplo dessa precisão está no trabalho de Toichiro Kinoshita, da Universidade de Cornell, que trabalhou incansavelmente com a eletrodinâmica quântica durante trinta anos, para calcular em detalhe certas propriedades do elétron. Os cálculos de Kinoshita encheram milhares de folhas de papel e só com a ajuda dos maiores computadores do mundo foi possível completá-los. Mas valeu a pena: os cálculos a respeito dos elétrons produziram previsões que se revelaram precisas até a nona casa decimal. Essa é uma concordância absolutamente fantástica entre o cálculo teórico abstrato e o mundo real. Através da eletrodinâmica quântica, os cientistas conseguiram consolidar o papel do fóton como "a menor quantidade possível de luz" e revelar a sua interação com as partículas dotadas de carga elétrica, como o elétron, em um desenvolvimento matemático completo, convincente e coerente com o mundo real.

O êxito da eletrodinâmica quântica levou outros físicos, nas décadas de 60 e 70, a buscar caminhos análogos para alcançar o entendimento das forças fraca, forte e gravitacional, em termos de mecânica quântica. Essa linha de ação revelou-se imensamente frutífera com relação às forças fraca e forte. Seguindo os passos da eletrodinâmica quântica, os cientistas conseguiram construir teorias quânticas de campo para as forças forte e fraca, que foram chamadas *cromodinâmica quântica* e *teoria quântica eletrofraca*. "Cromodinâmica quântica" é um nome mais expressivo que "dinâmica quântica da força forte", que seria mais lógico, mas é apenas um nome, sem nenhum significado mais profundo; por outro lado, a expressão "eletrofraca" sintetiza um avanço importante nos nossos conhecimentos a respeito das forças da natureza.

Em um trabalho que lhes valeu o prêmio Nobel, Sheldon Glashow, Abdus Salam e Steven Weinberg demonstraram que a força fraca e a eletromagnética *unem-se* naturalmente por meio da descrição que lhes proporciona a teoria quântica de campo, ainda que as suas manifestações no mundo à nossa volta nos pareçam totalmente diferentes entre si. Afinal de contas, os campos da força fraca praticamente desaparecem além das escalas subatômicas, enquanto os campos eletromagnéticos — a luz visível, os sinais de rádio e televisão, os raios X — têm uma inegável presença macroscópica. Apesar disso, Glashow, Salam e Weinberg demonstraram, essencialmente, que as energias e temperaturas suficientemente altas — como as que ocorreram uma fração de segundo após o big bang — a força eletromagnética e a força fraca *dissolvem-se* uma na outra e assumem características indiferenciáveis, pelo que são mais corretamente chamadas campos *eletrofracos*. Com a queda da temperatura, o que vem acontecendo regularmente desde o big bang, a força eletromagnética e a força fraca *cristalizam-se* de maneiras distintas à forma comum que tinham a altas temperaturas — por meio de um processo conhecido como *quebra de simetria*, que descreveremos depois — e por isso parecem ser diferentes no universo frio em que hoje vivemos.

Assim, para quem está acompanhando o desenrolar do jogo, na altura da década de 70 os cientistas já haviam desenvolvido uma explicação sensata e bem-sucedida, nos termos da mecânica quântica, para três das quatro forças (forte, fraca e eletromagnética) e demonstrado que duas delas (a fraca e a eletromagnética) têm a mesma origem (a força eletrofraca). No curso das duas últimas décadas, os físicos submeteram a um intenso escrutínio experimental o tratamento dado pela mecânica quântica às três forças não gravitacionais — em suas interações entre elas próprias e com as partículas de matéria apresentadas no capítulo 1. A teoria superou todos esses desafios impavidamente. Depois que os cientistas atribuíram valores a cerca de dezenove parâmetros (as massas das partículas da tabela 1.1, as suas cargas de força, registradas na nota 1 do capítulo 1, as intensidades das três forças não gravitacionais da tabela 1.2 e alguns outros números que não precisamos discutir aqui), e depois que esses números foram inseridos nas teorias quânticas de campo das partículas de matéria e das forças forte, fraca e eletromagnética, as previsões subsequentes relativas ao microcosmos mostraram uma concordância espetacular com os resultados experimentais. Esse é um fato comprovado até um nível de energia capaz de pulverizar a matéria em estilhaços tão pequenos que não medem mais que um bilionésimo de bilionésimo de metro, que é o nosso limite tecnológico atual. Por essa razão, os físicos dão à teoria das três forças não gravitacionais e das três famílias de partículas de matéria o nome de teoria-padrão, ou, mais frequentemente, o de *modelo-padrão* da física de partículas.

PARTÍCULAS MENSAGEIRAS

Segundo o modelo-padrão, assim como o fóton é o componente mínimo dos campos eletromagnéticos, também a força forte e a fraca têm componentes mínimos. Como vimos rapidamente no capítulo 1, o grão mínimo da força forte é conhecido como *glúon* e o da força fraca tem o nome de *bóson da força fraca* (mais precisamente os bósons W e Z). O modelo-padrão nos ensina a pensar que essas partículas não têm estrutura interna — neste esquema, elas são tão elementares quanto as partículas das três famílias da matéria.

Os fótons, os glúons e os bósons da força fraca constituem o mecanismo microscópico de transmissão das forças que eles integram. Por exemplo, quando uma partícula eletricamente carregada repele outra de carga elétrica semelhante, você pode conceber a situação em termos de que cada partícula está cercada por um campo elétrico — uma "nuvem" ou uma "bruma" de "essência elétrica" — e a força que cada partícula sente provém da repulsão entre os respectivos campos de força. Há, contudo, uma descrição diferente e mais precisa da maneira pela qual ocorre a repulsão. Um campo eletromagnético compõe-se de um enxame de fótons. A interação entre duas partículas dotadas de carga elétrica decorre de que ambas "atiram" fótons uma contra a outra. Assim como você pode afetar o movimento de um corredor lançando uma grande quantidade de bolas sobre a pista, assim também duas partículas eletricamente carregadas influenciam-se mutuamente pela troca desses grãos mínimos de luz.

Uma deficiência importante da analogia com o corredor é que as bolas lançadas sobre a pista têm sempre um efeito "repulsivo" — sempre afastam o corredor. Ao contrário, duas partículas que têm cargas opostas também interagem mediante a troca de fótons, mas a força eletromagnética resultante é atrativa. É como se o fóton não fosse o transmissor da força em si mesma, mas sim o transmissor de uma *mensagem* sobre como o destinatário deve responder à força em questão. Para as partículas de carga similar, o fóton transmite a mensagem "afastar-se" e para as partículas de carga oposta, ele transmite a mensagem "aproximar-se". Por essa razão, por vezes o fóton é tido como a *partícula mensageira* da força eletromagnética. Da mesma maneira, os glúons e os bósons da força fraca são as partículas mensageiras das forças nucleares forte e fraca. A força forte, que mantém os quarks presos no interior dos prótons e dos nêutrons, deriva da troca de glúons entre os quarks. Os glúons, por assim dizer, proporcionam a "cola" que mantém unidas essas partículas subatômicas. A força fraca, que é responsável por certos tipos de transmutações de partículas que ocorrem em episódios de desintegração espontânea, é transmitida pelos bósons da força fraca.

SIMETRIA DE CALIBRE (GAUGE)

Você já deve ter percebido que o estranho no ninho em nossa discussão da teoria quântica das forças da natureza é a gravidade. Tendo em vista o sucesso do método usado com relação às outras três forças, você poderia sugerir que os cientistas buscassem uma teoria quântica de campo para a força gravitacional — uma teoria na qual o menor grão dos campos da força gravitacional, o *gráviton*, seria a partícula mensageira dessa força. À primeira vista, essa sugestão parece particularmente válida, uma vez que a teoria quântica de campo das três forças não gravitacionais revela sedutoramente a existência de uma similaridade entre elas e um aspecto da força gravitacional que vimos no capítulo 3.

Lembre-se de que a força gravitacional permite-nos declarar que todos os observadores — independentemente do seu estado de movimento — estão em perfeita igualdade de condições. Mesmo aqueles que normalmente considera-ríamos estar em movimento acelerado podem supor-se em repouso e atribuir a força que experimentam ao fato de estarem imersos em um campo gravi-tacional. Neste sentido, a gravidade enseja a simetria: ela assegura que todos os pontos de vista e todos os referenciais possíveis são igualmente válidos. A semelhança com as forças forte, fraca e eletromagnética está em que também elas associam-se a simetrias, embora significativamente mais abstratas que a simetria associada à gravidade.

Para se ter uma ideia aproximada desses sutis princípios de simetria, con-sideremos um exemplo importante. Tal como registrado na tabela da nota 1 do capítulo 1, os quarks apresentam-se em três "cores"(imaginosamente chamadas de vermelho, verde e azul, embora se trate de meros rótulos, sem qualquer relação com cores no sentido visual comum), as quais determinam o tipo de resposta do quark à força forte, mais ou menos do mesmo modo pelo qual a carga elétrica determina como ele responde à força eletromagnética. Todos os dados até aqui apurados estabelecem a existência de uma simetria entre os quarks, no sentido de que todas as interações entre dois quarks da mesma cor (vermelho com vermelho, verde com verde ou azul com azul) são idênticas e todas as interações entre dois quarks de cores diferentes (vermelho com verde, verde com azul ou azul com vermelho) também são idênticas. Na verdade, os dados apontam para algo ainda mais notável. Se as três cores — as três diferentes cargas fortes — que um quark pode ter se modificassem de uma determinada maneira (*grosso modo*, se, na nossa linguagem cromática de fantasia, vermelho, verde e azul se convertessem em amarelo, anil e violeta, por exemplo) e mesmo que os aspectos específicos dessas modificações se alterassem de um momento para o outro, ou de um lugar para o outro, as interações entre os quarks se manteriam totalmente inalteradas. Por essa razão, assim como se diz que a esfera exemplifica a simetria rotacional, por conservar o mesmo aspecto quando a giramos em nossas mãos ou quando variamos o ângulo pelo qual a vemos, dizemos também que o universo exemplifica a *simetria da força forte*: a física não se modifica com essas mudanças de cargas de força e é completamente insensível a elas. Por motivos históricos, os físicos também dizem que a simetria da força forte é um exemplo de *simetria de calibre*.[5]

Esse é o ponto essencial. Assim como a simetria entre todos os pontos de vista observacionais da relatividade geral requer a existência da força gravitacional, fatores derivados do trabalho de Hermann Weyl, na década de 20, e de Chen-Ning Yang e Robert Mills, na década de 50, revelaram que a simetria de calibre requer a existência de outras forças. Do mesmo modo como um bom sistema de controle ambiental mantém constantes a temperatura, a pressão e a umidade do ar, contrabalançando exatamente as variações externas, de acordo com Yang e Mills certos tipos de campos de força também contrabalançam perfeitamente as alterações nas cargas de força e mantêm completamente invariáveis as interações físicas entre as partículas. Para o caso da simetria de calibre associada às mudanças de cor das cargas dos quarks, a força requerida não é outra senão a própria força forte. Ou seja, sem a força forte, a física *sofreria* modificações em consequência das variações de cor das cargas, como acima indicado. Isso mostra que embora a força gravitacional e a força forte tenham propriedades amplamente diferentes (basta lembrar que a gravidade é muito mais débil que a força forte e opera a distâncias incomensuravelmente maiores), elas têm uma herança até certo ponto similar: ambas são necessárias para que o universo incorpore simetrias particulares. Além disso, o mesmo tipo de situação aplica-se às forças fraca e eletromagnética, o que revela que a sua existência também está ligada a outras simetrias de calibre, chamadas simetrias de calibre fraca e eletromagnética. Por conseguinte, as quatro forças estão diretamente associadas a princípios de simetria.

Essa característica comum das quatro forças parece justificar a sugestão feita no início dessa seção, de que, no nosso esforço por incorporar a mecânica quântica à relatividade geral, deveríamos buscar uma teoria quântica de campo para a força gravitacional, do mesmo modo como os cientistas conseguiram descobrir as teorias quânticas de campo para as outras três forças. Ao longo do tempo, esse raciocínio tem servido de inspiração para um destacado e prodigioso grupo de físicos que continuam trabalhando com vigor, mas o terreno tem-se mostrado repleto de perigos e ninguém ainda logrou atravessá-lo por inteiro. Vejamos por quê.

RELATIVIDADE GERAL *VERSUS* MECÂNICA QUÂNTICA

O campo de aplicação usual da relatividade geral é o das escalas astronômicas de distância. Em tais escalas, a teoria de Einstein implica que a ausência de massa significa que o espaço é plano, tal como ilustrado na figura 3.3. Com vistas a unir a relatividade geral e a mecânica quântica, devemos agora mudar radicalmente o nosso enfoque e examinar as propriedades *microscópicas* do espaço. Isso é ilustrado na figura 5.1, mediante um *zoom* que amplia sucessivamente regiões cada vez menores do tecido espacial. Com as primeiras ampliações não acontece nada de extraordinário. Como se vê, nos três primeiros níveis de ampliação da figura, a estrutura do espaço retém a mesma forma básica. Raciocinando a partir de um ponto de vista puramente clássico, seria de esperar que essa imagem plana e plácida do espaço persistisse o tempo todo, até as menores escalas de tamanho. Mas a mecânica quântica muda radicalmente essa conclusão. *Tudo* está sujeito às flutuações quânticas inerentes ao princípio da incerteza — até mesmo o campo gravitacional. Embora o raciocínio clássico indique que o espaço vazio tem um campo gravitacional igual a zero, a mecânica quântica revela que ele é igual a zero na média, mas o seu valor real oscila para cima e para baixo, ao sabor das flutuações quânticas. Além disso, o princípio da incerteza nos diz que o tamanho das ondulações do campo gravitacional aumenta à medida que a nossa atenção se concentra em regiões cada vez menores do espaço. A mecânica quântica mostra que não existe coisa alguma que goste de ficar confinada; quanto mais estreito for o foco espacial, tanto maiores serão as ondulações.

Como os campos gravitacionais se expressam pela curvatura, essas flutuações quânticas manifestam-se como distorções cada vez mais violentas do espaço circundante. Vemos os primeiros sinais do surgimento das distorções no quarto nível de ampliação da figura 5.1. Continuando a examinar o espaço em escalas cada vez menores, como no quinto nível da figura, vemos que as ondulações aleatórias do campo gravitacional correspondem a tal grau de deformação do espaço, que esse já não lembra um objeto geométrico de curvatura suave, como a superfície de borracha da nossa discussão do capítulo 3. Ao contrário, ele toma a forma irregular, espumosa, turbulenta e retorcida que aparece na parte superior da figura. John Wheeler cunhou o termo *espuma quântica* para descrever o burburinho que uma sondagem ultramicroscópica como essa revelaria existir no espaço (e no tempo) — o termo descreve um aspecto estranho do universo em que as noções convencionais de esquerda e direita, adiante e atrás, em cima e embaixo (e mesmo antes e depois) perdem o sentido. É nessas escalas mínimas de tamanho que encontramos a incompatibilidade fundamental entre a relatividade geral e a mecânica quântica. *A noção de uma geometria espacial suave, o princípio cardeal da relatividade geral, fica destruída pelas flutuações violentas do mundo quântico nas pequenas escalas espaciais.* Nas escalas ultramicroscópicas, o aspecto essencial da mecânica quântica — o princípio da incerteza — entra em conflito direto com o aspecto essencial da relatividade geral — o modelo geométrico suave do espaço (e do espaço-tempo).

Na prática, o conflito aparece de uma maneira bem concreta. Os cálculos que juntam as equações da relatividade geral e da mecânica quântica produzem

Figura 5.1 *Ampliando-se sucessivamente uma região do espaço, podem-se investigar as suas propriedades ultramicroscópicas. As tentativas de unificar a relatividade geral e a mecânica quântica defrontam-se com a violenta espuma quântica que aparece no nível máximo de ampliação.*

tipicamente um resultado absurdo: o infinito. O infinito como resposta é a maneira que a natureza tem de nos dizer que estamos cometendo algum erro, assim como o beliscão das professoras de antigamente.[6] As equações da relatividade geral não conseguem suportar a incessante febricitação da espuma quântica.

Deve-se notar, contudo, que quando regressamos a escalas mais comuns (seguindo a sequência de desenho da figura 5.1 de cima para baixo), as ondulações aleatórias e violentas das escalas pequenas cancelam-se mutuamente — do mesmo modo como a conta bancária do nosso tomador compulsivo de empréstimos não registra evidência da sua compulsão — e o conceito de uma geometria suave para o tecido do universo volta a ter precisão. Isso é semelhante ao que acontece quando se olha uma imagem formada por pontos de luz: à distância, os pontos se harmonizam e compõem uma imagem coerente, cujas variações de luminosidade ocorrem sem descontinuidades de uma área para outra. Ao inspecionar a figura a curta distância, verifica-se, porém, que ela é muito diferente do que parecia quando vista de longe. Ela não é mais do que um conjunto de pontos separados e independentes uns dos outros. É importante observar que a natureza descontínua da imagem só se torna visível quando é examinada nas escalas menores; de longe, ela parece integrada. Do mesmo modo, o tecido do espaço-tempo parece integrado, salvo quando examinado com precisão ultramicroscópica. Por isso, a relatividade geral trabalha bem nas escalas maiores de espaço (e de tempo) — que são as escalas que importam para a maioria das atividades astronômicas —, mas se torna incoerente nas escalas menores do espaço (e do tempo). A noção básica de uma geometria suave, de curvas harmoniosas, justifica-se no que é grande, mas dissolve-se sob o impacto das flutuações quânticas quando levada ao que é pequeno.

Os princípios básicos da relatividade geral e da mecânica quântica permitem-nos calcular aproximadamente as escalas a partir das quais os fenômenos perniciosos da figura 5.1 começam a aparecer. O tamanho diminuto da constante de Planck — que comanda a intensidade dos efeitos quânticos — e a debilidade intrínseca da força gravitacional somam-se para produzir um número denominado *distância de Planck*, cuja pequenez desafia a imaginação: um milionésimo de bilionésimo de bilionésimo de bilionésimo de centímetro (10^{-33} cm).[7] O quinto nível da figura 5.1 descreve, assim, de maneira esquemática, a paisagem do universo na escala ultramicroscópica, abaixo da distância de Planck.

Para que se tenha uma ideia das proporções aqui envolvidas, digamos que se nós ampliássemos um átomo até que ele alcançasse o tamanho do universo conhecido, a distância de Planck alcançaria o tamanho de uma árvore comum.

Vemos assim que a incompatibilidade entre a relatividade geral e a mecânica quântica surge apenas em um reino bastante esotérico do universo. Você poderia então perguntar se toda essa discussão vale a pena. De fato, a comunidade da física tem opiniões divididas a esse respeito. Há os que reconhecem a existência do problema mas continuam felizes usando a mecânica quântica e a relatividade geral, conforme a natureza do problema e a sua escala de dimensões. Há outros, no entanto, que se sentem profundamente frustrados com o fato de que os dois pilares fundamentais da física são, em sua essência, incompatíveis, ainda que o problema só se revele nas distâncias ultramicroscópicas. A incompatibilidade, em sua opinião, põe a nu uma falha básica no nosso entendimento do universo físico. Esse ponto de vista deriva da noção largamente compartilhada, embora impossível de provar, de que o universo, em seu nível mais profundo e elementar, pode ser explicado por uma teoria logicamente correta, cujas partes se unam de forma harmônica. Com efeito, independentemente da relevância que essa incompatibilidade possa ter para o seu trabalho, em última análise a maioria dos físicos não acredita que o conhecimento teórico mais profundo do universo esteja para sempre condenado a constituir um remendo matematicamente inconsistente entre dois esquemas de explicação vigorosos mas conflitantes.

Os físicos já fizeram numerosas tentativas de introduzir modificações, seja na relatividade geral, seja na mecânica quântica, com o objetivo de evitar esse conflito, mas por mais engenhosos e corajosos que tenham sido tais esforços, o resultado até aqui foi o fracasso.

Isto é, até a descoberta da teoria das supercordas.[8]

PARTE III

A sinfonia cósmica

6. Pura música: a essência da teoria das supercordas

Historicamente a música tem propiciado as melhores metáforas para quem quer entender as coisas cósmicas. Desde o tempo da "música das esferas", de Pitágoras, até as "harmonias da natureza", que orientam a pesquisa científica ao longo dos séculos, sempre nos sentimos coletivamente atraídos pela música da natureza e procuramos ouvi-la nos elegantes movimentos dos corpos celestes, assim como nas desenfreadas variações das partículas subatômicas. Com a descoberta da teoria das supercordas, as metáforas musicais assumem uma surpreendente realidade, uma vez que a teoria sugere que a paisagem microscópica está repleta de cordas mínimas, cujas vibrações orquestram a evolução do cosmos. Os ventos da mudança, de acordo com a teoria das supercordas, sopram através de um universo eólico.

Em comparação, o modelo-padrão vê os componentes elementares do universo como pontos, destituídos de estrutura interna. Por mais positivo que seja esse enfoque (e já mencionamos que praticamente todas as previsões a respeito do microcosmos feitas pelo modelo-padrão foram verificadas até um bilionésimo de bilionésimo de metro, que é o limite da tecnologia atual), o modelo-padrão simplesmente não pode ser a teoria final e completa porque não inclui a gravidade. Além disso, as tentativas de incorporar a gravidade ao esquema da mecânica quântica fracassaram devido às flutuações violentas do tecido espacial que surgem nas escalas ultramicroscópicas — ou seja, a distâncias menores que a distância de Planck. Esse conflito não resolvido engendrou pesquisas que levaram a um entendimento ainda mais profundo da natureza. Em 1984, os físicos Michael Green, então no Queen Mary College, e John Schwartz, do California Institute of Technology, produziram os primeiros resultados convincentes de que a *teoria das supercordas* (ou mais simplesmente teoria das cordas) bem poderia propiciar esse entendimento.

A teoria das cordas proporciona uma mudança profunda e renovadora na nossa maneira de sondar teoricamente as propriedades ultramicroscópicas do universo — mudança essa que, como aos poucos foi se vendo, altera a relatividade geral de Einstein de maneira tal que a torna integralmente compatível com as leis da mecânica quântica. De acordo com a teoria das cordas, os componentes elementares do universo *não* são partículas puntiformes. Em vez disso, são mínimos filamentos unidimensionais, como elásticos infinitamente finos, que vibram sem cessar. Mas não se deixe enganar pelo nome: ao contrário de uma corda comum, composta por moléculas e átomos, as cordas da teoria das cordas habitam o mais profundo do coração da matéria. A proposta da teoria é que as cordas são ingredientes ultramicroscópicos que formam as partículas que, por sua vez, compõem os átomos. As cordas da teoria das cordas são tão pequenas — elas têm em média o comprimento da distância de Planck — que *parecem* ser pontos, mesmo quando observadas com os nossos melhores instrumentos.

Contudo, a substituição das partículas puntiformes por filamentos de corda como os componentes fundamentais de todas as coisas tem amplas consequências. Em primeiríssimo lugar, parece que a teoria das cordas é capaz de resolver o conflito entre a relatividade geral e a mecânica quântica. Como veremos, a extensão espacial da corda é o elemento novo e crucial que permite que um esquema harmônico único incorpore ambas as teorias. Em segundo lugar, a teoria das cordas oferece uma teoria verdadeiramente unificada, uma vez que propõe que toda a matéria e todas as forças provêm de um único componente básico: cordas oscilantes. Finalmente, como veremos nos próximos capítulos, além dessas conquistas notáveis, a teoria das cordas modifica, mais uma vez e de maneira radical, o nosso entendimento do espaço-tempo.[1]

UMA BREVE HISTÓRIA DA TEORIA DAS CORDAS

Em 1968, um jovem físico teórico de nome Gabriele Veneziano estava empenhado em descobrir o sentido de algumas propriedades da força nuclear forte que haviam sido observadas experimentalmente. Veneziano, então um pesquisador no CERN, o laboratório do acelerador de partículas da Europa, localizado em Genebra, Suíça, já havia trabalhado em certos aspectos desse problema por alguns anos, até que um dia deparou com uma revelação notável. Para sua grande surpresa, ele viu que uma fórmula hermética imaginada duzentos anos antes pelo famoso matemático suíço Leonhard Euler com finalidades puramente matemáticas — a chamada função beta de Euler — parecia descrever de um só golpe numerosas propriedades das partículas que a força forte põe em interação. A observação de Veneziano pôs um potente instrumento matemático à disposição da análise de diversos aspectos da força forte e desencadeou um intenso fluxo de pesquisas que usavam a função beta de Euler e várias de suas generalizações para descrever a pletora de dados que os aceleradores de partículas estavam produzindo no mundo inteiro. Em um certo sentido, no entanto, a formulação de Veneziano era incompleta. A função beta era como as fórmulas memorizadas pelos alunos que não conhecem nem o seu significado nem a sua justificativa: ninguém sabia por que ela funcionava. Era uma fórmula à procura de uma explicação. Isso mudou em 1970, quando os trabalhos de Yoichiro Nambu, da Universidade de Chicago, Holger Nielsen, do Instituto Niels Bohr, e Leonard Susskind, da Universidade de Stanford, revelaram a doutrina física que se ocultava sob a fórmula de Euler. Eles demonstraram que se as partículas elementares fossem concebidas como pequenas cordas vibrantes e unidimensionais, as suas interações nucleares poderiam ser descritas exatamente pela função de Euler. Se as cordas fossem suficientemente pequenas, disseram, elas continuariam a parecer partículas puntiformes e poderiam, assim, ser compatíveis com as observações experimentais.

Apesar de fornecer uma teoria simples e agradável à intuição, a descrição da força forte em termos de cordas não tardou muito em apresentar falhas. Nos anos seguintes, experiências de alta energia, capazes de explorar o mundo subatômico em maior profundidade, mostraram que várias das previsões feitas pelo modelo não correspondiam aos fatos observados. Ao mesmo tempo, desenvolvia-se a cromodinâmica quântica, a teoria quântica de campo das partículas puntiformes, e o seu enorme êxito em descrever a força forte levou ao abandono da teoria das cordas.

Enquanto a maior parte dos físicos de partículas pensava que a teoria das cordas havia sido relegada à lata de lixo da ciência, alguns dedicados pesquisadores continuavam a ocupar-se dela. Schwarz, por exemplo, considerou que "a estrutura matemática da teoria das cordas era tão bonita e tinha tantas propriedades miraculosas que isso não podia deixar de indicar algo profundo".[2] Um dos problemas encontrados na teoria das cordas era o seu aparente excesso de riqueza. A teoria continha configurações de cordas vibrantes com propriedades semelhantes às dos glúons, o que justificava a sua pretensão inicial de ser uma teoria da força forte. Mas além disso ela continha *outras* partículas de tipo mensageiro, que não pareciam ter qualquer relevância para as observações experimentais da força forte. Em 1974, Schwarz e Joël Scherk, da École Normale Supérieure, empreenderam um salto corajoso que transformou esse aparente vício em virtude. Ao estudar os intrigantes tipos de vibração das cordas que se associavam às partículas mensageiras, eles verificaram que as suas propriedades correspondiam perfeitamente às da hipotética partícula mensageira da força gravitacional — o gráviton. Embora esses "pacotes mínimos" da força gravitacional ainda não tenham sido vistos até hoje, os especialistas podem prever com confiança certas características básicas que eles teriam de possuir, e Scherk e Schwarz verificaram que essas propriedades correspondiam exatamente a certos modelos de vibração. Com base nisso, Scherk e Schwarz sugeriram que o fracasso inicial da teoria das cordas devera-se a que os cientistas haviam minimizado o seu alcance. A teoria das cordas *não* é apenas uma teoria da força forte, afirmaram; é uma teoria quântica que *inclui também a gravidade.*[3]

A comunidade física não chegou a receber o anúncio com grande entusiasmo. Com efeito, Schwarz recorda que "o nosso trabalho foi universalmente ignorado".[4] A estrada do progresso já estava cheia das carcaças de tentativas fracassadas de unir a gravidade e a mecânica quântica. A teoria das cordas mostrara-se equivocada em seu projeto inicial de descrever a força forte, de modo que para muitos não parecia fazer sentido tentar usá-la para algo ainda maior. Nos últimos anos da década de 70 e nos primeiros da década seguinte, novos estudos, ainda mais devastadores, revelaram que a teoria das cordas e a mecânica quântica não deixavam de ter os seus próprios conflitos sutis. Parecia que a força gravitacional resistia, mais uma vez, a incorporar-se à descrição microscópica do universo.

158

Essa era a situação até 1984. Em um documento histórico que culminava mais de doze anos de pesquisa intensa e que fora praticamente ignorado e mesmo contestado pela maioria dos físicos, Green e Schwarz afirmaram que o sutil conflito quântico que afetava a teoria das cordas podia ser resolvido. Mais ainda, eles demonstraram que a teoria tinha fôlego suficiente para englobar todas as quatro forças e também toda a matéria. À medida que a notícia desse resultado difundiu-se pela comunidade científica mundial, centenas de físicos de partículas abandonaram os seus projetos de pesquisas e lançaram uma ofensiva geral sobre o que parecia ser o último campo de batalha teórico na velha luta por compreender os mecanismos mais profundos do funcionamento do universo.

Iniciei o meu curso de pós-graduação na Universidade de Oxford em outubro de 1984. Eu estava ansioso por aprender tudo sobre as teorias quânticas de campo, teorias de calibre e relatividade geral, mas notei que havia uma sensação dominante entre os estudantes mais antigos de que a física de partículas não tinha futuro. O modelo-padrão já havia sido articulado e o seu êxito extraordinário na previsão de resultados experimentais indicava que a sua confirmação definitiva era apenas questão de tempo e de detalhes. Avançar além desses limites para incluir a gravidade ou para *explicar* os insumos de que o modelo dependia — os dezenove números que sintetizam os dados relativos às partículas elementares, suas massas e cargas de força e a intensidade relativa das forças são números que se conhecem a partir das experiências, mas para os quais não há uma explicação teórica — era uma tarefa tão gigantesca que nenhum físico, salvo os mais corajosos dentre todos, a aceitava como desafio. Seis meses depois, essa sensação se havia transformado no oposto. O êxito de Green e Schwarz finalmente se difundira e já envolvia até mesmo os que estavam apenas iniciando a pós-graduação. Passara a dominar entre nós um sentimento eletrizante de estar no centro de um movimento profundo na história da física. Muitos de nós trabalhávamos até altas horas da noite para compreender as vastas áreas da física teórica e da matemática abstrata necessárias ao conhecimento da teoria das cordas.

O período de 1984 a 1986 ficou conhecido como a "primeira revolução das supercordas". Nesses três anos publicaram-se mais de mil trabalhos de pesquisa sobre a teoria das cordas em todo o mundo. Tais estudos mostravam conclusivamente que numerosos aspectos do modelo-padrão — aspectos que haviam sido laboriosamente descobertos depois de décadas de pesquisas exaustivas — *emergiam de maneira natural* e simples da estrutura global da teoria das cordas. Nas palavras de Michael Green, "no momento em que se toma conhecimento da teoria das cordas e se vê que praticamente todos os avanços principais da física nos últimos cem anos emergem — e com tal elegância — a partir de um ponto de partida tão simples, intui-se que essa teoria, francamente irresistível, não tem paralelo".[5] Além disso, para muitos desses aspectos, como veremos, a teoria das cordas oferece explicações muito mais completas e satisfatórias do que as do-modelo padrão. Essa percepção convenceu muitos cientistas de que a teoria das cordas estava claramente a caminho de cumprir a promessa de ser a teoria unificada definitiva.

Apesar de tudo, os pesquisadores da teoria das cordas encontraram repetidas vezes um obstáculo importante. Na pesquisa física teórica, frequentemente se encontram equações que são demasiado difíceis para compreender e analisar. Normalmente os físicos não desistem, mas tentam resolver as equações por aproximação. Na teoria das cordas, essa situação é ainda mais difícil. Até a tarefa de determinar *as próprias equações* mostrou-se tão difícil que só se conseguiu deduzir até agora versões aproximadas da sua formulação. Os estudiosos da teoria das cordas têm se limitado, portanto, a buscar soluções aproximadas para equações aproximadas. Após os primeiros anos de progresso intenso, com a primeira revolução das supercordas, os cientistas verificaram que as aproximações então usadas não eram adequadas para dar resposta a diversas questões essenciais que impediam que se chegasse a novos avanços. Sem propostas concretas para avançar além dos métodos aproximativos, muitos físicos sentiram-se frustrados e abandonaram a teoria das cordas para retomar suas antigas linhas de trabalho. Para os que permaneceram, o final da década de 80 e o começo da seguinte foi um período de provações. A beleza e as promessas da teoria das cordas eram como um tesouro guardado em um cofre, que só podia ser visto através do buraco da fechadura, porque ninguém tinha a chave para liberar os seus poderes. Importantes descobertas alternavam-se com longos períodos de esterilidade, e todos os que conheciam a matéria sabiam que era preciso desenvolver novos métodos que permitissem superar as aproximações anteriores.

Então, em uma palestra espetacular na conferência Cordas, 1995, realizada na University of Southern California — palestra que deixou boquiaberta uma plateia composta pelos principais físicos do mundo e que superlotava o auditório —, Edward Witten anunciou um plano para os passos seguintes, com o que deu início à "segunda revolução das supercordas". Até os dias de hoje, os pesquisadores da teoria das cordas trabalham vigorosamente para aguçar um conjunto de métodos novos que prometem superar os obstáculos teóricos encontrados anteriormente. As dificuldades que estão por vir porão à prova a competência técnica dos estudiosos da teoria das cordas, mas a luz no fim do túnel, embora ainda distante, pode finalmente estar ficando visível.

Neste capítulo e em outros que se seguem, descreveremos as formulações da teoria das cordas que surgiram a partir da primeira revolução das supercordas e os avanços que se seguiram até a segunda revolução. Ocasionalmente indicaremos novas percepções derivadas dessa segunda revolução; a discussão desses avanços mais recentes se dará nos capítulos 12 e 13.

OS ÁTOMOS DOS GREGOS OUTRA VEZ?

Como foi mencionado no início deste capítulo e tal como ilustrado na figura 1.1, a teoria das cordas afirma que se as partículas puntiformes presumidas pelo modelo-padrão pudessem ser examinadas com uma precisão significativamente superior à nossa capacidade atual, veríamos que cada uma delas é constituída por um único laço de corda, minúsculo e oscilante.

Por motivos que ficarão claros, o comprimento típico de um laço de corda é semelhante à distância de Planck, ou seja, cerca de 100 bilhões de bilhões (10^{20}) de vezes menor do que um núcleo atômico. Não é de admirar que as experiências que somos capazes de fazer hoje não consigam determinar que as cordas constituem a natureza microscópica da matéria: elas são minúsculas mesmo na escala das partículas subatômicas. Precisaríamos de aceleradores de partículas capazes de produzir choques a um nível de energia cerca de 1 milhão de bilhões de vezes maior do que o que hoje atingimos para comprovar diretamente que uma corda não é uma partícula puntiforme.

Descreveremos aqui brevemente as consequências estonteantes que decorrem do fato de substituirmos as partículas puntiformes por cordas. Antes, porém, vamos responder uma pergunta ainda mais fundamental: de que são feitas as cordas?

Essa pergunta tem duas respostas possíveis. A primeira é que as cordas são verdadeiramente elementares — são "átomos", *elementos indivisíveis*, no mais puro sentido da palavra grega. Por serem os elementos constituintes absolutamente mínimos de tudo o que existe, elas representam o fim da linha — a última das *matrioshkas* —, a última das numerosas camadas da subestrutura do mundo microscópico. Vista dessa perspectiva, embora as cordas tenham extensão espacial, a pergunta a respeito da sua composição é desprovida de conteúdo. Se as cordas fossem feitas de algo menor do que elas, então não seriam elementares. Em vez disso, aquilo de que as cordas fossem compostas tomaria imediatamente o seu lugar como o elemento mínimo constituinte do universo. Usando a nossa analogia linguística, os parágrafos são compostos por sentenças, as sentenças por palavras e as palavras por letras. De que são feitas as letras? Do ponto de vista linguístico, esse é o fim da linha. As letras são letras — o material de construção básico da linguagem escrita; não há outra subestrutura além dela. Perguntar sobre a sua composição não faz sentido. Do mesmo modo, as cordas são simplesmente cordas — como não há nada mais elementar, não se pode dizer que sejam compostas por nenhuma outra substância.

Essa é a primeira resposta. A segunda baseia-se no fato de que ainda não sabemos se a teoria das cordas está correta nem se é a teoria definitiva da natureza. Se a teoria estiver errada, podemos simplesmente esquecer as cordas e as perguntas irrelevantes a respeito da sua composição. Embora essa possibilidade exista, as pesquisas feitas nos últimos quinze anos tendem a indicar que ela é extremamente improvável. Mas a história nos ensina com clareza que cada vez que aprofundamos o nosso conhecimento do universo, encontramos componentes microscópicos ainda menores, que compõem níveis ainda mais elementares da matéria. Portanto, se as cordas caírem nessa possibilidade e se a teoria das cordas não for a teoria definitiva, as cordas podem ser apenas mais uma camada da cebola cósmica, a camada que se torna visível na escala da distância de Planck, ainda que não seja a camada final. Nesse caso, as cordas poderiam ser compostas por estruturas ainda menores. Os estudiosos da teoria das cordas já levantaram essa possibilidade e continuam a considerá-la. No estágio atual do nosso conhecimento, os estudos teóricos apontam a existência de indícios sugestivos de que as cordas podem ter subestruturas, mas não há certeza a respeito. Só as pesquisas e o tempo darão a palavra final quanto a isso.

Afora algumas especulações feitas nos capítulos 12 e 15, as nossas discussões a respeito das cordas tomarão por base o proposto na primeira resposta — ou seja, consideraremos que as cordas são o componente mais elementar da natureza.

A UNIFICAÇÃO PELA TEORIA DAS CORDAS

Além de não incorporar a força gravitacional, o modelo-padrão tem outra falha: não dá explicações sobre os detalhes da sua construção. Por que a natureza escolheu especificamente a lista de partículas e forças descritas nos capítulos anteriores e registradas nas tabelas 1.1 e 1.2? Por que os dezenove parâmetros que descrevem quantitativamente esses componentes têm os valores que têm? É impossível não pensar que o seu número e as suas propriedades parecem ser arbitrários. Haverá algo mais profundo esperando por nós atrás desses números aparentemente aleatórios, ou será que as propriedades físicas do universo foram "escolhidas" ao acaso?

O modelo-padrão não pode oferecer uma explicação por si próprio porque a lista das partículas e das suas propriedades se incorporam a ele como dados de entrada (*inputs*) obtidos mediante resultados experimentais. Assim como o desempenho da bolsa de valores não pode ser usado para determinar o quanto você terá ganho ou perdido, a menos que você forneça como dados de entrada o valor do seu investimento inicial, também o modelo-padrão não pode ser usado para fazer quaisquer previsões se não se conhecer os dados de entrada das propriedades das partículas fundamentais.[6] Depois que os cientistas experimentais da física de partículas conseguiram, com todo o cuidado, obter os valores desses dados, aí então os cientistas teóricos puderam usar o modelo-padrão para fazer previsões verificáveis, tais como o que aconteceria se determinadas partículas se chocassem em um acelerador. Mas o modelo-padrão não é capaz de explicar as propriedades das partículas fundamentais das tabelas 1.1 e 1.2, assim como o índice Dow Jones do dia de hoje não é capaz de explicar o investimento inicial que você fez há dez anos.

Na verdade, se as experiências houvessem revelado um conjunto de partículas diferente do que existe no mundo microscópico, interagindo com forças também diferentes, essas mudanças poderiam facilmente incorporar-se ao mo-

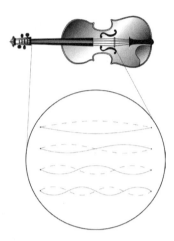

Figura 6.1 *As cordas de um violino podem vibrar em padrões ressonantes nos quais um número inteiro de picos e depressões cabem exatamente entre os dois extremos.*

delo-padrão, desde que os novos parâmetros fossem aplicados à teoria. Nesse sentido, a estrutura do modelo-padrão é demasiado flexível para poder explicar as propriedades das partículas elementares, uma vez que toda uma série de possibilidades poderia ser acomodada.

A teoria das cordas é radicalmente diferente. É um edifício teórico inflexível e único. Não requer nenhum insumo além de um único número, que descrevemos abaixo, o qual estabelece a escala de referência das medidas. Todas as propriedades do mundo microscópico estão compreendidas em sua capacidade explicativa. Para uma melhor compreensão desse aspecto, pensemos em cordas mais conhecidas, como as de um violino. Cada uma delas pode experimentar uma enorme variedade (na verdade, um número infinito) de padrões vibratórios diferentes, conhecidos como *ressonâncias*, como mostra a figura 6.1.

Esses são os padrões de ondas cujos picos e depressões ocorrem a espaços iguais e cabem perfeitamente entre os dois apoios fixos da corda. Os nossos ouvidos percebem esses diferentes padrões vibratórios ressonantes como diferentes notas musicais. As cordas da teoria das cordas têm propriedades similares. Existem padrões vibratórios ressonantes que a corda pode aceitar devido a que os seus picos e depressões ocorrem a espaços iguais e cabem perfeitamente em sua extensão espacial. A figura 6.2 mostra alguns exemplos. Esse é o fato central: assim

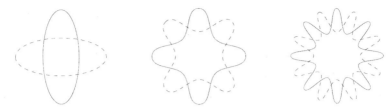

Figura 6.2 *Os laços da teoria das cordas podem vibrar em padrões ressonantes — similares aos das cordas de um violino — nos quais um número inteiro de picos e depressões cabem exatamente em sua extensão espacial.*

como os diferentes padrões vibratórios de uma corda de violino dão lugar a diferentes notas musicais, *os diferentes padrões vibratórios de uma corda elementar dão lugar a diferentes massas e cargas de força.* Como esse é um conceito crucial, vamos repeti-lo. De acordo com a teoria das cordas, as propriedades de uma "partícula" elementar — a massa e as várias cargas de força — são determinadas pelo padrão de vibração ressonante específico executado por sua corda interior.

É mais fácil entender essa associação com relação à massa de uma partícula. A energia do padrão vibratório específico de uma corda depende da sua amplitude — o deslocamento máximo entre um pico e uma depressão — e do seu comprimento de onda — a distância entre um pico e o seguinte. Quanto maior a amplitude e quanto menor o comprimento de onda, tanto maior a energia. Isso corresponde ao que a nossa intuição poderia esperar — os padrões vibratórios mais frenéticos têm mais energia e os menos frenéticos têm menos energia. A figura 6.3 oferece um par de exemplos. Aqui também, o resultado pode ser visto como normal, uma vez que as cordas de violino que são tocadas com mais vigor vibram com mais intensidade, enquanto as que são tocadas com mais delicadeza vibram com mais suavidade. Ora, aprendemos com a relatividade

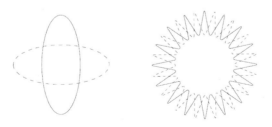

Figura 6.3 *Os padrões vibratórios mais frenéticos têm mais energia que os menos frenéticos.*

especial que a energia e a massa são duas faces de uma mesma moeda: maior energia significa maior massa e vice-versa. Assim, de acordo com a teoria das cordas, a *massa* de uma partícula elementar é determinada pela *energia* do padrão vibratório da sua corda interna. As partículas mais pesadas têm cordas internas que vibram com mais energia e as partículas mais leves têm cordas internas que vibram com menos energia.

Como a massa de uma partícula determina as suas propriedades gravitacionais, vemos que existe uma associação direta entre o padrão vibratório da corda e a reação da partícula à força gravitacional. Embora o raciocínio aqui envolvido seja algo mais abstrato, os cientistas descobriram que existe um alinhamento similar entre outros pormenores do padrão vibratório de uma corda e as suas propriedades com relação a outras forças. A carga elétrica, a carga fraca e a carga forte transmitidas por uma corda específica, por exemplo, são determinadas pela maneira como ela vibra. A mesma ideia prevalece também para as próprias partículas mensageiras. Partículas como os fótons, os bósons da força fraca e os glúons correspondem a outros padrões vibratórios ressonantes das cordas. Entre os padrões vibratórios — e esse é um fato especialmente importante — há um que concorda perfeitamente com as propriedades do gráviton, o que assegura que a gravidade é parte integrante da teoria das cordas.[7]

Vemos, portanto, que, de acordo com a teoria das cordas, as propriedades observadas de cada partícula elementar existem porque a sua corda interna experimenta um determinado padrão vibratório ressonante. Essa perspectiva difere agudamente da que os físicos esposavam antes da descoberta da teoria das cordas; na perspectiva anterior, as diferenças entre as partículas fundamentais eram explicadas como consequência de que cada espécie de partícula era estruturalmente diferente. Embora cada uma das partículas fosse considerada elementar, pensava-se que elas fossem feitas com tipos diferentes de "material". O "material" do elétron, por exemplo, tinha carga elétrica negativa e o "material" do neutrino não tinha carga elétrica. A teoria das cordas alterou radicalmente essa visão ao declarar que o "material" de todas as manifestações da matéria e das forças é o *mesmo*. Cada partícula elementar é composta por uma única corda — ou seja, cada partícula *é* uma única corda — e todas as cordas são absolutamente idênticas. As diferenças entre as partículas resultam de que as suas respectivas cordas experimentam padrões vibratórios ressonantes diferentes. O que percebemos como partículas elementares diferentes são na verdade "notas" diferentes de uma mesma corda fundamental. O universo — sendo composto por um número enorme dessas cordas vibrantes — assemelha-se a uma sinfonia cósmica.

Esta apresentação revela como a teoria das cordas oferece um esquema unificador verdadeiramente maravilhoso. Todas as partículas de matéria e todos os transmissores de forças consistem de uma corda cujo padrão vibratório é a sua "impressão digital". Como todos os acontecimentos físicos, processos e ocorrências do universo podem ser descritos em seu nível mais elementar em termos da ação de forças sobre os componentes materiais elementares, a teoria das cordas mantém a promessa de uma descrição unificada, única e completa do universo físico: uma teoria sobre tudo (TST).

A MÚSICA DA TEORIA DAS CORDAS

Muito embora a teoria das cordas acabe com o conceito de partículas elementares sem estrutura interna, os nomes tendem a permanecer, especialmente quando eles dão uma descrição precisa da realidade até as mais diminutas escalas de distância. Seguindo, portanto, esse costume consagrado, continuaremos a nos referir às "partículas elementares", significando com isso, no entanto, "o que parecem ser partículas elementares, mas são, na verdade, unidades mínimas de cordas vibrantes". Na seção precedente propusemos que as massas e as cargas de força dessas partículas elementares são o resultado da maneira pela qual vibram as suas respectivas cordas. Isso nos leva à seguinte conclusão: se conseguirmos calcular com precisão os padrões vibratórios ressonantes permitidos às cordas fundamentais — as "notas" que elas tocam, por assim dizer —, provavelmente poderemos explicar as propriedades das partículas elementares. Pela primeira vez, portanto, graças à teoria das cordas, conseguimos estabelecer um esquema que pode *explicar* as propriedades das partículas observadas na natureza.

A essa altura, então, já deveríamos ser capazes de "pegar" uma corda e "tocá-la" de todas as maneiras possíveis para determinar os respectivos padrões vibratórios ressonantes. Se a teoria das cordas estiver correta, deveríamos verificar que os padrões possíveis produzem exatamente as propriedades das partículas de matéria e de força registradas nas tabelas 1.1 e 1.2. Evidentemente, as cordas são demasiado pequenas para que possamos realizar a experiência literalmente, como descrevemos antes. Mas usando descrições matemáticas, podemos tocar a corda *teoricamente*. Em meados da década de 80, muitos dos partidários das cordas acreditavam que o poder de análise matemática necessário para isso estava prestes a habilitar-nos a explicar todas as propriedades do universo no nível mais microscópico. Alguns físicos mais entusiasmados declararam que a TST havia finalmente sido descoberta. Cerca de quinze anos depois sabemos que a euforia gerada por essa crença era prematura. A teoria das cordas tem as características de uma TST, mas ainda há muitos obstáculos por superar, o que nos tem impedido de deduzir o espectro das vibrações das cordas com a necessária precisão para fazer as comparações com os resultados experimentais. Na etapa atual, por conseguinte, não sabemos ainda se as características fundamentais do nosso universo, que estão resumidas nas tabelas 1.1 e 1.2, podem ser explicadas pela teoria das cordas. Como veremos no capítulo 9, de acordo com certas premissas que explicitaremos com clareza, a teoria das cordas pode produzir um universo com propriedades que estão qualitativamente de acordo com os dados conhecidos relativos às partículas e às forças, mas extrair previsões numéricas específicas a partir da teoria ainda está fora do nosso alcance. Desse modo, embora a estrutura da teoria das cordas, ao contrário do modelo-padrão para as partículas puntiformes, tenha a *capacidade* de explicar por que as partículas e as forças têm as propriedades que têm, nós ainda não somos capazes de extraí-las. Mesmo assim, a teoria das cordas é tão rica e potente que, mesmo sem sermos capazes de determinar especificamente as suas propriedades, *já temos* a capacidade de avançar na compreensão de uma pletora de novos fenômenos físicos que decorrem da teoria, como veremos nos capítulos posteriores.

Nos capítulos seguintes discutiremos a situação atual dos obstáculos com alguma profundidade, mas, em primeiro lugar, será conveniente compreendê-los de uma maneira geral. No mundo à nossa volta, as cordas aparecem com diversos graus de tensão. Uma corda enlaçada em um par de sapatos, por exemplo, em geral é bastante frouxa em comparação com uma corda esticada de uma ponta a outra de um violino. As duas, por sua vez, estão sob muito menos tensão do que as cordas de aço de um piano. O único número requerido pela teoria das cordas para estabelecer a sua escala geral de valores é a tensão correspondente em seus laços. Como se determina essa tensão? Se pudéssemos tocar uma corda fundamental, conheceríamos a sua rigidez e poderíamos assim medir a sua tensão, tal como medimos a de cordas mais familiares. Mas como as cordas fundamentais são tão ínfimas, esse método não pode ser executado e tem de ser substituído por outro, mais indireto. Em 1974, quando Scherk a Schwarz propuseram que um dos padrões vibratórios das cordas correspondia ao gráviton, eles conseguiram explorar essa técnica indireta e com ela prever as tensões das cordas da teoria das cordas. Os cálculos indicaram que a intensidade da força transmitida pelo padrão vibratório proposto para o gráviton é inversamente proporcional à tensão da corda. E como o gráviton supostamente transmite a força gravitacional — força que é intrinsecamente bastante débil —, eles concluíram que isso implicava uma tensão colossal, de mil bilhões de bilhões de bilhões de bilhões (10^{39}) de toneladas, a chamada *tensão de Planck*. As cordas fundamentais são, portanto, extremamente rígidas, se comparadas a exemplos mais familiares. E isso tem três consequências importantes.

TRÊS CONSEQUÊNCIAS DA RIGIDEZ DAS CORDAS

Primeiro, enquanto as pontas das cordas dos pianos e dos violinos estão presas, o que significa que elas têm uma extensão determinada, as cordas fundamentais não estão sujeitas a nenhum tipo de constricção que limite o seu tamanho. Por isso mesmo, a enorme tensão da corda faz com que os laços da teoria das cordas se contraiam a um tamanho minúsculo. Os cálculos revelam que, por estar sujeita à tensão de Planck, uma corda típica tem o tamanho da distância de Planck — 10^{-33} centímetros — como já mencionamos.[8]

Segundo, por causa da enorme tensão, a energia típica de um laço de corda vibrante na teoria das cordas é extremamente alta. Para entender isso, notemos que quanto maior for a tensão suportada por uma corda, mais difícil é fazê-la vibrar. É muito mais fácil, por exemplo, tocar uma corda de violino e fazê-la vibrar que fazer o mesmo com uma corda de piano. Assim, duas cordas que vibrem exatamente da mesma maneira mas que estejam sujeitas a tensões diferentes não têm a mesma energia. A corda com a tensão maior terá mais energia do que a corda com a tensão menor, visto que é necessário aplicar-lhe mais energia para imprimir-lhe a vibração.

Isso nos alerta para o fato de que a energia de uma corda que vibra é determinada por dois fatores: a sua maneira específica de vibrar (padrões mais agitados correspondem a energias mais altas) e a tensão da corda (tensões mais altas correspondem a energias mais altas). À primeira vista, isso poderia levá-lo a pensar que com padrões vibratórios cada vez mais suaves — com amplitudes cada vez menores e com menos picos e depressões — uma corda pode possuir cada vez menos energia. Mas, como vimos no capítulo 4, em um contexto diferente, a mecânica quântica nos diz que esse raciocínio não é correto. Como acontece com relação a todas as vibrações e perturbações ondulatórias, a mecânica quântica implica que esses fenômenos aparecem sempre em degraus, separados uns dos outros por saltos, ou descontinuidades. Comparativamente, assim como o valor do dinheiro levado por qualquer dos companheiros do galpão controlado pelo velho tirânico é sempre um número inteiro, múltiplo da denominação monetária que lhe foi atribuída, assim também a energia presente no padrão vibratório de uma corda é um número inteiro, múltiplo da unidade mínima de energia. E essa unidade mínima é proporcional à tensão da corda (e também proporcional ao número de picos e depressões do padrão vibratório específico), enquanto o número inteiro múltiplo é determinado pela amplitude do padrão vibratório.

O ponto central dessa discussão é o seguinte: como as quantidades mínimas de energia são proporcionais à tensão da corda, e como tal tensão é enorme, as energias mínimas fundamentais, nas escalas normais da física das partículas elementares, são igualmente enormes. São múltiplos do que se conhece como *energia de Planck*. Para que tenhamos um sentido de proporção, se traduzirmos a energia de Planck em termos de massa, usando a famosa fórmula de conversão de Einstein $E = mc^2$, os níveis de tal energia correspondem a massas da ordem de 10 bilhões de bilhões (10^{19}) de vezes maiores do que a do próton. Essa massa gigantesca — na escala das partículas elementares — é conhecida como *massa de Planck* e é aproximadamente igual à massa de um grão de areia ou à de 1 milhão de bactérias comuns. Assim, a típica equivalência de massa de um laço de corda vibrante, na teoria das cordas, é, geralmente, um número inteiro (1, 2, 3, ...) múltiplo da massa de Planck. Os físicos costumam referir-se a isso dizendo que a escala energética (e portanto também a sua escala de massas) "típica", ou "natural", da teoria das cordas é a escala de Planck.

Isto traz à baila uma questão crucial que se relaciona diretamente com o objetivo de reproduzir as propriedades das partículas das tabelas 1.1 e 1.2: se a escala energética "natural" da teoria das cordas é cerca de 10 bilhões de bilhões de vezes maior do que a de um próton, como poderia ela referir-se às partículas muito mais leves — elétrons, quarks, fótons etc. — que compõem o mundo à nossa volta?

Uma vez mais, quem dá a resposta é a mecânica quântica. O princípio da incerteza nos diz que nunca nada está em repouso absoluto. Todos os objetos sofrem agitações quânticas. Se não fosse assim, saberíamos com precisão total onde eles estão e com que velocidade se movem, o que violaria a formulação de Heisenberg. Isso também é válido para os laços da teoria das cordas; por mais plácida que seja a aparência de uma corda, ela sempre estará sofrendo alguma vibração quântica. O fato notável, como se viu desde a década de 70, é que podem haver *cancelamentos mútuos* de energia entre essas oscilações quânticas e os tipos mais intuitivos de vibração das cordas discutidos acima e ilustrados nas figuras 6.2 e 6.3. Com efeito, por causa da loucura da mecânica quântica, a energia associada à agitação de uma corda é *negativa*, o que *reduz* o montante total de energia de uma corda vibrante em um valor comparável ao da energia de Planck. Isso significa que os padrões vibratórios das cordas com as menores energias, que nós ingenuamente poderíamos pensar que chegassem ao nível da energia de Planck (ou seja, a energia de Planck multiplicada por um), cancelam-se substancialmente, o que produz vibrações de energias que, afinal, são relativamente baixas — energias cujas respectivas equivalências em massa encontram-se no nível das massas das partículas de matéria e de força mostradas nas tabelas 1.1 e 1.2. São, portanto, os padrões vibratórios de energia *mais baixa* que devem propiciar o contato entre a descrição teórica das cordas e o mundo das partículas físicas ao qual temos acesso. É importante observar, por exemplo, que Scherk e Schwarz verificaram que para o padrão vibratório cujas propriedades o tornam candidato para a partícula mensageira do gráviton, o cancelamento das energias é *perfeito*, o que resulta em uma partícula com massa zero, relativa à força gravitacional. Isso é exatamente o que se espera para o caso do gráviton; a força gravitacional é transmitida à velocidade da luz e apenas partículas sem massa podem viajar a essa velocidade máxima. Mas as combinações vibratórias de baixa energia são muito mais a exceção do que a regra. A corda fundamental de vibração mais comum corresponde a uma partícula cuja massa é bilhões e bilhões de vezes maior do que a do próton.

Isso nos indica que as partículas fundamentais comparativamente leves das tabelas 1.1 e 1.2 surgiriam da fina névoa que paira acima do mar agitado das cordas mais energéticas. Mesmo uma partícula pesada como o quark top, de massa 189 vezes maior do que a do próton, só pode surgir de uma corda vibrante se a energia do nível de Planck, que é característica da corda, for cancelada pela agitação da incerteza quântica a não mais que uma unidade em 100 milhões de bilhões do seu valor. É como se você estivesse participando de The *Price is Right*** e Bob Barker lhe desse 10 bilhões de bilhões de dólares, desafiando-o a comprar produtos cujo custo final — o que equivale ao cancelamento no nosso exemplo — fosse igual aos 10 bilhões de bilhões menos exatamente 189 dólares, nem um a mais ou a menos. Conseguir fazer esse enorme volume de compras, com tal grau de precisão e sem ter o controle dos preços das coisas adquiridas poria à prova a perícia dos maiores gastadores do mundo. Na teoria das cordas, onde a unidade de troca é a energia e não o dinheiro, cálculos aproximativos mostraram de maneira conclusiva que esse tipo de cancelamento certamente *pode* ocorrer, mas como ficará claro nos capítulos posteriores, a verificação de tais cancelamentos a um nível tão alto de precisão está, normalmente, além da nossa capacidade técnica atual. Mesmo assim, como já indicamos, veremos que muitas outras propriedades da teoria das cordas, menos sensíveis a esses detalhes mais sutis, podem ser extraídas e entendidas com segurança.

Isso nos leva à terceira consequência do enorme valor da tensão das cordas. As cordas podem executar um número infinito de padrões vibratórios diferentes. A figura 6.2, por exemplo, mostra o início de uma série sem fim de possibilidades, caracterizadas por um número cada vez maior de picos e depressões. Então, isso não significaria que deve haver também uma série sem fim de partículas elementares, o que aparentemente estaria em conflito com os fatos experimentais resumidos nas tabelas 1.1 e 1.2?

A resposta é sim: se a teoria das cordas estiver correta, cada um dos infinitos padrões vibratórios ressonantes das cordas deve corresponder a uma partícula elementar. O dado essencial, no entanto, é que a alta tensão da corda faz

---

* Popular programa de auditório norte-americano da rede CBS. (N. E.)

com que quase todos esses padrões vibratórios correspondam a partículas extremamente pesadas (e as exceções são as vibrações de energia mínima, que sofrem cancelamentos quase perfeitos graças à agitação quântica). Novamente aqui, o termo "pesado" significa muitas vezes mais pesado que a massa de Planck. Como os nossos aceleradores de partículas mais poderosos só alcançam energias da ordem de mil vezes a massa do próton, o que é mais de 1 milhão de bilhões de vezes menor do que a energia de Planck, estamos longe de atingir a capacidade de pesquisar nos laboratórios a existência de qualquer uma dessas novas partículas previstas pela teoria das cordas.

Existem, no entanto, maneiras indiretas de pesquisá-las. Por exemplo, as altíssimas energias mobilizadas no nascimento do universo teriam sido plenamente suficientes para produzir essas partículas em quantidades copiosas. Em geral, não se poderia esperar que elas sobrevivessem até hoje, pois que as partículas superpesadas são normalmente instáveis e se livram de suas enormes massas desintegrando-se e produzindo uma cascata de partículas cada vez mais leves, até alcançar as que conhecemos no mundo à nossa volta. É possível, contudo, que esse estado vibratório superpesado da corda — uma relíquia do big bang — possa ter sobrevivido até o presente. Encontrar tais partículas, como veremos com mais vagar no capítulo 9, seria uma descoberta monumental, para dizer o mínimo.

A GRAVIDADE E A MECÂNICA QUÂNTICA NA TEORIA DAS CORDAS

O esquema unificado oferecido pela teoria das cordas é imponente, mas a sua principal atração é a possibilidade de mitigar as hostilidades entre a força gravitacional e a mecânica quântica. Lembre-se de que o problema de fundir a relatividade geral com a mecânica quântica surge quando o postulado central da primeira — que o espaço e o tempo constituem uma estrutura geométrica suave e curva — confronta-se com o aspecto essencial da última — que tudo no universo, inclusive o tecido do espaço e do tempo, sofre flutuações quânticas cada vez mais turbulentas à medida que as escalas de tamanho vão se tornando menores. Nas escalas de tamanho abaixo do nível de Planck, as ondulações quânticas são tão violentas que destroem a noção de um espaço geométrico suave e curvo; isso significa que a relatividade geral cai por terra.

A teoria das cordas suaviza as ondulações quânticas violentas modificando as propriedades do espaço nas menores escalas de distância. Há duas respostas, uma aproximada e outra mais precisa, para a pergunta sobre o que isso significa na verdade e sobre como o conflito se resolve. Vamos discutir uma de cada vez.

A RESPOSTA APROXIMADA

Ainda que pareça pouco sofisticado, uma maneira de conhecer a estrutura de um objeto é atirar coisas nele e ver como elas ricocheteiam. Por exemplo, nós podemos *ver* porque os nossos olhos colhem e enviam para o cérebro informações transmitidas por fótons que ricocheteiam nos objetos que olhamos. Os aceleradores de partículas também se baseiam no mesmo princípio: eles lançam partículas de matéria umas contra as outras, assim como contra outros alvos, e detectores de alta precisão analisam a chuva de estilhaços para determinar a arquitetura dos objetos envolvidos.

Como regra geral, o *tamanho da partícula de sondagem* estabelece um limite inferior na escala de distância para a qual há sensibilidade. Para que se tenha uma ideia do que significa essa importante afirmação, imagine que Crispim e Joaquim decidiram ganhar um pouco de cultura e inscreveram-se em um curso de desenho. Com o passar do tempo, Joaquim vai ficando cada vez mais irritado com os notáveis progressos artísticos de Crispim e o desafia a uma estranha prova: cada um pega um caroço de pêssego, coloca-o entre as garras de um torno e procura desenhá-lo com a maior precisão possível. A parte estranha do desafio está em que nenhum dos dois pode olhar para o caroço e tem de descobrir tudo a respeito do seu tamanho, forma e relevo arremessando coisas (menos fótons!) contra ele e observando como essas coisas ricocheteiam depois de chocar-se com o caroço, tal como mostra a figura 6.4. Às escondidas, Joaquim carrega o "arremessador" de Crispim com bolas de gude (como na figura 6.4(a)) e carrega o seu próprio com esferas plásticas de cinco milímetros (como na figura 6.4(b)). A competição começa.

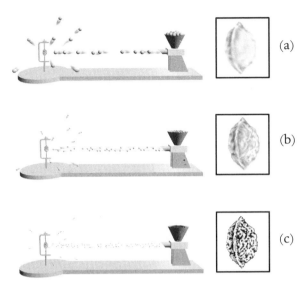

Figura 6.4 *Um caroço de pêssego colocado em um torno deve ser reproduzido exclusivamente por meio da observação da maneira como ricocheteiam os objetos atirados contra ele. Utilizando-se objetos cada vez menores — (a) bolas de gude, (b) bolas de cinco milímetros, (c) bolas de meio milímetro — obtêm-se desenhos cada vez mais detalhados.*

Algum tempo depois, vê-se que o melhor desenho que Crispim consegue fazer é o da figura 6.4(a). Observando as trajetórias das bolas de gude após o choque, ele percebe que o caroço é pequeno e tem a superfície dura, mas isso é praticamente tudo o que consegue descobrir. As bolas são demasiado grandes para poder registrar a estrutura corrugada do objeto. Mas quando ele olha para o desenho de Joaquim (figura 6.4(b)), fica surpreso de ver que está muito melhor. Logo, contudo, ele percebe a causa ao olhar para o arremessador de Joaquim: as partículas arremessadas por ele são pequenas o bastante para que o ângulo dos ricochetes reflita as características mais flagrantes da superfície do caroço. Desse modo, arremessando muitas esferas de cinco milímetros e observando as suas trajetórias após o choque, Joaquim pôde desenhar uma imagem mais detalhada. Crispim, com o orgulho ferido, volta para o seu arremessador e o carrega com partículas ainda menores — bolinhas de meio milímetro — suficientemente pequenas para refletir, em seus ricochetes, as irregularidades mais miúdas da superfície do caroço. Observando as trajetórias após o choque, ele consegue desenhar a imagem vencedora, mostrada na figura 6.4(c).

A lição oferecida por essa pequena competição é clara: para serem úteis, as partículas de sondagem não podem ser substancialmente maiores do que os aspectos físicos que estão sendo examinados; de outra maneira, elas não serão sensíveis às estruturas de interesse.

Evidentemente, esse mesmo raciocínio vale se quisermos examinar o caroço ainda mais pormenorizadamente para determinar a sua estrutura atômica e subatômica. Bolinhas de meio milímetro não proporcionarão nenhuma informação útil; são grandes demais para ter qualquer sensibilidade com relação às escalas atômicas. É por isso que os aceleradores de partículas usam prótons ou elétrons como sondas, já que o seu tamanho diminuto torna-os muito mais adequados à tarefa. Nas escalas subatômicas, onde os conceitos quânticos tomam o lugar do raciocínio clássico, a medida mais apropriada para a sensibilidade de sondagem de uma partícula é o seu comprimento de onda quântico, que indica a janela de incerteza na sua posição. Esse fato reflete a nossa discussão sobre o princípio de Heisenberg, no capítulo 4, na qual vimos que a margem de erro quando se utiliza uma partícula puntiforme como sondagem (a discussão centrava-se nos fótons, mas pode referir-se a todas as outras partículas) é aproximadamente igual ao comprimento de onda quântico da partícula utilizada. Em linguagem menos técnica, isso significa que a sensibilidade de sondagem de uma partícula puntiforme torna-se imprecisa por causa da agitação quântica, assim como a precisão do bisturi do cirurgião fica comprometida se a sua mão treme. Mas lembre-se de que no capítulo 4 também notamos o fato importante de que o comprimento de onda quântico de uma partícula é inversamente proporcional ao seu momento, o qual, em termos gerais, corresponde à sua energia. Assim, aumentando a energia de uma partícula puntiforme, podemos tornar o seu comprimento de onda quântico cada vez menor — e a imprecisão quântica também diminui progressivamente — e desse modo podemos utilizá-la para sondar estruturas físicas cada vez menores. Intuitivamente, as partículas com mais energia têm maior poder de penetração e, portanto, podem fazer sondagens nos traços mais diminutos.

Nesse sentido, a distinção entre as partículas puntiformes e as cordas se torna manifesta. Tal como no caso das esferas maiores que sondavam a superfície de um caroço de pêssego, a extensão espacial inerente à corda a impede de sondar a estrutura de qualquer coisa que seja significativamente menor do que o seu próprio tamanho — nesse caso, as estruturas que surgem em escalas menores do que a distância de Planck. Com precisão algo maior, em 1988 David Gross, então na Universidade de Princeton, e seu aluno Paul Mende mostraram que quando se leva em conta a mecânica quântica, o aumento progressivo da energia de uma corda *não* leva ao aumento progressivo da sua capacidade de sondar estruturas menores, o que contrasta diretamente com o que acontece com uma partícula puntiforme. Eles verificaram que quando a energia de uma corda aumenta ela é inicialmente capaz de sondar estruturas de escalas menores, tal como uma partícula puntiforme com alta energia. Mas quando a energia aumenta além do valor requerido para sondar estruturas na escala da distância de Planck, a energia adicional não produz resultados favoráveis. Ao contrário, ela faz com que a corda *cresça* em tamanho, o que *diminui* a sua sensibilidade para as distâncias curtas. Com efeito, embora o tamanho típico de uma corda seja a distância de Planck, se continuássemos a adicionar-lhe energia — em níveis que superam a nossa mais desenfreada imaginação, mas que podem ter sido atingidos durante o big bang — faríamos com que a corda crescesse a dimensões *macroscópicas*, o que a tornaria totalmente inadequada para sondar o microcosmos! É como se, ao contrário das partículas puntiformes, as cordas tivessem duas fontes de imprecisão: a agitação quântica, tal como para as partículas puntiformes, e também a sua própria extensão espacial. O aumento da energia da corda diminui a imprecisão resultante da primeira fonte mas aumenta a resultante da segunda fonte. A consequência é que por mais que se tente, a extensão espacial da corda impede o seu uso para sondar fenômenos que ocorrem em escalas inferiores à distância de Planck.

Mas o conflito entre a relatividade geral e a mecânica quântica deriva das propriedades do tecido espacial nessas escalas inferiores à distância de Planck. *Se o componente elementar do universo não pode sondar um espaço inferior à distância de Planck, então, nem ele nem nada composto por ele pode ser afetado pelas ondulações quânticas supostamente desastrosas daquelas distâncias mínimas.* É o mesmo que acontece quando passamos a mão por uma superfície de mármore polido. Embora no nível microscópico o mármore apresente uma textura granulada e irregular, os nossos dedos não são capazes de detectar essas variações de pequena escala e a superfície lhes parece perfeitamente lisa e uniforme. Os nossos dedos, grandes e grossos, tornam imperceptível a granulação microscópica. Do mesmo modo, como a corda tem extensão espacial, a sua sensibilidade para as distâncias curtas também tem limites. Ela não pode detectar variações nas escalas inferiores à distância de Planck. Assim como os nossos dedos no mármore, também as cordas tornam imperceptíveis as flutuações ultramicroscópicas do campo gravitacional. Embora as flutuações resultantes sejam ainda substanciais, esse efeito nivelador suaviza-as o suficiente para resolver a incompatibilidade entre a relatividade geral e a mecânica quântica. Principalmente, os infinitos perniciosos (discutidos no capítulo precedente) que afetam a construção de uma teoria quântica da gravidade com base nas partículas puntiformes são eliminados pela teoria das cordas.

Uma diferença essencial entre a analogia do mármore e o nosso interesse pelo tecido espacial é que efetivamente *existem* maneiras de expor a granulação microscópica da superfície do mármore: podem-se usar instrumentos mais finos e mais precisos do que os dedos. Um microscópio eletrônico tem capacidade para expor as características de uma superfície de menos de um milionésimo de centímetro; isso é suficientemente pequeno para revelar as numerosas imperfeições dessa superfície. Por outro lado, na teoria das cordas não há nenhuma maneira de expor as "imperfeições" inferiores à escala de Planck no tecido do espaço. Em um universo comandado pelas leis da teoria das cordas, a noção convencional de que é sempre possível dissecar a natureza em escalas cada vez menores, sem limite, não corresponde à realidade. *Existe* um limite, e ele entra em ação antes que encontremos a espuma quântica devastadora que aparece na figura 5.1. Dessa maneira, em um sentido que ficará mais claro nos capítulos posteriores, pode-se mesmo dizer que as supostas ondulações quânticas inferiores à escala de Planck *não existem*. Um positivista diria que uma coisa existe somente quando pode — pelo menos em princípio — ser examinada e medida. Como a corda é considerada como o objeto mais elementar do universo, e uma vez que é grande demais para ser afetada pelas ondulações violentas do tecido espacial nas escalas inferiores à distância de Planck, tais flutuações não podem ser medidas e, por conseguinte, de acordo com a teoria das cordas, não chegam a ocorrer.

PRESTIDIGITAÇÃO?

Essa discussão pode não lhe ter parecido muito satisfatória. Em vez de mostrar que a teoria das cordas é capaz de domar as ondulações quânticas do espaço nas escalas inferiores à distância de Planck, aparentemente usamos o tamanho não nulo das cordas apenas para contornar a questão. Será que resolvemos alguma coisa? Resolvemos sim. Os dois próximos comentários esclarecerão esse ponto.

Em primeiro lugar, a implicação do argumento precedente é que as flutuações espaciais supostamente problemáticas das escalas inferiores à distância de Planck são consequências artificiais da formulação da relatividade geral e da mecânica quântica em termos de partículas puntiformes. Nesse sentido, portanto, o conflito capital da física teórica contemporânea é um problema criado por nós mesmos. Como imaginávamos que todas as partículas de matéria e todas as partículas de força tivessem a dimensão de um ponto, literalmente sem extensão espacial, estávamos obrigados a considerar as propriedades do universo em escalas de distância arbitrariamente pequenas. E nas menores de todas as distâncias incorríamos em problemas aparentemente insuperáveis. A teoria das cordas nos diz que encontramos esses problemas apenas porque não entendemos as verdadeiras regras do jogo; essas regras nos informam que existe um limite para a possibilidade de examinar o universo em distâncias curtas — um limite real à possibilidade de aplicação da nossa noção convencional de distância à estrutura ultramicroscópica do cosmos. Vemos agora que as flutuações espaciais supostamente perniciosas apareceram nas nossas teorias porque não nos demos conta da existência desses limites e fomos levados pela concepção das partículas puntiformes a ultrapassar grosseiramente as fronteiras da realidade física.

Dada a aparente simplicidade dessa solução para superar o problema entre a relatividade geral e a mecânica quântica, você deve estar se perguntando por que demorou tanto para que alguém sugerisse que a concepção das partículas puntiformes fosse uma mera idealização e que no mundo real as partículas elementares têm extensão espacial. Isso nos leva ao segundo comentário. Há muito tempo, algumas das maiores cabeças da física teórica, como Pauli, Heisenberg, Dirac e Feynman *chegaram a sugerir* que, na verdade, os componentes da natureza não eram pontos, mas sim pequenas "bolhas" ou "pepitas" ondulantes. Eles e outros mais, contudo, verificaram ser muito difícil construir uma teoria cujo componente fundamental não fossem as partículas puntiformes, sem que a teoria perdesse a sua coerência com relação aos princípios físicos mais básicos, como a conservação das probabilidades da mecânica quântica (de modo que os objetos físicos não possam desaparecer subitamente do universo, sem deixar traço) e a impossibilidade da transmissão de informações a velocidades maiores do que a da luz. Mesmo adotando diferentes perspectivas, as pesquisas mostravam continuamente que pelo menos um desses dois princípios era violado ao se descartar o paradigma das partículas puntiformes. Por muito tempo pareceu impossível desenvolver uma teoria quântica plausível que não estivesse baseada nas partículas puntiformes. O aspecto mais impressionante da teoria das cordas é que mais de vinte anos de pesquisas exaustivas revelaram que, embora algumas de suas características sejam incomuns, ela *respeita* todas as propriedades indispensáveis a qualquer teoria física plausível. Além disso, graças ao padrão vibratório do gráviton, a teoria das cordas é uma teoria quântica que contém a gravidade.

A RESPOSTA MAIS PRECISA

A resposta aproximada transmite a essência da razão pela qual a teoria das cordas persiste onde as outras teorias desistem. Desse modo, se você quiser, pode ir logo para a outra seção e não perderá o fio lógico da nossa discussão. Mas como já desenvolvemos no capítulo 2 as ideias essenciais da relatividade especial, temos em nosso poder os instrumentos necessários para descrever com maior precisão como a teoria das cordas acalma a violenta agitação quântica.

Na resposta mais precisa, nos baseamos na mesma ideia central que nos orientou na resposta aproximada, mas aqui a expressamos diretamente no nível das cordas. Isso se faz comparando especificamente as partículas puntiformes e as cordas como sondas. Veremos como a extensão espacial da corda torna difusa ou imprecisa a informação que seria obtida com o uso de partículas puntiformes e, novamente, como a corda elimina o comportamento responsável, nas distâncias ultracurtas, pelo dilema central da física contemporânea.

Consideremos inicialmente a maneira pela qual as partículas puntiformes interagiriam, se elas realmente existissem, para ver de que modo poderiam ser usadas como sondas físicas. A interação mais fundamental é a que ocorre entre duas partículas puntiformes que se movem em rota de colisão, de modo que as suas trajetórias se cruzem, como na figura 6.5. Se essas partículas fossem bolas

Figura 6.5 *Duas partículas interagem — chocam-se — e provocam desvios em suas trajetórias.*

de bilhar, elas se chocariam e seguiriam por novas trajetórias. A teoria quântica de campo das partículas puntiformes mostra que essencialmente a mesma coisa acontece quando as partículas elementares se chocam — elas ricocheteiam uma na outra e continuam em novas trajetórias —, mas os detalhes são um pouco diferentes.

Para tornar as coisas concretas e simples, imagine que uma das duas partículas é um elétron e a outra é a sua antipartícula, um pósitron. Quando a matéria se choca com a antimatéria, ambas podem aniquilar-se mutuamente, em uma microexplosão de energia pura, produzindo, por exemplo, um fóton.[9] Para distinguir a trajetória do fóton das trajetórias anteriores do elétron e do pósitron, seguimos a convenção tradicional da física e a representamos com uma linha ondulada. Tipicamente, o fóton viajará um pouco e descarregará a energia derivada do primeiro par elétron-pósitron produzindo um outro par elétron-pósitron, que seguirão trajetórias como as indicadas no lado direito da figura 6.6. Em resumo, duas partículas são lançadas uma contra a outra, interagem por meio da força eletromagnética e finalmente reemergem com trajetórias desviadas, em uma sequência de eventos que guarda alguma semelhança com a descrição da colisão entre duas bolas de bilhar.

Interessam-nos os aspectos específicos da interação — particularmente, o ponto em que o elétron e o pósitron iniciais se aniquilam e produzem o fóton. O fato principal, como se verá, é que existe uma hora e um lugar em que isso acontece, que são absolutamente identificáveis, sem ambiguidade: veja a figura 6.6.

De que maneira muda essa descrição se, ao examinarmos bem de perto os objetos que pensávamos serem pontos com dimensão zero, verificamos que são cordas unidimensionais? O processo básico de interação é o mesmo, mas agora os objetos que estão em rota de colisão são laços oscilantes, como mostra a figura 6.7. Se esses laços estiverem vibrando segundo os padrões vibratórios apro-

Figura 6.6 *Na teoria quântica de campo, uma partícula e a sua antipartícula podem aniquilar-se momentaneamente, produzindo um fóton. Em seguida, esse fóton pode originar outro par de partícula e antipartícula, que viajam por trajetórias diferentes.*

priados, eles corresponderão a um elétron e um pósitron em rota de colisão, tal como na figura 6.6. Só quando os sondamos na mais diminuta das escalas de distância, muito menores do que qualquer coisa que a tecnologia atual pode examinar, é que a sua verdadeira natureza unidimensional se revela. Tal como no caso das partículas puntiformes, as duas cordas chocam-se e se aniquilam em uma microexplosão. A explosão, um fóton, é ela própria uma corda em um padrão vibratório particular. Assim, as duas cordas que se aproximam interagem fundindo-se e produzindo uma outra corda, como mostra a figura 6.7. Tal como na descrição em termos de partículas puntiformes, essa corda viajará um pouco e descarregará a energia derivada do primeiro par de cordas, dissociando-se em duas cordas, que seguirão a viagem. Também aqui, vê-se que, visto de qualquer perspectiva, exceto a mais microscópica de todas, esse caso parecerá exatamente igual à interação das partículas puntiformes da figura 6.6.

Há, no entanto, uma diferença crucial entre as duas descrições. Ressaltamos que a interação das partículas puntiformes ocorre em um ponto identificável do espaço e do tempo, a respeito do qual todos estamos de acordo. Como veremos agora, isso *não* é verdade para as interações entre cordas. Verificaremos isso comparando as maneiras em que João e Maria, dois observadores em movimento relativo, como no capítulo 2, descreveriam a interação. Veremos que eles não concordarão a respeito de quando e onde as duas cordas se tocam pela primeira vez.

Imagine que estejamos observando a interação entre duas cordas com uma máquina fotográfica cujo diafragma mantém-se aberto, de modo a registrar no filme todo o desenrolar do processo.[10] O resultado — que se denomina a *folha de mundo da corda* — é mostrado na figura 6.7(c). Cortando a folha de mundo em "fatias" paralelas — do mesmo modo como se fatia um pão — a história da interação pode ser recuperada momento a momento. A figura 6.8 mostra um

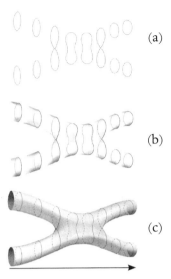

Figura 6.7 *(a) Duas cordas em rota de colisão podem unir-se, formando uma terceira corda, que em seguida pode dividir-se em duas cordas, que viajam por trajetórias desviadas. (b) O mesmo processo mostrado em (a), com ênfase no movimento da corda. (c) Uma "fotografia de exposição múltipla" de duas cordas que interagem e descrevem uma "folha de mundo".*

exemplo dessa operação. Especificamente, a figura 6.8(a) mostra João, deliberadamente concentrado nas duas cordas que se aproximam, juntamente com um plano que separa em uma fatia *todos os eventos que ocorrem ao mesmo tempo no espaço*, de acordo com a sua perspectiva. Como já fizemos tantas vezes nos capítulos anteriores, suprimimos uma dimensão espacial no diagrama em prol da clareza visual. Na realidade, como é lógico, há um conjunto de eventos tridimensionais que ocorrem ao mesmo tempo, de acordo com qualquer observador. As figuras 6.8(b) e 6.8(c) mostram dois instantâneos nos momentos seguintes — "fatias" subsequentes da folha de mundo — que mostram como João vê as duas cordas aproximarem-se uma da outra. A figura 6.8(c) mostra, o que é da maior importância, o instante do tempo em que, de acordo com João, as duas cordas se tocam e se fundem, produzindo a terceira corda.

Executemos agora o mesmo procedimento com relação a Maria. Como vimos no capítulo 2, o movimento relativo de João e Maria implica que eles não estarão

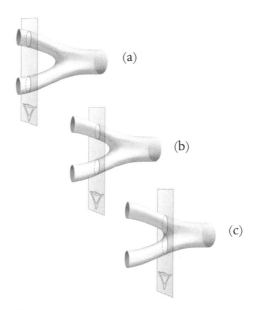

Figura 6.8 *As duas cordas que se aproximam, vistas da perspectiva de João, em três momentos consecutivos. Em (a) e (b), as cordas ainda estão se aproximando; em (c) elas se tocam pela primeira vez, do ponto de vista dele.*

de acordo quanto a quais eventos ocorrem simultaneamente. Da perspectiva de Maria, os eventos espaciais que ocorrem simultaneamente estão em um plano diferente, como mostra a figura 6.9. Ou seja, da perspectiva de Maria, a folha de mundo da figura 6.7(c) deve ser dividida em fatias a partir de um ângulo diferente para revelar a progressão da interação momento a momento.

As figuras 6.9(b) e 6.9(c) mostram momentos subsequentes no tempo, agora do ponto de vista de Maria, inclusive o momento em que ela vê que as duas cordas se tocam e produzem a terceira corda.

Comparando as figuras 6.8(c) e 6.9(c), o que fazemos na figura 6.10, vemos que João e Maria não concordam sobre quando e onde as duas cordas iniciais se tocam pela primeira vez — onde elas interagem. Como a corda é um objeto dotado de extensão espacial, *não existe um local específico e sem ambiguidades no espaço nem um momento exato no tempo em que as cordas interagem pela primeira vez* — isso depende do estado de movimento do observador.

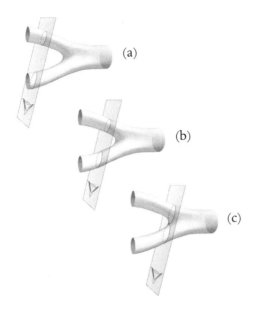

Figura 6.9 *As duas cordas que se aproximam, vistas da perspectiva de Maria, em três momentos consecutivos. Em (a) e (b), as cordas ainda estão se aproximando; em (c) elas se tocam pela primeira vez, do ponto de vista dela.*

Se aplicarmos exatamente o mesmo raciocínio à interação de partículas puntiformes, como na figura 6.11, voltaremos à conclusão proclamada antes — *existe*, de fato, um lugar definido do espaço e um momento definido do tempo em que as duas partículas interagem. As partículas puntiformes concentram todas as suas interações em um ponto definido. Quando a força envolvida em uma interação é a força gravitacional, ou seja, quando a partícula mensageira envolvida na interação é o gráviton, em vez do fóton, essa concentração da

Figura 6.10 *João e Maria não concordam quanto ao lugar onde ocorreu a interação.*

185

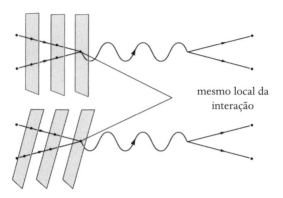

Figura 6.11 *Os observadores em movimento relativo concordam quanto ao tempo e ao local em que duas partículas puntiformes interagem entre si.*

intensidade da força em um único ponto leva a resultados desastrosos, como as respostas infinitas a que nos referimos anteriormente. As cordas, ao contrário, tornam impreciso o lugar onde ocorre a interação. Como observadores diferentes percebem que a interação ocorre em locais diferentes ao longo da parte esquerda da superfície da figura 6.10, isso significa, em um sentido real, que o local da interação fica distribuído entre todas as possibilidades. Isso também distribui a intensidade da força e, no caso da força gravitacional, tal distribuição dilui significativamente as suas propriedades ultramicroscópicas — tanto assim que os cálculos produzem respostas finitas e bem comportadas em lugar dos infinitos de antes. Essa é uma versão mais precisa da difusão encontrada na resposta aproximada da última seção. E também aqui, tal difusão resulta na suavização da agitação ultramicroscópica do espaço, uma vez que as distâncias inferiores à de Planck se desfazem.

Os detalhes inferiores à escala de Planck, teoricamente acessíveis à sondagem de uma partícula puntiforme, tornam-se difusos e inofensivos na teoria das cordas, como se fossem vistos com óculos fortes demais, ou demasiado fracos. Só que no caso da teoria das cordas, se ela estiver correta, não há lente capaz de pôr em foco as supostas flutuações inferiores à escala de Planck. A incompatibilidade entre a relatividade geral e a mecânica quântica — que só se torna visível nessas escalas — desaparece em um universo que impõe um limite às distâncias que podem ser atingidas, ou mesmo que possam ter existência no sentido convencional. Esse é o universo descrito pela teoria das cordas, no qual vemos que as leis do grande e do pequeno podem fundir-se harmoniosamente e que as supostas catástrofes características das distâncias ultramicroscópicas são sumariamente canceladas.

ALÉM DAS CORDAS?

As cordas são especiais por duas razões. Em primeiro lugar porque, apesar de terem extensão espacial, podem ser descritas com coerência pela mecânica quântica. Em segundo lugar porque entre os padrões vibratórios ressonantes há um com as exatas propriedades do gráviton, uma garantia de que a gravidade é parte integrante da sua estrutura. Mas assim como a teoria das cordas revela que a noção convencional de partículas puntiformes com dimensão zero parece ser uma idealização matemática que não acontece no mundo real, também não pode ser verdade que as cordas infinitamente finas e unidimensionais sejam outras idealizações matemáticas? Não pode ser também que as cordas tenham, afinal, alguma espessura — como a superfície de uma câmara bidimensional de pneu de bicicleta? Ou melhor ainda, como um fino *doughnut* tridimensional? As dificuldades aparentemente insuperáveis que Heisenberg, Dirac e outros encontraram ao tentar construir uma teoria quântica com pepitas tridimensionais desencorajaram os pesquisadores a pensar em seguir essa sequência lógica de raciocínio.

Inesperadamente, contudo, em meados da década de 90 os teóricos das cordas concluíram, por meio de um raciocínio indireto e bastante astuto, que tais objetos fundamentais com maiores dimensões efetivamente têm um papel importante e sutil na própria teoria das cordas. Pouco a pouco eles foram se convencendo de que a teoria das cordas *não* é uma teoria que contenha apenas cordas. Uma observação crucial, que está na base da segunda revolução das supercordas, iniciada em 1995 por Witten e outros, é a de que a teoria das cordas inclui, na verdade, componentes com uma variedade de dimensões diferentes: componentes bidimensionais, semelhantes a discos de *frisbee*, tridimensionais, semelhantes a bolhas, e até mesmo outras possibilidades mais exóticas. Essas conclusões mais recentes serão objeto dos capítulos 12 e 13. Por enquanto, continuaremos a seguir cronologicamente o caminho da história e a explorar as notáveis propriedades de um universo construído com cordas unidimensionais em vez de partículas puntiformes com dimensão zero.

7. O "super" das supercordas

Ao se confirmar o êxito da expedição de Eddington que mediu, em 1919, a previsão de Einstein sobre a curvatura da luz ocasionada pelo Sol, o físico holandês Hendrik Lorentz mandou um telegrama para Einstein, informando-o da boa notícia. À medida que a notícia da confirmação da relatividade geral difundia-se, um aluno perguntou a Einstein o que ele teria pensado se a experiência de Eddington não confirmasse a previsão da curvatura da luz. Einstein respondeu: "Eu teria ficado com pena do querido lorde, porque a teoria *está* certa".[1] É lógico que se as experiências efetivamente não confirmassem as previsões de Einstein, a teoria não estaria correta e a relatividade geral não seria um pilar da física moderna. O que Einstein quis dizer é que a relatividade geral descreve a gravidade com uma elegância interior tão profunda, com ideias tão simples e poderosas que era difícil para ele imaginar que a natureza passasse por cima dela. Na visão de Einstein, a relatividade geral era bonita demais para não ser verdadeira.

Mas juízos estéticos não solucionam problemas científicos. Em última análise, as teorias são julgadas pela maneira como se comportam diante dos resultados frios e implacáveis das experiências. Essa última observação merece, no entanto, uma qualificação de imensa importância. Enquanto uma teoria está em construção, o seu estado incompleto de desenvolvimento muitas vezes impede a comprovação experimental de suas implicações específicas. De toda maneira, os físicos são forçados a fazer escolhas e julgamentos a respeito da direção a ser dada às pesquisas relativas à nova teoria. Algumas dessas decisões são ditadas pela coerência lógica interna; é justo requerer que uma teoria sensata não caia em absurdos lógicos. Outras decisões são guiadas por uma avaliação das implicações qualitativas das experiências realizadas em um contexto teórico com relação a outro; em geral, não nos desperta interesse uma teoria que não tenha a capacidade de relacionar-se com alguma coisa que exista no mundo à nossa volta. Mas é bem verdade que algumas decisões dos físicos teóricos baseiam-se no sentido da estética — a sensação de que as estruturas teóricas têm uma elegância e uma beleza naturais, que condizem com o que vemos no mundo físico. Evidentemente, nada garante que essa estratégia conduza à verdade. Quem sabe, no âmbito mais profundo, a estrutura do universo não é tão elegante quanto a nossa experiência nos levou a crer, ou quem sabe, ainda, venhamos a descobrir que os nossos critérios estéticos precisam sofisticar-se muito mais para que possamos aplicá-los a situações pouco comuns. De todo modo, especialmente agora, quando entramos em uma era em que as nossas teorias descrevem áreas do universo que dificilmente podem ser alcançadas experimentalmente, os físicos recorrem à estética para guiá-los pelos caminhos, e evitar obstáculos e becos sem saída. Até aqui, esse procedimento tem propiciado orientação válida e esclarecedora.

Na física como na arte, a simetria é parte integrante da estética. Mas na física, ao contrário da arte, a simetria tem um significado muito concreto e preciso. Na verdade, seguindo cuidadosamente essa noção precisa de simetria até as suas últimas implicações matemáticas, no transcurso das últimas décadas os cientistas apresentaram teorias em que as partículas de matéria e as partículas mensageiras têm uma relação muito mais íntima do que antes se pensava ser possível. Tais teorias, que unem não só as forças da natureza mas também os componentes materiais, contêm o maior grau possível de simetria e por essa razão são chamadas *supersimétricas*. A teoria das supercordas, como veremos, é, ao mesmo tempo, a pioneira e o exemplo máximo dos esquemas supersimétricos.

A NATUREZA DAS LEIS FÍSICAS

Imagine um universo em que as leis da física sejam tão efêmeras quanto a moda — mudando de ano a ano, de semana a semana, ou mesmo de momento a momento. Nesse mundo, supondo que as mudanças não destruam os processos básicos da vida, não haveria tédio, para dizer o mínimo. As ações mais simples seriam uma aventura, uma vez que variações aleatórias tornariam impossível, para você ou para quem quer que fosse, usar a experiência passada para prever qualquer coisa a respeito dos resultados futuros.

Um universo assim seria o pesadelo dos físicos — e de todos os demais também. Os físicos confiam na estabilidade do universo: as leis que hoje governam o mundo são as mesmas que o governavam ontem e o governarão amanhã (mesmo que não tenhamos ainda a capacidade de descobri-las). Afinal de contas, que sentido pode ter a palavra "lei" se ela pode modificar-se abruptamente? Isso não significa que o universo seja estático; é certo que ele se modifica de múltiplas maneiras e a todo momento. Significa, isso sim, que as leis que presidem a tais mudanças são fixas e imutáveis. Você poderá perguntar se nós podemos ter certeza disso. Na verdade não podemos. Mas o êxito que temos tido em descrever numerosas características do universo desde um brevíssimo momento após o big bang até o presente nos assegura de que se as leis estão mudando, devem estar mudando bem devagar. A premissa mais simples e mais coerente com tudo o que sabemos é que as leis são fixas.

Imagine agora um universo em que as leis da física sejam provincianas como a cultura de pequenas comunidades — alterando-se de maneira imprevisível de um lugar a outro e resistindo bravamente aos estímulos externos para que se igualem. Como nas aventuras de Gulliver, os viajantes em um mundo desse tipo ficariam expostos a uma enorme variedade de experiências imprevisíveis. Da perspectiva de um físico, contudo, esse é um outro pesadelo. Já é difícil, por exemplo, que as leis humanas que valem em um país não valham em outros. Imagine então como seriam as coisas se as leis da *natureza* variassem assim. Em um mundo desse tipo, as experiências feitas em um lugar não teriam qualquer validade em um outro lugar, governado por outras leis físicas. Os cientistas teriam de refazer suas experiências inúmeras vezes em cada local, para ver quais são as leis físicas que aí prevalecem. Felizmente, tudo o que sabemos indica que as leis físicas são as mesmas em todos os lugares. Todas as experiências feitas em todos os lugares convergem em direção a um mesmo conjunto de explicações físicas. Além disso, a nossa capacidade de explicar um vasto número de observações astrofísicas de regiões remotas de espaço, usando um conjunto único e constante de princípios físicos, leva-nos a crer que as leis que governam todo o universo são as mesmas. Como nunca viajamos para o outro extremo do universo, não podemos excluir por completo a possibilidade de que uma espécie totalmente diferente de estrutura física prevaleça em algum outro lugar, mas tudo indica o contrário.

Isso tampouco significa que o universo tenha o mesmo aspecto — ou as mesmas propriedades específicas — em locais diferentes. Um astronauta na superfície da Lua pode dar saltos que na Terra seriam inimagináveis. Mas nós sabemos que isso se deve ao fato de que a Lua tem muito menos massa do que a Terra e não que a lei da gravidade mude de um lugar a outro. A lei da gravidade de Newton, ou melhor, de Einstein, é a mesma, na Terra ou na Lua. As diferentes experiências do astronauta explicam-se pelas mudanças ambientais e não pela variação da lei física.

Os cientistas descrevem essas duas propriedades das leis físicas — o fato de que elas não dependem da ocasião ou do lugar em que forem invocadas — como *simetrias* da natureza. Com isso eles querem referir-se ao fato de que a natureza trata todos os momentos do tempo e todos os lugares do espaço de forma idêntica — simétrica —, fazendo com que as mesmas leis estejam em operação em todas as partes. O efeito causado por essas simetrias é o mesmo que exercem na música e na arte em geral — o de uma profunda satisfação; elas revelam ordem e coerência no funcionamento da natureza. A elegância, a riqueza, a complexidade e a diversidade dos fenômenos naturais que decorrem de um conjunto simples de leis universais é parte integrante do que os cientistas querem dizer quando empregam o termo "beleza".

Nas nossas discussões a respeito das teorias da relatividade geral e da relatividade especial, deparamos com outras simetrias da natureza. Lembre-se de que o princípio da relatividade, que está no cerne da relatividade especial, nos diz que todas as leis físicas têm de ser iguais, independentemente do movimento relativo uniforme que os observadores individuais possam experimentar. Isso é uma simetria porque significa que a natureza trata todos esses observadores de maneira idêntica — simétrica. Cada um desses observadores pode justificadamente considerar-se em repouso. Sabemos que isso não quer dizer que os observadores em movimento relativo tenham de fazer observações idênticas; como já vimos, *diferenças* incríveis de todo tipo ocorrem nessas observações. Ao contrário, tal como nas experiências díspares dos que dão saltos na Terra e na Lua, as diferenças das observações refletem as peculiaridades do ambiente local

— os observadores estão em movimento relativo —, muito embora as observações sejam governadas por *leis* idênticas.

Com o princípio da equivalência da relatividade geral, Einstein ampliou significativamente essa simetria mostrando que as leis da física são, na verdade, idênticas para todos os observadores, mesmo que eles estejam executando complexos movimentos acelerados. Lembre-se de que Einstein chegou a essa conclusão ao verificar que um observador em movimento acelerado também pode, com toda justificativa, declarar-se em repouso e afirmar que a força que experimenta se deve a um campo gravitacional. Com a inclusão da gravidade no esquema, todos os pontos de vista dos diferentes observadores são postos em pé de igualdade. Além da beleza intrínseca desse tratamento igualitário dado a todos os movimentos, vimos que esses princípios de simetria desempenham um papel decisivo nas conclusões estonteantes a que Einstein chegou com relação à gravidade.

Existem outros princípios de simetria que tenham a ver com o espaço, o tempo e o movimento e que tenham de ser respeitados pelas leis da natureza? Se você pensar bem, pode aventar mais uma possibilidade. As leis físicas não deveriam importar-se com o *ângulo* a partir do qual a observação é feita. Por exemplo, se você fizer uma experiência e em seguida decidir girar os equipamentos e fazer a experiência de novo, as mesmas leis devem aplicar-se em ambos os casos. Isso se conhece como simetria rotacional e significa que as leis da física tratam todas as *orientações* possíveis em pé de igualdade. É um princípio de simetria que tem a mesma hierarquia dos que discutimos antes.

Haverá outros? Será que esquecemos alguma simetria? Você poderia sugerir as simetrias de calibre associadas às forças não gravitacionais, como vimos no capítulo 5. Claramente elas são simetrias da natureza, mas pertencem a um tipo mais abstrato. O que nos interessa aqui são as simetrias que se relacionam diretamente com o espaço, o tempo ou o movimento. Com essa estipulação, é provável que você não consiga pensar em outras possibilidades. Com efeito, em 1967 os físicos Sidney Coleman e Jeffrey Mandula conseguiram provar que nenhuma outra simetria relacionada com o espaço, o tempo ou o movimento poderia combinar-se com as que acabamos de ver em uma teoria que guarde alguma relação com o nosso mundo.

Posteriormente, no entanto, uma consideração mais atenta desse teorema, baseada nas percepções de numerosos físicos, revelou a existência de uma exceção, única, precisa e sutil: a conclusão de Coleman e Mandula não levara inteiramente em conta as simetrias que são sensíveis a algo conhecido como spin.

SPIN

Uma partícula elementar como o elétron mantém-se na órbita de um núcleo atômico, mais ou menos da mesma maneira como a Terra se mantém na órbita do Sol. Mas de acordo com a descrição tradicional do elétron como partícula puntiforme, pareceria faltar uma analogia com relação ao movimento de rotação da Terra em torno do seu próprio eixo. Quando um objeto qualquer gira, os pontos que estão sobre o eixo de rotação — como o *ponto central* de um disco de *frisbee* girando — não se movem. Mas se pensamos verdadeiramente em um ponto, não há "outros pontos"que estejam sobre o eixo de rotação. Pareceria, então, carecer de sentido a noção de que um ponto possa girar sobre o seu próprio eixo. Há muitos anos esse raciocínio caiu vítima de outra surpresa da mecânica quântica.

Em 1925, os físicos holandeses George Uhlenbeck e Samuel Goudsmit verificaram que uma boa quantidade de dados até então não explicados relativos às propriedades da luz emitida e absorvida pelos átomos poderia ser entendida se atribuíssemos ao elétron propriedades *magnéticas* muito particulares. Cem anos antes, o francês André-Marie Ampère demonstrara que o magnetismo decorre do movimento da carga elétrica. Uhlenbeck e Goudsmit seguiram esse caminho e concluíram que apenas um tipo específico de movimento do elétron poderia dar lugar às propriedades magnéticas sugeridas pelos dados: o movimento de *rotação* — ou seja, o *spin*. Ao contrário das expectativas clássicas, Uhlenbeck e Goudsmit proclamaram que, de alguma maneira, assim como a Terra, também os elétrons giram em uma órbita *e* em torno deles mesmos.

Isso significa que Uhlenbeck e Goudsmit realmente queriam dizer que o elétron tem rotação? Sim e não. O que o seu trabalho revela é que a mecânica quântica tem a noção de spin, que se assemelha em algo à nossa noção tradicional de rotação, mas cuja natureza está intrinsecamente ligada à mecânica quântica. Essa é uma das propriedades do mundo microscópico que entram em atrito com as ideias clássicas, mas que introduzem um toque quântico que pode ser verificado experimentalmente. Por exemplo, imagine uma patinadora girando sobre si mesma. Quando ela põe os braços sobre o peito, roda mais depressa; quando abre os braços roda mais devagar. E mais cedo ou mais tarde, dependendo do vigor com que começou a girar, ela perderá velocidade giratória e parará. Isso não acontece com o tipo de spin revelado por Uhlenbeck e Goudsmit. De acordo com o seu trabalho e com estudos subsequentes, todos os elétrons do universo, hoje e para sempre, *são dotados de spin a um ritmo fixo e imutável*. O spin de um elétron não é um estado de movimento transitório, como acontece com os objetos mais comuns que, por alguma razão, giram sobre eles mesmos. Nesse caso, o spin do elétron é uma propriedade *intrínseca*, assim como a massa e a carga elétrica. Se o elétron não tivesse spin, não seria um elétron.

Embora os trabalhos iniciais se referissem aos elétrons, os físicos demonstraram posteriormente que as ideias relativas ao spin aplicam-se igualmente a todas as partículas de matéria que compõem as três famílias da tabela 1.1. Isso corresponde à verdade até o mais ínfimo detalhe. *Todas* as partículas de matéria (e seus pares de antimatéria também) têm spin, tal como o elétron. No linguajar do meio, diz-se que todas as partículas de matéria têm "spin-1/2", onde o valor 1/2 é, por assim dizer, a medida da velocidade de rotação das partículas em termos de mecânica quântica.[2] Além disso, os cientistas demonstraram que os transmissores das forças não gravitacionais — fótons, bósons da força fraca e glúons — também possuem características intrínsecas de spin que resultam ser *o dobro* daquelas das partículas de matéria. Todos eles têm "spin-1".

E a gravidade? Bem, mesmo antes da teoria das cordas, os físicos já sabiam qual deveria ser o spin do hipotético gráviton, o transmissor da força gravitacional. A resposta: o dobro do spin dos fótons, bósons da força fraca e glúons — isto é, "spin-2".

No contexto da teoria das cordas, o spin — tal como a massa e as cargas de força — associa-se ao padrão vibratório executado pela corda. Assim como no caso das partículas puntiformes, pode ser enganador pensar no spin de uma corda como o resultado de uma rotação que ela literalmente realize pelo espaço, mas a imagem dá uma sensação aproximada do que devemos conservar em mente. A propósito, podemos agora esclarecer uma questão importante com a qual cruzamos anteriormente. Em 1974, quando Scherk e Schwarz proclamaram que a teoria das cordas deveria ser vista como uma teoria quântica que incorporava a gravidade, eles o fizeram por haver verificado que as cordas têm *necessariamente* em seu repertório um padrão vibratório que *não tem massa e tem spin-2* — a marca registrada do gráviton. Onde há grávitons, há também gravidade.

A partir dessas considerações a respeito do conceito de spin, vejamos agora o papel que ele desempenha ao revelar a exceção que se aplica à conclusão de Coleman e Mandula no que diz respeito às possíveis simetrias da natureza, mencionadas na seção precedente.

SUPERSIMETRIA E SUPERPARCEIROS

Já ressaltamos que o conceito de spin, embora superficialmente semelhante à imagem de um pião que roda, difere substancialmente dele em aspectos relativos à mecânica quântica. A descoberta do spin em 1925 revelou que há um outro tipo de movimento de rotação que simplesmente não existia no universo puramente clássico.

Isso sugere a seguinte pergunta: assim como o movimento normal de rotação ocasiona o princípio de simetria da invariança rotacional ("a física trata todos as orientações espaciais em pé de igualdade"), poderia ser que o movimento rotacional mais sutil associado ao spin levasse a uma outra simetria nas leis da natureza? Por volta de 1971, os cientistas demonstraram que a resposta a essa pergunta era positiva. A história completa é bem complicada, mas a ideia básica é que quando se toma o spin em consideração, surge precisamente *uma nova simetria das leis da natureza* que é matematicamente possível. Ela é conhecida como *supersimetria.*[3]

A supersimetria não pode ser associada a uma mudança simples e intuitiva de ponto de vista observacional; as alterações no tempo, na localização espacial, na orientação angular e na velocidade do movimento esgotam essas possibilidades. Mas assim como o spin é "semelhante ao movimento de rotação com um toque dado pela mecânica quântica", a supersimetria pode ser associada a uma mudança de ponto de vista observacional em uma "região do espaço e do tempo definida em termos de mecânica quântica". As aspas são especialmente importantes porque a última frase destina-se a dar uma ideia apenas aproximativa do lugar que a supersimetria ocupa no arcabouço maior dos princípios de simetria.[4]

Todavia, embora a compreensão da origem da supersimetria seja algo muito sutil, vamos nos concentrar em uma das suas primeiras *implicações* — se é que as leis da natureza incorporam os seus princípios —, o que é muito mais fácil de entender.

No começo da década de 70, os físicos perceberam que se o universo for supersimétrico, as partículas da natureza têm de acontecer em *pares*, cujos respectivos spins diferem em meia unidade. Tais pares de partículas — quer sejam considerados como pontos (como no modelo-padrão), quer como mínimos laços vibrantes — são chamados *superparceiros*. Como as partículas de matéria têm spin-1/2 e algumas das partículas mensageiras têm spin-1, a supersimetria parece resultar em um emparelhamento — uma parceria — entre as partículas de matéria e de força. Desse modo, parece ser um maravilhoso conceito unificador. O problema está nos detalhes.

Em meados daquela década, quando os físicos tentaram incorporar a supersimetria ao modelo-padrão, verificaram que *nenhuma* das partículas conhecidas — as das tabelas 1.1 e 1.2 — podia ser superparceira de qualquer uma das outras. Em vez disso, análises teóricas específicas mostraram que se for verdade que o universo incorpora a supersimetria, então cada uma das partículas conhecidas deve ter uma partícula superparceira ainda não descoberta, cujo spin é meia unidade menor do que o da partícula conhecida. Por exemplo, deve haver um parceiro de spin 0 para o elétron; essa partícula hipotética recebeu o nome de *selétron* (contração de supersimétrico e elétron). O mesmo deve também acontecer com as outras partículas de matéria, de modo que os superparceiros hipotéticos de spin 0 dos neutrinos e dos quarks se chamariam *sneutrinos* e *squarks*. Do mesmo modo, as partículas de força devem ter superparceiros de spin 1/2: para os fótons devem haver *fotinos*, para os glúons devem haver *gluínos*, para os bósons W e Z devem haver *winos e zinos*.

Portanto, observando melhor, a supersimetria parece ser terrivelmente antieconômica; requer toda uma multidão de novas partículas que acabam por duplicar a lista dos componentes fundamentais. Como nenhuma das partículas superparceiras jamais foi detectada, justifica-se que nos lembremos da observação de Rabi, citada no capítulo 1, quando da descoberta do múon, e a mencionemos neste contexto. Então diríamos que "ninguém encomendou a supersimetria" e rejeitaríamos sumariamente esse princípio da simetria. Há três razões,

196

no entanto, que levam os cientistas a acreditar firmemente que essa demissão sumária da supersimetria seria muito prematura. Vamos discutir essas razões.

AS RAZÕES DA SUPERSIMETRIA: ANTES DA TEORIA DAS CORDAS

Em primeiro lugar, de um ponto de vista estético, é difícil para os físicos aceitar que a natureza respeite quase todas, mas não todas as simetrias que são matematicamente possíveis. Evidentemente, pode ser que a utilização incompleta das simetrias efetivamente ocorra na realidade, mas seria algo muito frustrante. Seria como se Bach desenvolvesse uma peça com várias vozes em uma brilhante tessitura musical, cheia de engenhosos padrões de simetria e deixasse inconcluso o compasso final, de resolução.

Em segundo lugar, mesmo no modelo-padrão, uma teoria que ignora a gravidade, diversos problemas técnicos espinhosos associados a processos quânticos são resolvidos rapidamente se a teoria for supersimétrica. O problema básico está em que cada espécie de partícula presta a sua própria contribuição ao frenesi microscópico da mecânica quântica. Os cientistas verificaram que nesse mar de agitação, certos processos que envolvem interações de partículas permanecem coerentes *apenas* se os parâmetros numéricos do modelo-padrão estiverem corretos com uma margem de erro inferior a um sobre 1 milhão de bilhões, para que possam ser cancelados os efeitos quânticos mais perniciosos. Esse grau de precisão corresponde a ajustar a pontaria de uma arma hipotética de tal maneira que a bala atinja um alvo na Lua com margem de erro inferior à espessura de uma ameba. Muito embora o modelo-padrão comporte ajustes numéricos de precisão análoga, muitos físicos não podem deixar de sentir uma forte desconfiança com relação a uma teoria cujo equilíbrio é tão delicado que se romperia se alterássemos a décima quinta casa decimal de alguns dos seus parâmetros.[5]

Essa situação altera-se drasticamente com a supersimetria porque os *bósons* — partículas cujo spin é um número inteiro (assim denominadas em homenagem ao físico indiano Satyendra Bose) — e os *férmions* — partículas cujo spin é a metade de um número inteiro (ímpar) (assim denominadas em homenagem ao físico italiano Enrico Fermi) — tendem a dar contribuições que se cancelam mutuamente na mecânica quântica. Quando a agitação quântica de um bóson é positiva, a do férmion tende a ser negativa, e vice-versa, como em uma gangorra. Como a supersimetria afirma que os bósons e os férmions ocorrem em pares, esses cancelamentos substanciais, que acalmam significativamente o frenesi quântico, verificam-se desde o início. O que acontece é que a coerência do *modelo-padrão supersimétrico* — o modelo-padrão acrescido de todas as partículas superparceiras — já não depende dos ajustes numéricos tão delicados de que depende o modelo-padrão comum. Embora essa seja uma questão altamente técnica, muitos físicos de partículas acreditam que esse fator torna a supersimetria especialmente atraente.

A terceira prova circunstancial em favor da supersimetria provém da noção de *grande unificação*. Um dos aspectos mais intrigantes das quatro forças da natureza é a enorme diferença que existe entre as suas intensidades intrínsecas. A intensidade da força eletromagnética é de cerca de um centésimo da intensidade da força forte, a força fraca é cerca de mil vezes mais fraca do que isso e a força gravitacional é mais de 100 milhões de bilhões de bilhões de bilhões (10^{-35}) de vezes mais fraca ainda. Em 1974, Glashow — continuando a explorar o caminho que revelou a existência de uma conexão profunda entre a força eletromagnética e a força fraca (focalizado no capítulo 5) e que lhe valeu o prêmio Nobel, juntamente com Salam e Weinberg — sugeriu, agora em companhia de seu colega de Harvard Howard Georgi, que uma conexão análoga poderia ser estabelecida com a força forte. O trabalho, que propôs uma "grande unificação" de três das quatro forças, apresentava uma diferença essencial com relação à teoria eletrofraca: a força eletromagnética e a força fraca cristalizaram-se como forças independentes a partir de uma união mais simétrica, o que aconteceu quando a temperatura do universo baixou para cerca de 1 milhão de bilhões de graus acima do zero absoluto (10^{15} graus Kelvin). Georgi e Glashow demonstraram que a união com a força forte só poderia se dar a uma temperatura cerca de dez trilhões de vezes mais alta — por volta de 10 bilhões de bilhões de bilhões de graus acima do zero absoluto (10^{28} graus Kelvin). Em termos de energia, isso equivale a cerca de 1 milhão de bilhões de vezes a massa do próton, ou seja, um valor quatro ordens de grandeza menor do que a massa de Planck. Georgi e Glashow tiveram a coragem de levar a física teórica a um nível de energia várias ordens de grandeza superior àqueles que os demais ousaram explorar.

Trabalhos posteriores realizados em Harvard por Georgi, Helen Quinn e Weinberg, em 1974, tornaram ainda mais manifesta a unidade potencial das forças não gravitacionais no arcabouço da grande unificação. Vamos explicar esse ponto um pouco mais, já que a contribuição desses cientistas continua a ter um papel importante na unificação das forças e na avaliação da relevância da supersimetria para o mundo natural.

Todos sabemos que a atração elétrica entre duas partículas de cargas opostas ou a atração gravitacional entre dois corpos dotados de massa aumenta com a diminuição da distância entre eles. Essas são características simples e bem conhecidas da física clássica. Mas quando estudamos o efeito da física quântica sobre as intensidades das forças, ocorre uma surpresa. Qual a razão disso? A resposta está, uma vez mais, nas flutuações quânticas. Quando examinamos o campo da força elétrica de um elétron, por exemplo, na verdade nós o examinamos através da "névoa" de irrupções e aniquilamentos instantâneos de partículas e antipartículas que ocorrem em toda a extensão do espaço circundante. Algum tempo atrás, os físicos verificaram que essa névoa fervilhante de flutuações microscópicas obscurece a intensidade total do campo de força do elétron, assim como o nevoeiro obscurece a luz de um farol. Note, contudo, que à medida que nos aproximamos do elétron, penetramos mais profundamente na névoa envolvente de partículas e antipartículas e assim ficamos menos sujeitos aos seus efeitos. Isso implica que a intensidade do campo elétrico do elétron *aumenta* à medida que nos aproximamos dele.

Os físicos distinguem entre esse aumento de intensidade que ocorre à medida que nos aproximamos do elétron do aumento conhecido pela física clássica, dizendo que a intensidade *intrínseca* da força eletromagnética aumenta nas escalas menores de distâncias. Isso reflete o fato de que a intensidade não só aumenta porque estamos mais perto do elétron, mas também porque um volume maior do campo elétrico intrínseco do elétron torna-se visível. Com efeito, embora tenhamos nos concentrado no elétron, o que aqui expusemos aplica-se igualmente a todas as partículas dotadas de carga elétrica e pode ser resumido da seguinte maneira: os efeitos quânticos causam um aumento da intensidade da força eletromagnética quando ela é examinada nas escalas menores de distâncias.

E as outras forças do modelo-padrão? Qual o comportamento das suas intensidades intrínsecas conforme a variação da distância? Em 1973, Gross e Frank Wilczek, de Princeton, e David Politzer, de Harvard, atuando independentemente, estudaram a questão e chegaram a uma conclusão surpreenden-te: a nuvem quântica de irrupções e aniquilamentos de partículas *amplia* as intensidades da força fraca e da força forte. Isso implica que quando fazemos as sondagens a pequenas distâncias, penetramos na nuvem turbulenta e com isso sentimos menos o seu efeito amplificador. Assim, as intensidades dessas forças ficam *mais fracas* quando as sondamos a pequenas distâncias.

Georgi, Quinn e Weinberg consideraram as implicações dessa descoberta e chegaram a uma conclusão notável. Eles demonstraram que quando os efeitos do frenesi quântico são cuidadosamente levados em conta, o resultado final é que as intensidades das três forças não gravitacionais *convergem*. Conquanto as intensidades dessas forças sejam muito diferentes nas escalas acessíveis à tec-nologia atual, Georgi, Quinn e Weinberg argumentaram que essa diferença se deve aos efeitos diferenciados que a névoa da atividade microscópica quântica exerce sobre cada força. Os seus cálculos mostraram que se penetrarmos na névoa e examinarmos as forças, não nas escalas habituais, mas sim para estudar a maneira como elas atuam a distâncias de cerca de um centésimo de bilionésimo de bilionésimo de bilionésimo (10^{-29}) de centímetro (apenas 10 mil vezes mais do que a distância de Planck), as intensidades das três forças não gravitacionais parecem igualar-se.

Apesar de extremamente distantes do reino da experiência usual, as altas energias necessárias para que possa haver sensibilidade nessa ordem tão diminuta de distâncias são características do universo quente e opaco que existiu cerca de um milésimo de trilionésimo de trilionésimo de trilionésimo (10^{-39}) de segundo após o big bang — quando a temperatura era da ordem de 10^{28} graus Kelvin, como mencionamos antes. Assim como um conjunto de elementos díspares — pedaços de metal, madeira, pedras, etc. — funde-se em uma massa uniforme e homogênea quando aquecido a uma temperatura suficientemente alta, esses trabalhos teóricos sugerem que as forças forte, fraca e eletromagnética confluem para formar uma única grande força quando essas enormes temperaturas são atingidas. Isso é o que mostra esquematicamente a figura 7.1.[6]

Embora não tenhamos a tecnologia necessária para realizar sondagens a essas distâncias ínfimas e tampouco para gerar temperaturas tão intensas, desde 1974 os cientistas experimentais vêm refinando consideravelmente a medição das inten-sidades das três forças não gravitacionais em condições normais. Esses dados —

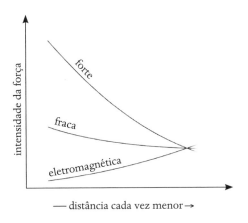

Figura 7.1 *As intensidades das três forças não gravitacionais, ao operar em escalas de distâncias cada vez menores — o que é equivalente à maneira como operam em processos de energias cada vez mais altas.*

que são o ponto de partida para as curvas de intensidade das três forças que aparecem na figura 7.1 — são o *input* das extrapolações feitas em termos de mecânica quântica por Georgi, Quinn e Weinberg. Em 1991, Ugo Amaldi, do CERN, Wim de Boer e Hermann Fürstenau, da Universidade de Karlsruhe, na Alemanha, recalcularam as extrapolações de Georgi, Quinn e Weinberg, valendo-se dos mencionados refinamentos experimentais, e revelaram duas conclusões significativas. Em primeiro lugar, nas escalas mínimas de distância (e do mesmo modo a altas energias e altas temperaturas), como se vê na figura 7.2, as intensidades das três forças não gravitacionais *quase se igualam, mas não chegam a fazê-lo*. Em segundo lugar, essa discrepância minúscula mas inegável entre as intensidades *desaparece* se a supersimetria é incorporada. A razão está em que as partículas superparceiras requeridas pela supersimetria contribuem com novas flutuações quânticas, as quais têm o porte exato para provocar a convergência das intensidades das forças.

Muitos cientistas creem ser extremamente improvável que a natureza tenha criado as forças de tal maneira que as suas intensidades *quase* se unifiquem no nível microscópico, sem, contudo, chegar a igualar-se. Seria como armar um quebra-cabeça cuja última peça não se inserisse perfeitamente e ficasse ligeiramente desajustada. A supersimetria resolve rapidamente o problema e todas as peças se encaixam perfeitamente.

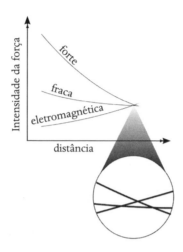

Figura 7.2 *O refinamento do cálculo das intensidades das forças revela que sem a supersimetria elas quase se encontram, mas não chegam a fazê-lo.*

Outro aspecto dessa última conclusão é que ela proporciona a possibilidade de responder a pergunta: por que ainda não se descobriu nenhuma das partículas superparceiras? Os cálculos que levam à convergência das intensidades das forças, assim como outras considerações estudadas pelos físicos, indicam que as partículas superparceiras devem ser muito mais pesadas do que as partículas conhecidas. Embora ainda não seja possível fazer previsões definitivas, os estudos mostram que as partículas superparceiras podem ser mil vezes mais pesadas que um próton, se não mais. Como nem mesmo os nossos aceleradores mais modernos alcançam esse nível de energia, isso proporciona uma explicação para o fato de que tais partículas ainda não tenham sido descobertas. No capítulo 9 voltaremos à discussão das perspectivas de que as experiências possam levar, no futuro próximo, a determinar se a supersimetria é ou não é uma propriedade do nosso mundo.

Obviamente, as razões que fornecemos para que você acredite na supersimetria — ou pelo menos para que não a rejeite por enquanto — estão longe de ser precisas. Descrevemos como a supersimetria leva as nossas teorias à sua forma mais simétrica — mas você poderia sugerir que o universo não tem a menor preocupação em alcançar a forma matematicamente mais simétrica possível. Observamos um ponto tecnicamente importante, o de que a supersimetria nos livra da delicada tarefa de ajustar os parâmetros numéricos do modelo-padrão de modo a evitar problemas quânticos sutis — mas você poderia argumentar que pode ser bem verdade que a teoria que verdadeiramente descreve a natureza ande sobre a corda bamba estendida entre a autocoerência e a autodestruição. Discutimos como a supersimetria modifica as intensidades intrínsecas das três forças não gravitacionais nas distâncias mínimas exatamente da maneira correta para que elas se fundam em uma grande força unificada — mas você poderia retrucar que nada na concepção da natureza exige que tais forças se igualem exatamente nas escalas microscópicas. E finalmente você poderia ainda sugerir que a explicação mais simples para o fato de que as partículas superparceiras nunca tenham sido encontradas é que o nosso universo não é supersimétrico e que, portanto, elas simplesmente não existem.

Ninguém pode refutar essas respostas. Mas as razões em favor da supersimetria se fortalecem imensamente quando consideramos o seu papel na teoria das cordas.

A SUPERSIMETRIA NA TEORIA DAS CORDAS

A teoria das cordas original, que surgiu do trabalho de Veneziano no final da década de 60, incorporava todas as simetrias discutidas no começo deste capítulo, mas não incorporava a supersimetria (que não havia ainda sido descoberta). Essa primeira teoria baseada no conceito da corda chamava-se, mais precisamente, *teoria das cordas bosônicas*, em que *bosônicas* indica que todos os padrões vibratórios das cordas bosônicas têm spins de números inteiros — não há padrões fermiônicos, ou seja, padrões com spins que diferem dos números inteiros por meia unidade. Isso levou a dois problemas.

O primeiro é que, se a teoria das cordas visa a descrever todas as forças e toda a matéria, ela teria de incorporar, de algum modo, os padrões vibratórios fermiônicos, uma vez que todas as partículas de matéria conhecidas têm spin-1/2. O segundo, e muito mais complicado, foi a verificação de que havia um padrão vibratório na teoria das cordas bosônicas cuja massa (mais precisamente massa ao quadrado) era *negativa* — ao qual se deu o nome de *táquion*. Mesmo antes da teoria das cordas, os físicos já vinham estudando a possibilidade de que o nosso mundo contivesse partículas táquions, além das partículas usuais, que têm, todas, massas positivas, mas os seus esforços mostraram as dificuldades, se não a impossibilidade, de que uma teoria como essa tivesse sensatez lógica. Do mesmo modo, no contexto da teoria das cordas bosônicas, os físicos tentaram todo tipo de manobra para poder dar uma explicação razoável à previsão do padrão vibratório do táquion, mas não obtiveram resultado algum. Essas questões deixavam cada vez mais claro que, embora interessante, à teoria das cordas bosônicas parecia faltar algum elemento essencial.

Em 1971, Pierre Ramond, da Universidade da Flórida, aceitou o desafio de modificar a teoria das cordas bosônicas para incluir padrões vibratórios fermiônicos. O seu trabalho e as conclusões subsequentes de Schwarz e André Neveu levaram ao surgimento de uma nova versão da teoria das cordas. E para a surpresa de muitos, os padrões vibratórios bosônicos e fermiônicos dessa nova teoria pareciam surgir em pares. Para cada padrão bosônico havia um padrão fermiônico, e vice-versa. Em 1977, as apreciações de Ferdinando Gliozzi, da Universidade de Turim, de Scherk e de David Olive, do Imperial College, deram a esses pares a perspectiva adequada. A nova teoria das cordas incorporava a supersimetria e o já assinalado emparelhamento dos padrões vibratórios bosônicos e fermiônicos refletia esse caráter altamente simétrico. Assim, acabava de nascer a teoria supersimétrica das cordas — ou seja, a teoria das supercordas. Além disso, o trabalho de Gliozzi, Scherk e Olive produziu outro resultado crucial, revelando que o incômodo padrão vibratório do táquion, nas cordas bosônicas, não afeta as supercordas. Pouco a pouco, as peças do quebra-cabeça iam entrando nos seus lugares.

Mas o principal impacto inicial do trabalho de Ramond, e também o de Neveu e Schwarz, não se deu na teoria das cordas. Em 1973, os físicos Julius Wess e Bruno Zumino perceberam que a supersimetria — a nova simetria que surgia da reformulação da teoria das cordas — era aplicável mesmo às teorias baseadas em partículas puntiformes. Rapidamente eles fizeram progressos na incorporação da supersimetria ao esquema da teoria quântica de campo das partículas puntiformes. E como naquela época a teoria quântica de campo era a menina dos olhos da comunidade dos físicos de partículas — enquanto a teoria das cordas ficava progressivamente marginalizada —, as apreciações de Wess e Zumino desencadearam uma enorme quantidade de pesquisas sobre o que veio a ser chamada a *teoria quântica de campo supersimétrica*. O modelo-padrão supersimétrico, discutido na seção precedente, é uma das mais celebradas conquistas teóricas dessas pesquisas; vemos agora, por meio das idas e vindas da história, que até essa teoria das partículas puntiformes deve muito à teoria das cordas.

Com o ressurgimento da teoria das supercordas em meados da década de 80, a supersimetria reapareceu no contexto da sua descoberta original. E nesse esquema, as razões em seu favor vão muito além do que dissemos na seção precedente. A teoria das cordas é a única maneira a nosso alcance para unificar a relatividade geral e a mecânica quântica. Mas é apenas a versão supersimétrica da teoria das cordas que evita o pernicioso problema do táquion e que tem padrões vibratórios fermiônicos capazes de explicar as partículas de matéria que constituem o mundo à nossa volta. A supersimetria, portanto, associa-se e soma-se à proposta da teoria das cordas para a formulação de uma teoria quântica da gravidade, assim como à sua grande promessa de unificar todas as forças e toda a matéria. Se a teoria das cordas estiver certa, os físicos esperam que também a supersimetria esteja.

Contudo, até meados da década de 90 havia um aspecto particularmente difícil que afetava a teoria supersimétrica das cordas.

UMA RIQUEZA SUPEREMBARAÇOSA

Se algumas pessoas lhe dissessem ter resolvido o mistério do desaparecimento de Amelia Earhart,* você talvez ficasse cético de início, mas se elas lhe fornecessem uma explicação bem documentada e equilibrada, você provavelmente as escutaria e quem sabe até se deixaria convencer. Mas o que aconteceria se, num piscar de olhos, essas pessoas lhe dissessem que na verdade tinham uma segunda explicação? Você escutaria pacientemente e, afinal, poderia até ficar surpreso de ver que a segunda explicação pareceu ser tão bem documentada e equilibrada quanto a primeira. E após a segunda explicação, você é apre-

---

* Aviadora norte-americana desaparecida em julho de 1937 na tentativa de realizar o primeiro voo de circum-navegação do globo. (N.E.)

sentado a uma terceira, uma quarta e uma quinta explicações — cada uma delas diferente das outras e igualmente convincente? Sem dúvida, ao final da experiência, você não estaria nem um pouco mais perto de saber o verdadeiro destino de Amelia Earhart do que estava no começo de tudo. Na arena das explicações fundamentais, mais é definitivamente menos.

Em 1985, a teoria das cordas — apesar de toda a expectativa que despertava — estava começando a soar como nossos superzelosos especialistas na história de Amelia Earhart. Naquele ano, os cientistas dispunham de *cinco* maneiras diferentes de incorporar a supersimetria, já então um elemento essencial à estrutura da teoria das cordas. Cada um dos métodos resulta em um emparelhamento de padrões vibratórios bosônicos e fermiônicos, mas os aspectos específicos desse emparelhamento, assim como numerosas outras propriedades das teorias resultantes, diferem substancialmente entre si. Embora os nomes não sejam muito importantes, é bom lembrar que essas cinco teorias supersimétricas das cordas são chamadas *teoria Tipo I, teoria Tipo IIA, teoria Tipo IIB, teoria Heterótica Tipo O(32)* — pronuncia-se "ó-trinta-e-dois" — e *teoria Heterótica Tipo $E_8 \times E_8$* — pronuncia-se "e-oito vezes e-oito". Todas as características da teoria das cordas até aqui discutidas são válidas para todos esses tipos da teoria. Eles divergem apenas nos detalhes menores.

Dispor de cinco versões diferentes da suposta TST — possivelmente a teoria unificada definitiva — foi um grande constrangimento para os teóricos das cordas. Assim como deve haver uma única explicação verdadeira para o que aconteceu com Amelia Earhart (independentemente de que a encontremos ou não), o mesmo se deve esperar com relação à explicação mais profunda e mais fundamental de como funciona o mundo. Vivemos em um único universo; esperamos uma única explicação.

Uma possibilidade de resolver esse problema poderia ocorrer se, dentre as cinco alternativas, quatro fossem eliminadas pela realização de experiências, restando apenas uma como a explicação verdadeira e pertinente. Mas mesmo que isso ocorresse, permaneceria a incômoda questão do porquê da própria existência das outras teorias. Nas irônicas palavras de Witten, "Se uma das cinco teorias descreve o nosso universo, quem vive nos outros quatro?".[7] O sonhos dos físicos é que a busca das respostas definitivas levará a uma conclusão única, exclusiva e absolutamente inevitável. Idealmente, a teoria final — seja a teoria das cordas, seja algo diferente — derivaria a sua forma do fato de simplesmente não existir nenhuma outra possibilidade. Se chegarmos a descobrir que existe uma única teoria logicamente correta que incorpora os componentes básicos da relatividade e da mecânica quântica, na opinião de muitos cientistas teremos chegado ao entendimento mais profundo de por que o universo tem as propriedades que tem. Em síntese, este seria o paraíso da teoria unificada.[8]

Como veremos no capítulo 12, as pesquisas recentes levaram a teoria das supercordas a dar um passo gigantesco na direção dessa utopia, ao revelar que as cinco teorias diferentes são, na verdade, cinco maneiras diferentes de descrever *uma única teoria que engloba todas*. A teoria das supercordas *tem* o *pedigree* da unicidade.

As coisas parecem ir tomando os seus lugares, mas, como veremos no próximo capítulo, a unificação através da teoria das cordas requer mais uma ruptura com a sabedoria convencional.

8. Mais dimensões do que o olhar alcança

Einstein resolveu dois dos grandes conflitos científicos dos últimos cem anos por meio da relatividade especial e da relatividade geral. Embora os problemas que inicialmente motivaram o seu trabalho não antecipassem essa consequência, ambas as soluções transformaram completamente a nossa compreensão do espaço e do tempo. A teoria das cordas resolve o terceiro grande conflito científico do último século e para isso requer o que mesmo Einstein provavelmente teria achado surpreendente: que submetamos a nossa concepção do espaço e do tempo a outra revisão radical. A teoria das cordas sacode os alicerces da física moderna com tal vigor que até mesmo o número geralmente aceito das dimensões do nosso universo — algo tão básico que poderíamos supor que estivesse fora de discussão — é alterado de modo convincente e espetacular.

A ILUSÃO DO USUAL

A experiência da vida informa a intuição. E mais ainda: a experiência adquirida determina o marco dentro do qual analisamos e interpretamos o que percebemos. Sem dúvida, poderíamos esperar que um "menino selvagem"criado por uma alcateia de lobos na floresta interpretasse o mundo a partir de perspec-

208

tivas substancialmente diferentes das nossas. Mesmo comparações menos radicais, como as que podem ser feitas entre pessoas que vivem em condições culturais muito diferentes, servem para mostrar o grau em que as nossas experiências de vida determinam a atitude mental com que interpretamos a realidade.

Mas há certas coisas que *todos* nós experimentamos. E muitas vezes as crenças e expectativas que decorrem dessas experiências universais são as coisas mais difíceis de identificar e confrontar. Segue-se um exemplo simples e profundo. Se você parar de ler este livro, poderá mover-se em três direções independentes — ou seja, nas três dimensões espaciais independentes. Qualquer que seja o caminho seguido — não importa quão complicado — ele resultará de combinações de movimentos através do que poderíamos chamar de "dimensão esquerda-direita", "dimensão frente-trás"e "dimensão acima-abaixo". A cada passo que você dá, está implicitamente fazendo três escolhas separadas, que determinam a maneira como você se move através dessas três dimensões.

Do mesmo modo, como vimos em nossa discussão sobre a relatividade especial, qualquer lugar do universo pode ser especificado por meio de três dados: a sua localização com relação às três dimensões espaciais. Em linguagem comum, você pode especificar um endereço informando a rua (localização na "dimensão esquerda-direita"), a rua transversal (localização na "dimensão frente-trás") e o andar do edifício (localização na "dimensão acima-abaixo"). Em uma perspectiva mais moderna, vimos que o trabalho de Einstein nos permite pensar no tempo como uma outra dimensão (a "dimensão passado-futuro"), o que nos dá um total de quatro dimensões (três espaciais e uma temporal). Os eventos do universo são especificados em termos de onde e quando sucederam.

Esta característica do universo é tão básica e tão consistente que realmente parece estar fora de discussão. Em 1919, no entanto, um obscuro matemático polonês chamado Theodor Kaluza, da Universidade de Königsberg, teve a temeridade de desafiar o óbvio — ele sugeriu que o universo talvez *não* tivesse apenas três dimensões espaciais: poderia ter *mais*. Por vezes, as sugestões que parecem tolas são simplesmente tolas. Por vezes elas podem abalar os alicerces da física. A sugestão de Kaluza demorou bastante para repercutir, mas acabou por revolucionar a formulação das leis físicas. E ainda estamos sentindo as suas consequências.

A IDEIA DE KALUZA E O REFINAMENTO DE KLEIN

A sugestão de que o nosso universo poderia ter mais de três dimensões espaciais pode parecer supérflua, bizarra ou mística. Na realidade, contudo, ela é concreta, e perfeitamente plausível. Para perceber isso, o mais fácil é mudar temporariamente o nosso ponto de vista, deixando o universo como um todo e pensando em um objeto mais corriqueiro, como uma mangueira de jardim, longa e fina.

Imagine que uma mangueira de mais ou menos cem metros de comprimento esteja estendida sobre um vale e que você a esteja vendo a uma distância de, digamos, quatrocentos metros, como na figura 8.1(a). Dessa perspectiva, você perceberá facilmente a extensão, longa e horizontal, da mangueira, mas, a menos que tenha uma visão extraordinária, a *espessura* da mangueira será difícil de discernir. A partir da distância do seu ponto de vista, você pode pensar que se uma formiga fosse obrigada a viver sobre essa mangueira, ela teria apenas *uma* dimensão por onde andar: a dimensão esquerda-direita, ao longo do comprimento da mangueira. Se alguém lhe pedisse a especificação da posição da formiga na mangueira a um momento determinado, você só precisaria recorrer a um dado: a distância da formiga a partir da extremidade esquerda (ou direita) da mangueira. O fato é que, a uma distância de quatrocentos metros, uma mangueira parece ser um objeto unidimensional.

Na realidade, sabemos que a mangueira *tem* espessura. A quatrocentos metros de distância você terá dificuldade em comprová-lo, mas usando binóculos você poderá observar diretamente a sua circunferência, como se vê na figura 8.1(b). Nessa perspectiva ampliada, vê-se que uma formiguinha que viva na mangueira tem, na verdade, duas direções independentes pelas quais pode andar: a dimensão esquerda-direita, já identificada, que acompanha o comprimento da mangueira, *e* a "dimensão a favor e contra o sentido dos ponteiros do relógio", em torno da parte circular da mangueira. Agora você sabe que para especificar a localização da formiga a um dado momento é preciso usar *dois* dados: a posição da formiga ao longo do comprimento da mangueira e ao longo da sua circunferência. Isso reflete o fato de que a superfície da mangueira é bidimensional.[1]

Mas há uma clara diferença entre essas duas dimensões. A direção ao longo do comprimento da mangueira é longa, estendida e facilmente visível. A dire-

210

Figura 8.1 *(a) Uma mangueira de jardim vista de longe toma o aspecto de um objeto unidimensional. (b) Com a ampliação, uma segunda dimensão — com a forma de um círculo e transversal ao comprimento da mangueira — torna-se visível.*

ção circular em volta da espessura da mangueira é curta, "recurvada" e difícil de ver. Para tomar conhecimento da dimensão circular, você tem de examinar a mangueira com precisão significativamente maior.

Esse exemplo realça uma característica sutil e importante das dimensões espaciais: elas existem em duas variedades. Podem ser longas, estendidas e, portanto, claramente manifestas, e podem ser pequenas, recurvadas e muito mais difíceis de detectar. Evidentemente, nesse exemplo não foi necessário um grande esforço para revelar a dimensão "recurvada" que envolve a espessura da mangueira. Bastou o uso de binóculos. Todavia, se a mangueira fosse muito fina — como um fio de cabelo, ou um vaso capilar —, detectar a dimensão recurvada seria muito mais difícil.

Em um estudo enviado a Einstein em 1919, Kaluza fez uma sugestão extraordinária. Propôs que o tecido espacial do universo poderia ter mais dimensões do que as três da nossa experiência comum. A motivação para essa tese radical, como veremos em breve, foi a percepção de Kaluza de que ela propiciava um esquema elegante e convincente para relacionar a relatividade geral de Einstein e a teoria eletromagnética de Maxwell, construindo um esquema conceitual unificado e singular. Antes, porém, como seria possível conciliar essa proposta com o fato evidente de que o que nós *vemos* são exatamente três dimensões espaciais?

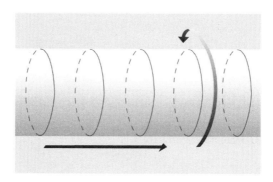

Figura 8.2 *A superfície da mangueira é bidimensional: uma dimensão (a extensão horizontal), indicada pela flecha retilínea, é longa e estendida; a outra dimensão (a circunferência da mangueira), indicada pela flecha circular, é curta e recurvada.*

A resposta estava implícita no trabalho de Kaluza e tornou-se explícita depois, com os refinamentos incorporados pelo matemático sueco Oskar Klein, em 1926: *o tecido espacial do nosso universo pode ter tanto dimensões estendidas quanto dimensões recurvadas*. Isto é, assim como a extensão horizontal da mangueira, o nosso universo tem dimensões que são grandes, estendidas e facilmente visíveis — as três dimensões espaciais da nossa experiência diária. Mas assim como a circunferência da mangueira, o universo também pode ter outras dimensões espaciais que estão acentuadamente recurvadas em um espaço mínimo — um espaço tão pequeno que escapa à detecção, mesmo pelos nossos mais sofisticados instrumentos de análise.

Reconsideremos por um momento a imagem da mangueira para termos uma ideia mais precisa a respeito dessa notável proposta. Imagine que a mangueira tenha círculos negros pintados sucessivamente ao longo da sua circunferência. Vista de longe, tal como antes, ela parecerá uma linha fina e unidimensional. Mas se você usar binóculos, verá a dimensão recurvada, inclusive, agora, com maior facilidade por causa dos círculos pintados, tal como ilustrado na figura 8.2. A figura ressalta que a superfície da mangueira é bidimensional, com uma dimensão grande e estendida e outra pequena e circular. Kaluza e Klein propuseram que o nosso universo espacial é semelhante, mas que ele tem três dimensões espaciais grandes e estendidas e uma dimensão pequena e circular — em um total de quatro dimensões espaciais. É difícil desenhar algo com tan-

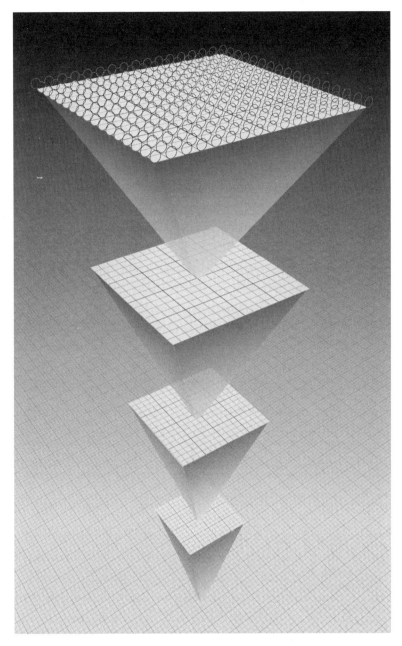

Figura 8.3 *Tal como na figura 5.1, cada nível superior representa uma ampliação nova e enorme do tecido espacial mostrado no nível imediatamente inferior. O nosso universo pode ter outras dimensões — como se vê no quarto nível de ampliação —, desde que elas estejam recurvadas em um espaço tão pequeno que tenha escapado, até agora, à detecção direta.*

tas dimensões, de modo que, para fins de visualização, temos de nos contentar com uma ilustração que incorpore duas dimensões grandes e uma dimensão pequena e circular. Isso é o que ilustra a figura 8.3, na qual ampliamos o tecido do espaço, assim como fizemos com relação à superfície da mangueira.

A parte inferior da figura mostra a estrutura aparente do espaço — o mundo normal à nossa volta — em uma escala de distâncias familiar, como a que tem por base o metro. Essas distância estão representadas pela malha mais ampla de traços. Nos níveis seguintes, ampliamos progressivamente o tecido do espaço, focalizando a atenção em regiões cada vez menores. Inicialmente, à medida que vamos diminuindo as escalas sob exame, nada de mais acontece; o espaço parece conservar a mesma forma básica que tem nas escalas maiores, como se vê nos três primeiros níveis de ampliação. Mas ao continuarmos a nossa viagem rumo às regiões mais microscópicas do espaço — o quarto nível de ampliação da figura 8.3 —, surge uma dimensão nova, recurvada e circular, muito semelhante aos laços circulares de lã que conformam a superfície peluda de um tapete bem urdido. Kaluza e Klein sugeriram que a dimensão circular adicional existe em *todos* os pontos das dimensões estendidas, assim como a dimensão circular da mangueira existe em todos os pontos da sua extensão horizontal. (Para clareza visual, desenhamos apenas uma amostra ilustrativa da dimensão circular, a intervalos regulares das dimensões estendidas.) A figura 8.4 mostra uma visão mais aproximada da estrutura microscópica do tecido espacial segundo Kaluza-Klein.

A semelhança com a mangueira é manifesta, embora haja diferenças importantes. O universo tem três dimensões espaciais grandes e estendidas (das quais só duas foram desenhadas), enquanto a mangueira tem apenas uma. Além disso, o que é mais importante, agora estamos descrevendo o tecido espacial do próprio *universo*, e não o de um objeto que existe *dentro* do universo, como a mangueira. Mas a ideia básica é a mesma: como no caso da circunferência da mangueira, se a dimensão adicional, circular e recurvada do universo for extremamente pequena, ela será muito mais difícil de detectar do que as dimensões manifestas, grandes e estendidas. Na verdade, se o seu tamanho for extremamente pequeno, ela escapará à detecção mesmo dos nossos instrumentos de ampliação mais poderosos. Note bem, o que é da maior importância, que a dimensão circular *não* é simplesmente uma saliência circular que existe dentro das usuais dimensões estendidas, como a ilustração pode fazer crer. Ela é, na

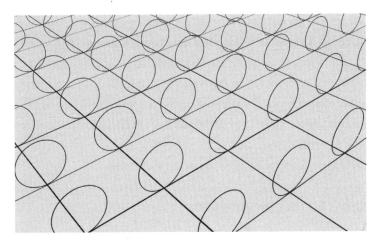

Figura 8.4 *As linhas da malha representam as dimensões estendidas da nossa experiência comum e os círculos representam uma nova dimensão, mínima e recurvada. Tal como os laços circulares de lã que conformam a superfície de um tapete bem urdido, os círculos existem em todos os pontos das dimensões estendidas que conhecemos — mas, para clareza visual, estão desenhados apenas nas interseções da malha.*

verdade, uma *outra* dimensão, que existe em todos os pontos das dimensões conhecidas, do mesmo modo como as dimensões acima-abaixo, esquerda-direita e frente-trás existem também em todos os pontos. É uma direção diferente e independente, na qual uma formiga, se fosse pequena demais, poderia mover-se. Para especificar a localização espacial de tal formiga microscópica, precisaríamos dizer onde ela está nas três usuais dimensões estendidas (representadas pela malha) e *também* onde ela está na dimensão circular. Precisaríamos de *quatro* informações espaciais; se acrescentarmos o tempo, temos um total de cinco informações sobre o espaço e o tempo — uma a mais do que o que normalmente deveríamos esperar.

Assim, surpreendentemente, vemos que embora tenhamos consciência de apenas três dimensões espaciais estendidas, o raciocínio de Kaluza e Klein revela que isso não impede a existência de dimensões adicionais recurvadas, pelo menos se elas forem muito pequenas. O universo bem pode ter mais dimensões do que parece.

Que quer dizer "muito pequenas"? Os nossos instrumentos mais avançados podem detectar estruturas até um bilionésimo de bilionésimo de metro. Se uma dimensão adicional estiver recurvada em um tamanho menor do que essa distância mínima, ela escapará à nossa capacidade atual de detecção. Em 1926, Klein combinou a sugestão inicial de Kaluza com algumas ideias provenientes das novidades da mecânica quântica. Os seus cálculos indicaram que a dimensão circular adicional poderia ser do tamanho da distância de Planck, muito menor do que as que são experimentalmente acessíveis. Desde então, os cientistas dão o nome de *teoria Kaluza-Klein* à possibilidade da existência de dimensões espaciais adicionais e mínimas.[2]

IDAS E VINDAS EM UMA MANGUEIRA

O exemplo tangível da mangueira de jardim e a ilustração da figura 8.3 destinam-se a dar uma impressão de como é possível que o nosso universo tenha dimensões espaciais adicionais. Mas mesmo para os pesquisadores desse campo, é bastante difícil visualizar um universo com mais de três dimensões espaciais. Por essa razão, os físicos muitas vezes estimulam a sua própria intuição a respeito dessas dimensões adicionais especulando sobre como poderia ser a vida em um universo imaginário com *menos* dimensões — seguindo a ideia do livro clássico de Edwin Abbott, o encantador *Flatland* [Terra Plana],[3] de 1884, no qual pouco a pouco vamos percebendo que o universo tem mais dimensões do que aquelas de que temos consciência imediata. Vamos experimentar, tentando imaginar um universo bidimensional com a forma da nossa mangueira de jardim. Para isso, é preciso que você abandone a perspectiva de quem está "do lado de fora" e vê a mangueira como um objeto do nosso universo. Em vez disso, você tem de deixar o mundo conhecido e entrar no universo-mangueira, no qual a superfície de uma mangueira muito longa (você pode imaginar que a sua extensão seja infinita) é *tudo o que existe* em termos de extensão espacial. Imagine que você é uma formiguinha mínima que passa a vida nessa superfície.

Comecemos fazendo com que as coisas sejam ainda mais radicais. Imagine que o comprimento da dimensão circular do universo-mangueira seja muito pequeno — tão pequeno que nem você nem os demais habitantes da mangueira sequer têm consciência de que ela existe. Ao contrário, você e todos os demais seres que vivem no universo-mangueira estão diante de um fato básico tão evidente que ninguém o põe em dúvida: o universo tem apenas *uma* dimensão espacial. (Se o universo-mangueira tivesse produzido o seu próprio Einstein-formiga, os habitantes da mangueira diriam que o universo tem uma dimensão espacial e uma dimensão temporal.) Com efeito, essa característica é tão evidente que os habitantes da mangueira denominam o seu universo a *Grande Linha*, para ressaltar explicitamente o fato de que ele só tem uma dimensão espacial.

A vida na Grande Linha é muito diferente da que nós conhecemos. Por exemplo, o corpo com o qual você está habituado *não cabe* na Grande Linha. Por mais que você faça ginástica, nunca poderá negar o fato de que tem comprimento, largura e espessura — extensão espacial em três dimensões. Na Grande Linha não há lugar para uma coisa tão extravagante. Lembre-se — ainda que a sua imagem mental da Grande Linha continue ligada à ideia de um objeto semelhante a uma linha que existe no nosso espaço — de que você tem de pensar na Grande Linha como um *universo*, ou seja, a única coisa que existe. Como habitante da Grande Linha, você tem de caber na sua extensão espacial. Tente imaginar. Mesmo que tome o corpo de uma formiga você não caberá. Você tem de comprimir o corpo da formiga até que ela se pareça a uma minhoca e depois comprimir o corpo da minhoca até que ela já não tenha nenhuma espessura. Para caber na Grande Linha, você tem de ter apenas o comprimento.

Imagine também que o seu corpo tem um olho na frente e outro atrás. Ao contrário dos olhos humanos, que podem revolver-se e olhar nas diferentes direções das três dimensões, os seus olhos de "ser-linha" estão para sempre na mesma posição, olhando a distância unidimensional. Essa *não* é uma limitação anatômica do seu novo corpo. O que acontece é que você e todos os outros seres-linhas aceitam que, como a Grande Linha só tem uma dimensão, simplesmente não há outra direção para a qual olhar. Para a frente e para trás. Não existem outras possibilidades na Grande Linha.

Podemos continuar a imaginar a vida na Grande Linha, mas logo percebemos que não há muito mais que possa ocorrer. Por exemplo, se um outro ser-linha estiver à sua frente, ou atrás, imagine como você o verá: verá um dos seus olhos — o que está voltado para você — , mas, ao contrário dos olhos humanos, o olho que você vê será um único ponto. Os olhos na Grande Linha não têm características próprias, nem mostram emoção — não há lugar para essas coisas tão familiares. Além disso, você ficará para sempre preso a essa imagem do ponto-olho do seu vizinho. Se quiser passar por ele para explorar os domínios da Grande Linha, você sofrerá um grande desapontamento. *Não se pode ultrapassar.* O vizinho literalmente "tranca a rua" e na Grande Linha não há espaço para contorná-lo. A ordem em que os seres-linhas se distribuem ao longo da dimensão única é permanente e imutável. Uma chatice!

Alguns milhares de anos após uma epifania religiosa na Grande Linha, um ser-linha chamado Kaluza Klain Linha ofereceu uma esperança aos seus reprimidos habitantes. Seja por inspiração divina, seja por pura exasperação devida aos anos passados na contemplação do olho do seu vizinho, ele sugeriu que a Grande Linha, afinal, talvez não fosse unidimensional. E se a Grande Linha for, na verdade, bidimensional, ele teorizou, com uma segunda dimensão circular muito pequena, tão pequena que nunca pôde ser detectada? E começou a descrever uma vida inteiramente nova que poderia existir se essa nova direção espacial recurvada se expandisse — algo que poderia ser possível segundo os recentes trabalhos de seu colega Albert Linhestein. Kaluza Klain Linha descreve um universo que fascina a você e seus companheiros e os enche de esperança — um universo em que os seres-linhas podem mover-se livremente e passar à frente dos outros, fazendo uso da segunda dimensão: o fim da escravização espacial. Percebemos que Kaluza Klain Linha está descrevendo a vida em um universo-mangueira, com maior espessura.

Com efeito, se a dimensão circular crescesse, "inflando" a Grande Linha e transformando-a no universo-mangueira, a sua vida se modificaria profundamente. Veja, por exemplo, o seu corpo. Como ser-linha, tudo o que existe entre os seus dois olhos constitui o interior do seu corpo. Portanto, os olhos desempenham no corpo-linha o papel que a pele desempenha no corpo humano: constitui a barreira entre o interior do corpo e o mundo exterior. Os médicos da Grande Linha só podem ter acesso ao interior do seu corpo-linha perfurando a sua superfície — em outras palavras, na Grande Linha as cirurgias se fazem através dos olhos.

Imagine agora o que aconteceria se a Grande Linha tivesse realmente uma dimensão secreta e recurvada, à Kaluza Klein Linha, e se essa dimensão se expandisse até alcançar um tamanho suficientemente grande para que pudéssemos observá-la. Agora os seres-linhas podem ver o lado dos seus corpos e, portanto, ver diretamente o seu interior, como ilustra a figura 8.5. Utilizando essa segunda dimensão, um médico pode operar o seu corpo alcançando diretamente a parte desejada. Estranho! Com o tempo, sem dúvida, os seres-linhas desenvolveriam algum tipo de pele para proteger dos contatos com o mundo exterior o interior, agora exposto, dos seus corpos. Sem dúvida, eles evoluiriam, além disso, transformando-se em seres dotados de comprimento e largura: seres-planos, deslizando ao longo de um universo-mangueira bidimensional, como ilustra a figura 8.6. Se a dimensão circular se expandisse amplamente, o universo bidimensional se pareceria muito com a Terra Plana de Abbott — o mundo bidimensional imaginário que Abbott povoou com um rico patrimônio cultural e até com um sistema satírico de castas, baseado na forma geométrica de cada habitante. Se é difícil imaginar *qualquer coisa* interessante que pudesse acontecer na Grande Linha — porque simplesmente não há lugar —, a vida na mangueira, por sua vez, se abre a inumeráveis possibilidades. A evolução de uma para duas dimensões espaciais grandes e observáveis é espetacular.

E agora o refrão: por que parar aí? O universo bidimensional também pode ter uma dimensão recurvada e ser, portanto, secretamente tridimensional. Isso pode ser ilustrado com a figura 8.4, desde que reconheçamos que agora estamos imaginando que há *apenas duas* dimensões espaciais estendidas (pois quando vimos essa figura pela primeira vez, imaginávamos que a malha plana representava três dimensões estendidas). Se a dimensão circular se expandisse, um ser bidimensional se encontraria em um mundo radicalmente novo, em que os movimentos não se limitariam a esquerda-direita e frente-trás ao longo das dimensões estendidas. Agora, os seres podem mover-se também em uma terceira dimensão — para cima e para baixo — ao longo do círculo. Com efeito,

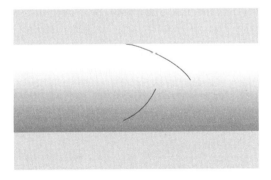

Figura 8.5 *Um ser-linha pode olhar diretamente para o interior de outro ser-linha quando o universo-linha se expande e se transforma em um universo-mangueira.*

Figura 8.6 *Seres planos, bidimensionais, que vivem no universo-mangueira.*

se a dimensão circular crescesse o suficiente, esse poderia ser *o nosso* universo tridimensional. No momento atual, não sabemos se qualquer uma das nossas três dimensões espaciais se estende infinitamente, ou se, na verdade, se recurva sobre si mesma, na forma de um círculo gigantesco, que se estende para além do alcance dos nossos telescópios mais poderosos. Se a dimensão circular da figura 8.4 crescesse o suficiente — com uma extensão de bilhões de anos-luz —, a figura poderia perfeitamente ser uma representação do nosso mundo.

Mas voltemos ao refrão: por que parar aí? Isso nos leva à visão de Kaluza e Klein: a de que o nosso universo tridimensional poderia ter uma quarta dimensão espacial que até aqui não antecipávamos. Se essa possibilidade fascinante, ou a sua generalização para numerosas dimensões recurvadas (que discutiremos em breve), for verdadeira, e se essas dimensões microscópicas também se expandissem a tamanhos macroscópicos, os exemplos com menos dimensões que acabamos de ver deixam claro que a vida como a conhecemos se modificaria imensamente.

Para a nossa surpresa, contudo, mesmo que elas permaneçam para sempre recurvadas e pequenas, a existência de dimensões recurvadas adicionais tem implicações profundas.

A UNIFICAÇÃO EM MAIS DIMENSÕES

Embora a sugestão feita por Kaluza em 1919, de que o nosso universo poderia ter mais dimensões espaciais do que as que percebemos diretamente, seja em si mesma uma possibilidade notável, uma outra razão tornou-a realmente convincente. Einstein formulara a relatividade geral de acordo com o cenário clássico de um universo com três dimensões espaciais e uma dimensão temporal. A formalização matemática da sua teoria, contudo, pode ser ampliada de maneira razoavelmente direta para a elaboração de equações análogas relativas a um universo com dimensões espaciais adicionais. Trabalhando com a premissa "modesta" de uma dimensão espacial adicional, Kaluza efetuou as análises matemáticas e derivou explicitamente as novas equações.

Ele verificou que na formulação revista as equações relativas às três dimensões familiares eram essencialmente idênticas às de Einstein. Mas como ele incluíra uma dimensão espacial adicional, Kaluza encontrou equações adicionais às que Einstein derivara originalmente. Após estudar as equações associadas à nova dimensão, Kaluza descobriu que algo espantoso estava ocorrendo. As equações adicionais eram nada mais nada menos do que as equações escritas por Maxwell na década de 1880 para descrever a força eletromagnética! Ao acrescentar uma outra dimensão espacial, Kaluza unificara a teoria da gravitação de Einstein com a teoria de Maxwell sobre a luz.

Antes da hipótese de Kaluza, a gravidade e o eletromagnetismo eram considerados como forças que não se relacionavam; absolutamente nada indicava que essa relação pudesse existir. Por ter tido a coragem e a criatividade de imaginar que o nosso universo tem uma dimensão espacial adicional, Kaluza apontou a existência de uma conexão realmente profunda. A sua teoria sustentava que tanto a gravidade quanto o eletromagnetismo associam-se a ondulações no tecido do espaço. A gravidade é transmitida por ondulações nas três dimensões espaciais familiares, enquanto o eletromagnetismo é transmitido por ondulações que envolvem a dimensão adicional e recurvada.

Kaluza enviou o seu trabalho a Einstein, que inicialmente ficou bastante intrigado. Em 21 de abril de 1919, Einstein respondeu a Kaluza dizendo que nunca lhe havia ocorrido que a unificação pudesse ser alcançada "através de um mundo cilíndrico de cinco dimensões" (quatro espaciais e uma temporal). E acrescentou: "À primeira vista, aprecio enormemente a sua ideia".[4] Cerca de uma semana depois, no entanto, Einstein voltou a escrever a Kaluza, dessa vez com certo ceticismo: "Li todo o seu texto e acho-o realmente interessante. Até aqui, não encontrei impossibilidades em nenhuma parte. Por outro lado, devo admitir que os argumentos até aqui apresentados não me parecem suficientemente convincentes".[5] Em 14 de outubro de 1921, mais de dois anos depois, Einstein escreveu de novo a Kaluza, já tendo tido tempo suficiente para digerir um pouco mais a sua proposta inovadora: "Sinto certo arrependimento por tê-lo induzido a não publicar a sua ideia a respeito de uma unificação entre a gravitação e a eletricidade dois anos atrás. [...] Se você quiser, posso apresentar seu texto à academia, afinal".[6] Tardiamente, Kaluza obtinha o selo de aprovação do mestre.

Embora a ideia fosse bonita, o estudo detalhado da proposta de Kaluza, acrescida das contribuições de Klein, revelou sérios conflitos com os dados experimentais. Os esforços mais simples de incorporar o elétron à teoria implicavam relações entre a sua massa e a sua carga que diferiam brutalmente dos valores conhecidos. Como não parecia haver nenhuma maneira óbvia de resolver esse problema, muitos dos físicos que haviam tomado conhecimento da ideia de Kaluza perderam o interesse por ela. Einstein e outros continuaram, esporadicamente, a experimentar as possibilidades de dimensões adicionais recurvadas, mas logo isso foi se tornando uma atividade marginal no campo da física teórica.

Na realidade, a ideia de Kaluza estava muito adiante do seu tempo. A década de 20 marcou o início de um período de ouro para a física teórica e experimental no que diz respeito à compreensão das leis básicas do microcosmos. Os teóricos estavam totalmente envolvidos nas tentativas de desenvolver a estrutura da mecânica quântica e da teoria quântica de campo. Os experimentalistas empenhavam-se em descobrir os detalhes das propriedades do átomo e os numerosos componentes elementares da matéria. A teoria guiava as experiências e essas refinavam a teoria em um processo que, ao longo de cinquenta anos, levaria ao estabelecimento do modelo-padrão. Não é de espantar, portanto, que as especulações em torno das dimensões adicionais tenham ficado relegadas ao virtual esquecimento durante esses tempos produtivos e vertiginosos. Com os físicos explorando poderosos métodos quânticos, cujas implicações ensejavam previsões experimentalmente testáveis, havia pouco interesse pela mera possibilidade de que o universo pudesse ser um lugar amplamente diferente em escalas de comprimento que eram demasiado pequenas para ser examinadas mesmo pelos nossos instrumentos mais sensíveis.

Mais cedo ou mais tarde, no entanto, os períodos de ouro terminam. Por volta do final da década de 60 e do começo da de 70, a estrutura teórica do modelo-padrão já estava construída. Por volta do final da década de 70 e do começo da de 80, muitas das suas previsões já haviam sido verificadas experimentalmente, e a maioria dos físicos de partículas começava a achar que a confirmação das outras era apenas uma questão de tempo. Embora alguns detalhes permanecessem sem solução, muitos acreditavam que as perguntas principais relativas às forças forte, fraca e eletromagnética já tinham sido respondidas.

Chegara finalmente o tempo de voltar à maior de todas as questões: o conflito enigmático entre a relatividade geral e a mecânica quântica. O êxito na formulação de uma teoria quântica para três das forças da natureza animava os cientistas a continuar a luta para incorporar também a força da gravidade. Depois de experimentar numerosas ideias, todas as quais terminaram por fracassar, a atitude mental da comunidade abriu-se a possibilidades mais radicais. Após ter sido declarada morta ao final da década de 20, a teoria de Kaluza-Klein ressuscitou.

A MODERNIZAÇÃO DA TEORIA DE KALUZA KLEIN

O conhecimento da física modificara-se significativamente e aprofundara-se substancialmente nas seis décadas que se sucederam à proposta original de Kaluza. A mecânica quântica já estava inteiramente formulada e experimentalmente verificada. As forças forte e fraca, desconhecidas na década de 20, já haviam sido descobertas e estavam bem assimiladas. Alguns físicos sugeriram que a proposta original de Kaluza fracassara porque ele não conhecia essas outras forças e por isso fora demasiado *conservador* na sua reformulação do espaço. Mais forças significavam a necessidade de mais dimensões. Argumentou-se que uma única dimensão circular nova não bastava, pois dava apenas os indícios da existência de uma ligação entre a relatividade geral e o eletromagnetismo.

Em meados da década de 70, desenvolvia-se um intenso esforço de investigação tendo por base as teorias sobre dimensões adicionais, com múltiplas direções espaciais recurvadas. A figura 8.7 ilustra um exemplo com duas dimensões adicionais que se recurvam e formam a superfície de uma bola — ou seja, uma esfera. Tal como no caso de uma dimensão circular única, essas dimensões adicionais existem em *todos os pontos* das dimensões estendidas usuais. (Para clareza visual, novamente desenhamos apenas um exemplo ilustrativo que representa

Figura 8.7 *Duas dimensões adicionais recurvadas na forma de uma esfera.*

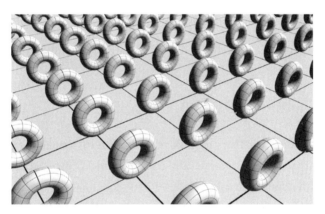

Figura 8.8 *Duas dimensões adicionais recurvadas na forma de um* doughnut *oco, ou um toro.*

as dimensões esféricas em intervalos regulares na malha das dimensões estendidas.) Além de propor um número diferente de dimensões adicionais, é possível também imaginar outras formas para essas novas dimensões. Por exemplo, a figura 8.8 ilustra uma possibilidade em que novamente temos duas dimensões adicionais, agora na forma de um *doughnut* oco — ou seja, um toro. Se bem que elas estejam além da nossa capacidade de desenhar, podem-se imaginar possibilidades mais complicadas, com três, quatro, cinco, na verdade qualquer número de dimensões espaciais adicionais, recurvadas em um amplo espectro de formas exóticas. Aqui também, o requisito essencial é que todas essas dimensões tenham uma extensão espacial menor do que a menor das escalas que possamos sondar, uma vez que nenhuma experiência até aqui revelou a sua existência.

De todas as propostas relativas às dimensões adicionais, as mais promissoras eram as que também incorporavam a supersimetria. Os cientistas tinham a expectativa de que o cancelamento parcial das flutuações quânticas mais fortes, derivadas do emparelhamento das partículas superparceiras, ajudaria a limar as asperezas existentes entre a gravidade e a mecânica quântica. E deram o nome de *supergravidade em maiores dimensões* para designar as teorias que compreendem a gravidade, as dimensões adicionais e a supersimetria.

Tal como no caso da tentativa original de Kaluza, várias das versões da supergravidade em maiores dimensões pareciam inicialmente bastante prometedoras. As novas equações resultantes das dimensões adicionais pareciam-se notavelmente com as que haviam sido usadas para a descrição do eletromagnetismo e das forças forte e fraca. Mas um exame mais apurado demonstrou que os velhos problemas persistiam. Mais importante ainda, a suavização das perniciosas ondulações quânticas a distâncias curtas por meio da supersimetria não eram suficientes para produzir uma teoria razoável. Era difícil também determinar uma teoria única e sensata em maiores dimensões, que incorporasse todos os aspectos das forças e da matéria.[7]

Gradualmente foi se tornando claro que as partes e peças de uma teoria unificada vinham aparecendo, mas que faltava ainda um elemento crucial capaz de realmente uni-las de maneira consistente do ponto de vista da mecânica quântica. Em 1984, esse elemento que faltava — a teoria das cordas — entrou dramaticamente em cena e ocupou o centro do palco.

MAIS DIMENSÕES E A TEORIA DAS CORDAS

A essa altura você deve estar convencido de que *pode ser* que o universo tenha dimensões espaciais adicionais recurvadas; efetivamente, desde que elas sejam suficientemente pequenas, nada proíbe a sua existência. Mas as dimensões adicionais podem parecer apenas um artifício. A nossa incapacidade de examinar distâncias menores do que um bilionésimo de bilionésimo de metro permite não só dimensões adicionais de tamanho ínfimo, mas também todo tipo de possibilidades fantasiosas — até mesmo uma civilização microscópica formada por seres ainda menores. Conquanto as dimensões adicionais pareçam ter uma razão de ser mais lógica do que essas últimas hipóteses, o ato de postular qualquer dessas possibilidades não testadas — e no momento impossíveis de ser testadas — pode parecer bastante arbitrário.

Essa era a situação vigente até que surgiu a teoria das cordas, pois ela resolveu o dilema fundamental que confrontava a física contemporânea — a incompatibilidade entre a relatividade geral e a mecânica quântica — e unificou o nosso entendimento de todos os componentes materiais e de todas as forças fundamentais da natureza. Mas para chegar a isso a teoria das cordas *requer* que o universo tenha dimensões espaciais adicionais.

Eis o porquê. Uma das conclusões principais da mecânica quântica é a de que o nosso poder de fazer previsões limita-se a afirmar que esse ou aquele resultado tem essa ou aquela probabilidade de ocorrer. Embora Einstein considerasse ser esse um aspecto de extremo mau gosto da ciência contemporânea — e você pode até estar de acordo — , ele continua a parecer verdadeiro. Temos de aceitá--lo. Todos sabemos que as probabilidades são sempre representadas por números entre 0 e 1 — o que equivale, em termos de percentagens, a números entre 0 e 100. Os físicos concluíram que um sinal característico de que uma teoria de mecânica quântica saiu dos trilhos ocorre quando ela produz "probabilidades" que *não* caem nessa faixa. Mencionamos, por exemplo, que um sinal da incompatibilidade entre a relatividade geral e a mecânica quântica, em termos de partículas puntiformes, é que os cálculos resultam em probabilidades infinitas. Como vimos, a teoria das cordas resolve esses infinitos. Mas o que ainda não mencionamos é que um problema residual e mais sutil persiste. Logo no início da teoria das cordas, verificou-se que certos cálculos produziam probabilidades *negativas*, o que também fica fora da faixa de aceitabilidade. Portanto, à primeira vista, a teoria das cordas parecia sofrer das mesmas dificuldades das suas predecessoras.

Com teimosa determinação, os físicos buscaram e encontraram a causa desse defeito inaceitável. A explicação começa com uma observação simples. Se uma corda for obrigada a permanecer em uma superfície bidimensional — como o tampo de uma mesa ou uma mangueira —, o número de direções independentes em que ela pode vibrar reduz-se a *dois*: a dimensão esquerda-direita e a dimensão frente-atrás, ao longo da superfície. Qualquer padrão vibratório que permaneça na superfície envolve alguma combinação de vibrações nessas duas direções.

Correspondentemente, vemos que isso também significa que uma corda na Terra Plana, no universo-mangueira, ou em qualquer outro universo bidimensional, também fica obrigada a vibrar em um total de duas direções espaciais independentes. Mas se a corda puder deixar a superfície, o número das direções independentes de vibração cresce para três, uma vez que ela passa a poder oscilar na dimensão acima-abaixo. Do mesmo modo, em um universo com três dimensões espaciais, a corda pode vibrar em três dimensões independentes. Embora seja mais difícil de visualizar, o modelo continua: em um universo com mais de três dimensões espaciais, haverá um número correspondente de direções independentes nas quais a corda pode vibrar.

Ressaltamos esse aspecto das vibrações das cordas porque os cientistas verificaram que os cálculos problemáticos são altamente sensíveis ao número de direções independentes em que uma corda pode vibrar. As probabilidades negativas surgiam em consequência de um *desencontro* entre o que a teoria requeria e o que a realidade parecia impor: os cálculos mostravam que se as cordas pudessem vibrar em *nove* direções espaciais independentes, todas as probabilidades negativas se cancelariam. Muito bem, isso é ótimo para a teoria, mas e daí? Se o propósito da teoria das cordas é descrever o nosso mundo com três dimensões espaciais, parecia que ainda tínhamos muitos problemas.

Seria verdade? Mais de meio século depois, vemos que Kaluza e Klein proporcionaram uma saída. Como as cordas são tão diminutas, elas não só podem vibrar nas dimensões longas e estendidas, mas também nas pequenas e recurvadas. E assim, o requisito de nove dimensões espaciais da teoria das cordas *pode* ser satisfeito no *nosso* universo, supondo — à Kaluza e Klein — que, além das três dimensões espaciais estendidas que conhecemos, há seis outras dimensões espaciais recurvadas. Desse modo, a teoria das cordas, que parecia estar a ponto de ser eliminada do reino da relevância física, estava a salvo. Além disso, em vez de se limitar a postular a existência de dimensões adicionais, como fizeram Kaluza e Klein e seus seguidores, a teoria as *requer*. Para que a teoria das cordas possa fazer sentido, o universo tem de ter nove dimensões espaciais e uma dimensão temporal, com um total de dez dimensões. Assim a proposta que Kaluza fez em 1919 encontra a sua expressão mais convincente e poderosa.

ALGUMAS PERGUNTAS

Isso provoca uma série de perguntas. Primeiro, por que a teoria das cordas requer o número específico de nove dimensões espaciais para cancelar os valores inadequados de probabilidade? Provavelmente essa é a pergunta mais difícil de responder sem recorrer a formalizações matemáticas. Os cálculos da teoria das cordas que revelam a resposta são relativamente simples, mas não há uma explicação intuitiva e não técnica para esse número. Ernest Rutherford disse que se você não consegue explicar um resultado em termos simples e não técnicos, é porque não chegou a compreendê-lo. Com isso, ele não quis dizer que o resultado esteja errado; simplesmente que a sua origem, o seu significado e as suas implicações não são inteiramente conhecidos. Talvez isso seja verdade com relação ao caráter superdimensional da teoria das cordas. (Aproveitemos essa oportunidade para referirmo-nos — parenteticamente — a um aspecto essencial da segunda revolução das supercordas, que discutiremos no capítulo 12. Os cálculos que levam à conclusão de que são dez as dimensões do espaço e do tempo — nove espaciais e uma temporal — são, a bem dizer, *aproximativos*. Em meados da década de 90, Witten, com base em seus próprios conhecimentos e nos trabalhos de Michael Duff, da Texas A&M University, e de Chris Hull e Paul Townsend, da Universidade de Cambridge, proporcionou provas convincentes de que esses cálculos aproximativos, na verdade, *deixam de incluir* uma dimensão espacial. O que a teoria das cordas requer, disse ele, para o espanto da maioria dos teóricos, são *dez* dimensões espaciais e uma temporal, para um total de *onze* dimensões. Nós não levaremos em conta essa importante informação até chegarmos ao capítulo 12, uma vez que ela não tem relevância direta para a matéria que estudaremos até então.)

Segundo, se as equações da teoria das cordas (ou, mais precisamente, as equações aproximadas que orientam as nossas discussões anteriores ao capítulo 12) revelam que o universo tem nove dimensões espaciais e uma temporal, por que é que três dimensões espaciais são grandes e estendidas e todas as outras são mínimas e recurvadas? Por que não são *todas* estendidas, ou todas recurvadas, ou alguma outra combinação intermediária? Ninguém sabe a resposta atualmente. Se a teoria das cordas estiver correta, algum dia deveremos conseguir deduzir a resposta certa, mas até aqui o conhecimento que temos da teoria não é refinado o bastante para alcançar esse objetivo. Isso não quer dizer que não se tenham feito corajosas tentativas de explicar. A partir de uma perspectiva cosmológica, por exemplo, podemos imaginar que, no início, todas as dimensões estavam recurvadas, até que, com o big bang, três dimensões espaciais e uma dimensão temporal se desdobraram e se expandiram até as proporções atuais, enquanto as outras dimensões espaciais permanecem pequenas. Algumas argumentações genéricas já foram apresentadas para explicar por que são apenas três as dimensões espaciais que crescem, como veremos no capítulo 14, mas devo dizer que tais explicações ainda estão no estágio formativo. Na discussão que se segue, suporemos que todas as dimensões espaciais, com exceção das três que conhecemos, são recurvadas, de acordo com o que vemos na realidade. Um dos objetivos principais das pesquisas atuais é comprovar que essa premissa decorre da própria teoria.

Terceiro, tendo em vista o requisito de numerosas dimensões adicionais, será possível que algumas delas sejam dimensões *temporais* e não espaciais? Se pensar um pouco a respeito, você verá que essa é uma possibilidade bizarra. Todos nós entendemos intuitivamente o que significa o fato de que o universo tenha múltiplas dimensões espaciais, pois vivemos em um mundo em que lidamos constantemente com três delas. Mas o que significaria a existência de múltiplos tempos? Acaso um deles se alinharia com o tempo que conhecemos psicologicamente enquanto o outro seria de algum modo "diferente"?

Mais estranho ainda é pensar em uma dimensão temporal recurvada. Por exemplo, se uma formiga minúscula andar à volta de uma dimensão espacial recurvada como um círculo, ela voltará continuamente ao ponto de partida, à medida que completa o circuito. Não há mistério nisso porque, para nós, não há nenhum problema em voltar a um mesmo lugar quantas vezes quisermos. Mas se a dimensão recurvada for temporal, passar por ela significaria voltar, após certo lapso temporal, a um *momento anterior no tempo*. Isso, é claro, está muito além dos domínios da nossa experiência de vida. O tempo como nós o conhecemos é uma dimensão que só pode ser percorrida em um sentido, com absoluta inevitabilidade, e nunca é possível regressar a um instante depois que ele tenha transcorrido. Evidentemente, poderia ser que uma dimensão temporal recurvada tivesse propriedades vastamente diferentes das que tem a nossa dimensão temporal familiar, que nós imaginamos existir desde a criação do universo até o presente momento. Mais ainda do que no caso das dimensões espaciais adicionais, dimensões temporais novas e desconhecidas claramente requereriam uma reestruturação ainda mais monumental da nossa intuição. Alguns teóricos vêm estudando a possibilidade de incorporar dimensões temporais adicionais à teoria das cordas, mas até aqui a situação permanece indefinida. Nas nossas discussões sobre a teoria das cordas, ficaremos com as ideias mais "convencionais", segundo as quais todas as dimensões recurvadas são espaciais, mas a possibilidade instigante de que existam outras dimensões temporais poderá, quem sabe, desempenhar um papel importante na futura evolução da teoria.

AS IMPLICAÇÕES FÍSICAS DAS DIMENSÕES ADICIONAIS

Anos de pesquisas, desde o trabalho original de Kaluza, mostraram que, embora as dimensões adicionais propostas pelos físicos tenham de ser menores do que o limite mínimo de alcance dos nossos instrumentos de observação (uma vez que nunca as vimos), elas produzem importantes efeitos *indiretos* na física que nós observamos. Na teoria das cordas, essa conexão entre as propriedades microscópicas do espaço e a física que observamos é particularmente transparente.

Para compreender essa afirmação, lembre-se de que as massas e as cargas das partículas são determinadas, na teoria das cordas, pelos possíveis padrões vibratórios ressonantes da corda. Imagine uma minúscula corda, movendo-se e oscilando, e você verá que os padrões de ressonância são influenciados pelo seu entorno espacial. Pense nas ondas do mar, por exemplo. No meio do oceano aberto, as ondas formam padrões isolados que viajam com liberdade nesta ou naquela direção. Isso se parece muito aos padrões vibratórios de uma corda que se move através das dimensões espaciais grandes e estendidas. Como vimos no capítulo 6, a corda tem liberdade também para oscilar em qualquer das três direções estendidas a qualquer momento. Mas se uma onda do mar passa por um local mais apertado, a forma específica do seu movimento ondulatório certamente será afetada, por exemplo, pela profundidade da água, pela localização e pela forma das rochas submersas, pelos canais através dos quais a água circula, e assim por diante. Ou então pense em um instrumento de sopro, ou em um órgão. Os sons que esses instrumentos produzem são uma consequência direta dos padrões ressonantes das vibrações das correntes de ar que passam pelo seu interior, os quais são determinados pelo tamanho e pela forma do entorno espacial dentro do instrumento, por onde circulam as correntes de ar. As dimensões espaciais recurvadas exercem um impacto similar sobre os padrões vibratórios possíveis de uma corda. Como as cordas minúsculas vibram através de todas as dimensões espaciais, a maneira específica em que as dimensões adicionais se recurvam e se retorcem umas sobre as outras influencia e condiciona fortemente os possíveis padrões vibratórios ressonantes. Esses padrões, em grande medida determinados pela geometria extradimensional, constituem a gama das propriedades possíveis das partículas observadas nas dimensões estendidas familiares. Isso significa que *a geometria extradimensional determina atributos físicos fundamentais, como as massas e as cargas de partículas que observamos nas três grandes dimensões espaciais que conhecemos em nossa experiência cotidiana.*

Esse ponto é de tal modo profundo e importante que vou repeti-lo, com sentimento. De acordo com a teoria das cordas, o universo é composto por cordas minúsculas cujos padrões vibratórios ressonantes são a origem microscópica das massas e das cargas de força das partículas. A teoria das cordas também requer dimensões espaciais adicionais, que devem estar recurvadas e cujo tamanho deve ser mínimo, para que sejam compatíveis com o fato de que nunca as tenhamos visto. Mas uma corda minúscula pode sondar um espaço minúsculo. Quando a corda se move, oscilando à medida que viaja, a forma geométrica das dimensões adicionais desempenha um papel crucial na determinação dos padrões vibratórios ressonantes. Como os padrões vibratórios das cordas se revelam a nós como as massas e as cargas das partículas elementares, concluímos que essas propriedades fundamentais do universo são determinadas, em grande medida, pelo tamanho e pela forma geométrica das dimensões adicionais. Essa é uma das contribuições mais importantes da teoria das cordas.

Como as dimensões adicionais influenciam tão poderosamente as propriedades físicas básicas do universo, devemos agora procurar compreender — com incansável vigor — qual a aparência dessas dimensões recurvadas.

QUAL A APARÊNCIA DAS DIMENSÕES RECURVADAS?

As dimensões espaciais adicionais da teoria das cordas não podem "enroscar-se" de qualquer maneira; as equações que decorrem da teoria restringem fortemente as formas geométricas que elas podem tomar. Em 1984, Philip Candelas, da Universidade do Texas em Austin, Gary Horowitz e Andrew Strominger, da Universidade da Califórnia em Santa Bárbara, e Edward Witten demonstraram que uma classe específica de formas geométricas de seis dimensões é capaz de satisfazer essas condições. Tais formas são conhecidas como *espaços de Calabi-Yau* (ou *formas de Calabi-Yau*), em homenagem a dois matemáticos, Eugenio Calabi, da Universidade da Pensilvânia, e Shing-Tung Yau, da Universidade Harvard, cujos trabalhos de pesquisa, anteriores à teoria das cordas, mas referentes a uma área correlata, têm um papel fundamental no entendimento desses espaços. Embora a matemática que descreve os espaços de Calabi-Yau seja complexa e sutil, podemos fazer uma ideia da sua aparência por meio de uma ilustração.[8]

A figura 8.9 mostra um exemplo de espaço de Calabi-Yau.[9] Ao examinar a figura, você deve levar em conta que ela tem limitações intrínsecas. Estamos tratando de representar uma forma de seis dimensões em uma folha de papel bidimensional, o que implica distorções significativas. A imagem, todavia, transmite em essência o aspecto que pode ter um espaço de Calabi-Yau.[10] A forma da figura 8.9 é apenas uma dentre as dezenas de milhares de possibilidades de formas de Calabi-Yau que satisfazem os severos requisitos que a teoria das cordas impõe às dimensões adicionais. Pertencer a um clube que tem dezenas de milhares de sócios não chega a ser algo muito exclusivo, é verdade, mas é preciso comparar esse número com a quantidade infinita das formas que são matematicamente possíveis; nesta perspectiva, os espaços de Calabi-Yau são verdadeiramente raros.

Para completar a ideia, você agora deve substituir mentalmente cada uma das esferas da figura 8.7 — que representavam duas dimensões recurvadas — por espaços de Calabi-Yau. Ou seja, em cada ponto das três dimensões estendidas que conhecemos, a teoria das cordas diz que há seis outras dimensões até aqui desconhecidas, compactamente recurvadas dentro de uma das formas de aspecto complicado que aparecem na figura 8.10. Essas dimensões são parte integrante e ubíqua do tecido do espaço e existem em todos os lugares. Por exemplo, se você descrever um arco com a mão, ela não só se moverá nas três dimensões estendidas, mas também nas outras dimensões recurvadas. Evidentemente, como as dimensões recurvadas são pequenas demais, ao mover a sua mão, você as circum-navegará um número enorme de vezes, voltando, repetidamente, ao ponto de partida. A extensão ínfima dessas dimensões significa que um objeto grande como

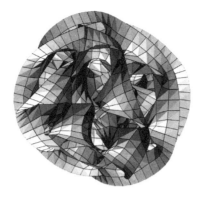

Figura 8.9 *Exemplo de espaço de Calabi-Yau.*

a sua mão não tem muito espaço para mover-se. Afinal, tudo se cancela, de modo que, após descrever o arco com a mão, você permanece totalmente inconsciente da viagem feita pelas dimensões recurvadas dos espaços de Calabi-Yau.

Essa é uma característica estonteante da teoria das cordas. Mas se você for uma pessoa com espírito prático, certamente estará desejando que a nossa conversa volte a um ponto essencial e concreto. Agora que temos uma ideia melhor da aparência das dimensões adicionais, podemos perguntar: quais são as propriedades físicas que surgem das cordas que vibram através dessas dimensões e de que maneira tais propriedades se conciliam com as observações experimentais? Essa é a pergunta de ouro da teoria das cordas.

Figura 8.10 *De acordo com a teoria das cordas, o universo tem dimensões adicionais, recurvadas em forma de Calabi-Yau.*

9. A evidência irrefutável:
sinais experimentais

Nada daria mais prazer aos teóricos das cordas do que poder apresentar ao mundo uma lista de previsões específicas e experimentalmente comprováveis. A verdade é que a única maneira de comprovar que uma teoria efetivamente descreve o nosso mundo é submeter à verificação experimental as previsões que ela faz. Por mais convincente que seja a imagem pintada pela teoria das cordas, se ela não descrever com precisão o nosso universo, não terá mais relevância do que um sofisticado jogo de RPG tipo Dungeons and Dragons.

Edward Witten gosta de dizer que a teoria das cordas já fez pelo menos uma previsão espetacular e experimentalmente confirmada: "A teoria das cordas tem a extraordinária propriedade de *prever a gravidade*".[1] O que ele quer dizer com isso é que tanto Newton quanto Einstein desenvolveram teorias da gravidade porque a observação do mundo exterior revelava claramente a sua existência, e isso, por sua vez, requeria uma explicação coerente e precisa. Ao contrário, um físico que estude a teoria das cordas — mesmo que desconheça totalmente a relatividade geral — será inexoravelmente levado a ela pelo próprio esquema da teoria. Por meio do padrão vibratório de spin-2 e sem massa, correspondente ao gráviton, a teoria das cordas tem a gravidade totalmente incorporada à sua estrutura teórica. Como disse Witten, "o fato de que a gravidade seja uma consequência da teoria das cordas é um dos maiores achados teóricos de todos os tempos".[2] Ele reconhece que essa "previsão" é mais corretamente uma "posvisão", porque a ciência já descobrira as propriedades teóricas da gravidade antes de conhecer a teoria das cordas, mas assinala que esse é um mero acidente histórico ocorrido aqui na Terra. Em outras civilizações avançadas do universo, é perfeitamente possível que a teoria das cordas tenha sido descoberta antes e que a teoria da gravitação tenha surgido como uma extraordinária consequência dela.

Mas como estamos presos à nossa história na Terra, são muitos os que acham pouco convincente que essa posvisão da gravidade possa valer como confirmação experimental da teoria das cordas. A maior parte dos físicos ficaria muito mais satisfeita com uma dessas duas possibilidades: uma previsão clara, que decorra da teoria das cordas e possa ser comprovada experimentalmente, ou a "posvisão" de alguma propriedade do mundo (como a massa do elétron, ou a existência de três famílias de partículas) para a qual não haja atualmente uma explicação. Neste capítulo discutiremos os progressos feitos pelos teóricos na direção desses objetivos.

Ironicamente, veremos que embora a teoria das cordas seja, potencialmente, a teoria com maior capacidade de prognósticos jamais estudada pelos cientistas — uma teoria que tem a capacidade de explicar as propriedades mais fundamentais da natureza —, os físicos ainda não conseguem fazer as previsões com a precisão necessária para que elas possam ser confrontadas com resultados experimentais. Como uma criança que recebe o presente de Natal tão sonhado, mas não consegue fazê-lo funcionar porque não leu todo o manual de instruções, assim também os físicos de hoje têm nas mãos algo que pode ser o Santo Graal da ciência moderna, mas não conseguem utilizar plenamente o seu poder de previsão porque ainda não acabaram de *escrever* o manual de instruções. Todavia, como veremos neste capítulo, se tivermos um pouco de sorte é possível que um aspecto essencial da teoria das cordas receba confirmação experimental dentro dos próximos dez anos. E se tivermos muito mais sorte, os sinais de validade da teoria podem ser confirmados a qualquer momento.

FOGO CRUZADO

A teoria das cordas está certa? Não sabemos. Se você acredita que as leis do universo não devem estar fragmentadas entre as que governam o que é grande e as que governam o que é pequeno e também acredita que não devemos estar tranquilos até que tenhamos uma teoria cujo campo de aplicação seja ilimitado, então você não pode deixar de interessar-se pela teoria das cordas. Você pode argumentar, por outro lado, que isso apenas revela a falta de imaginação dos físicos, e não a singularidade fundamental da teoria das cordas. Talvez. Você pode até ir mais adiante e dizer que, tal como o homem que perdeu as chaves de noite e as procura somente embaixo do poste de luz, os físicos se amontoam no estudo da teoria das cordas simplesmente porque os meandros da história da ciência iluminaram casualmente com um raio de luz esse lugar específico. Talvez. E se você é relativamente conservador ou gosta de bancar o advogado do diabo, pode mesmo afirmar que os físicos não têm por que perder tempo com uma teoria que postula um aspecto novo da natureza em uma escala 100 milhões de bilhões de vezes menor do que a nossa capacidade de observação.

Se você fizesse esses comentários na década de 80, quando a teoria das cordas causou o seu primeiro impacto, teria ao seu lado alguns dos mais respeitáveis cientistas da nossa época. Em meados daquela década, por exemplo, Sheldon Glashow, de Harvard, ganhador do prêmio Nobel de Física, juntamente com Paul Ginsparg, então também em Harvard, criticou publicamente a falta de demonstrabilidade experimental da teoria das cordas:

Em lugar da tradicional confrontação entre teoria e experiência, os teóricos das supercordas buscam uma harmonia interior, na qual a elegância, a singularidade e a beleza definem a verdade. Para que possa existir, a teoria depende de coincidências mágicas, cancelamentos miraculosos e relações entre campos aparentemente desconexos (e possivelmente ainda nem sequer descobertos) da matemática. Será que essas condições constituem razão suficiente para que aceitemos as supercordas como realidade? Será que a matemática e a estética suplantam e transcendem a mera experiência?[3]

Em outra ocasião, Glashow foi à carga novamente:

A teoria das supercordas é tão ambiciosa que só pode estar ou totalmente certa ou totalmente errada. O único problema é que a sua matemática é tão nova que vamos levar décadas até saber a resposta.[4]

Ele chegou mesmo a questionar se os teóricos da teoria das cordas deveriam ser "pagos pelos departamentos de física para perverter estudantes impressionáveis", e a alertar para que a teoria das cordas estava prejudicando a ciência, do mesmo modo como a teologia medieval o fizera durante a Idade Média.[5]

Richard Feynman, pouco antes de morrer, deixou claro que não acreditava que a teoria das cordas fosse a *única* cura para os problemas — em particular os perniciosos infinitos — que impediam uma fusão harmoniosa entre a gravidade e a mecânica quântica:

Tenho a sensação — mas posso estar errado — de que há mais de uma maneira de matar uma galinha. Não acho que haja só uma maneira de nos livrarmos dos infinitos. O fato de que uma teoria consiga fazê-lo não me parece ser razão suficiente para acreditar que ela seja a única capaz de consegui-lo.[6]

E Howard Georgi, o eminente colega e colaborador de Glashow em Harvard, também vociferou críticas ao final dos anos 80:

Se nós nos deixarmos atrair pelo canto de sereia de uma unificação "definitiva" conseguida em condições de distâncias tão pequenas que os nossos amigos experimentalistas simplesmente não podem prestar qualquer ajuda, estaremos em má situação porque perderemos o processo crucial de podar as ideias inaplicáveis, que distingue a física de tantas outras atividades humanas menos interessantes.[7]

Como em tantas outras questões de grande importância, para cada incréu existe um adepto fervoroso. Witten disse que quando viu que a teoria das cordas incorpora a gravidade e a mecânica quântica, sentiu "a maior emoção intelectual" da sua vida.[8] Cumrun Vafa, importante teórico das cordas na Universidade Harvard, disse que "sem dúvida, a teoria das cordas está permitindo o mais profundo entendimento do universo que jamais tivemos".[9] E Murray Gell-Mann, ganhador do prêmio Nobel, afirmou que a teoria das cordas é "uma coisa fantástica" e que espera que algum dia uma versão da teoria das cordas seja a teoria do mundo inteiro.[10]

Como se vê, o debate é alimentado em parte pela própria física e em parte pelas diferentes filosofias sobre como a física deve ser desenvolvida. Os "tradicionalistas" desejam que o trabalho teórico esteja sempre próximo à observação experimental, seguindo a linha de êxito das pesquisas dos últimos séculos. Outros, no entanto, acham que já estamos prontos para enfrentar questões que estão fora do alcance das nossas capacidades atuais de comprovação experimental.

Independentemente das questões filosóficas, grande parte das críticas à teoria das cordas perdeu vigor na última década. Glashow atribui esse fato a duas coisas. Em primeiro lugar, ele observa que, em meados dos anos 80,

> Os teóricos das cordas proclamavam com exuberante entusiasmo que logo estariam dando respostas a todas as perguntas da física. Como agora eles estão bem mais cautelosos com o seu entusiasmo, a maior parte das críticas perdeu relevância.[11]

Em segundo lugar, ele também assinala:

> Nós, os teóricos que não aderimos à teoria das cordas, não fizemos nenhum progresso na última década. Portanto, o argumento de que a teoria das cordas é o único caminho a seguir tornou-se forte e sedutor. Existem problemas que não encontram resposta na teoria quântica de campo convencional. Isso é certo. Eles podem encontrar resposta em algum outro esquema, e o único outro esquema que eu conheço é a teoria das cordas.[12]

Georgi reflete sobre a década de 80 no mesmo sentido:

> Em seus primórdios, por diversas vezes a teoria das cordas foi supervalorizada. Nos anos seguintes, vi que algumas das ideias da teoria das cordas levaram a maneiras novas e interessantes de pensar a respeito da física, que me ajudaram em meu trabalho. Estou muito mais contente agora ao ver as pessoas dedicando o seu tempo à teoria das cordas porque sei que algo de útil pode sair daí.[13]

O teórico David Gross, um líder tanto na teoria das cordas quanto na física convencional, resumiu com eloquência a situação da seguinte maneira:

Antes, para subir a montanha da natureza, os experimentalistas iam à frente, mostrando o caminho. Nós, os teóricos preguiçosos, íamos nos arrastando atrás. De vez em quando eles derrubavam uma pedra experimental nas nossas cabeças e acabávamos entendendo e prosseguíamos no caminho aberto pelos experimentalistas. Quando chegávamos onde eles estavam, explicávamos aos nossos amigos o que significava a paisagem e o porquê do caminho seguido. Essa era a maneira fácil (pelo menos para os teóricos) de subir a montanha. Todos ansiamos pela volta dessa época. Mas agora, nós, os teóricos, talvez tenhamos que tomar a liderança. Esse é um empreendimento muito mais solitário.[14]

Os teóricos das cordas não têm nenhum desejo de chegar sozinhos ao topo do monte da natureza; prefeririam muito mais compartilhar o esforço e a emoção com os colegas experimentalistas. É apenas por um acidente tecnológico da nossa situação atual — uma assincronia histórica — que o cordame e os ganchos teóricos necessários para uma subida final até o topo já estejam parcialmente desenvolvidos, enquanto os dos experimentalistas ainda não existem. Isso *não* significa que entre a teoria das cordas e a experimentação haja um divórcio insuperável. Ao contrário, os teóricos das cordas têm muita esperança de "derrubar uma pedra *teórica*" do alto da montanha, onde estão as energias ultra-altas, para os experimentalistas que trabalham mais abaixo. Esse é um dos principais objetivos das pesquisas atuais no campo da teoria das cordas. Até então, nenhuma pedra caiu, mas agora mesmo, enquanto discutimos aqui, alguns pedregulhos promissores já se fizeram sentir.

A ESTRADA DO EXPERIMENTO

Se não ocorrerem avanços tecnológicos monumentais, nunca seremos capazes de alcançar as escalas mínimas de distância necessárias para que se possa ver diretamente uma corda. Os cientistas podem sondar até um bilionésimo de bilionésimo de metro, com aceleradores que têm vários quilômetros de extensão. Para sondar distâncias menores são necessárias energias mais altas, o que significa máquinas ainda maiores, capazes de focalizar essa energia sobre uma única partícula. Como a distância de Planck é cerca de dezessete ordens de grandeza menor do que o espaço mínimo que hoje podemos sondar, com a tecnologia atual precisaríamos de um acelerador de partículas do tamanho da nossa *galáxia* para poder enxergar uma corda. Na verdade, Shmuel Nussinov, da Universidade de Tel Aviv, demonstrou que essa estimativa, baseada em um simples cálculo linear, é provavelmente demasiado otimista; um estudo mais cuidadoso feito por ele indica que seria necessário um acelerador do tamanho do *universo*. (A energia requerida para sondar a matéria na escala da distância de Planck equivale aproximadamente a mil quilowatts-horas — que é o montante necessário para fazer funcionar um aparelho de ar-condicionado normal durante cem horas —, nada extraordinário, portanto. O desafio tecnológico praticamente insuperável é o de focalizar toda essa energia em uma única partícula, ou seja, em uma única corda.) Tendo em vista que o Congresso dos Estados Unidos cancelou o financiamento do Superconducting Supercollider [Superacelerador Supercondutor] — cuja circunferência teria "apenas" 87 quilômetros —, é melhor esperar sentado pelo dinheiro necessário para um acelerador de partículas capaz de operar na escala de Planck. Para testar experimentalmente a teoria das cordas, será preciso operar de maneira indireta. Teremos de determinar implicações físicas da teoria das cordas que possam ser observadas em escala bem maiores do que o tamanho da própria corda.[15]

Em seu trabalho pioneiro, Candelas, Horowitz, Strominger e Witten deram os primeiros passos no rumo desse objetivo. Eles verificaram não só que as dimensões adicionais da teoria das cordas têm de estar recurvadas em uma forma de Calabi-Yau, como também desenvolveram algumas das implicações dessa situação sobre os possíveis padrões vibratórios das cordas. Uma das conclusões principais a que chegaram revela quão surpreendentes e provocantes podem ser as soluções oferecidas pela teoria das cordas para velhos problemas da física de partículas.

Lembre-se de que as partículas elementares já observadas dividem-se em três famílias de organização idêntica, sendo que em cada família as partículas vão se tornando cada vez mais pesadas. A pergunta para a qual não havia resposta antes da teoria das cordas é a seguinte: por que existem *famílias* e por que *três*? Essa é a proposta da teoria das cordas. Uma forma de Calabi-Yau típica contém *buracos* semelhantes aos que existem no centro de um disco fonográfico, ou de um *doughnut*, ou de um "*multidoughnut*", como na figura 9.1. No contexto das dimensões adicionais do espaço de Calabi-Yau, existem na verdade diversos tipos diferentes de buracos, os quais, por sua vez, podem ter diversas dimensões ("buracos multidimensionais"), mas a figura 9.1 transmite a ideia básica.

Candelas, Horowitz, Strominger e Witten examinaram atentamente os efeitos que esses buracos poderiam exercer sobre os possíveis padrões vibratórios das cordas e isso foi o que encontraram.

Para cada *buraco* no espaço de Calabi-Yau existe uma *família* de vibrações das cordas de energia mínima. Como as partículas elementares comuns devem corresponder aos padrões oscilatórios de energia mínima, a existência de buracos múltiplos — como os que aparecem no *multidoughnut* — significa que os padrões vibratórios das cordas distribuem-se em múltiplas famílias. Se o Calabi-Yau recurvado tiver três buracos, encontraremos três famílias de partículas elementares.[16] Assim, a teoria das cordas proclama que, em vez de ser uma característica inexplicável de origem divina ou aleatória, a organização familiar que observamos experimentalmente reflete o número de buracos existentes na forma geométrica em que se encontram as dimensões adicionais! Esse é o tipo de resultado que causa palpitações no coração de um físico.

Você poderia pensar que o número de buracos nas dimensões recurvadas da escala de Planck — física do topo da montanha *par excellence* — representa uma pedra, testável experimentalmente, que desce pela encosta na direção das energias acessíveis. Afinal, os experimentalistas podem determinar — e de fato já determinaram — o número das famílias de partículas: três. Infelizmente, o número de buracos que existem em cada uma das dezenas de milhares de formas de Calabi-Yau varia em uma ampla faixa. Alguns têm três. Mas outros têm quatro, cinco, 25 e assim por diante — alguns chegam a ter 480 buracos. *O problema está em que, até aqui, ninguém sabe como deduzir a partir das equações da teo-*

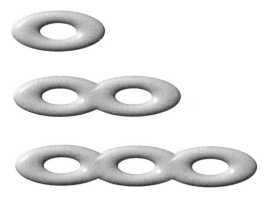

Figura 9.1 *Um doughnut, ou toro, e seus primos múltiplos.*

ria das cordas qual das formas de Calabi-Yau constitui as dimensões espaciais adicionais. Se pudéssemos encontrar o princípio que permite selecionar uma forma de Calabi-Yau dentre as numerosas possibilidades, aí sim, a pedra cairia do topo da montanha até o acampamento dos experimentalistas. Se a forma de Calabi-Yau específica selecionada pelas equações da teoria tivesse três buracos, teríamos encontrado uma convincente "posvisão" da teoria das cordas explicando um conhecido aspecto do mundo que, de outro modo, é completamente misterioso. Mas o problema de encontrar o princípio que permite escolher entre as formas de Calabi-Yau permanece sem solução. Todavia — e esse é um ponto importante —, vemos que a teoria das cordas tem a capacidade potencial de resolver esse quebra-cabeça fundamental da física de partículas, e isso é, por si só, um progresso substancial.

O número de famílias é apenas uma das consequências experimentais da forma geométrica das dimensões adicionais. Por meio dos efeitos que elas exercem sobre os possíveis padrões vibratórios das cordas, outras consequências das dimensões adicionais abrangem as propriedades específicas das partículas da matéria e das forças. Em um primeiro exemplo, Strominger e Witten demonstraram em um trabalho posterior que as massas das partículas de cada uma das famílias dependem — preste atenção porque isso é difícil — do modo pelo qual os contornos dos vários buracos multidimensionais da forma de Calabi-Yau estabelecem interseções ou sobreposições uns com os outros. A visualização é difícil, mas a ideia é que conforme as cordas vibram através das dimensões adicionais recurvadas, a disposição exata dos diversos buracos e a maneira pela qual a forma de Calabi-Yau os envolve exercem influência direta sobre os possíveis padrões de vibração ressonantes. Embora os detalhes sejam difíceis de acompanhar e não sejam tão essenciais assim, o que importa é que, como no caso do número das famílias, a teoria das cordas pode nos proporcionar um esquema para dar resposta a perguntas — como o porquê das massas do elétron e das outras partículas — a respeito das quais as demais teorias silenciam. Mas também aqui para seguir adiante com os cálculos é preciso saber qual é o espaço de Calabi-Yau que deve ser usado para as dimensões adicionais.

A discussão precedente dá uma ideia de como a teoria das cordas poderá um dia explicar as propriedades das partículas de matéria da tabela 1.1. Os teóricos das cordas acreditam que uma história semelhante um dia explicará também as propriedades das partículas mensageiras das forças fundamentais, que aparecem na tabela 1.2. Um pequeno subconjunto do vasto repertório de oscilações das cordas que vibram e se retorcem sinuosamente através das dimensões estendidas e recurvadas consiste de vibrações com spin igual a 1 ou 2. Esses são os estados de vibração das cordas que possivelmente transmitem as forças. Independentemente da forma do espaço de Calabi-Yau, sempre há um padrão vibratório que é sem massa e tem spin-2; esse padrão é identificado como o gráviton. A lista precisa das partículas mensageiras de spin-1 — seu número, a intensidade das forças que elas transmitem, as simetrias de calibre que elas observam — depende crucialmente, no entanto, da forma geométrica exata das dimensões recurvadas. Chegamos novamente à conclusão de que a teoria das cordas fornece um esquema para explicar a existência das partículas mensageiras que observamos no nosso universo, ou seja, para explicar as propriedades das forças fundamentais, mas que enquanto não soubermos exatamente em qual das formas de Calabi-Yau as dimensões adicionais estão recurvadas, não poderemos fazer nenhuma previsão ou "posvisão" definitivas (além da observação de Witten relativa à "posvisão" da gravidade).

Por que não conseguimos descobrir qual é a forma de Calabi-Yau "certa"? A maior parte dos teóricos das cordas atribui esse fato à inadequação dos instrumentos teóricos atualmente utilizados para analisar a teoria das cordas. Como veremos mais detalhadamente no capítulo 12, o esquema matemático da teoria das cordas é tão complexo que os físicos só foram capazes de efetuar cálculos aproximados graças a uma formalização denominada *teoria da perturbação*. Nesse esquema, todas as forma de Calabi-Yau possíveis parecem estar em pé de igualdade umas com as outras; as equações não distinguem nenhuma em particular. E como as consequências físicas da teoria das cordas dependem sensivelmente da forma precisa das dimensões recurvadas, enquanto não tivermos a capacidade de selecionar um espaço de Calabi-Yau entre os muitos que existem, não poderemos tirar nenhuma conclusão experimentalmente testável. Um dos fatores que hoje estimulam as pesquisas com vistas a desenvolver métodos teóricos que transcendam o enfoque aproximativo até aqui seguido é a esperança de que, entre outros benefícios, sejamos levados a uma forma de Calabi-Yau única para as dimensões adicionais. Discutiremos os progressos que se fazem nesse sentido no capítulo 13.

EXAURINDO AS POSSIBILIDADES

Então você poderia perguntar: ainda que não saibamos qual é a forma de Calabi-Yau escolhida pela teoria das cordas, existe *alguma* escolha possível capaz de produzir características físicas compatíveis com as que observamos na realidade? Em outras palavras, se nós deduzíssemos as propriedades físicas correspondentes a cada uma das formas de Calabi-Yau e as reuníssemos em um enorme catálogo, haveria alguma que coincidisse com a realidade? Essa é uma pergunta importante, mas, por duas razões, difícil de responder cabalmente.

Um modo sensato de começar é concentrarmo-nos apenas nas formas de Calabi-Yau que produzem três famílias. Isso reduz consideravelmente a lista de escolhas viáveis, mas ainda são muitas as que permanecem. Com efeito, note que é possível deformar um *doughnut* com várias pontas e convertê-lo em uma série de outras formas — na verdade, um número infinito delas — sem modificar o número de buracos que ele contém. A figura 9.2 ilustra uma dessas deformações, obtida a partir da forma inferior da figura 9.1. Dessa mesma maneira, podemos começar com um espaço de Calabi-Yau de três buracos e deformar suavemente o seu aspecto sem alterar o número de buracos, o que novamente pode gerar uma infinidade de formas. (Quando mencionamos a existência de dezenas de milhares de formas de Calabi-Yau, já estávamos considerando como um só grupo todas as formas que podem converter-se umas nas outras através dessas deformações suaves e contando todo o grupo como um único espaço de Calabi-Yau.) O problema é que as propriedades físicas específicas das vibrações das cordas, suas massas e suas respostas às forças são *muito* afetadas por essas mudanças de forma, mas também aqui não temos os meios para selecionar uma possibilidade em detrimento de qualquer outra. E por mais que coloquemos

Figura 9.2 *O formato de um doughnut múltiplo pode ser deformado de diferentes maneiras, um dos quais está ilustrado aqui, sem modificar o número de buracos que ele contém.*

pesquisadores e estudantes de física para trabalhar nesse problema, simplesmente não é possível determinar as características físicas correspondentes a uma lista infinita de formas diferentes.

Isto levou os teóricos a examinar os resultados físicos de uma amostra de formas de Calabi-Yau possíveis. Mesmo aqui, porém, nem tudo são flores. As equações aproximadas usadas atualmente na teoria das cordas não são suficientemente precisas para determinar por completo a estrutura física resultante de nenhuma das formas de Calabi-Yau escolhidas. Elas propiciam um entendimento genérico das propriedades das vibrações das cordas que nós temos a expectativa de associar com as partículas que observamos. Mas conclusões físicas precisas e definitivas, tais como a massa do elétron ou a intensidade da força fraca, requerem equações muito mais exatas do que aquilo que o esquema aproximado atual nos permite. Lembre-se do capítulo 6 — e do exemplo de *The Price is Right* —, em que vimos que a escala "natural" de energias da teoria das cordas é a energia de Planck e que só por meio de cancelamentos extremamente delicados a teoria das cordas produz padrões vibratórios com massas próximas às das partículas conhecidas de matéria e de força. Cancelamentos delicados requerem cálculos precisos porque mesmo erros pequenos têm um forte impacto sobre a exatidão. Como veremos no capítulo 12, em meados da década de 90 a ciência fez progressos significativos no sentido de transcender as atuais equações aproximadas, mas o caminho a percorrer ainda é longo.

Então, onde estamos? Bem, mesmo com os sérios problemas decorrentes de não dispormos de critérios fundamentais para escolher uma forma de Calabi-Yau dentre todas as demais e de não termos todos os instrumentos teóricos necessários para extrair por completo as consequências observáveis de tal escolha, podemos sempre perguntar se *alguma* das escolhas do catálogo de formas de Calabi-Yau pode dar lugar a um mundo que seja pelo menos compatível com o que observamos. A resposta a essa pergunta é bastante animadora. Embora a maior parte dos itens que compõem o catálogo Calabi-Yau produza consequências observáveis que diferem significativamente do nosso mundo (número diferente de famílias de partículas e número e tipos diferentes de forças fundamentais, entre outros desvios substanciais), alguns itens do catálogo geram esquemas físicos que *se aproximam* qualitativamente do que nós observamos na realidade. Ou seja, *existem* exemplos de espaços de Calabi-Yau que, se escolhidos para as dimensões recurvadas requeridas pela teoria das cordas, dão origem a vibrações das cordas muito próximas às partículas do modelo-padrão. O mais importante é que a teoria das cordas consegue incorporar a força da gravidade a um esquema de mecânica quântica.

No nosso nível atual de avanço, isso é o melhor que poderíamos esperar. Se muitas das formas de Calabi-Yau parecessem compatíveis com as experiências objetivas, o vínculo entre uma eventual escolha e a estrutura física que observamos seria menos convincente. Muitas escolhas poderiam servir e então nenhuma delas apareceria como a definitiva, mesmo a partir de uma perspectiva experimental. Por outro lado, se nenhuma das formas de Calabi-Yau chegasse sequer perto de gerar as propriedades físicas observadas, a teoria das cordas, apesar da beleza do seu esquema teórico, poderia não ter qualquer relevância para o nosso universo. Encontrar um pequeno número de formas de Calabi-Yau que, dentro da nossa capacidade limitada de determinar as implicações físicas específicas, pareçam estar na faixa da aceitabilidade é um avanço extremamente animador.

Explicar as propriedades das partículas elementares de matéria e de força estaria entre as maiores — se não for *a* maior — das conquistas científicas. Todavia, você ainda pode perguntar se haveria alguma *previsão* — e não "posvisão" — da teoria das cordas que os experimentalistas pudessem tentar confirmar, agora ou no futuro previsível. Sim, há.

SUPERPARTÍCULAS

As limitações teóricas que atualmente nos impedem de extrair previsões específicas da teoria das cordas nos obrigam a buscar aspectos *genéricos* do universo, em vez de aspectos específicos. Neste contexto, a palavra "genéricos" refere-se a características tão fundamentais da teoria das cordas que são praticamente, ou mesmo totalmente, independentes das propriedades específicas da teoria, as quais estão hoje fora do nosso alcance. Essas características podem ser discutidas com confiança, mesmo no cenário incompleto dos nossos conhecimentos a respeito da teoria como um todo. Nos capítulos seguintes voltaremos a outros exemplos, mas por agora vamos nos concentrar em apenas um: a supersimetria.

Como já vimos, uma propriedade fundamental da teoria das cordas é que ela é altamente simétrica e não só incorpora os princípios intuitivos da simetria como também respeita a extensão matemática máxima desses princípios, a supersimetria. Isso significa, como vimos no capítulo 7, que os padrões vibratórios das cordas ocorrem em pares — pares superparceiros — que diferem entre si por meia unidade de spin. Se a teoria das cordas estiver correta, algumas das vibrações das cordas corresponderão às partículas elementares conhecidas. E devido ao emparelhamento supersimétrico, a teoria das cordas faz a *previsão* de que cada uma das partículas conhecidas tem um superparceiro. Podemos determinar as cargas de força que cada uma dessas partículas deve possuir, mas não temos ainda a capacidade de prever as suas massas. Mesmo assim, a previsão de que os superparceiros *existem* é uma característica genérica da teoria das cordas; é uma propriedade da teoria das cordas que será verdadeira independentemente dos aspectos da teoria que nós ainda não dominamos.

Nunca se observou nenhum superparceiro das partículas elementares conhecidas. Isso pode significar que eles não existem e que a teoria das cordas está errada. Mas muitos físicos de partículas acham que isso se deve a que os superparceiros são tão pesados que estão além da nossa capacidade de observá-los experimentalmente. Os cientistas estão construindo agora um gigantesco acelerador de partículas em Genebra, na Suíça, que tem o nome de Large Hadron Collider (Grande Anel de Colisão de Hádrons). Há fortes esperanças de que essa máquina tenha potência suficiente para encontrar as partículas superparceiras. O acelerador deve entrar em operação antes de 2010 e logo a seguir a supersimetria poderá encontrar confirmação experimental. Como disse Schwarz, "a supersimetria deverá ser descoberta dentro de algum tempo, e quando isso acontecer, será sensacional".[17]

Mas há duas coisas que você deve ter em mente. Mesmo que as partículas superparceiras sejam encontradas, esse fato por si só não bastará para determinar que a teoria das cordas está certa. Como já vimos, embora a supersimetria tenha sido descoberta por meio do estudo da teoria das cordas, ela também foi incorporada com êxito em teorias de partículas puntiformes, e não é, portanto, uma propriedade exclusiva da teoria das cordas. Por outro lado, ainda que o

Large Hadron Collider não encontre as partículas superparceiras, esse fato por si só não refutará a teoria das cordas, pois pode ser que os superparceiros sejam tão pesados que estejam fora do acesso também desse acelerador.

Dito isso, também deve ser assinalado que se as partículas superparceiras forem descobertas, essa será a maior e mais decisiva comprovação circunstancial em favor da teoria das cordas.

PARTÍCULAS COM CARGAS FRACIONÁRIAS

Outro sinal experimental da teoria das cordas, que tem a ver com a carga elétrica, é menos global do que as partículas superparceiras mas igualmente sensacional. As partículas elementares do modelo-padrão têm um estoque muito limitado de cargas elétricas: os quarks e antiquarks têm cargas elétricas de um terço ou dois terços, positivos ou negativos, e as outras partículas têm cargas elétricas de zero, um ou menos um. As combinações entre essas partículas correspondem à totalidade da matéria conhecida do universo. Na teoria das cordas, contudo, é possível a existência de padrões vibratórios ressonantes correspondentes a partículas com cargas elétricas significativamente diferentes. A carga elétrica de uma partícula pode, por exemplo, tomar valores fracionários exóticos como 1/5, 1/11, 1/13, ou 1/53, entre tantas outras possibilidades. Essas cargas insólitas podem ocorrer se as dimensões recurvadas tiverem uma certa propriedade geométrica: buracos que têm a propriedade particular de que as cordas que os envolvem só conseguem desemaranhar-se se derem um determinado número de voltas completas ao seu redor.[18] Os detalhes não apresentam grande importância, mas sabemos que o número das voltas necessárias para desemaranhá-las manifesta-se nos padrões vibratórios admitidos determinando o denominador da carga fracionária.

Algumas formas de Calabi-Yau têm essa propriedade geométrica e outras não, razão por que a possibilidade da existência de cargas elétricas fracionárias não é tão geral quanto a existência das partículas superparceiras. Por outro lado, conquanto a previsão dos superparceiros não seja uma característica exclusiva da teoria das cordas, décadas de experiências revelaram que não existe nenhuma razão determinante para que essas cargas fracionárias devam existir em *qual-*

quer das teorias de partículas puntiformes. Tais cargas podem ser impostas a uma teoria de partículas puntiformes, mas isso seria tão natural quanto a proverbial presença de um touro em uma loja de porcelanas. A possibilidade do surgimento dessas partículas a partir de propriedades geométricas simples das dimensões adicionais faz das cargas elétricas fracionárias e exóticas uma marca experimental natural da teoria das cordas.

Tal como no caso dos superparceiros, nunca se encontrou nenhuma dessas partículas com cargas estranhas e os nossos conhecimentos da teoria das cordas ainda não nos permite uma previsão definitiva das suas massas, supondo que as dimensões adicionais tenham as propriedades corretas para gerá-las. Uma explicação possível para isso é que as suas massas, se é que elas existem, devem ser demasiado grandes para que possamos detectá-las com os meios de que dispomos atualmente. Com efeito, é possível que as massas sejam da ordem da massa de Planck. Mas se algum dia uma experiência encontrar tais cargas elétricas exóticas, isso constituirá um fator muito convincente em favor da teoria das cordas.

POSSIBILIDADES MAIS REMOTAS

Há outras maneiras pelas quais é possível encontrar indícios comprobatórios da teoria das cordas. Por exemplo, Witten anotou a possibilidade remota de que os astrônomos um dia vejam um sinal direto da teoria das cordas nos dados obtidos com a observação do firmamento. Como foi dito no capítulo 6, o tamanho típico de uma corda é a distância de Planck, mas as cordas que contêm mais energia podem ser substancialmente maiores. Com efeito, a energia do big bang deve ter sido suficientemente alta para produzir algumas cordas macroscopicamente grandes, que, com a expansão cósmica, podem ter alcançado proporções astronômicas. É possível imaginar que agora, ou em qualquer momento futuro, uma dessas cordas apareça de repente no céu, deixando uma marca inconfundível e mensurável nos dados coligidos pelos astrônomos (tais como uma pequena alteração na temperatura da radiação cósmica de fundo em micro-ondas; veja o capítulo 14). Como diz Witten, "apesar de ser um tanto fantasioso, esse é o meu cenário favorito para a confirmação da teoria das cordas, uma vez que nada resolveria a questão de maneira tão espetacular quanto ver uma corda em um telescópio".[19]

Mais perto da Terra, já foram arguidas outras marcas experimentais possíveis para a teoria das cordas. Eis alguns exemplos. Primeiro, na tabela 1.1, notamos que não sabemos ainda se os neutrinos são muito leves ou se são totalmente destituídos de massa. De acordo com o modelo-padrão, eles não têm massa, mas não há nenhuma razão realmente determinante para isso. Uma tarefa desafiadora para a teoria das cordas seria a de encontrar uma explicação convincente para os dados relativos aos neutrinos, atuais e futuros, especialmente se ficar demonstrado que eles efetivamente têm uma massa mínima mas diferente de zero. Segundo, há certos processos hipotéticos que não são permitidos no modelo-padrão e sim na teoria das cordas. Entre eles estão a possibilidade da desintegração do próton (não se preocupe; se essa desintegração for possível, ela será muito vagarosa) e as possíveis transmutações e desintegrações de diversas combinações de quarks, fenômenos que violariam certas propriedades já há muito tempo estabelecidas pela teoria quântica de campo das partículas puntiformes.[20] Processos desse tipo são particularmente interessantes porque não existem na teoria convencional, o que faz com que sejam sinais físicos significativos que não poderiam ser explicados sem recurso a princípios teóricos novos. Se qualquer desses processos for observado, encontraríamos solo fértil para uma explicação oferecida pela teoria das cordas. Terceiro, para certas escolhas da forma de Calabi-Yau há determinados padrões de vibração das cordas que podem produzir novos campos de força, mínimos e de longo alcance. Se os efeitos de alguma dessas forças forem descobertos, isso poderia propiciar o desenvolvimento de uma parte da nova física da teoria das cordas. Quarto, como assinalaremos no próximo capítulo, os astrônomos dispõem de provas de que a nossa galáxia — assim como, possivelmente, todo o universo — está imersa em um mar de *matéria escura,* cuja identidade ainda não foi determinada. Graças às múltiplas possibilidades de padrões vibratórios ressonantes, a teoria das cordas pode sugerir diversos candidatos para a matéria escura; a decisão final terá de aguardar futuros resultados experimentais que estabeleçam as propriedades específicas da matéria escura.

Finalmente, uma quinta possibilidade de vincular a teoria das cordas a observações objetivas relaciona-se com a constante cosmológica — lembre-se de que vimos no capítulo 3 que a constante cosmológica é uma modificação que Einstein impôs, temporariamente, às suas próprias equações originais da relatividade geral para poder explicar um universo estático. Embora a descoberta posterior de que o universo está em expansão tenha levado Einstein a retirar a modificação proposta, os físicos concluíram que não existe nenhuma *explicação* para que a constante cosmológica seja efetivamente igual a zero. Com efeito, a constante cosmológica pode ser interpretada como uma espécie de energia geral existente no vácuo do espaço. Portanto, o seu valor deveria ser teoricamente calculável e experimentalmente quantificável. Mas até agora esses cálculos têm levado a um colossal desencontro: as observações revelam que a constante cosmológica ou é zero (como Einstein acabou sugerindo) ou muito pequena; mas os cálculos indicam que as flutuações da mecânica quântica no vácuo espacial tendem a *gerar* uma constante cosmológica diferente de zero, cujo valor é cerca de 120 ordens de grandeza (o número 1 seguido de 120 zeros) maior do que o que é permitido pela experiência! Isso apresenta uma oportunidade e um desafio excelentes para os teóricos das cordas: os cálculos feitos com a teoria das cordas serão capazes de resolver esse desencontro e explicar por que a constante cosmológica é igual a zero? E se as experiências terminarem por estabelecer um valor pequeno mas diferente de zero para a constante cosmológica, a teoria das cordas conseguirá produzir uma explicação? Se os estudiosos das cordas conseguirem enfrentar esse desafio — o que ainda não aconteceu — proporcionarão uma comprovação convincente da veracidade da teoria.

UM BALANÇO

A história da física está cheia de ideias que, ao serem apresentadas, eram inteiramente intestáveis, mas que, ao longo de diversos acontecimentos imprevistos, foram trazidas ao campo da verificabilidade experimental. A noção de que a matéria é composta por átomos, a hipótese de Pauli sobre a existência do neutrino e a possibilidade de que o céu esteja repleto de estrelas de nêutrons e buracos negros são três ideias desse tipo, hoje totalmente aceitas, mas que ao serem articuladas pela primeira vez pareciam mais criações de ficção científica do que fatos científicos.

As motivações que levaram à proposição da teoria das cordas são pelo menos tão sólidas quanto nos casos dessas três ideias, e, na verdade, a teoria das cordas é considerada como o avanço mais importante da física teórica desde a descoberta da mecânica quântica. Essa comparação é particularmente interessante porque a história da mecânica quântica nos ensina que as revoluções da física podem levar várias décadas para amadurecer. Em comparação com os teóricos das cordas de hoje, os que trabalharam com a mecânica quântica tinham uma grande vantagem: mesmo quando a sua formulação era ainda apenas parcial, a mecânica quântica podia estabelecer contato direto com os resultados experimentais. Mesmo assim, foram precisos quase trinta anos para que a estrutura lógica da mecânica quântica fosse elaborada e outros vinte anos para incorporar a relatividade especial à teoria. Agora estamos incorporando a relatividade geral, o que é uma missão muito mais difícil, além de apresentar problemas muito maiores de contato com o mundo das experiências. Ao contrário dos que trabalhavam com a teoria quântica, os teóricos das cordas de nossos dias não dispõem da luz brilhante da natureza — ou seja, detalhados resultados experimentais — que os oriente quanto aos passos seguintes.

Assim, é possível que uma geração inteira de cientistas, ou mesmo mais, devote suas vidas à pesquisa e ao desenvolvimento da teoria das cordas sem dispor de nenhum elemento de comprovação experimental. O número substancial de físicos de todo o mundo que se empenha vigorosamente pelo aperfeiçoamento da teoria das cordas sabe o risco que está correndo: o de dedicar toda uma vida de esforços a um empreendimento que pode, afinal, ser inconclusivo. Sem dúvida, o progresso teórico continuará, mas será isso suficiente para superar os obstáculos atuais e produzir afinal previsões verificáveis experimentalmente? Será que os testes indiretos que discutimos resultarão em uma verdadeira prova irrefutável da teoria das cordas? Essas perguntas têm uma importância essencial para todos os estudiosos da teoria das cordas, mas ainda não se pode afirmar nada a respeito delas. Só o tempo revelará as respostas. A bela simplicidade da teoria das cordas, a maneira pela qual ela resolve o conflito entre a gravitação e a mecânica quântica, a sua capacidade de unificar todos os componentes da natureza e o seu potencial ilimitado de fazer previsões enchem de ânimo os estudiosos e os levam a assumir os riscos.

Essas considerações elevadas têm recebido continuamente o reforço propiciado pela capacidade da teoria das cordas de descobrir características novas e notáveis de um universo baseado em cordas — características que revelam uma coerência sutil e profunda no funcionamento da natureza. Muitas delas referem-se a aspectos globais que virão a constituir as propriedades básicas de um universo formado por cordas, quaisquer que sejam os detalhes que hoje desconhecemos. Dentre essas propriedades, algumas das mais surpreendentes já causaram um efeito profundo na nossa compreensão — que não cessa de se desenvolver — do espaço e do tempo.

PARTE IV

A teoria das cordas e o tecido do espaço-tempo

10. Geometria quântica

No transcurso de uma década, Einstein conseguiu derrubar sozinho o esquema newtoniano secular e dar ao mundo uma explicação radicalmente nova e indubitavelmente mais profunda para a gravidade. Leigos e especialistas deslumbram-se da mesma maneira diante da fabulosa originalidade e do brilho extraordinário da sua mente ao arquitetar a relatividade geral. É bom, contudo, que não percamos de vista o fato de que circunstâncias históricas favoráveis contribuíram fortemente para o êxito de Einstein. Dentre elas se destacam as descobertas matemáticas de Georg Bernhard Riemann, que deixou firmemente estabelecido no século XIX o método geométrico que descreve os espaços curvos em qualquer número de dimensões. Em sua famosa conferência inaugural de 1854 na Universidade de Göttingen, Riemann rompeu os grilhões do espaço plano euclidiano e pavimentou o caminho para um tratamento matemático democrático da geometria em relação a todas as variedades de superfícies curvas. Foram as exposições de Riemann que desenvolveram a matemática necessária para analisar quantitativamente espaços curvos como os ilustrados nas figuras 3.4 e 3.6. O gênio de Einstein consistiu em reconhecer que essa obra matemática prestava-se com perfeição para a implementação da sua nova concepção da força gravitacional. Ele teve a coragem de declarar que a matemática da geometria de Riemann alinha-se perfeitamente com a física da gravidade.

Mas agora, quase um século depois da proeza de Einstein, a teoria das cordas nos dá uma descrição da gravidade em termos de mecânica quântica que necessariamente modifica a relatividade geral quando as distâncias envolvidas reduzem-se ao nível da distância de Planck. Como a geometria riemanniana é o núcleo matemático da relatividade geral, isso significa que também essa teoria tem de ser modificada para refletir com fidelidade a nova física das pequenas distâncias que aparece na teoria das cordas. Enquanto a relatividade geral afirma que as propriedades curvas do universo são explicadas pela geometria riemanniana, a teoria das cordas afirma que isso só é verdade quando examinamos o tecido do universo em escalas suficientemente grandes. Na escala da distância de Planck, surge uma nova geometria, a qual se alinha com a nova física da teoria das cordas. Esse novo esquema geométrico recebeu o nome de *geometria quântica*.

Ao contrário do caso da geometria riemanniana, aqui não há nenhuma obra matemática preexistente esperando em alguma prateleira que os estudiosos da teoria das cordas a adotem para pô-la a serviço da geometria quântica. Em vez disso, os físicos e matemáticos de agora estão vigorosamente empenhados em montar, peça por peça, um novo ramo dessas ciências, em conformidade com a teoria das cordas. Embora essa história ainda não tenha chegado ao fim, as pesquisas já revelaram muitas propriedades geométricas novas do espaço e do tempo que decorrem da teoria das cordas — propriedades que com certeza teriam embasbacado o próprio Einstein.

O CERNE DA GEOMETRIA RIEMANNIANA

Se você pular em uma cama elástica, o peso do seu corpo fará com que ela afunde sob os seus pés, estirando as suas fibras. O estiramento é mais pronunciado na região que está sob o seu corpo e vai se suavizando em direção às bordas da cama elástica. Isso pode ser visto com clareza se uma imagem conhecida, como a da Mona Lisa, estiver pintada na superfície. Quando a cama elástica não está suportando nenhum peso, a Mona Lisa aparece normalmente. Mas quando você sobe nela, a imagem fica distorcida, sobretudo na parte que está diretamente abaixo do seu corpo, tal como se vê na figura 10.1.

Este exemplo nos leva diretamente ao cerne do esquema matemático de Riemann para descrever formas recurvadas ou empenadas. Trabalhando com base em descobertas anteriores de Carl Friedrich Gauss, Nikolai Lobachevsky, Janos Bolyai e outros, Riemann demonstrou que a análise cuidadosa das *distâncias* entre todos os lugares da superfície ou do interior de um objeto proporciona um meio de quantificar a sua curvatura. Em termos gerais, quanto maior for o estiramento (não uniforme) — ou seja, quanto maior for o desvio com relação às distâncias em uma superfície plana —, tanto maior será a curvatura do objeto. A cama elástica, por exemplo, estira-se mais onde está o seu corpo e, portanto, as relações de distância entre os pontos desse lugar específico são as que ficam mais distorcidas. Essa região da cama elástica tem, por conseguinte, a maior proporção de curvatura, o que corresponde ao que se poderia esperar, uma vez que a figura da Mona Lisa sofre aí a maior distorção, dando a impressão de uma careta no canto do seu famoso sorriso enigmático.

Einstein adotou as descobertas matemáticas de Riemann e deu a elas uma interpretação física precisa. Ele demonstrou, como vimos no capítulo 3, que a curvatura do espaço-tempo incorpora a força gravitacional. Examinemos um pouco mais de perto essa interpretação. Matematicamente, a curvatura do espaço-tempo — como a curvatura da cama elástica — reflete as relações distorcidas de distância entre os seus *pontos*. Fisicamente, a força gravitacional experimentada por um objeto é um reflexo direto dessa distorção. Com efeito, trabalhando com objetos cada vez menores, a física e a matemática alinham-se

Figura 10.1 *Quando você sobe na cama elástica com o retrato da Mona Lisa, a imagem fica mais distorcida sob o peso do seu corpo.*

com precisão cada vez maior, à medida que nos aproximamos da realização física do conceito matemático abstrato do ponto. Mas a teoria das cordas impõe um limite à precisão com que a formalização geométrica de Riemann pode ser realizada pela física da gravidade, porque há um limite mínimo para o tamanho de um objeto. Quando chegamos ao tamanho das cordas não podemos continuar a diminuir. A noção tradicional de partícula puntiforme não existe na teoria das cordas — e esse é um elemento essencial para a sua capacidade de gerar uma teoria quântica da gravidade. Essa é uma demonstração concreta de que nas escalas ultramicroscópicas o esquema geométrico de Riemann, que está baseado fundamentalmente nas distâncias existentes entre pontos, é modificado pela teoria das cordas.

Essa observação tem impacto diminuto sobre as aplicações macroscópicas comuns da relatividade geral. Nos estudos cosmológicos, por exemplo, costumeiramente as galáxias distantes são representadas como se fossem pontos, uma vez que o seu tamanho é extremamente pequeno em relação ao universo como um todo. É por isso que a implementação do esquema geométrico de Riemann, mesmo dessa maneira tosca, produz aproximações bastante precisas, o que é evidenciado pelo êxito da relatividade geral no contexto cosmológico. Mas no domínio ultramicroscópico, o fato de que as cordas têm uma extensão física faz com que a geometria de Riemann simplesmente não ofereça a formalização adequada. Como veremos, ela tem de ser substituída pela geometria quântica da teoria das cordas, o que leva à descoberta de propriedades novas e absolutamente inesperadas.

UM PARQUE DE DIVERSÕES COSMOLÓGICO

Segundo o modelo cosmológico do big bang, o universo como um todo surgiu de uma explosão cósmica violenta e singular, cerca de 15 bilhões de anos atrás. Hoje, tal como Hubble descobriu, sabemos que os "estilhaços" dessa explosão, sob a forma de muitos bilhões de galáxias, ainda conservam um movimento expansivo. O universo continua em expansão. Não sabemos se esse crescimento cósmico seguirá para sempre ou se chegará um tempo em que a expansão perderá o vigor e dará lugar a uma contração que levará o universo a uma implosão cósmica. Os astrônomos e os astrofísicos estão tentando resolver experimentalmente esse problema, uma vez que a resposta depende de algo que em princípio pode ser medido: a densidade média da matéria do universo.

Se a densidade média da matéria for maior do que a chamada *densidade crítica* — cerca de um centésimo de bilionésimo de bilionésimo de bilionésimo (10^{-29}) de grama por centímetro cúbico, o que equivale aproximadamente a cinco átomos de hidrogênio para cada metro cúbico do universo —, então a força gravitacional que permeia o cosmos será suficiente para fazer reverter a expansão. Se a densidade média da matéria for menor do que o valor crítico, a atração gravitacional não conseguirá deter a expansão, que continuará para sempre. (Se você se basear nas suas próprias observações do universo, poderá pensar que a densidade média da matéria excede em muito o valor crítico, mas tenha em mente que a matéria — como o dinheiro — tende a se concentrar. Usar a densidade média da Terra, ou do sistema solar, ou mesmo a da Via Láctea como indicador da densidade do universo seria como usar a fortuna de Bill Gates como indicador da renda média dos habitantes da Terra. Assim como há muitas pessoas cuja renda é microscópica em comparação com a de Bill Gates, o que diminui extraordinariamente a renda média, também há enormes porções de espaço praticamente vazio entre as galáxias, o que reduz drasticamente a densidade média da matéria.)

O estudo cuidadoso da distribuição das galáxias pelo universo dá aos astrônomos uma ideia bem aproximada da quantidade média de matéria visível no universo. Esse valor é significativamente menor do que o da densidade crítica. Mas existem fortes indícios, tanto teóricos quanto experimentais, de que o universo contém enormes quantidades de matéria escura. Esse é um tipo de matéria que não participa dos processos de fusão nuclear que ilumina as estrelas e, em consequência, não emite luz, sendo assim invisível para os nossos telescópios. Ninguém ainda conseguiu decifrar a identidade da matéria escura e menos ainda a sua massa real. Por isso, o destino do nosso universo ainda é incerto.

Para efeitos de raciocínio, vamos supor que a densidade média da matéria supere o valor crítico e que algum dia, no futuro distante, a expansão cessará e o universo começará a contrair-se. Todas as galáxias começarão a aproximar-se lentamente umas das outras e, com o passar do tempo, a sua velocidade de aproximação aumentará cada vez mais, até tornar-se estonteante. Imagine o universo inteiro contraindo-se em uma massa cósmica cada vez menor. Como no capítulo 3, a partir de um tamanho máximo de muitos bilhões de anos-luz, o universo se encolherá progressivamente, alcançando um diâmetro de alguns milhões de anos-luz, sempre aumentando a velocidade da contração, fazendo com que *tudo* se comprima, depois no volume de uma única galáxia, depois no de uma estrela, de um planeta, de uma laranja, uma ervilha, um grão de areia, e, de acordo com a relatividade geral, no volume de uma molécula, de um átomo e, no final inexorável na contração cósmica, até alcançar *volume zero*. De acordo com a teoria convencional, o universo teve início com uma explosão a partir de um volume zero, e se a sua massa for suficiente, terá fim em uma contração que o devolverá a esse estado de compressão cósmica absoluta.

Mas quando as escalas de comprimento alcançam o nível da distância de Planck, ou menos, a mecânica quântica invalida as equações da relatividade geral, como já sabemos. Aí devemos passar a usar a teoria das cordas. Desse modo, se sabemos que a relatividade geral de Einstein supõe que a forma geométrica do universo não tem qualquer limite mínimo para o seu tamanho — exatamente como a matemática da geometria riemanniana supõe que o tamanho de uma forma abstrata pode ser tão pequeno quanto o deseje a sua imaginação —, somos levados a perguntar de que maneira a teoria das cordas afeta esse quadro. Como veremos agora, pode-se afirmar que a teoria das cordas estabelece aqui também um limite mínimo para as escalas de distância fisicamente atingíveis e, o que é algo inteiramente novo, proclama que o universo não pode ser comprimido abaixo da distância de Planck em nenhuma das suas dimensões espaciais.

Como você está cada vez mais familiarizado com a teoria das cordas, pode ser que esteja agora imaginando uma hipótese sobre a razão por que isso acontece. Poderia argumentar, por exemplo, que por mais que se empilhem pontos sobre pontos — ou seja, partículas puntiformes —, o volume total continuará sendo zero. Por outro lado, se as partículas forem na verdade cordas, comprimidas umas com as outras de modo totalmente aleatório, elas ocuparão um glóbulo de tamanho maior do que zero, como uma bola de elásticos emaranhados, cujo tamanho está na escala de Planck. Se essa é a sua argumentação, está na direção certa, mas é necessário acrescentar alguns aspectos sutis e significativos que a teoria das cordas emprega para sugerir, com elegância, um tamanho mínimo para o universo. Tais aspectos denotam concretamente a nova física das cordas que entra em ação, assim como o seu impacto sobre a geometria do espaço-tempo.

Para explicá-los é preciso primeiro trazer um exemplo que despreza detalhes irrelevantes sem sacrificar a nova física. Em vez de considerar todas as dez dimensões espaço-temporais da teoria das cordas — ou mesmo as quatro dimensões estendidas que conhecemos —, voltemos ao universo-mangueira. Originalmente apresentamos esse universo de duas dimensões espaciais no capítulo 8, antes de nos concentrarmos nas cordas, para explicar certos aspectos das descobertas de Kaluza e Klein na década de 20. Utilizemo-lo agora como um "parque de diversões cosmológico" para explorar as propriedades da teoria das cordas em um ambiente simples; logo usaremos as informações assim absorvidas para um melhor entendimento de todas as dimensões espaciais requeridas pela teoria das cordas. Com esse fim, imaginaremos que a dimensão circular do universo-mangueira é inicialmente ampla e em seguida vai se encolhendo cada vez mais até chegar à forma da Grande Linha — uma versão parcial e simplificada da contração inicial.

A pergunta que queremos responder é se as propriedades geométricas e físicas desse colapso cósmico têm características marcadamente diferentes, seja em um universo baseado em cordas, seja em outro baseado em partículas puntiformes.

O ASPECTO NOVO E ESSENCIAL

Não é preciso ir longe para encontrar o essencial da nova física das cordas. Uma partícula puntiforme que se mova nesse universo bidimensional pode executar os tipos de movimentos ilustrados na figura 10.2: ela pode deslocar-se pela dimensão estendida do universo-mangueira, pode deslocar-se pela sua dimensão recurvada, ou por qualquer combinação entre as duas dimensões. Um laço de corda pode apresentar movimentos similares, com a diferença de que ele oscila ao deslocar-se pela superfície, como mostra a figura 10.3(a). Essa é uma distinção que já discutimos com algum detalhe: as oscilações da corda conferem-lhe características como massa e cargas de força. Embora esse seja um aspecto crucial da teoria das cordas, não nos deteremos nele por agora, uma vez que já conhecemos as suas implicações físicas.

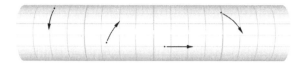

Figura 10.2 *Partículas puntiformes movendo-se sobre um cilindro.*

O nosso interesse atual reside em uma outra diferença entre os movimentos das partículas puntiformes e os das cordas, diferença essa que depende diretamente da *forma* do espaço através do qual a corda se move. Como a corda é um objeto dotado de extensão, existe uma outra configuração possível além das já mencionadas: ela pode *envolver* — enlaçar, por assim dizer — a parte circular do universo-mangueira, como mostra a figura 10.3(b).[1] A corda continuará a deslizar e a oscilar, mas ela o fará nessa configuração estendida. Na verdade, a corda pode envolver a parte circular do espaço qualquer número de vezes, como também mostra a figura 10.3(b), e também aqui ela executará um movimento oscilatório ao mesmo tempo que desliza. Quando a corda está nessa configuração envolvente, dizemos que ela executa o modo de movimento denominado *modo de voltas (winding mode)*. Essa é uma possibilidade claramente inerente às cordas para a qual não há contrapartida no reino das partículas puntiformes. Vejamos agora as implicações que esse tipo qualitativamente novo de movimento das cordas traz para elas próprias e para as propriedades geométricas da dimensão por elas envolvidas.

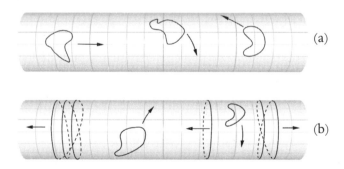

Figura 10.3 *As cordas podem mover-se sobre um cilindro de duas maneiras diferentes — em configurações "enroladas" ou "desenroladas".*

A FÍSICA DAS CORDAS ENROLADAS

Em toda a nossa discussão sobre o movimento das cordas, concentramo-nos em cordas desenroladas. As propriedades das cordas que enlaçam um componente circular do espaço são quase todas iguais às das cordas que estudamos. Suas oscilações, assim como as das cordas desenroladas, influenciam fortemente as suas propriedades. A diferença essencial é que uma corda enrolada tem uma massa *mínima*, determinada pelo *tamanho* da dimensão circular e pelo número de vezes que a corda a envolve. O movimento oscilatório da corda determina a massa que se soma a esse mínimo.

Não é difícil entender a origem dessa massa mínima. Uma corda enrolada tem um comprimento mínimo determinado pela circunferência da dimensão circular e pelo número de vezes que a corda a envolve. O tamanho mínimo da corda determina a sua massa mínima: quanto maior o comprimento, maior a massa. Como a circunferência de um círculo é proporcional ao seu raio, as massas mínimas do modo de voltas são proporcionais ao raio do círculo envolvido. Usando a equação de Einstein, $E = mc^2$, que relaciona a massa à energia, podemos dizer também que a energia contida em uma corda enrolada é proporcional ao raio da dimensão circular. (As cordas desenroladas também têm um comprimento mínimo, pois se não o tivessem estaríamos de volta ao domínio das partículas puntiformes. O mesmo raciocínio poderia levar à conclusão de que até as cordas não enroladas têm uma massa minúscula e diferente de zero. Em um certo sentido, isso é verdade, mas os efeitos da mecânica quântica que vimos no capítulo 6 conseguem cancelar exatamente essa contribuição para a massa. Lembremo-nos de que essa é a maneira pela qual as cordas não enroladas podem produzir o fóton e o gráviton, que têm massa zero, e as outras partículas sem massa ou quase sem massa. As cordas enroladas são diferentes nesse aspecto.)

De que modo a existência de configurações de cordas enroladas afeta as propriedades *geométricas* da dimensão em volta da qual as cordas se enrolam? A resposta, encontrada pela primeira vez em 1984 pelos cientistas japoneses Keiji Kikkawa e Masami Yamasaki, é estranha e notável.

Consideremos os últimos estágios cataclísmicos da nossa variante sobre a contração final no universo-mangueira. À medida que o raio da dimensão circular contrai-se até a distância de Planck e, no modelo da relatividade geral, continua a contrair-se ainda mais, a teoria das cordas insiste em uma reinterpretação radical do que acontece. A teoria das cordas afirma que *todos* os processos físicos do universo-mangueira em que o raio da dimensão circular é menor do que a distância de Planck e continua a contrair-se são absolutamente idênticos aos processos físicos em que a dimensão circular é maior do que a distância de Planck e continua a crescer! Isso significa que à medida que a dimensão circular, em seu colapso, tenta transpor a distância de Planck, rumo a tamanhos cada vez menores, a teoria das cordas reverte esse movimento dando uma reviravolta na geometria. Ela revela que essa evolução pode ser descrita — ou, mais exatamente, reinterpretada — como um movimento da dimensão circular que se contrai até a distância de Planck e a partir daí volta a expandir-se. A teoria das cordas reescreve as leis da geometria das distâncias curtas para dizer que o que antes parecia ser um colapso cósmico total torna-se, na verdade, uma *expansão* cósmica. A dimensão circular pode contrair-se até a distância de Planck, mas, por causa dos modos de voltas, as tentativas de contração além desse ponto convertem-se em expansão. Vejamos por quê.

O ESPECTRO DOS ESTADOS DA CORDA*

A nova possibilidade das configurações de cordas enroladas implica que a energia de uma corda no universo-mangueira provém de *duas* fontes: o movimento vibratório e a energia das voltas. De acordo com os conhecimentos baseados em Kaluza e Klein, cada uma delas depende da geometria da mangueira, ou seja, do raio da componente circular recurvada. Mas aqui ocorre um toque característico das cordas, uma vez que as partículas puntiformes não podem enlaçar as dimensões.

Portanto, a nossa primeira tarefa será a de determinar com precisão de que maneira as contribuições das vibrações e das voltas que concorrem para a energia de uma corda relacionam-se com o tamanho da dimensão circular. Para esse fim, é conveniente dividir o movimento vibratório das cordas em duas catego-

---

* As ideias contidas neste capítulo e nos seguintes são bastante sutis. Portanto, não se desiluda se você encontrar dificuldade em seguir todos os detalhes da cadeia de explicações – especialmente na primeira leitura.

rias: vibrações *uniformes* e vibrações *comuns*. As vibrações comuns referem-se às oscilações normais que temos discutido reiteradamente, como as que estão ilustradas na figura 6.2; as vibrações uniformes referem-se a um movimento ainda mais simples: o movimento global da corda quando ela desliza de uma posição para outra sem variar a sua forma. Todos os movimentos das cordas são combinações de deslizamentos e oscilações — de vibrações uniformes e comuns —, mas, para os fins dessa discussão, é conveniente separá-los dessa maneira. Na verdade, as vibrações comuns não terão grande importância para o nosso raciocínio, de modo que só incluiremos os seus efeitos depois que tivermos terminado de expor a argumentação.

Devemos fazer duas observações essenciais. Primeiro, as excitações vibratórias uniformes de uma corda têm energias que são *inversamente* proporcionais ao raio da dimensão circular. Essa é uma consequência direta do princípio da incerteza da mecânica quântica: um raio menor aumenta o confinamento da corda e, por meio da claustrofobia quântica, aumenta o total de energia do seu movimento. Portanto, à medida que o raio da dimensão circular diminui, aumenta necessariamente a energia do movimento da corda — o que é a marca característica da proporcionalidade inversa. Segundo, como vimos na seção precedente, as energias do modo de voltas são *diretamente* — e não inversamente — proporcionais ao raio. Lembre-se de que isso se deve ao comprimento mínimo das cordas enroladas e por isso a sua energia mínima é proporcional ao raio. Essas duas observações estabelecem que valores grandes para o raio implicam grandes energias de voltas e pequenas energias de vibração, enquanto valores pequenos para o raio implicam pequenas energias de voltas e grandes energias de vibração.

Isso nos leva ao fato crucial: para cada raio de tamanho grande da dimensão circular do universo-mangueira existe um raio correspondente de tamanho pequeno, de modo que a energia de voltas das cordas do primeiro universo é igual à energia de vibração das cordas do segundo, e a energia de vibração das cordas do primeiro é igual à energia de voltas das cordas do segundo. Como as propriedades físicas são sensíveis à energia *total* da configuração de uma corda — e não à maneira como a energia se divide em energia de voltas e energia de vibração — *não há distinção física* entre essas formas *geometricamente distintas* do universo-mangueira. E assim, por estranho que pareça, a teoria das cordas afirma que não há nenhuma diferença entre um universo-mangueira "gordo" e outro "magro".

É um ato cósmico de "cercar" as apostas, semelhante ao que você, investidor astuto, deveria fazer caso se encontrasse na seguinte situação. Imagine que você ficou sabendo que as cotações de duas ações de Wall Street — digamos que sejam as ações de uma empresa que fabrica aparelhos de ginástica e de outra que produz válvulas artificiais para o coração — têm os seus destinos indissoluvelmente ligados. Ao final da sessão de hoje as ações de cada uma delas valia exatamente um dólar, e uma fonte muito bem informada lhe segredou que se o valor de uma das duas subir, a outra descerá, e vice-versa. A sua fonte — que é totalmente confiável (embora possa estar cometendo um ato ilegal) — disse-lhe também que ao final da sessão de amanhã é absolutamente certo que os preços das duas ações serão um o inverso do outro. Ou seja, se uma ação valer dois dólares, a outra valerá 1/2 dólar (cinquenta centavos); se uma ação valer dez dólares, a outra valerá 1/10 (dez centavos), e assim por diante. A única coisa que a sua fonte não pode dizer é qual a ação que vai subir e qual a que vai descer. O que é que você faz?

Você investe imediatamente todo o seu dinheiro na bolsa e o divide por igual entre as ações das duas empresas. Como você poderá facilmente verificar usando alguns exemplos, o que quer que aconteça no dia seguinte, você não perderá dinheiro. O pior que pode acontecer é que você fique na mesma situação (se ambas as ações fecharem novamente em um dólar), mas se houver qualquer movimentação de preços — nos termos previstos pelo seu informante — você ganhará dinheiro. Por exemplo, se a empresa de ginástica fechar a quatro dólares e a empresa de válvulas fechar a 1/4 (25 centavos), a soma do valor das duas será 4,25 dólares, sendo que você as comprou no dia anterior por dois dólares. Do ponto de vista do seu lucro, não faz nenhuma diferença se é a empresa de ginástica que fecha em alta ou se é o contrário. Se a sua única preocupação é com o seu dinheiro, as duas situações são, do ponto de vista financeiro, indistinguíveis.

A situação que descrevíamos no caso da teoria das cordas é análoga, uma vez que a energia das configurações das cordas provém de duas fontes — vibrações e voltas — cujas contribuições para a energia total da corda geralmente são diferentes. Mas, como veremos mais detalhadamente abaixo, certos pares de circunstâncias geométricas distintas — que levam a altas energias de voltas e baixas energias de vibração ou a baixas energias de voltas e altas energias de vibração — são *fisicamente* indistinguíveis. Observe-se que se no caso da analogia financeira pode haver considerações outras que não as monetárias, as quais pode determinar uma diferenciação entre os dois tipos de ações, no caso das cordas não há nenhuma distinção física possível entre os dois cenários.

Com efeito, veremos que para tornar mais exata a analogia com a teoria das cordas, devemos considerar o que aconteceria se você não dividisse o seu dinheiro por igual entre as ações das duas empresas no seu investimento inicial e sim comprasse, por exemplo, mil ações da empresa de ginástica e 3 mil da empresa de válvulas. Agora, o novo total do seu investimento passa a depender de qual seja a empresa cujas ações sobem e qual aquela cujas ações baixam. Por exemplo, se a bolsa fechar com as ações da ginástica a dez dólares e as ações das válvulas a dez centavos, o seu investimento inicial de 4 mil dólares valerá 10 300 dólares. E se acontecer o contrário — dez centavos para a ginástica e dez dólares para as válvulas — você terá 30 100 dólares, o que é muito mais.

De qualquer maneira, a relação inversa entre os preços de fechamento das ações assegura o seguinte. Se um amigo seu investir exatamente o oposto do que você faz — 3 mil ações da empresa de ginástica e mil ações da empresa das válvulas —, o valor do investimento dele será de 10 300 dólares se as ações da ginástica fecharem baixas (tal como aconteceria no seu caso se as ações da ginástica fechassem altas) e 30 100 dólares se as ações das válvulas fecharem baixas (igual à sua situação no caso inverso). Ou seja, do ponto de vista do valor total das ações, as mudanças nos valores de fechamento das ações são compensadas exatamente pelas mudanças nos números de ações compradas de cada empresa.

Tenha em mente essa última observação enquanto voltamos à teoria das cordas e pense nos níveis possíveis de energia no seguinte exemplo. Imagine que o raio da dimensão circular da mangueira seja, digamos, dez vezes maior do que a distância de Planck. Vamos escrever então $R = 10$. Uma corda pode enrolar-se em volta dessa dimensão circular uma, duas, três vezes e assim por diante. O número de vezes que uma corda envolve a dimensão circular denomina-se *número de voltas*. A energia desse processo de enrolamento é determinada pelo comprimento da corda envolvente e é proporcional ao *produto* entre o raio e o número de voltas. Adicionalmente, qualquer que seja o número de voltas, a corda pode ter movimento vibratório. Como as vibrações uniformes, que agora consideramos, têm energias inversamente proporcionais ao raio, elas são também proporcionais aos múltiplos inteiros do *inverso* do raio — $1/R$ — que, neste caso, equivale a um décimo da distância de Planck. Esse múltiplo inteiro é denominado *número de vibrações*.[2]

Como se vê, essa situação é muito similar à que encontramos na bolsa de valores, sendo que os números de voltas e de vibrações são análogos diretos dos números das ações das duas empresas e R e $1/R$ são análogos dos seus preços de fechamento. Assim como o valor total do seu investimento pode ser facilmente calculado multiplicando-se os números das ações compradas de cada empresa pelos seus preços finais, também se pode calcular a energia total que a corda contém em termos do número de vibrações, do número de voltas e do raio. Na tabela 10.1 damos uma lista parcial da energia total para várias configurações de cordas, especificadas pelos números de voltas e de vibrações, em um universo-mangueira de raio $R = 10$.

A tabela completa teria comprimento infinito, pois os números de voltas e de vibrações podem ser quaisquer números inteiros, mas essa amostra é suficiente para a nossa discussão. Vemos pela tabela e pelas nossas observações que estamos em uma situação de alta energia de voltas e baixa energia de vibrações: as energias de voltas aparecem em múltiplos de 10 e as energias de vibração aparecem em múltiplos de 1/10.

Imagine agora que o raio da dimensão circular contrai-se progressivamente, de 10 para 9,2, para 7,1, 3, 4, 2, 2, 1, 1, 0,7 e assim por diante até 0,1 (1/10), onde, para os fins da nossa discussão, ele se detém. Nessa forma geométrica distinta do universo-mangueira podemos compilar uma tabela análoga de energias das cordas: as energias de voltas agora são múltiplas de 1/10 e as energias de vibração são múltiplas do seu inverso, 10. Os resultados aparecem na tabela 10.2.

À primeira vista, as duas tabelas podem parecer diferentes. Mas se olharmos com atenção veremos que, embora dispostas em ordens diferentes, as colunas referentes ao "total de energia" de ambas as tabelas apresentam números *idênticos*. Para encontrar na tabela 10.2 o número correspondente ao de uma situação da tabela 10.1, basta intercambiar os números de vibrações e de voltas. Ou seja, as contribuições das vibrações e das voltas desempenham papéis complementares quando o raio da dimensão circular muda de 10 para 1/10. Assim, no que se refere ao total de energia das cordas, *não há distinção* entre esses diferentes tamanhos da dimensão circular. Assim como a variação, na bolsa de valores, entre

Número de vibrações	Número de voltas	Energia total
1	1	$1/10 + 10 = 10,1$
1	2	$1/10 + 20 = 20,1$
1	3	$1/10 + 30 = 30,1$
1	4	$1/10 + 40 = 40,1$
2	1	$2/10 + 10 = 10,2$
2	2	$2/10 + 20 = 20,2$
2	3	$2/10 + 30 = 30,2$
2	4	$2/10 + 40 = 40,2$
3	1	$3/10 + 10 = 10,3$
3	2	$3/10 + 20 = 20,3$
3	3	$3/10 + 30 = 30,3$
3	4	$3/10 + 40 = 40,3$
4	1	$4/10 + 10 = 10,4$
4	2	$4/10 + 20 = 20,4$
4	3	$4/10 + 30 = 30,4$
4	4	$4/10 + 40 = 40,4$

Tabela 10.1 *Amostra das configurações de vibrações e de voltas de uma corda que se move em um universo mostrado na figura 10.3, com raio R = 10. As contribuições das energias de vibração aparecem em múltiplos de 1/10 e as contribuições das energias de voltas aparecem em múltiplos de 10, o que compõe a lista de energias totais. A unidade de energia é a energia de Planck, de modo que, por exemplo, o valor de 10,1 na última coluna corresponde a 10,1 vezes a energia de Planck.*

ginástica em alta e válvulas em baixa e ginástica em baixa e válvulas em alta é compensada exatamente pela variação entre os números das ações compradas de cada empresa, também a variação entre o raio de valor 10 e o raio de valor 1/10 é compensada exatamente pela variação entre os números de vibrações e de voltas. Além disso, embora por questão de simplicidade nos tenhamos concentrado nos raios de valor 10 e seu recíproco de 1/10, as conclusões a que chegamos são as mesmas para qualquer valor do raio e seu recíproco.[3]

As tabelas 10.1 e 10.2 são incompletas por dois motivos. Primeiro, como já mencionamos, a lista contém apenas algumas das infinitas possibilidades de números de voltas e de vibrações que uma corda pode ter. Evidentemente, isso não é um problema, pois poderíamos fazer listas tão longas quanto ature a nossa paciência e encontraríamos sempre a mesma relação entre elas. Segundo, por-

Número de vibrações	Número de voltas	Energia total
1	1	$10 + 1/10 = 10,1$
1	2	$10 + 2/10 = 10,2$
1	3	$10 + 3/10 = 10,3$
1	4	$10 + 4/10 = 10,4$
2	1	$20 + 1/10 = 20,1$
2	2	$20 + 2/10 = 20,2$
2	3	$20 + 3/10 = 20,3$
2	4	$20 + 4/10 = 20,4$
3	1	$30 + 1/10 = 30,1$
3	2	$30 + 2/10 = 30,2$
3	3	$30 + 3/10 = 30,3$
3	4	$30 + 4/10 = 30,4$
4	1	$40 + 1/10 = 40,1$
4	2	$40 + 2/10 = 40,2$
4	3	$40 + 3/10 = 40,3$
4	4	$40 + 4/10 = 40,4$

Tabela 10.2 *Tal como na tabela 10.1, salvo quanto ao raio, que agora é de 1/10.*

que, além da energia de voltas, somente consideramos até aqui as contribuições de energia derivadas do movimento vibratório uniforme das cordas. Agora devemos incluir também as vibrações comuns, pois elas fornecem novas contribuições para a energia total das cordas e também determinam as suas cargas de força. O importante, contudo, é que as pesquisas revelaram que essas contribuições não dependem do tamanho do raio. Assim, mesmo que incluíssemos esses aspectos específicos nas duas tabelas, elas continuariam a corresponder-se exatamente, uma vez que as contribuições vibratórias comuns afetam ambas as tabelas de maneira idêntica. Concluímos, portanto, que as massas e as cargas das partículas em um universo-mangueira de raio R são inteiramente idênticas às de um universo-mangueira de raio $1/R$. E como essas massas e cargas de força comandam os fundamentos da física, não há como distinguir fisicamente entre esses dois universos geometricamente diferentes. Para toda experiência que se faça em um deles haverá uma experiência correspondente que pode ser feita no outro e que produzirá os mesmos resultados.

UM DEBATE

João e Maria, depois de terem sido reduzidos a seres bidimensionais, estabelecem-se como professores de física no universo-mangueira. Cada um deles monta então o seu próprio laboratório e ambos afirmam haver determinado o tamanho da dimensão circular. Embora os dois tenham excelente reputação pela grande precisão com que realizam as suas experiências, as conclusões a que chegam não coincidem. João diz que o raio da dimensão circular é $R = 10$ vezes a distância de Planck e Maria afirma que o raio mede $R = 1/10$ vezes a distância de Planck.

"Maria", diz João, "com base nos meus cálculos, de acordo com a teoria das cordas, sei que se a dimensão circular tem raio 10, por coerência é de esperar que as cordas tenham as energias que estão enumeradas na tabela 10.1. Fiz múltiplas experiências usando o novo acelerador de partículas da escala de Planck e elas confirmaram o resultado com precisão. Posso afirmar, portanto, e com confiança, que a dimensão circular tem um raio $R = 10$." Maria defende a sua posição fazendo as mesmas observações, exceto quanto à conclusão, que, segundo ela, é que a lista de energias da tabela 10.2 confirma que o raio é $R = 1/10$.

Em um lampejo de inteligência, Maria percebe e mostra a João que as duas tabelas, embora dispostas diferentemente, são na verdade iguais. Por sua vez, João, que, como se sabe, raciocina um pouco mais lentamente que Maria, responde: "Como é que pode? Eu sei, de acordo com a mecânica quântica e com as propriedades das cordas enroladas, que valores diferentes para o raio dão lugar a valores diferentes para as energias e as cargas das cordas. Se estamos de acordo quanto a esses valores, então temos de estar de acordo quanto ao raio".

Elaborando um pouco mais, Maria responde: "O que você diz é quase correto, mas não inteiramente correto. *Normalmente*, é verdade que valores diferentes para o raio dão lugar a energias diferentes. Mas na circunstância especial de que os dois valores do raio são recíprocos, ou inversamente proporcionais entre si — como 10 e 1/10 —, as energias e as cargas são na verdade idênticas. Sabe por quê? O que para você é o modo de voltas, para mim é o modo de vibração e o que para você é o modo de vibração, para mim é o modo de voltas. Só que a natureza não liga para as palavras que nós usamos. O que comanda a física são as propriedades dos *componentes fundamentais* — as massas (energias) das partículas e as suas cargas de força. E quer o raio seja R quer $1/R$, a lista de propriedades dos componentes fundamentais da teoria das cordas é sempre a mesma".

273

Em um momento de profunda compreensão, João admite: "Acho que entendi. Apesar de descrevermos de maneira diferente como as cordas estão enroladas à volta da dimensão circular ou como são os detalhes do seu comportamento vibratório — a lista das características físicas que as cordas podem tomar é sempre a mesma. Portanto, como as propriedades físicas do universo dependem dessas propriedades dos componentes básicos, não há distinção, não há maneira de distinguir entre dois raios que sejam o inverso um do outro". Exatamente.

TRÊS PERGUNTAS

A essa altura você pode estar dizendo: "Veja, se eu fosse um serzinho minúsculo no universo-mangueira, eu simplesmente mediria a circunferência da mangueira com uma fita métrica e ficaria sabendo o valor do raio sem nenhuma dúvida. Então, para que toda essa confusão sobre duas possibilidades indiferenciáveis, embora com raios diferentes? E além disso, não é verdade que a teoria das cordas acaba com as distâncias menores do que a distância de Planck? Então como é que nós estamos falando de dimensões circulares de raios que são uma fração da distância de Planck? Por último, já que estamos falando francamente, qual é a importância prática de um universo-mangueira bidimensional? Qual é a consequência disso tudo quando incluímos *todas as* dimensões?".

Vamos começar pela última pergunta, uma vez que a resposta vai forçar-nos a enfrentar as outras duas.

Embora a nossa discussão tenha girado em torno do universo-mangueira, nós nos limitamos, por razões de simplicidade, a uma dimensão espacial estendida e outra recurvada. Se fossem três dimensões espaciais estendidas e seis dimensões circulares recurvadas — no mais simples de todos os espaços de Calabi-Yau —, a conclusão seria exatamente a mesma. Cada um dos círculos tem um raio que, se for trocado pelo seu recíproco, produz um universo fisicamente idêntico.

Podemos levar essa conclusão um passo adiante, na verdade um passo gigantesco: no nosso universo observamos três dimensões espaciais, cada uma das quais, de acordo com as observações astronômicas, parece estender-se por cerca de 15 bilhões de anos-luz (um ano-luz tem cerca de 10 trilhões de quilômetros, de modo que estamos falando de uma distância de mais de 140 bilhões de trilhões de quilômetros). Como vimos no capítulo 8, não podemos dizer nada sobre o que existiria depois disso. Não sabemos se as dimensões continuam indefinidamente, ou se se curvam sobre elas mesmas, na forma de um círculo tão grande que estaria além da sensibilidade visual dos telescópios atuais. Se for esse o caso, um astronauta que viajasse pelo espaço sempre na mesma direção terminaria por dar a volta completa no universo — como Magalhães ao dar a volta ao mundo — e chegar de volta ao lugar de que partira.

Portanto, as dimensões estendidas também podem perfeitamente ter a forma de círculos, estando assim sujeitas à identidade física entre R e $1/R$ da teoria das cordas. Para efeitos de quantificação, se as dimensões que nos são familiares forem circulares, então os seus raios têm de medir pelo menos os 15 bilhões de anos-luz de que falávamos, o que equivale a uns 10 trilhões de trilhões de trilhões de trilhões de trilhões ($R = 10^{61}$) de vezes a distância de Planck, e continuam a crescer à medida que o universo se expande. Se a teoria das cordas estiver certa, o nosso universo é fisicamente idêntico a um outro universo em que as nossas dimensões familiares teriam um raio incrivelmente pequeno, igual a $1/R = 1/10^{61} = 10^{-61}$ vezes a distância de Planck! *Aí estão as nossas dimensões tão familiares em uma descrição alternativa propiciada pela teoria das cordas.* Com efeito, nessa linguagem recíproca, esses círculos mínimos vão se reduzindo em tamanho à medida que o tempo passa, pois à medida que R cresce, $1/R$ diminui. Bem, parece que estamos nos perdendo no espaço. Como pode acontecer tal coisa? Como poderia um ser humano "caber" em um universo incrivelmente microscópico como esse? Como pode um universo assim ser fisicamente idêntico à enorme extensão que vemos nos céus? Mais ainda, somos forçados agora a considerar a segunda pergunta das três que fizemos: dissemos que a teoria das cordas elimina a possibilidade de examinarmos distâncias inferiores à distância de Planck. Mas se uma dimensão circular tem um raio R, cujo comprimento é maior do que a distância de Planck, o raio recíproco, $1/R$, é necessariamente uma fração da distância de Planck. Então o que está acontecendo? A resposta, que também se refere à primeira pergunta que fizemos, ressalta um aspecto importante e sutil do espaço e das distâncias.

DUAS NOÇÕES INTER-RELACIONADAS DE DISTÂNCIA NA TEORIA DAS CORDAS

O conceito de distância é tão básico no nosso entendimento do mundo que é fácil subestimar a sua profundidade e sutileza. Com os efeitos surpreendentes que a relatividade geral e a especial exercem sobre a noção que temos do espaço e do tempo e com as novas concepções da teoria das cordas, temos de tomar um pouco mais de cuidado com a nossa definição de distância. Em física, as definições mais ricas são as operacionais — ou seja, as que, pelo menos em princípio, propiciam meios de medir aquilo que se está definindo. Afinal de contas, por mais abstrato que seja um conceito, uma definição operativa nos permite expressar o seu significado em um procedimento experimental e medir o seu valor.

Como dar uma definição operacional ao conceito de distância? A resposta, no contexto da teoria das cordas, é bem inusitada. Em 1988 os cientistas Robert Brandenberger, da Universidade Brown, e Cumrun Vafa, de Harvard, assinalaram que se a forma espacial de uma dimensão for circular, a teoria das cordas oferece duas definições operacionais diferentes mas correlatas de distância. Cada uma delas estabelece um procedimento experimental diferente para medi-la e tem por base, por assim dizer, o princípio simples de que quando um objeto viaja a uma velocidade fixa e conhecida, podemos medir uma distância determinando o tempo que o objeto toma para percorrê-la. A diferença entre os dois procedimentos é o tipo de objeto que se usa. A primeira definição usa cordas que *não* estão enroladas à volta de uma dimensão circular e a segunda usa cordas que, *sim*, estão enroladas. Vemos, assim, que a extensão espacial da corda que usamos como sonda é responsável pela existência das duas definições experimentais de distância. Em uma teoria baseada em partículas puntiformes, onde não aparece a noção de enlaçamento, haveria apenas uma definição.

Em que diferem os dois procedimentos? A resposta encontrada por Brandenberger e Vafa é surpreendente e sutil. A ideia básica pode ser apreendida por meio do princípio da incerteza. As cordas não enroladas podem mover-se livremente e sondar todo o perímetro do círculo, uma distância que é proporcional a R. Em razão do princípio da incerteza, as suas energias são proporcionais a $1/R$ (lembre-se de que no capítulo 6 vimos que há uma relação inversa entre a energia de uma sonda e as distâncias às quais ela é sensível). Por outro lado, vimos também que as cordas enroladas têm uma energia mínima proporcional a R; o princípio da incerteza nos diz então que, como sondas para medir distâncias, elas são sensíveis ao recíproco desse valor, $1/R$. A concreção matemática dessa ideia nos diz que se as usarmos para medir o raio de uma dimensão circular do espaço, as cordas não enroladas encontrarão o valor de R e as cordas enroladas obterão $1/R$. Em ambos os casos estaremos medindo distâncias que são múltiplos da distância de Planck. Os resultados das duas experiências têm igual direito a proclamar-se como o raio do círculo. O que aprendemos com a teoria das cordas é que o uso de sondas diferentes para medir distâncias pode produzir respostas diferentes. Com efeito, essa propriedade se aplica a todas as medidas de comprimentos e distâncias e não só à determinação do tamanho de uma dimensão circular. Os resultados obtidos com as cordas enroladas e com as não enroladas relacionam-se inversamente um com o outro.[4]

Se a teoria das cordas descreve corretamente o nosso universo, por que então nunca encontramos essas duas noções possíveis de distância em nenhuma das nossas atividades diárias ou científicas? Todas as vezes que falamos de distâncias utilizamos um único conceito, que é compatível com a nossa experiência de que só existe uma maneira de medir distâncias, sem qualquer indício de que haja alguma outra. Por que a possibilidade alternativa nunca nos aparece? A resposta é que embora haja um alto grau de simetria na nossa discussão, sempre que R (e, portanto, também $1/R$) diverge significativamente do valor 1 (sendo 1 igual à distância de Planck), uma das nossas definições operacionais resulta ser extremamente difícil de levar à prática e a outra resulta ser extremamente fácil. Em resumo, sempre praticamos a opção fácil, sem sequer nos darmos conta de que existe outra.

A discrepância de dificuldade entre as duas alternativas deve-se à grande diferença entre as massas das sondas que se empregam — alta energia de voltas/ baixa energia de vibrações, e vice-versa — se o raio R (e, portanto, também $1/R$) for significativamente diferente da distância de Planck (ou seja, do valor 1). Aqui, energia "alta", para raios amplamente diferentes da distância de Planck, corresponde a sondas incrivelmente pesadas — bilhões e bilhões de vezes mais pesadas do que o próton, por exemplo —, enquanto energia "baixa" corresponde a sondas de massas muitíssimo próximas a zero. Nessas circunstâncias, existe uma diferença monumental de dificuldade entre as duas alternativas, uma vez que a simples produção das configurações das cordas pesadas já é um empreendimento que está fora da nossa capacidade tecnológica atual. Na prática, portanto, só uma das alternativas é tecnologicamente possível — a que envolve o tipo mais leve de configuração das cordas. Esse é o conceito que usamos implicitamente em todas as discussões sobre distância que fizemos até aqui. É o conceito que informa a nossa intuição e que se mescla com ela.

Deixando à parte as questões de praticabilidade, em um universo comandado pela teoria das cordas existe liberdade para medir as distâncias usando qualquer um dos dois métodos. Quando os astrônomos medem o "tamanho do universo", eles examinam fótons que viajaram através do cosmos e acabaram entrando no tubo do telescópio. Os fótons são, nessa situação, o modo das cordas leves. O resultado obtido é o de 10^{61} vezes a distância de Planck, que mencionamos antes. Se as três dimensões espaciais familiares forem realmente circulares e se a teoria das cordas estiver realmente certa, os astrônomos poderão, em princípio e usando equipamentos muito diferentes e atualmente inexistentes, medir a extensão do universo com os modos pesados das cordas enroladas e encontrar assim um resultado que é o recíproco dessa enorme distância. É nesse sentido que podemos pensar no universo como algo extraordinariamente grande, como normalmente fazemos, ou incrivelmente pequeno. De acordo com os modos das cordas leves, o universo é grande e se expande; de acordo com os modos pesados, ele é mínimo e se contrai. Não há contradição aqui: ocorre apenas que temos duas definições de distância, diferentes e igualmente sensatas. Estamos muito mais acostumados com a primeira, devido às nossas limitações tecnológicas, mas ambos os conceitos são igualmente válidos.

Agora podemos responder à pergunta anterior, sobre seres humanos grandes em um universo mínimo. Se medimos a estatura de uma pessoa e encontramos, por exemplo, 1,75 metro, empregamos necessariamente os modos das cordas leves. Para comparar esse tamanho com o tamanho do universo, temos de usar o mesmo procedimento de medida, o que nos dá o resultado de 15 bilhões de anos-luz para o universo, muito maior do que 1,75 metro. Perguntar como essa mesma pessoa pode caber no universo "mínimo", medido pelos modos das cordas pesadas, não faz sentido. É como comparar maçãs e laranjas. Como agora temos dois conceitos de distância — empregando sondas leves ou pesadas —, só podemos comparar as medidas quando elas são tomadas dentro do mesmo método.

UM TAMANHO MÍNIMO

Fizemos um grande desvio, mas agora estamos prontos para a questão-chave. Se nos limitarmos a fazer as medições "da maneira fácil" — ou seja, empregando os modos das cordas leves em vez dos das cordas pesadas —, os resultados obtidos serão sempre maiores do que a distância de Planck. Para melhor compreender esse ponto, vamos pensar na hipótese da contração inicial para as três dimensões estendidas, supondo que elas sejam circulares. Vamos supor também que ao início da nossa experiência teórica os modos leves são os das cordas não enroladas, de modo que ao empregá-los fica determinado que o universo tem um raio enorme e que ele está se contraindo com o tempo. À medida que ele se contrai, os modos não enrolados vão ficando pesados e os modos enrolados vão ficando leves. Quando o raio em sua contração alcança a distância de Planck — ou seja, quando R adquire o valor igual a 1 —, os modos de voltas e de vibrações têm massas comparáveis. Os dois métodos de medição tornam-se igualmente difíceis de executar e, além de tudo, produzem o mesmo resultado, uma vez que 1 é o seu próprio recíproco.

À medida que o raio continua a contrair-se, os modos enrolados tornam-se mais leves do que os não enrolados e, portanto, como estamos sempre optando pelo "método mais fácil", são *eles* os que devem passar a ser usados para medir as distâncias. Segundo esse método de medida, que produz o resultado *recíproco* do que se obtém com os modos não enrolados, *o raio é maior do que a distância de Planck e se expande*. Isso simplesmente reflete o fato de que à medida que R — a quantidade medida pelas cordas não enroladas — se contrai, alcança o valor 1 e continua a diminuir, $1/R$ — a quantidade medida pelas cordas enroladas — se expande, alcança o valor 1 e continua a crescer. Por conseguinte, se utilizarmos sempre os modos das cordas mais leves — o método "fácil" de medir distâncias —, o valor mínimo que se encontra é a distância de Planck.

Em particular, evita-se a contração até zero, uma vez que o raio do universo, medido pelo método das cordas leves, é sempre maior do que a distância de Planck. Em vez de passarmos pela distância de Planck rumo a tamanhos cada vez menores, o raio medido pelos modos das cordas mais leves contrai-se até a distância de Planck e imediatamente começa a crescer. A contração é substituída pela expansão.

O emprego dos modos das cordas leves para medir distâncias é compatível com a nossa noção convencional de distância — a que conhecemos desde muito tempo antes da descoberta da teoria das cordas. É de acordo com essa noção de distância, como vimos no capítulo 5, que encontramos problemas insuperáveis com as ondulações quânticas violentas, quando as distâncias inferiores à escala de Planck passam a desempenhar um papel importante nas estruturas físicas. A partir dessa perspectiva complementar, vemos novamente que a teoria das cordas evita as distâncias ultracurtas. Na estrutura física da relatividade geral e na estrutura matemática correspondente da geometria riemanniana, há um único conceito de distância, que pode alcançar valores tão pequenos quanto se queira. Na estrutura física da teoria das cordas, e, correspondentemente, no domínio da disciplina nascente da geometria quântica, há duas noções de distância. Empregando judiciosamente as duas noções, encontramos um conceito de distância que se entrosa tanto com a nossa intuição quanto com a relatividade geral nas escalas amplas, mas que diverge delas radicalmente nas escalas diminutas. Especificamente, as distâncias de escalas inferiores à distância de Planck são inacessíveis.

Como essa discussão é bastante sutil, vamos sublinhar um aspecto fundamental. Se rejeitássemos a distinção entre os métodos "fácil" e "difícil" de medir distâncias e continuássemos a usar os modos não enrolados à medida que R se contrai e passa pela distância de Planck, poderia parecer que realmente seríamos capazes de encontrar uma distância menor do que a distância de Planck. Mas os parágrafos acima nos alertaram para o fato de que a palavra "distância", nessa última sentença, tem de ser interpretada com cuidado, pois pode ter dois sentidos diferentes, um dos quais se concilia com a nossa noção tradicional. E nesse caso, quando R se contrai e passa pela distância de Planck e nós continuamos a empregar as cordas não enroladas (ainda que elas tenham se tornado mais pesadas do que as cordas enroladas), estamos empregando o método "difícil" de medir distâncias e, assim, o significado de "distância" *não* se concilia com o nosso uso comum. A controvérsia, no entanto, é bem mais profunda do que uma discussão sobre semântica ou uma questão de conveniência ou praticabilidade das medições. Mesmo que escolhamos empregar a noção incomum de distância e com isso possamos dizer que o raio é menor do que a distância de Planck, a *estrutura física* que encontramos — como vimos nas seções anteriores — será idêntica à de um universo em que o raio, no sentido convencional de "distância", é maior do que a distância de Planck (como atesta, por exemplo, a correspondência exata entre as tabelas 10.1 e 10.2). E o que importa aqui é a estrutura física, e não as palavras.

Brandenberger, Vafa e outros físicos utilizaram essas ideias para sugerir que se reescrevessem as leis da cosmologia de modo que tanto o big bang quanto uma possível contração final não impliquem um universo de tamanho zero, e sim um universo cujas dimensões tenham, todas, o tamanho da distância de Planck. Não há dúvida de que essa é uma proposta tentadora para evitar os enigmas matemáticos, físicos e lógicos de um universo que tem por início ou por fim um ponto infinitamente denso. Embora seja conceitualmente difícil imaginar o universo inteiro comprimido em uma pepita do tamanho da escala de Planck, muito mais difícil é imaginá-lo contraído em um ponto sem tamanho algum. A cosmologia das cordas, como veremos no capítulo 14, é um campo que ainda está nascendo, mas é altamente promissor e pode perfeitamente proporcionar-nos essa alternativa mais fácil para o modelo-padrão do big bang.

ESSA CONCLUSÃO É GERAL?

E se as dimensões espaciais não tiverem forma circular? Essas notáveis conclusões sobre um tamanho espacial mínimo na teoria das cordas ainda teriam validade? Ninguém sabe ao certo. O aspecto essencial das dimensões circulares é que elas permitem a possibilidade das cordas enroladas. Desde que as dimensões espaciais — independentemente dos aspectos específicos da sua forma — permitam que as cordas se enrolem à sua volta, a maior parte das conclusões a que chegamos mantém-se válida. Mas e se, por exemplo, duas das dimensões tiverem a forma de uma esfera? Neste caso, as cordas não poderiam ficar "presas" em uma configuração enrolada, porque elas poderiam "soltar-se", da mesma forma como uma tira de borracha pode soltar-se de uma bola de basquete. Mesmo assim, a teoria das cordas imporia um limite mínimo para o tamanho a que essas dimensões podem chegar ao contrair-se?

Numerosas pesquisas parecem revelar que a resposta depende de se o que se está contraindo é uma dimensão espacial como um todo (como nos exemplos deste capítulo) ou (como veremos e explicaremos nos capítulos 11 e 13) um "pedaço" isolado do espaço. É opinião geral entre os estudiosos da teoria das cordas que, independentemente da forma, *existe* um limite mínimo de tamanho, tal como no caso das dimensões circulares, desde que o que se contrai seja uma dimensão espacial como um todo. A comprovação dessa expectativa deverá ser um objetivo importante das pesquisas futuras, pelo impacto direto que produzirá sobre diversos aspectos da teoria das cordas, inclusive as implicações que terá sobre a cosmologia.

SIMETRIA ESPECULAR

Por meio da relatividade geral, Einstein estabeleceu um vínculo entre a física da gravidade e a geometria do espaço-tempo. À primeira vista, a teoria das cordas fortalece e amplia o vínculo entre a física e a geometria, pois as propriedades das cordas vibrantes — suas massas e as cargas de força que contêm — são determinadas em grande medida pelas propriedades dos componentes recurvados do espaço. Acabamos de ver, no entanto, que a geometria quântica — a associação entre a geometria e a física na teoria das cordas — oferece algumas surpresas. Na relatividade geral e na geometria "convencional", um círculo de raio R é diferente de outro cujo raio seja $1/R$ e pronto. Mas na teoria das cordas eles são fisicamente indiferenciáveis. Isso nos leva a tomar um pouco mais de coragem e perguntar se poderiam haver formas geométricas do espaço que se diferenciassem de maneiras mais drásticas — não apenas quanto ao tamanho, mas também, possivelmente, quanto à forma —, mas que fossem fisicamente indiferenciáveis entre si de acordo com a teoria das cordas.

Em 1988, Lance Dixon, do Stanford Linear Accelerator Center, fez uma observação crucial a esse respeito, a qual foi depois ampliada por Wolfgang Lerche, do CERN, Vafa, de Harvard, e Nicholas Warner, então no Massachusetts Institute of Technology. Com base em argumentos estéticos ligados a considerações de simetria, esses cientistas fizeram a audaciosa sugestão de que duas formas de Calabi-Yau diferentes entre si, escolhidas para as dimensões recurvadas adicionais da teoria das cordas, poderiam dar origem a condições físicas idênticas.

Para ter uma ideia de como essa possibilidade inusitada poderia ocorrer, lembre-se de que o número de buracos nas dimensões Calabi-Yau adicionais determina o número das famílias em que as excitações das cordas se organizam. Esses buracos são semelhantes aos que encontramos em um toro ou em seus primos com pontas múltiplas, como ilustra a figura 9.1. Uma deficiência da figura bidimensional que pode ser mostrada na página de um livro é que ela não transmite a ideia de que um espaço de Calabi-Yau de seis dimensões pode ter buracos de várias dimensões diferentes. Embora seja mais difícil caracterizar visualmente esses buracos, eles podem ser perfeitamente descritos pela matemática. Um fator decisivo é que o número das famílias de partículas que resultam das vibrações das cordas é sensível apenas ao número total dos buracos, e não ao número dos buracos que existam em cada dimensão específica (essa é a razão pela qual não nos preocupamos em estabelecer distinções entre os tipos diferentes de buracos no capítulo 9). Imagine, então, dois espaços de Calabi-Yau em que o número de buracos em cada uma das várias dimensões seja diferente, mas em que o número total de buracos seja o mesmo. Como o número de buracos em cada dimensão não é igual, os dois espaços de Calabi-Yau têm formas diferentes. Mas como eles têm o mesmo número total de buracos, ambos produzem universos com o *mesmo número de famílias*. Logicamente, essa é apenas uma das propriedades físicas. A concordância de *todas* as propriedades físicas é um requisito muito mais restritivo, mas isso dá uma noção de como funciona a conjetura de Dixon, Lerche, Vafa e Warner.

Concluído o meu pós-doutorado, no outono de 1987, fui para o departamento de física de Harvard, e a minha sala ficava no mesmo corredor que a de Vafa. Como eu havia escrito a minha tese sobre as propriedades físicas e matemáticas das dimensões recurvadas dos espaços de Calabi-Yau na teoria das cordas, Vafa manteve-me bem informado a respeito do seu trabalho nessa área. Quando, no outono seguinte, ele me falou, na minha sala, sobre a conjetura que havia formulado com Lerche e Warner, fiquei interessado, mas permaneci cético. O interesse decorria de que se a conjetura fosse correta, poderia abrir um novo campo de pesquisas na teoria das cordas; o ceticismo decorria de que formular hipóteses é uma coisa, e determinar e fundamentar as propriedades de uma teoria é outra bem diferente.

Nos meses que se seguiram pensei bastante sobre a conjetura e devo dizer com franqueza que estava praticamente convencido de que ela não era verdadeira. Para minha surpresa, no entanto, um projeto de pesquisa que aparentemente não tinha nada a ver com isso e que eu havia desenvolvido com Ronen Plesser — que estava fazendo sua pós-graduação em Harvard e que agora é professor no Weizmann Institute e na Universidade de Duke — iria mudar completamente o

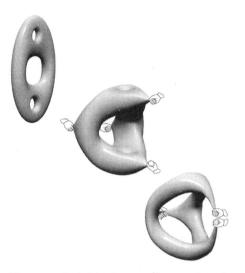

Figura 10.4 *A orbidobra é um procedimento pelo qual se produz uma nova forma de Calabi-Yau unindo-se vários pontos de uma forma de Calabi-Yau inicial.*

meu ponto de vista. Plesser e eu nos dedicáramos a desenvolver métodos para tomar uma forma de Calabi-Yau e manipulá-la matematicamente para produzir outras formas de Calabi-Yau até então desconhecidas. Ocupamo-nos sobretudo de uma técnica conhecida como *orbidobra* (*orbifold*), elaborada inicialmente por Dixon, Jeffrey Harvey, da Universidade de Chicago, Vafa e Witten, poucos anos antes. Em linhas gerais, por meio desse procedimento diferentes pontos de um espaço de Calabi-Yau podem ser colados um ao outro, de acordo com regras matemáticas, o que dá lugar à formação de um novo espaço de Calabi-Yau. A figura 10.4 ilustra esquematicamente esse procedimento. Os cálculos matemáticos que permitem esse tipo de manipulação são dificílimos, razão por que os estudiosos da teoria das cordas concentraram as suas pesquisas apenas nas formas mais simples — versões supradimensionais das formas apresentadas na figura 9.1. Plesser e eu verificamos, no entanto, que algumas das mais belas descobertas de Doron Gepner, então na Universidade de Princeton, poderiam fornecer um esquema teórico capaz de permitir a aplicação da técnica da orbidobra a formas de Calabi-Yau mais complexas, como as ilustradas na figura 8.9.

Durante alguns meses dedicamo-nos intensamente ao desenvolvimento da ideia, até que chegamos a uma conclusão surpreendente. Se uníssemos determinados grupos de pontos da maneira correta, a forma de Calabi-Yau assim produzida diferia da forma inicial de um modo verdadeiramente chocante: o número de buracos das dimensões *ímpares* na forma de Calabi-Yau nova era igual ao número de buracos das dimensões *pares* na forma original, e vice-versa. Em especial, isso significa que o número total de buracos — e portanto o número das famílias de partículas — em ambos os casos é *igual*, embora a alteração entre par e ímpar signifique que as formas e as estruturas geométricas fundamentais sejam bastante diferentes.[5]

Empolgados com o contato que aparentemente tínhamos feito com a hipótese de Dixon, Lerche, Vafa e Warner, Plesser e eu nos concentramos na pergunta-chave: será que, além do número das famílias de partículas, os dois espaços de Calabi-Yau diferentes concordam também quanto ao resto das suas propriedades físicas? Depois de outros dois meses de árduas análises matemáticas — quando contamos com a inspiração e o incentivo de Graham Ross, meu orientador de tese em Oxford, e também de Vafa —, Plesser e eu pudemos argumentar que a resposta era positivamente *sim*. Por razões matemáticas relativas ao intercâmbio entre par e ímpar, Plesser e eu cunhamos o termo *conjunto espelhado* para descrever os espaços de Calabi-Yau fisicamente equivalentes mas geometricamente diferentes.[6] Os espaços individuais em um par espelhado de espaços de Calabi-Yau não são literalmente imagens espelhadas um do outro, no sentido corriqueiro da expressão. Mas apesar de terem propriedades geométricas diferentes, eles dão origem a um mesmo universo material quando usados para as dimensões adicionais na teoria das cordas.

As semanas que se seguiram a esse descobrimento foram de extrema ansiedade. Plesser e eu sabíamos que tínhamos diante de nós algo novo e importante para a teoria das cordas. Demonstráramos que a teoria das cordas modificava substancialmente a associação estreita entre a geometria e a física, estabelecida originalmente por Einstein: formas geométricas drasticamente diferentes, que na relatividade geral implicariam propriedades físicas diferentes, na teoria das cordas davam lugar a propriedades físicas idênticas. Mas e se tivéssemos cometido algum erro? E se as implicações físicas fossem, na verdade, diferentes, por causa de algum fator sutil que não tivéssemos levado em conta? Quando mostramos as nossas conclusões a Yau, por exemplo, ele declarou, com polida firmeza, que nós havíamos cometido algum erro; afirmou que do ponto de vista matemático as nossas conclusões eram esquisitas demais para serem exatas. Essa avaliação provocou em nós uma pausa. Uma coisa é cometer um erro em algum exercício modesto ou pequeno, que atrai pouca atenção; mas as nossas conclusões indicavam um caminho inesperado e totalmente novo, que certamente provocaria uma resposta forte. Se estivéssemos errados, todo mundo saberia.

Finalmente, depois ver e rever tudo de novo, a nossa confiança voltou a crescer e decidimos enviar o trabalho para publicação. Alguns dias depois, eu estava no meu escritório em Harvard quando o telefone tocou. Era Philip Candelas, da Universidade do Texas, que me perguntou imediatamente se eu estava sentado. Estava. Ele me disse então que ele próprio e dois dos seus alunos, Monika Lynker e Rolf Schimmrigk, haviam descoberto algo que me faria cair da cadeira. Ao examinar um grande número de espaços de Calabi-Yau gerados por computador, eles verificaram que quase todos apareciam em pares que diferiam entre si precisamente em função do intercâmbio entre o número de buracos pares e ímpares. Respondi que eu continuava sentado e que Plesser e eu havíamos obtido o mesmo resultado. O trabalho de Candelas e o nosso mostraram-se complementares; nós tínhamos ido um passo adiante ao demonstrar que todos os aspectos físicos resultantes de um par espelhado eram idênticos, enquanto Candelas e seus alunos haviam demonstrado que uma amostragem significativamente maior de formas de Calabi-Yau aparecia em pares espelhados. Com os dois trabalhos, descobrimos a *simetria especular* da teoria das cordas.[7]

A FÍSICA E A MATEMÁTICA DA SIMETRIA ESPECULAR

A diluição da associação singular e rígida que Einstein estabeleceu entre a geometria do espaço e a física observável é uma das mudanças de paradigma mais espetaculares trazidas pela teoria das cordas. Mas isso implica muito mais que uma mudança de caráter filosófico. A simetria especular, particularmente, é um instrumento poderoso para a compreensão da física da teoria das cordas e da geometria dos espaços de Calabi-Yau.

Os matemáticos que trabalham em um campo denominado geometria algébrica já vinham estudando os espaços de Calabi-Yau, por motivos puramente matemáticos, desde pouco tempo antes que a teoria das cordas fosse descoberta. Muitas das propriedades concretas desses espaços geométricos já haviam sido identificadas sem qualquer preocupação com a sua aplicabilidade física. Certos aspectos dos espaços de Calabi-Yau, contudo, revelavam-se de decifração matemática difícil e mesmo virtualmente impossível. A descoberta da simetria especular da teoria das cordas mudou radicalmente o quadro. Em essência, a simetria especular proclama que determinados pares de espaços de Calabi-Yau, pares entre os quais antes se pensava não existir qualquer relação, têm, na verdade, uma vinculação íntima, revelada pela teoria das cordas. Eles se relacionam por meio do universo físico comum que ambos implicam se qualquer deles for escolhido para as dimensões adicionais recurvadas. Essa interconexão antes desconhecida constitui um instrumento matemático e físico novo e profundo.

Imagine, por exemplo, que você esteja calculando as propriedades físicas — as massas das partículas e as cargas de força — associadas a uma das escolhas possíveis de espaços de Calabi-Yau para as dimensões adicionais. Sua preocupação básica não é a de conferir os seus resultados concretos com a experiência, pois, como já vimos, diversos obstáculos teóricos e tecnológicos o impedem no nível atual de conhecimentos. O que você quer é desenvolver uma experiência teórica destinada a mostrar como o mundo *seria* se um espaço de Calabi-Yau particular *fosse* escolhido. Até certa altura tudo vai bem, quando então aparece um cálculo matemático de dificuldade insuperável. Ninguém, nem mesmo o melhor matemático do mundo, consegue descobrir como avançar. E você tem de parar. De repente vem à sua mente que esse espaço de Calabi-Yau tem um par espelhado. Como, de acordo com a teoria das cordas, a estrutura física associada aos dois membros do par espelhado é idêntica, você verifica que pode fazer os seus cálculos usando qualquer um dos dois. Portanto, o cálculo difícil do primeiro espaço de Calabi-Yau pode ser refeito com o emprego do segundo espaço de Calabi-Yau, tendo-se por certo que o resultado do cálculo — a estrutura física — será o mesmo. À primeira vista você pode pensar que a dificuldade dos cálculos será também a mesma, mas é aí que surge uma surpresa grande e agradável: embora o resultado final seja o mesmo, as formas concretas do cálculo são muito diferentes e em alguns casos a horrível dificuldade calculatória da primeira alternativa se transforma em um exercício extremamente fácil no segundo espaço de Calabi-Yau. Não existe uma explicação simples para isso, mas — pelo menos em certos casos — o procedimento funciona e a diminuição do nível de dificuldade pode ser espantosa. A implicação, naturalmente, é clara: o problema está superado.

É mais ou menos como se alguém lhe pedisse que conte todas as laranjas que foram jogadas dentro de um enorme depósito de quinze metros de cada lado e três de profundidade. Se você contá-las uma por uma, logo verá que a tarefa é sumamente longa e enfadonha. Por sorte, passa um amigo seu que estava presente quando as laranjas foram jogadas no depósito e lhe diz que quando elas chegaram, estavam em caixas menores (casualmente o seu amigo trazia nas mãos uma delas) e que se lembra também de que as caixas foram postas juntas em uma grande pilha de vinte caixas de comprimento, vinte de largura e vinte de altura. Logo você vê que as laranjas chegaram em 8 mil caixas e que só precisa saber, portanto, quantas laranjas cabem em cada caixa. Você pede emprestada a caixa do seu amigo e a enche de laranjas, multiplica o resultado por 8 mil e realiza a tarefa quase sem fazer esforço algum. Em síntese, por meio de uma reorganização do cálculo, você o transformou em algo substancialmente mais fácil de fazer.

Essa é a situação que ocorre com numerosos cálculos da teoria das cordas. Na perspectiva de um dos espaços de Calabi-Yau, o cálculo envolve um número enorme de passos matemáticos difíceis. Ao transpor o cálculo para o espaço espelhado, no entanto, você o reorganiza de um modo muito mais eficiente, o que lhe permite completá-lo com relativa facilidade. Isso foi o que Plesser e eu descobrimos e que Candelas e suas colaboradoras Xenia de la Ossa e Linda Parkes, da Universidade do Texas, e Paul Green, da Universidade de Maryland, puseram em prática posteriormente. Eles demonstraram que cálculos de dificuldade quase inimaginável podiam ser feitos por meio da perspectiva espelhada usando apenas algumas páginas de álgebra e um computador pessoal.

Os matemáticos adoraram a descoberta porque alguns dos cálculos assim resolvidos eram precisamente os que os estavam paralisando havia anos. A teoria das cordas — assim proclamaram os físicos — lhes propiciara a solução.

É preciso que você saiba que existe uma competição, em geral sadia e proveitosa, entre os físicos e os matemáticos. No caso presente, aconteceu que dois matemáticos noruegueses — Geir Ellingsrud e Stein Arild Strømme — estavam trabalhando em um dos numerosos cálculos que Candelas e seus colaboradores tinham resolvido por meio da simetria especular. Em síntese, tratava-se de calcular o número de esferas que podiam ser "enfiadas" dentro de um espaço de Calabi-Yau específico, algo assim como contar laranjas em um depósito enorme. Em um encontro de físicos e matemáticos em Berkeley, em 1991, Candelas anunciou o resultado obtido pelo seu grupo usando a teoria das cordas e a simetria especular: 317 206 375 esferas. Ellingsrud e Strømme anunciaram também o resultado do seu dificílimo cálculo matemático: 2 682 549 425 esferas. Por dias e dias os físicos e os matemáticos debateram entre si: quem tinha razão? O problema transformou-se em um teste a respeito da confiabilidade quantitativa da teoria das cordas. Várias pessoas chegaram a comentar — com algo de humor — que, já que não se podia comprovar experimentalmente a teoria das cordas, aquela era a melhor alternativa disponível para testá-la. Além disso, as conclusões de Candelas iam muito além do simples resultado numérico que Ellingsrud e Strømme afirmavam ter encontrado. Ele e seus colaboradores diziam ter resolvido diversas outras questões tremendamente mais difíceis — tão difíceis que, com efeito, nenhum matemático sequer havia tentado formulá-las. Mas, afinal, os resultados da teoria das cordas eram confiáveis? O encontro terminou, depois de um intercâmbio grande e frutífero entre os matemáticos e os físicos, mas sem que se encontrasse uma solução para a discrepância.

Cerca de um mês depois, circulou um e-mail entre os participantes do evento de Berkeley, cujo título era *A física ganhou!*. Ellingsrud e Strømme haviam encontrado um erro no código do seu computador e ao corrigi-lo confirmaram o resultado de Candelas. Desde então fizeram-se muitas outras verificações matemáticas a respeito da confiabilidade quantitativa da simetria especular da teoria das cordas e em todos os testes ela passou com louvor. Quase dez anos depois de os físicos descobrirem a simetria especular, os matemáticos continuam a avançar na explicitação dos seus fundamentos matemáticos. Valendo-se de contribuições substantivas dos matemáticos Maxim Kontsevich, Yuri Manin, Gang Tian, Jun Li e Alexander Givental, Yau e seus colaboradores Bong Lian e Kefeng Liu conseguiram finalmente concluir uma demonstração matemática rigorosa das fórmulas usadas para contar as esferas no interior de um espaço de Calabi-Yau, com o que resolveram problemas que atormentavam os matemáticos por centenas de anos.

Além dos aspectos particulares desse triunfo, o que se revela aqui é o papel que a física passou a desempenhar na matemática moderna. Por muito tempo os físicos têm "garimpado" os arquivos dos matemáticos à procura de instrumentos para a construção e a análise dos modelos do mundo físico. Agora, com a descoberta da teoria das cordas, a física começa a pagar a conta, proporcionando aos matemáticos enfoques novos e eficazes para resolver velhos problemas. A teoria das cordas não só propicia um esquema unificador para a física, mas também pode produzir uma união igualmente profunda com a matemática.

11. A ruptura do tecido espacial

Se você esticar uma membrana de borracha cada vez mais, mais cedo ou mais tarde ela rebentará. Esse fato simples levou muitos cientistas ao longo do tempo a perguntar se o mesmo poderia acontecer com o tecido espacial que compõe o universo. Ou seja, o tecido do espaço pode romper-se, ou será que isso é simplesmente uma conclusão falsa a que seríamos conduzidos se levássemos longe demais a analogia com a membrana de borracha?

A relatividade geral de Einstein nos diz que não: que o tecido do espaço não pode se romper.[1] As equações da relatividade geral estão profundamente enraizadas na geometria riemanniana e, como notamos no capítulo anterior, esse é o esquema por meio do qual analisamos as distorções nas relações de distância entre lugares relativamente próximos no espaço. Para falarmos de maneira consequente a respeito dessas relações de distância, a formalização matemática requer que o substrato do espaço seja *suave* — termo que tem um significado técnico em matemática, mas cujo sentido é essencialmente igual ao corriqueiro: destituído de dobras, buracos, emendas ou rasgões. Se o tecido espacial apresentasse essas irregularidades, as equações da relatividade geral se espatifariam, sinalizando algum tipo de catástrofe cósmica — resultado desastroso que o nosso universo aparentemente bem-comportado não revela.

Isso não impediu que ao longo dos anos a imaginação dos cientistas conjecturasse a respeito da possibilidade de que uma nova formulação da física, que transcendesse a teoria clássica de Einstein e incorporasse a física quântica, viesse a mostrar que rachaduras, rasgões e fusões do tecido espacial podem ocorrer. De fato, a revelação de que a física quântica indica a existência de ondulações violentas nos pequenos espaços levou alguns cientistas a especular que rachaduras e rasgões possam ser ocorrências comuns no nível microscópico do tecido espacial. O conceito de *túnel do espaço-tempo* (*wormhole*, literalmente "buraco de minhoca" — noção familiar para todos os fãs de *Jornada nas Estrelas: Deep Space Nine*) incorpora essas elucubrações. A ideia é simples: imagine que você é o presidente de uma grande empresa cuja sede está no nonagésimo andar de um dos dois edifícios gêmeos do World Trade Center, em Nova York. Com a evolução natural dos negócios, um ramo da sua empresa, com o qual você tem de manter relações cada vez mais estreitas, acabou ficando localizado no nonagésimo andar do outro edifício gêmeo. Uma vez que fazer a mudança de todas as salas é uma operação pouco prática e custosa, você apresenta uma sugestão simples: a construção de uma ponte entre os dois edifícios, para permitir que os funcionários se desloquem livremente de um escritório ao outro sem ter de descer e subir noventa andares.

O buraco de minhoca faz o mesmo papel: é uma ponte, ou túnel, que proporciona um atalho de uma região do universo para outra. Usando um modelo bidimensional, imagine um universo com a forma que aparece na figura 11.1. Se a sede da sua empresa estiver localizada próximo ao círculo inferior representado em 11.1(a), você precisará, para ir ao outro escritório, localizado no círculo superior, atravessar todo o caminho, percorrendo a membrana em forma de U, para ir de um lado ao outro do universo. Mas se o tecido do universo puder rasgar-se e formar buracos, como na figura 11.1(b), e se os buracos puderem desenvolver tentáculos que terminem por encontrar-se, como na figura 11.1(c), uma ponte espacial uniria as duas regiões anteriormente longínquas. Isso é um buraco de minhoca, ou túnel do espaço-tempo. Observe que o túnel do espaço-tempo tem certa semelhança com a ponte do World Trade Center, mas que há também uma diferença essencial: a ponte do World Trade Center atravessaria uma região *existente* do espaço — o espaço que existe entre as duas torres. Já o

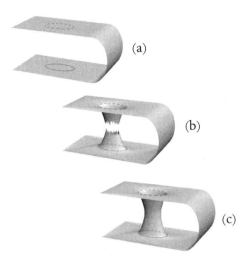

Figura 11.1 *(a) Em um universo em forma de "U", a única maneira de ir de um extremo ao outro é atravessar todo o cosmos. (b) O tecido do espaço se rompe e as duas pontas de um túnel começam a abrir-se. (c) As duas pontas do túnel se encontram e formam uma nova ponte — um atalho — que une os dois extremos do universo.*

túnel do espaço-tempo, ao contrário, cria uma região *nova* do espaço, uma vez que o espaço constituído pela membrana bidimensional curva da figura 11.1(a) é *tudo* o que existe (no contexto da nossa analogia bidimensional). As áreas que ficam fora da membrana simplesmente refletem a imperfeição da ilustração, que representa o universo em forma de U como se ele fosse um objeto dentro de um universo com dimensões adicionais. O túnel do espaço-tempo cria espaço novo e, dessa maneira, cria um novo território espacial.

Os túneis do espaço-tempo existem no universo? Ninguém sabe. E se de fato existirem, ainda estamos longe de saber se a sua forma tem necessariamente de ser microscópica ou se poderia abranger vastas áreas do universo (como em *Deep Space Nine*). Mas um elemento essencial para determinar se eles, na verdade, são fato ou ficção estará dado quando soubermos se o tecido do espaço pode efetivamente romper-se.

Os buracos negros são outro exemplo eloquente das situações em que o tecido espacial é estirado até o limite. Na figura 3.7, vimos que o enorme campo gravitacional de um buraco negro resulta em uma curvatura tão intensa que o tecido espacial *parece* constringir-se ou se perfurar no centro do buraco negro. Ao contrário do caso dos túneis do espaço-tempo, há amplas provas experimentais em apoio à existência dos buracos negros, de modo que a questão relativa ao que acontece no seu ponto central é científica e não especulativa. Também nesse caso as equações da relatividade geral desmoronam devido às condições extremas. Alguns físicos sugerem que efetivamente há um furo no tecido do espaço, mas que nós estamos protegidos contra essa "singularidade" cósmica pelo horizonte de eventos do buraco negro, que impede que qualquer coisa escape da sua atração gravitacional. Esse raciocínio levou Roger Penrose, da Universidade de Oxford, a sugerir a "hipótese da censura cósmica", que só permite que esses tipos de irregularidades espaciais ocorram se estiverem muito bem escondidas de nossas vistas, atrás do biombo de um horizonte de eventos. Por outro lado, antes da descoberta da teoria das cordas, alguns físicos propuseram que a fusão entre a mecânica quântica e a relatividade geral revelará que o aparente furo no tecido do espaço é, na verdade, suavizado — "remendado", digamos assim — por meio de considerações quânticas.

Com a descoberta da teoria das cordas e a fusão harmoniosa entre a mecânica quântica e a gravidade, finalmente podemos estudar essas questões. Até aqui, os teóricos não puderam ainda respondê-las por inteiro, mas nos últimos anos algumas questões correlatas foram resolvidas. Neste capítulo, discutiremos como a teoria das cordas, pela primeira vez, mostra definitivamente que existem circunstâncias físicas — diferentes, em alguns sentidos, dos túneis do espaço-tempo e dos buracos negros — em que o tecido espacial *pode* romper-se.

UMA POSSIBILIDADE TENTADORA

Em 1987, Shing-Tung Yau e seu aluno Gang Tian, atualmente no Massachusetts Institute of Technology, fizeram uma observação matemática interessante. Valendo-se de um procedimento matemático bem conhecido, eles demonstraram que certas formas de Calabi-Yau podem transformar-se em outras se a sua superfície for perfurada e depois cosida, de acordo com um padrão matemático preciso.[2] Em termos gerais, eles identificaram um tipo particular de esfe-

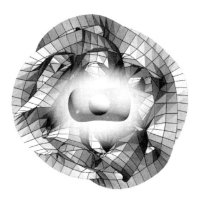

Figura 11.2 *A região assinalada no interior de um espaço de Calabi-Yau contém uma esfera.*

ra bidimensional — como a superfície de uma bola de borracha — que jaz no interior de um espaço de Calabi-Yau, como se vê na figura 11.2. (Uma bola de borracha, como todos os objetos cotidianos, é tridimensional. Aqui, no entanto, referimo-nos exclusivamente à sua superfície; ignoramos a espessura do material de que é feita, assim como o espaço interior que ela encerra. Os pontos localizados na superfície da bola podem ser identificados por meio de dois números — "latitude" e "longitude" —, do mesmo modo como localizamos os pontos da superfície da Terra. É por isso que a *superfície* da bola, assim como a superfície da mangueira que discutimos nos capítulos precedentes, é *bi*dimensional.) Os cientistas empenharam-se então em contrair a esfera até que ela ficasse reduzida a um ponto, como aparece na sequência de formas da figura 11.3. Essa figura, assim como as que aparecem a seguir neste capítulo, são simplificações e mostram apenas a parte mais relevante da forma de Calabi-Yau. Não se deve perder de vista, portanto, que essas transformações ocorrem dentro de um espaço de

Figura 11.3 *A esfera no interior de um espaço de Calabi-Yau contrai-se até reduzir-se a um ponto, perfurando o tecido do espaço. Essa figura e as subsequentes estão simplificadas e mostram apenas uma parte do espaço de Calabi-Yau completo.*

Calabi-Yau algo maior, como na figura 11.2. Finalmente, Tian e Yau propuseram-se rasgar ligeiramente o espaço de Calabi-Yau exatamente no ponto da constrição (figura 11.4(a)), abri-lo, pôr no lugar outra forma similar à da bola (figura 11.4(b)) e voltar a inflar essa forma até torná-la novamente redonda (figuras 11.4(c) e 11.4(d)).

Os matemáticos denominam essa sequência de manipulações uma *transição de virada* (*flop-transition*). É como se a forma original da bola de borracha fosse "virada" para uma nova orientação dentro da forma de Calabi-Yau que a envolve. Yau, Tian e outros notaram que, em certas circunstâncias, a nova forma de Calabi-Yau assim produzida, tal como na figura 11.4(d), é *topologicamente diferente* da forma de Calabi-Yau inicial da figura 11.3(a). Esse é um modo de dizer que não há absolutamente nenhuma maneira de transformar o espaço de Calabi-Yau inicial da figura 11.3 no espaço de Calabi-Yau final da figura 11.4 sem rasgar o tecido do espaço de Calabi-Yau em um estágio intermediário.

Do ponto de vista da matemática, esse procedimento de Yau e Tian tem interesse porque oferece um modo de produzir novos espaços de Calabi-Yau a partir de outros já conhecidos. Mas o seu verdadeiro impacto está no reino da física, porque aí se coloca a seguinte implicação tentadora: será que, além de ser um procedimento matemático abstrato, a sequência que vai da figura 11.3(a) até a figura 11.4(d) pode também ocorrer na natureza? Será que, ao contrário da expectativa de Einstein, o tecido do espaço pode ser *rasgado e depois reparado* da maneira descrita?

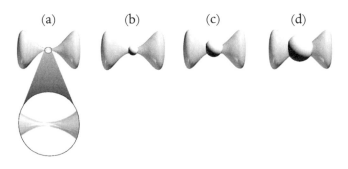

Figura 11.4 *O espaço de Calabi-Yau perfurado se divide e dá lugar a uma esfera que cresce e suaviza a sua superfície. A esfera original da figura 11.3 é "virada".*

A PERSPECTIVA DO ESPELHO

Durante um período de uns dois anos, depois da observação de 1987, frequentemente Yau me animou a pensar na possibilidade de uma encarnação física dessas transições de virada. Mas eu não me entusiasmei. Para mim, a transição de virada era apenas um exercício de matemática abstrata, sem nenhuma relevância para a física da teoria das cordas. Na verdade, com base na discussão do capítulo 10, quando vimos que as dimensões circulares têm um raio mínimo, poder-se-ia argumentar que a teoria das cordas não permite que a esfera da figura 11.3 se encolha até reduzir-se a um ponto. Mas lembre-se, como também notamos no capítulo 10, de que quando uma parte do espaço entra em colapso — nesse caso uma parte esférica de uma forma de Calabi-Yau —, ao contrário do colapso de toda uma dimensão circular espacial, a impossibilidade de diferenciar entre os raios pequenos e grandes não se aplica diretamente. Contudo, mesmo que a ideia de excluir desse modo as transições de virada não resistisse à análise, a possibilidade de que o tecido espacial pudesse romper-se parecia ainda bastante improvável.

Mas em 1991, o físico norueguês Andy Lütken, juntamente com Paul Aspinwall, meu colega em Oxford e agora professor da Universidade de Duke, propuseram-se uma pergunta que se revelou muito interessante: se o tecido espacial da parte Calabi-Yau do nosso universo sofresse uma transição de virada que efetivamente o rompesse, qual seria o efeito examinado a partir da perspectiva do espaço de Calabi-Yau espelhado? Para compreender a motivação dessa pergunta, é preciso recordar que a estrutura física que surge de ambos os membros de um par espelhado de formas de Calabi-Yau (que sejam escolhidos para as dimensões adicionais) é a mesma, mas que a complexidade das operações matemáticas que têm de ser empregadas para deduzir essa estrutura física pode ser bastante diferente em um caso e no outro. Aspinwall e Lütken especularam então que a transição de virada matematicamente complexa das figuras 11.3 e 11.4 poderia ter soluções muito mais simples no par espelhado, produzindo assim uma visão bem mais clara da estrutura física associada.

Naquela época, o conhecimento da simetria especular não tinha ainda a profundidade necessária para dar resposta à pergunta por eles formulada. Aspinwall e Lütken notaram, contudo, que não parecia haver nada na versão espelhada que indicasse que alguma consequência física desastrosa estivesse associada aos rompimentos espaciais das transições de virada. Paralelamente, o trabalho feito por Plesser e por mim na identificação de pares espelhados de formas de Calabi-Yau (ver capítulo 10) levou-nos inesperadamente a nos ocuparmos também das transições de virada. É um fato matemático bem conhecido que o acoplamento de vários pontos, como se vê na figura 10.4 — o procedimento que usamos para construir pares espelhados — , leva a situações geométricas idênticas às constrições e perfurações das figuras 11.3 e 11.4. Fisicamente, no entanto, Plesser e eu não encontramos nenhuma calamidade correlata. Além disso, inspirados pelas observações de Aspinwall e Lütken (assim como por um trabalho anterior publicado por eles e por Graham Ross), Plesser e eu verificamos que podíamos reparar matematicamente a constrição de duas maneiras diferentes. Uma delas levou à forma de Calabi-Yau da figura 11.3(a) e a outra levou à da figura 11.4(d). Isso nos fez pensar que a evolução desde a figura 11.3(a) até a figura 11.4(d) podia ocorrer de verdade na natureza.

No final de 1991, pelo menos alguns estudiosos da teoria das cordas estavam persuadidos de que o tecido espacial *pode* romper-se. Mas ninguém possuía o instrumental técnico para comprovar ou refutar definitivamente essa possibilidade.

LENTOS AVANÇOS

Em diversas ocasiões, em 1992, Plesser e eu tentamos demonstrar que o tecido espacial pode sofrer transições de virada que o rompam. Os nossos cálculos produziam alguns elementos esparsos e circunstanciais nesse sentido, mas a prova definitiva continuava a escapar-nos. Durante a primavera, Plesser visitou o Instituto de Estudos Avançados de Princeton para dar uma palestra e revelou a Witten as nossas tentativas mais recentes de desenvolver, dentro da física da teoria das cordas, a matemática das transições de virada capazes de romper o espaço. Plesser resumiu as nossas ideias e esperou a resposta. Witten afastou-se do quadro-negro e olhou pela janela. Depois de um silêncio de um minuto, ou talvez dois, ele virou-se para Plesser e disse que se as nossas ideias fossem corretas, o resultado seria "espetacular". Isso nos animou a retomar os nossos esforços, mas, com o tempo, a ausência de progresso nos levou de volta a outros projetos relativos à teoria das cordas.

Mesmo assim, eu continuava cismado com a possibilidade de que as transições de virada pudessem causar rompimentos no espaço. Com o passar dos meses, fui ficando cada vez mais seguro de que elas não podiam deixar de estar presentes na teoria das cordas. Os nossos cálculos preliminares, assim como as utilíssimas conversas que tivemos com David Morrison, matemático da Universidade de Duke, indicavam que essa era a conclusão a que a simetria especular levava naturalmente. De fato, durante uma visita a Duke, Morrison e eu, com a ajuda das observações de Sheldon Katz, da Oklahoma State University, que também estava visitando Duke, esboçamos uma estratégia para provar que as transições de virada podem ocorrer na teoria das cordas. Quando nos sentamos para fazer os cálculos necessários, contudo, vimos que eles eram extraordinariamente trabalhosos. Mesmo com o computador mais veloz do mundo, seria preciso mais de um século para completá-los. Tínhamos progredido, mas obviamente precisávamos de uma ideia nova para aumentar, e muito, a eficiência do nosso método de cálculo. A ideia apareceu, acidentalmente, graças a dois trabalhos de Victor Batyrev, matemático da Universidade de Essen, publicados na primavera e no verão de 1992.

Batyrev passara a interessar-se pela simetria especular sobretudo devido ao êxito que Candelas e seus colaboradores tiveram ao utilizá-la para resolver o problema da contagem das esferas, descrito ao final do capítulo 10. Mas Batyrev, com a sua perspectiva de matemático, não se reconciliava com os método que Plesser e eu usáramos para encontrar os pares de espaços de Calabi-Yau. Embora o nosso enfoque empregasse instrumentos bem conhecidos para os estudiosos da teoria das cordas, Batyrev depois nos disse que o nosso trabalho lhe parecera "magia negra". Isso revela o grande hiato cultural que existe entre a física e a matemática. À medida que a teoria das cordas torna difusas as fronteiras entre as duas ciências, as fortes diferenças de linguagem, método e estilo que existem entre os dois campos tornam-se cada vez mais visíveis. Os físicos assemelham-se mais aos compositores de música de vanguarda, que gostam de violar as regras tradicionais e forçam os limites da aceitabilidade em busca de novas soluções. Já os matemáticos parecem-se mais aos compositores clássicos, que normalmente trabalham com normas muito mais rígidas e não avançam enquanto todos os passos prévios não estejam definidos com o máximo rigor. Ambos os métodos têm suas vantagens e desvantagens; ambos proporcionam ambientes propícios para as descobertas criativas. Assim como não se pode dizer que a música moderna seja melhor do que a clássica, e vice-versa, tampouco se pode dizer que a física seja melhor do que a matemática, e vice-versa. Os métodos escolhidos dependem muito de gosto e de treinamento.

Batyrev dedicou-se a reconstruir os conjuntos espelhados usando uma estrutura matemática mais convencional e teve êxito. Inspirado pelo matemático de Taiwan Shi-Shyr Roan, ele desenvolveu um procedimento sistemático para a produção de pares espelhados de espaços de Calabi-Yau. A sua construção reduz-se ao procedimento que Plesser e eu empregáramos nos exemplos que consideramos, mas oferece um esquema mais amplo e uma apresentação mais simples para os matemáticos.

Por outro lado, os trabalhos de Batyrev recorriam a áreas da matemática que a maior parte dos físicos nunca encontrara antes. Eu, por exemplo, entendia a essência da sua argumentação, mas tive muita dificuldade em compreender diversos detalhes cruciais. Uma coisa, no entanto, era clara: o seu método de trabalho, desde que entendido e aplicado corretamente, podia perfeitamente abrir uma nova linha de ataque aos problemas dos rompimentos espaciais causados pelas transições de virada.

No fim do verão setentrional, estimulado por esses avanços, decidi voltar a esses problemas com intensidade total e exclusiva. Soube que Morrison tiraria licença em Duke e passaria um ano no Instituto de Estudos Avançados e que Aspinwall também estaria no instituto, como pós-doutor. Com alguns telefonemas e e-mails, consegui tirar licença na Universidade de Cornell e fui também para o instituto.

SURGE UMA ESTRATÉGIA

Seria difícil encontrar um lugar mais apropriado para longas horas de intensa concentração do que o Instituto de Estudos Avançados. Fundado em 1930, situado entre suaves campos ondulados, à borda de uma floresta idílica, a alguns quilômetros do *campus* da Universidade de Princeton, diz-se que no instituto você nunca se distrai do seu trabalho, porque, bem, porque não há nenhuma distração.

Depois de deixar a Alemanha em 1933, Einstein foi para o instituto e lá ficou o resto da vida. É fácil imaginá-lo pensando e refletindo sobre a teoria do campo unificado no ambiente quieto, isolado e quase ascético do instituto. Esse legado de pensamento profundo inunda a atmosfera, o que, dependendo do progresso do seu trabalho, pode ser excitante ou opressivo.

Logo após a nossa chegada, Aspinwall e eu estávamos andando pela rua Nassau (a principal rua de comércio na cidade de Princeton) tentando decidir onde jantar, tarefa que não era nada fácil porque Paul é um devoto carnívoro e eu sou vegetariano. Enquanto andávamos, pondo em dia as nossas vidas, ele me perguntou se eu tinha alguma ideia sobre coisas novas para trabalhar. Eu disse que sim e falei sobre a importância de demonstrar que se a descrição do universo pela teoria das cordas for correta, então o rompimento do espaço devido às transições de virada pode ser uma coisa real. Falei também sobre a estratégia que eu vinha seguindo e sobre a minha renovada esperança de que o trabalho de Batyrev nos ajudasse a pôr no lugar as peças que faltam. Pensei que estivesse plantando em terra fértil e que Paul ficaria animado com a perspectiva. Nada disso. Pensando bem, a reticência vinha basicamente do nosso duelo intelectual, longo e positivo, em que estamos sempre fazendo o advogado do diabo um para o outro. Dias depois ele apareceu e começamos a dedicar atenção completa às viradas.

A esse altura, Morrison também já havia chegado e nós três nos reunimos para formular uma estratégia. Concordamos em que o objetivo principal era determinar se a evolução da figura 11.3(a) até a figura 11.4(d) pode efetivamente ocorrer no nosso universo. Não se podia fazer um ataque frontal ao problema porque as equações que descrevem essa evolução são impraticavelmente difíceis,

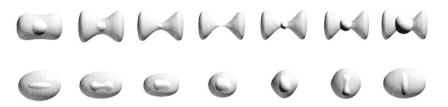

Figura 11.5 *Uma transição de virada que rompe o espaço (fila de cima) e a sua suposta reformulação pelo espelho (fila debaixo).*

especialmente quando ocorre o rompimento do espaço. Resolvemos então reformular a questão usando a perspectiva do espelho, na esperança de que as equações fossem mais acessíveis. Esquematicamente isso é apresentado na figura 11.5, em que na fila de cima aparece a evolução da figura 11.3(a) até a figura 11.4(d) e na fila debaixo aparece a mesma evolução, vista da perspectiva das formas de Calabi-Yau espelhadas. Tal como alguns de nós já havíamos previsto, na reformulação pelo espelho a física das cordas comporta-se perfeitamente bem e não produz nenhuma catástrofe. Como se vê, não parece haver nenhuma constrição, perfuração ou rompimento na fila debaixo da figura 11.5. No entanto, a verdadeira pergunta que essa observação nos trazia era a seguinte: será que estávamos levando a simetria especular além dos limites da sua aplicabilidade? Ainda que as duas formas de Calabi-Yau que aparecem mais à esquerda nas duas filas da figura 11.5 produzam estruturas físicas idênticas, será verdade que em todos os passos intermédios da evolução descrita na figura — passando necessariamente pelo processo de constrição, perfuração, rompimento e restauração na fase central — as propriedades físicas de ambas as linhas de evolução são idênticas?

Embora tivéssemos sólidas razões para crer que a correlação entre as duas linhas se mantinha durante a fase da progressão que vai até a constrição e o rompimento nas formas da fila de cima da figura 11.5, nenhum de nós sabia se essa correlação continuava a existir depois do rompimento. Esse era um ponto crucial, porque se a resposta fosse positiva, então a ausência de catástrofe na perspectiva do espelho significaria que tampouco ocorrem catástrofes na perspectiva original e assim estaríamos demonstrando que o espaço pode romper-se na teoria das cordas. Vimos que essa questão podia reduzir-se a um cálculo: deduzir as propriedades físicas do universo, após o rompimento, tanto para a forma de Calabi-Yau da fila de cima (usando, por exemplo, a forma mais à direita dessa fila na figura 11.5) quanto para a forma que lhe corresponde na correlação espelhada (usando a forma mais à direita da fila debaixo) e ver se elas são idênticas.

Foi a esse cálculo que Aspinwall, Morrison e eu nos dedicamos no outono de 1992.

NOITES EM CLARO NOS TERRENOS DE EINSTEIN

O intelecto cortante de Edward Witten revela-se através das suas maneiras suaves, por vezes quase irônicas. Ele é visto por muitos como o sucessor de

Einstein no papel de maior cientista vivo. Alguns creem mesmo que ele seja o maior físico de todos os tempos. Seu apetite para os problemas da vanguarda da física é insaciável e a influência por ele exercida na definição das linhas de pesquisa na teoria das cordas é tremenda.

O alcance e a profundidade da produtividade de Witten são legendários. Sua mulher, Chiara Nappi, também física no instituto, gosta de retratar Witten sentado à mesa da copa, percorrendo mentalmente as fronteiras do conhecimento na teoria das cordas e, muito de vez em quando, tomando o lápis e o papel para verificar algum detalhe mais sutil.[3] Há também o relato de um pós-doutor que teve por um tempo uma sala ao lado da de Witten. Ele descreve a desanimadora comparação entre as suas lutas com os cálculos complexos da teoria das cordas e o ruído incessante do teclado do computador de Witten, produzindo, sem parar, um texto de vanguarda após o outro, diretamente do cérebro para o computador.

Mais ou menos uma semana depois que cheguei, Witten e eu estávamos conversando no jardim do instituto e ele me perguntou sobre os meus planos de pesquisa. Falei-lhe a respeito das viradas que rompem o espaço e da estratégia que pensávamos seguir. Ele mostrou um claro interesse pelas nossas ideias, mas alertou-me para o fato de que os cálculos seriam terrivelmente difíceis. Apontou também para um elo potencialmente frágil na estratégia que eu descrevera, algo que se relacionava a um trabalho que eu havia feito alguns anos atrás com Vafa e Warner. A questão que ele levantou revelou-se apenas tangencial com relação ao nosso método para estudar as viradas, mas teve o mérito de levá-lo a pensar sobre questões que afinal mostraram-se relevantes e complementares.

Aspinwall, Morrison e eu decidimos dividir os nossos cálculos em duas partes. Inicialmente, pareceu-nos que a divisão natural seria fazer primeiro a dedução da estrutura física associada à última forma de Calabi-Yau da fila de cima da figura 11.5 e depois fazer o mesmo com relação à última forma de Calabi-Yau da fila debaixo. Se a correlação espelhada não ficasse desfigurada pelo rompimento da forma de Calabi-Yau de cima, então as duas formas finais deveriam produzir estruturas físicas idênticas, exatamente como acontecia com as duas formas iniciais, das quais elas provinham. (Com essa maneira de formular o problema, evitam-se os cálculos demasiado difíceis que envolvem a forma de Calabi-Yau de cima no momento do rompimento.) Calcular a estrutura física associada à última forma de Calabi-Yau da fila de cima mostrou-se uma tarefa relativamente simples. A dificuldade real do nosso programa consistia, em primeiro lugar, em determinar a *forma precisa* do último espaço de Calabi-Yau da fila debaixo da figura 11.5 — o espelho putativo do espaço de Calabi-Yau da fila de cima — e em seguida deduzir a estrutura física a ela associada.

Alguns anos antes, Candelas havia elaborado um procedimento para realizar a segunda tarefa — a dedução da estrutura física do último espaço de Calabi-Yau da fila debaixo —, uma vez conhecida com precisão a sua forma. O método, contudo, dependia intensamente de cálculos complexos, e vimos que precisaríamos de um programa de computador bem sofisticado para aplicá-lo ao nosso exemplo. Aspinwall, que além de ser um físico de renome é um campeão de programação, ficou com essa parte do trabalho. Morrison e eu nos dedicamos à primeira tarefa, ou seja, a identificação precisa da forma do espaço de Calabi-Yau correspondente ao espelho.

Foi nesse ponto que vimos que o trabalho de Batyrev poderia dar-nos pistas importantes. Mais uma vez, a divisão cultural entre os matemáticos e os físicos — neste caso, entre Morrison e eu — começou a afetar o progresso. Precisávamos somar a potência dos dois campos para encontrar a forma *matemática* dos espaços de Calabi-Yau da fila debaixo que deveriam corresponder ao mesmo universo *físico* das formas de Calabi-Yau de cima, se é que os rompimentos de virada fazem mesmo parte do repertório da natureza. Mas nenhum de nós dois era suficientemente fluente na linguagem do outro para ver com clareza como alcançar esse objetivo. Nós dois percebemos que era óbvio que tínhamos de atacar o problema de frente: precisávamos tomar cursos intensivos, um na área de conhecimento do outro. Decidimos então que de dia procuraríamos avançar o melhor possível nos cálculos e de noite seríamos professor e aluno de aulas particulares: eu ensinava física a Morrison durante uma ou duas horas e ele me ensinava matemática pelo mesmo período de tempo. A escola fechava normalmente às onze da noite.

Seguimos essa rotina diariamente. O progresso era lento, mas pouco a pouco as coisas iam tomando os seus lugares. Enquanto isso, Witten avançava celeremente na reformulação do elo frágil que ele próprio identificara e desenvolvia um método novo e mais eficaz para obter uma linguagem comum entre a física da teoria das cordas e a matemática dos espaços de Calabi-Yau. Aspinwall,

Morrison e eu tínhamos encontros improvisados com Witten quase todos os dias e ele nos narrava os avanços derivados da sua linha de trabalho. Semanas depois, já ia ficando claro que o caminho de Witten, embora tivesse começado de um ponto de vista completamente diferente do nosso, convergia inesperadamente para a questão das transições de virada. Aspinwall, Morrison e eu percebemos que se não terminássemos logo os nossos cálculos, Witten chegaria na frente.

AS CERVEJAS E O TRABALHO NOS FINS DE SEMANA

Nada melhor para concentrar a mente de um cientista que uma boa dose de competição sadia. Aspinwall, Morrison e eu trabalhávamos a pleno vapor. É importante observar que para Morrison e para mim isso tinha um significado muito diferente do que tinha para Aspinwall. Ele é uma interessante combinação da fleuma britânica de classe alta, reflexo dos dez anos que passara em Oxford, desde o primeiro ano até o doutorado, com uma dose sutil de irreverência brincalhona. Do ponto de vista dos hábitos de trabalho, é provavelmente o físico mais civilizado que eu conheço. Morrison e eu ficávamos trabalhando até tarde da noite e Aspinwall jamais trabalha depois das cinco da tarde. Enquanto muitos de nós trabalhamos nos fins de semana, ele não o faz nunca. Ele consegue fazer isso porque é preciso e eficiente. Trabalhar a pleno vapor, para ele, significa apenas elevar o índice de eficiência a níveis ainda mais altos.

Já estávamos no começo de dezembro. Morrison e eu dávamos aulas um para o outro há meses e o resultado já se fazia notar. Estávamos bem perto de conseguir identificar a forma precisa do espaço de Calabi-Yau que buscávamos. Aspinwall tinha praticamente terminado o seu programa de computador e esperava os nossos resultados para jogá-los no seu programa. Numa quinta-feira à noite, Morrison e eu sentimos que já poderíamos identificar a forma de Calabi-Yau desejada. Também essa tarefa precisou de um programa de computador especial, ainda que bastante simples. Sexta-feira à tarde o programa estava pronto; nessa mesma noite já tínhamos o resultado.

O problema é que era sexta-feira e já passava das cinco da tarde. Aspinwall saíra para o fim de semana e só voltaria na segunda-feira. Sem o seu programa não podíamos fazer nada. Nem Morrison nem eu podíamos conceber a ideia de passar todo o fim de semana esperando. Estávamos a ponto de dar resposta ao decantado problema dos rompimentos espaciais do tecido cósmico. O suspense era grande demais para suportar. Chamamos Aspinwall em casa. Sua primeira reação foi dizer não ao nosso pedido de que viesse trabalhar na manhã de sábado. Por fim, depois de muitos apelos e exortações, ele consentiu em juntar-se a nós, mas com a condição de que lhe comprássemos seis latinhas de cerveja. Concordamos.

A HORA DA VERDADE

Encontramo-nos todos no instituto na manhã de sábado, tal como combinado. Era uma manhã alegre de sol e a atmosfera estava calma e feliz. Eu, por meu lado, achava que Aspinwall não iria aparecer; e quando o vi passei quinze minutos celebrando a importância daquela primeira vez em que ele vinha ao local de trabalho em um fim de semana. Ele me garantiu que isso nunca voltaria a acontecer.

Convergimos todos para o computador de Morrison, na sala que ele compartilhava comigo. Aspinwall ensinou a Morrison como trazer o seu programa para a tela e mostrou-nos a forma específica em que os dados deviam ser inseridos. Morrison então formatou as conclusões a que chegáramos na noite anterior e nos pusemos em condições de dar a partida.

O cálculo que estávamos fazendo correspondia, em termos gerais, a determinar a massa de uma certa espécie de partícula — um padrão específico de vibração da corda — que se move através de um universo cujo componente Calabi-Yau nós passáramos todo o outono tratando de identificar. Em função da estratégia que adotamos, esperávamos que essa massa fosse idêntica à obtida com relação à forma de Calabi-Yau resultante da transição de virada que rompe o espaço. Esse fora um cálculo relativamente mais fácil e nós já o tínhamos completado semanas antes. A resposta obtida fora 3, em termos das unidades que estávamos usando. Como estávamos agora fazendo no nosso computador o cálculo numérico relativo à forma espelhada, esperávamos encontrar algo extremamente próximo, mas não exatamente igual a 3, como por exemplo, 3,000001, ou 2,999999, em consequência dos arredondamentos.

Morrison sentou-se à frente do computador com o dedo pairando sobre as teclas. Com a tensão em alta ele disse "então vamos", e acionou a máquina. Segundos depois, apareceu a resposta: 8,999999. Meu coração apertou-se. Seria possível que a transição de virada tivesse destruído a relação de espelho, indicando com isso que tais transições não podem existir no campo real? Quase de imediato, no entanto, percebemos que algo engraçado tinha de estar ocorrendo. Se as estruturas físicas decorrentes das duas formas fossem realmente incompatíveis entre si, seria extremamente improvável que o resultado obtido fosse tão próximo a um número inteiro. Se a nossa hipótese estivesse errada, não haveria nenhuma razão para esperar algo diferente de um número totalmente aleatório. Ora, a resposta que obtivemos estava errada, mas ela sugeria que talvez tivéssemos cometido algum erro aritmético simples. Aspinwall e eu fomos para o quadro-negro e num momento encontramos o erro: havíamos esquecido um fator de multiplicação por 3 no cálculo "mais simples" que fizéramos semanas antes; o resultado verdadeiro era 9. A resposta obtida era, portanto, exatamente a que queríamos.

Evidentemente, essa concordância *a posteriori* não chegava a ser plenamente convincente. Quando já se sabe a resposta desejada, muitas vezes é fácil encontrar uma maneira de chegar a ela. Tínhamos de recorrer a um outro exemplo. Como toda a programação do computador já estava feita, a operação não foi difícil. Calculamos a massa de outra partícula na forma de Calabi-Yau da fila de cima, dessa vez tomando mais cuidado para não errar. Encontramos a resposta: 12. Novamente preparamos o computador para o segundo cálculo. Instantes depois ele mostrou: 11,999999. *Concordância*. Havíamos demonstrado que o suposto espelho *é realmente* o espelho e que, portanto, as transições de virada que rompem o espaço fazem parte da física da teoria das cordas.

Imediatamente saltei da cadeira e dei uma volta olímpica pela sala. Morrison ficou apitando atrás do computador. A reação de Aspinwall foi outra. "Tudo bem, mas é claro que ia dar certo", disse ele com calma. "E cadê a minha cerveja?"

O MÉTODO DE WITTEN

Na segunda-feira fomos triunfalmente contar a Witten o nosso êxito. Ele ficou muito feliz com o resultado e vimos que também ele acabara de encontrar uma maneira de demonstrar que as transições de virada ocorrem na teoria das cordas. A argumentação era bem diferente da nossa e esclarece significativamente as razões microscópicas pelas quais os rompimentos espaciais não provocam consequências catastróficas.

O método de Witten mostra a diferença que existe entre uma teoria de partículas puntiformes e a teoria das cordas no caso da ocorrência de tais rompimentos. A diferença fundamental é que, próximo ao local da ruptura, as cordas podem ter dois tipos de movimentos e as partículas puntiformes podem ter apenas um. Ou seja, a corda pode viajar pelas adjacências do local da ruptura, tal como uma partícula puntiforme, mas pode também envolver a ruptura à medida que avança, como mostra a figura 11.6. Essencialmente, a análise de Witten revelava que as cordas que envolvem a ruptura — algo que não pode ocorrer na teoria das partículas puntiformes — isolam o universo circundante dos efeitos catastróficos que, se não fosse assim, aconteceriam. É como se a folha de mundo da corda — lembre-se de que vimos no capítulo 6 que essa é uma superfície bidimensional que a corda forma ao se deslocar através do espaço — constituísse uma barreira de proteção que cancela precisamente os aspectos calamitosos da degeneração geométrica do tecido espacial.

Você poderia então perguntar o que aconteceria se ocorresse um rompimento justamente em um lugar onde não haja nenhuma corda para envolvê-lo

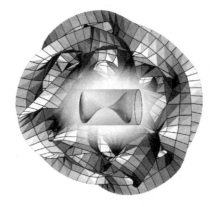

Figura 11.6 *A folha de mundo descrita por uma corda fornece um escudo que cancela os efeitos potencialmente catastróficos associados a um rompimento do tecido espacial.*

e isolá-lo. Poderia perguntar também se, ao ocorrer o rompimento, a corda, que é um laço infinitamente fino, pode proporcionar algum tipo de proteção superior à que um bambolê poderia oferecer contra a explosão de uma bomba. A resposta a essas duas questões deriva de um aspecto fundamental da mecânica quântica, que discutimos no capítulo 4. Vimos então que, de acordo com a formulação da mecânica quântica dada por Feynman, um objeto, seja ele uma partícula ou uma corda, viaja de um lugar a outro "farejando" todas as trajetórias possíveis. O movimento resultante que se observa é uma combinação de *todas as* possibilidades, e a probabilidade de cada trajetória possível é determinada com precisão pela matemática da mecânica quântica. No caso da ocorrência de um rompimento no tecido do espaço, entre as trajetórias possíveis das cordas estarão as que envolvem o local da ruptura — trajetórias semelhantes às da figura 11.6. Mesmo que nenhuma corda pareça estar próxima do local da ruptura quando ela ocorre, a mecânica quântica leva em conta os efeitos físicos de todas as trajetórias possíveis das cordas, e entre elas haverá muitas (na verdade um número infinito) que são caminhos de proteção que envolvem o local da ruptura. Witten revelou que essas possibilidades cancelam precisamente a calamidade cósmica que o rompimento poderia ocasionar.

Em janeiro de 1993, Witten e nós três publicamos as nossas conclusões simultaneamente no arquivo eletrônico da internet pelo qual se divulgam mundialmente e de imediato os trabalhos sobre física. Os dois documentos descreviam, a partir de perspectivas acentuadamente diferentes, os primeiros exemplos de *transições topológicas* — o nome técnico dado aos processos de rompimento do espaço que havíamos descoberto. A velha pergunta sobre se o tecido do espaço pode rasgar-se havia sido resolvida quantitativamente pela teoria das cordas.

CONSEQUÊNCIAS

Já falamos muito a respeito da descoberta de que o espaço pode rasgar-se sem produzir calamidades físicas. Mas *o que é que* acontece quando o tecido espacial se rompe? Quais as consequências observáveis? Já vimos que muitas das propriedades do universo dependem da estrutura específica das dimensões recurvadas. Pode-se pensar, portanto, que a transformação até certo ponto drástica de um espaço de Calabi-Yau em outro, como mostra a figura 11.5, produza impactos físicos significativos. Na verdade, contudo, as ilustrações bidimensionais que usamos para a visualização dos espaços fazem com que as transformações pareçam mais complicadas do que verdadeiramente são. Se pudéssemos visualizar a geometria em seis dimensões, veríamos que, com efeito, o espaço se rompe, mas de um modo bastante suave. É mais como o furo feito por uma traça em um tecido de lã do que o rasgão de uma calça velha na altura do joelho.

O nosso trabalho, assim como o de Witten, mostra que características físicas como o número de famílias de vibrações das cordas e os tipos de partículas dentro de cada família não são afetados por esses processos. À medida que o espaço de Calabi-Yau passa por um rompimento, o que pode ser afetado é o valor específico das massas das partículas individuais — as energias dos possíveis padrões vibratórios das cordas. Os nossos trabalhos revelaram que tais massas variam continuamente, umas para cima, outras para baixo, em resposta às variações das formas geométricas dos componentes Calabi-Yau do espaço. O mais importante, no entanto, é que não ocorrem saltos catastróficos, constrições ou qualquer outra anormalidade com relação à variação das massas, à medida que o rompimento ocorre. Do ponto de vista da física, o momento do rompimento não tem características diferenciadoras.

Isso levanta duas questões. Em primeiro lugar, nos concentramos nos rompimentos do tecido espacial que ocorrem nos componentes Calabi-Yau de seis dimensões do universo. Esses rompimentos podem ocorrer também nas três dimensões espaciais estendidas que conhecemos? A resposta, com toda probabilidade, é sim. Afinal de contas, o espaço é o espaço, independentemente de estar compactamente recurvado em uma forma de Calabi-Yau ou enfunado na grande extensão que vemos em uma noite estrelada. Ademais, já vimos que as dimensões espaciais familiares podem também ser recurvadas, sob a forma de curvas gigantescas que se voltam sobre elas próprias depois de percorrer o outro lado do universo, de modo que a diferenciação entre dimensões recurvadas e dimensões estendidas pode ser algo artificial. Embora a nossa análise e a de Witten derivem de certas características matemáticas especiais das formas de Calabi-Yau, o resultado — a possibilidade de que o tecido do espaço se rompa — certamente tem aplicabilidade mais ampla.

Em segundo lugar, será que uma transição topológica dessa natureza pode ocorrer hoje ou amanhã? Será possível que ela tenha ocorrido no passado? Sim. As medidas experimentais das massas das partículas elementares revelam que os seus valores permanecem estáveis no tempo. Mas se recuamos à época mais próxima ao big bang, mesmo as teorias que não se baseiam nas cordas indicam que houve períodos importantes durante os quais as massas das partículas elementares variaram com o tempo. Do ponto de vista da teoria das cordas, nesses períodos certamente podem ter ocorrido as transições topológicas discutidas neste capítulo. Mais próximo ao presente, a estabilidade das massas das partículas elementares implica que se o universo estiver sofrendo uma transição topológica, ela tem de estar ocorrendo a uma velocidade extremamente lenta — tão lenta que o seu efeito sobre as massas das partículas elementares é menor do que a nossa capacidade atual de medi-lo. Nessas condições, é possível que o universo esteja em meio a um rompimento espacial. Se esse processo estivesse ocorrendo com suficiente lentidão, nem sequer nos daríamos conta da sua existência. Esse é um exemplo raro na ciência física em que a ausência de um fenômeno claramente observável provoca grande expectativa. A ausência de uma consequência calamitosa observável a partir de uma evolução geométrica exótica como essa nos mostra o quanto a teoria das cordas se distanciou das expectativas de Einstein.

12. Além das cordas: em busca da teoria M

Na sua longa busca de uma teoria unificada, Einstein refletiu sobre a possibilidade de que "Deus pudesse ter criado o universo de maneira diferente; ou seja, se a necessidade de simplicidade lógica permite algum grau de liberdade".[1] Com essa observação, Einstein articulou de forma incipiente uma visão que hoje é compartilhada por muitos físicos: se existe uma teoria definitiva da natureza, um dos argumentos mais convincentes em favor da sua forma específica é o de que ela não poderia ser diferente. A teoria final teria de tomar a sua forma particular por ser o único esquema explicativo capaz de descrever o universo sem incorrer em incoerências ou absurdos lógicos. Tal teoria declararia que as coisas são como são porque *têm* de ser assim. Qualquer variação, por menor que seja, leva a uma teoria que — tal como a frase "Esta sentença é uma mentira" — contém a semente da sua própria destruição.

A determinação dessa inevitabilidade na estrutura do universo nos faria avançar muito no rumo da resolução de algumas das questões mais profundas de todos os tempos. Tais questões referem-se ao mistério de quem ou o que terá feito as inumeráveis escolhas aparentemente necessárias para a estruturação do nosso universo. A inevitabilidade resolveria essas questões eliminando as alternativas. A inevitabilidade significa que na realidade não há escolhas. A inevitabilidade declara que o universo não poderia ser diferente. Como discutiremos no capítulo 14, nada garante que a estruturação do universo seja algo tão inflexível. No entanto, a busca dessa mesma inflexibilidade nas leis da natureza está na essência dos esforços em favor da unificação da física moderna.

Ao final da década de 80, os físicos tinham a sensação de que embora a teoria das cordas prometesse propiciar uma descrição única do universo, ela na verdade não chegava a preencher totalmente as expectativas. Havia duas razões para isso. Primeiro, como observamos rapidamente no capítulo 7, os cientistas descobriram que havia *cinco* versões diferentes da teoria. Você se lembrará de que elas são chamadas de Tipo I, Tipo IIA, Tipo IIB, Heterótica O(32) (abreviadamente Heterótica-O) e Heterótica $E_8 \times E_8$ (abreviadamente Heterótica-E). Todas têm uma série de características básicas em comum — os padrões vibratórios de cada uma determinam as massas e as cargas de força que são possíveis; todas requerem dez dimensões de espaço e tempo; as dimensões recurvadas têm de estar contidas em uma das formas de Calabi-Yau etc. — e por isso não ressaltamos as suas diferenças nos capítulos anteriores. No entanto, as análises feitas na década de 80 deixaram claro que as diferenças existem. Nas notas, ao final do livro, você poderá ler mais a respeito das suas propriedades, mas basta saber que elas diferem na maneira pela qual incorporam a supersimetria, assim como em aspectos significativos dos padrões vibratórios que privilegiam.[2] (A teoria das cordas do Tipo I, por exemplo, tem cordas abertas, com duas pontas soltas, além dos laços fechados em que nos temos concentrado.) Isso é um constrangimento para os estudiosos da teoria das cordas, porque embora o desenvolvimento de uma proposta séria para a teoria unificada final seja algo desejável, ter cinco propostas diferentes enfraquece a credibilidade de todas elas.

O segundo desvio com relação à inevitabilidade é mais sutil. Para examinar plenamente esse aspecto, é preciso lembrar que todas as teorias físicas consistem de duas partes. A primeira é o conjunto das ideias básicas da teoria, normalmente expresso em termos de equações matemáticas. A segunda compreende as soluções das equações. De modo geral, algumas equações permitem uma única solução, enquanto outras permitem várias (e possivelmente muitíssimas). (Para dar um exemplo simples, a equação "2 vezes x é igual a 10" tem apenas uma solução: 5. Mas a equação "0 vezes x é igual a 0" tem um número infinito de soluções, uma vez que 0 vezes *qualquer* número é igual a 0.) Assim, mesmo que a pesquisa leve a uma teoria única, com equações únicas, a inevitabilidade pode ficar comprometida se as equações permitirem muitas soluções diferentes e possíveis. Isso é o que parecia ocorrer com a teoria das cordas ao final da década de 80. Quando os físicos estudavam as equações de qualquer uma das cinco teorias, percebiam que todas elas permitiam soluções múltiplas — por exemplo, muitas maneiras diferentes e possíveis de recurvar as dimensões adicionais —, cada uma das quais correspondendo a um universo com propriedades diferentes. Em sua grande maioria, esses universos, embora fossem soluções válidas para as equações da teoria das cordas, pareciam irrelevantes do ponto de vista do mundo como nós o conhecemos.

Esses desvios com relação à inevitabilidade podiam ser vistos como incômodas características fundamentais da teoria das cordas. Mas as pesquisas levadas a efeito na segunda metade da década de 90 reforçaram tremendamente as esperanças de que eles sejam simples reflexos da maneira pela qual os cientistas vinham analisando a teoria. Em resumo, as equações da teoria das cordas são tão complexas que ninguém conhece ainda a sua forma exata. Até aqui, só se conseguiu obter versões aproximadas das equações. São essas equações aproximadas que diferem significativamente de uma das teorias das cordas para as outras. E são elas que, no contexto de qualquer uma das cinco teorias, dão lugar à abundância de soluções e à cornucópia de universos indesejados.

A partir de 1995 (o início da segunda revolução das supercordas), têm-se acumulado os indícios de que as equações, em suas formas precisas, que ainda não conhecemos, podem resolver esses problemas, o que permite manter as esperanças de que a teoria das cordas adquira a aura da inevitabilidade. Com efeito, a maioria dos estudiosos da teoria concorda em que, quando se conseguir a compreensão total das equações e a sua forma exata, ver-se-á que as cinco versões da teoria estão intimamente ligadas. Como as pontas de uma estrela, todas elas são parte de uma única entidade, cujas propriedades específicas encontram-se agora sob intenso escrutínio. Os cientistas estão convencidos de que, em vez de cinco teorias diferentes, existe apenas *uma*, que reúne todas em um só esquema teórico. Assim como a clareza surge com a revelação das relações ocultas, a união das cinco teorias propiciará um excelente ponto de vista para a compreensão do universo de acordo com a teoria das cordas.

Para entendermos esses novos avanços, é preciso considerar algumas das descobertas mais complexas, inovadoras e penetrantes da teoria das cordas. Teremos de compreender a natureza das aproximações usadas no estudo da teoria e as limitações inerentes à técnica empregada. Teremos de familiarizar-nos com os astuciosos procedimentos — chamados coletivamente de *dualidades* — a que os físicos recorrem para contornar essas limitações. E teremos de seguir o raciocínio sutil que, por meio de tais técnicas, consegue nos levar às notáveis descobertas a que nos referimos. Mas não se preocupe. O trabalho pesado já foi feito pelos teóricos e nós nos contentaremos aqui em explicar os resultados a que eles chegaram.

Contudo, como são múltiplas as peças aparentemente separadas que teremos de montar e juntar, neste capítulo é muito fácil perder o quadro mais amplo por observar tão de perto os detalhes. Portanto, se ao ler esse capítulo você sentir que a discussão está se tornando demasiado técnica e ficar com vontade de passar logo para os buracos negros (capítulo 13) e para a cosmologia (capítulo 14), pode se limitar a ler com atenção a próxima seção, que resume os avanços essenciais da segunda revolução das supercordas, e passar adiante.

RESUMO DA SEGUNDA REVOLUÇÃO DAS SUPERCORDAS

A ideia principal da segunda revolução das supercordas está resumida nas figuras 12.1 e 12.2. A figura 12.1 mostra a situação anterior à atual, pois agora temos a capacidade de ir (parcialmente) além dos métodos aproximativos tradicionais usados na teoria das cordas. Vê-se que, antes disso, as cinco teorias eram vistas como coisas completamente separadas umas das outras. Com os novos avanços decorrentes das pesquisas mais recentes, como mostra a figura 12.2, vemos que, como as cinco pontas de uma estrela, todas as teorias das cordas são vistas agora como partes de um único esquema que as unifica. (Com efeito, veremos neste capítulo que até mesmo uma sexta teoria — uma sexta ponta — participará dessa união.) Esse esquema abrangente recebeu provisoriamente o nome de teoria M, por razões que comentaremos no prosseguimento da nossa discussão. A figura 12.2 representa um progresso marcante na busca da teoria definitiva. Linhas de pesquisa aparentemente não relacionadas agora fazem parte de uma mesma urdidura que compõe a tapeçaria da teoria das cordas — uma teoria única e abrangente que bem pode ser a tão almejada teoria sobre tudo.

Embora haja ainda muito trabalho pela frente, duas características essenciais da teoria M já foram identificadas. Em primeiro lugar, ela tem *onze* dimensões (dez espaciais e uma temporal). Assim como Kaluza percebeu que com uma dimensão espacial a mais era possível obter-se uma inesperada unificação entre a relatividade geral e o eletromagnetismo, os estudiosos das cordas concluíram que com uma dimensão espacial a mais — além das nove espaciais e uma temporal que temos considerado nos capítulos precedentes — logra-se uma síntese interessantíssima entre as cinco versões da teoria das cordas. Observe-se que essa dimensão adicional não aparece gratuitamente; ao contrário, os cientistas verificaram que o raciocínio das décadas de 70 e de 80, que levou a nove dimensões espaciais e uma temporal, era *aproximativo* e que os cálculos exatos que agora podem ser feitos revelam que uma dimensão espacial fora ignorada.

A segunda característica já descoberta da teoria M é que além de cordas que vibram, ela contém também outros componentes: membranas *bi*dimensionais vibratórias, glóbulos *tri*dimensionais ondulatórios e uma série de outros objetos. Assim como no caso da décima primeira dimensão, esse aspecto da teoria M aparece quando os cálculos ficam livres das aproximações usadas antes da segunda revolução.

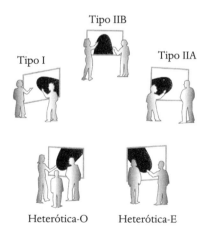

Figura 12.1 *Por muitos anos, os cientistas que trabalhavam nas cinco teorias das cordas pensavam que elas fossem teorias completamente separadas.*

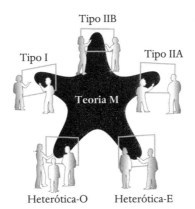

Figura 12.2 *As conclusões da segunda revolução das supercordas mostraram que todas as cinco teorias das cordas são, na verdade, parte de uma estrutura única, tentativamente chamada de teoria M.*

Apesar de esse e de diversos outros avanços obtidos nos últimos anos, grande parte da verdadeira natureza da teoria M permanece ainda envolta em mistério — e esse é um dos significados possíveis do M que aparece no seu nome. Cientistas do mundo inteiro trabalham com grande vigor com o objetivo de alcançar o entendimento completo da teoria M. Esse pode bem ser o tema principal da física do século XXI.

UM MÉTODO APROXIMATIVO

As limitações dos métodos que vinham sendo usados pelos cientistas para analisar a teoria das cordas relacionam-se com algo denominado *teoria da perturbação*. Esse é o nome curioso que se dá ao método de dar respostas aproximadas a um problema e, a partir daí, buscar sistematicamente refinar tais aproximações, incorporando fatores anteriormente ignorados. Esse método tem um papel importante em muitas áreas das pesquisas científicas e foi um elemento essencial para a composição da teoria das cordas, além de ser uma prática que encontramos com frequência na vida cotidiana, como veremos a seguir.

Imagine que um dia o seu carro começa a ratear, e que você vai ao mecânico para fazer uma revisão. Após dar uma olhada geral, ele vem com as más-novas. O carro precisa de um bloco novo para o motor, o que normalmente custa, entre material e mão de obra, algo como novecentos dólares. Essa é uma primeira aproximação e você sabe que o valor definitivo dependerá de aspectos específicos do trabalho, que só aparecerão posteriormente. Dias depois, após a realização de testes, o mecânico lhe dá uma estimativa mais precisa: 950 dólares. Ele explica que o carro também necessita de um regulador novo, que custa algo em torno de cinquenta dólares, entre material e mão de obra. Finalmente, quando você vai buscar o carro na oficina, o mecânico soma todos os custos e apresenta a conta de 987,93 dólares. Isso se deve, diz ele, a que, além do bloco do motor e do regulador, foi necessário comprar e instalar uma nova correia de ventilador, no valor de 27 dólares, um cabo de bateria, de dez dólares, e um grampo de pressão, de 93 centavos. O dado aproximativo inicial de novecentos dólares foi sendo refinado com a inclusão de diversos detalhes adicionais. Nos termos da física, esses detalhes são chamados de *perturbações* da estimativa inicial.

Quando a teoria da perturbação é aplicada de maneira apropriada e efetiva, parte-se de uma estimativa inicial que não está muito longe da resposta final; a incorporação dos detalhes menores, ignorados na primeira estimativa, produz uma diferença relativamente pequena no resultado final. Mas por vezes, quando você vai pagar a conta definitiva, encontra uma diferença chocante com relação ao orçamento inicial. Embora normalmente nos refiramos a essas situações em termos mais emocionais do que técnicos, na física isso se chama *inaplicabilidade da teoria da perturbação*, o que significa que a aproximação inicial não era um guia adequado para a resposta final, uma vez que os "refinamentos", em vez de causar desvios relativamente pequenos, resultam em grandes modificações da estimativa de base.

Tal como indicamos brevemente em capítulos anteriores, a exposição da teoria das cordas feita até aqui baseou-se em um método perturbativo parecido ao utilizado pelo mecânico. O "entendimento incompleto" da teoria das cordas, a que nos temos referido ocasionalmente, tem suas raízes, de um modo ou de outro, nesse método aproximativo. Vamos aprofundar um pouco mais a nossa discussão desse ponto importante por meio de uma exposição da teoria da perturbação em um contexto menos abstrato do que o da teoria das cordas, mas mais próximo à aplicação do método perturbativo a ela do que no exemplo do mecânico.

UM EXEMPLO CLÁSSICO DA TEORIA DA PERTURBAÇÃO

A compreensão do movimento da Terra através do sistema solar propicia um exemplo clássico do emprego do método perturbativo. Em grandes escalas de distâncias como essas, podemos levar em conta apenas a força gravitacional, mas a menos que se façam outras aproximações, as equações são extremamente complexas. Lembre-se de que, segundo Newton e Einstein, todas as coisas exercem influência gravitacional sobre todas as demais, e isso leva a um cabo de guerra gravitacional praticamente insolúvel entre a Terra, o Sol, a Lua, os outros planetas e, em princípio, todos os demais corpos celestes. Como se pode imaginar facilmente, é impossível levar em conta todas essas influências para determinar o movimento exato da Terra. Na verdade, mesmo que os participantes fossem apenas três, as equações se tornam tão complexas que até agora ninguém foi capaz de resolvê-las por completo.[3]

Apesar disso, *é possível* prever o movimento da Terra através do sistema solar com grande precisão por meio do método perturbativo. A enorme massa do Sol, em comparação com a de qualquer outro membro do sistema, e a sua relativa proximidade da Terra, em comparação com a de qualquer outra estrela, fazem com que a sua influência sobre o movimento da Terra seja, de longe, a mais importante. Assim, podemos ter uma primeira estimativa considerando apenas a influência gravitacional do Sol. Isso é perfeitamente adequado para diversas finalidades. Caso necessário, podemos refinar essa aproximação incluindo sucessivamente os efeitos gravitacionais mais significativos dos demais corpos, tais como a Lua e qualquer planeta que passe mais perto da Terra no momento. Os cálculos podem começar a ficar difíceis à medida que a teia de influências gravitacionais se torna mais complexa, mas não deixe que isso obscureça a filosofia perturbativa: a interação gravitacional Sol-Terra nos dá uma explicação aproximada do movimento da Terra, e a adição sucessiva das outras influências gravitacionais oferece uma sequência de refinamentos cada vez mais sutis.

O método perturbativo funciona nesse caso porque existe uma influência física dominante que proporciona uma descrição teórica relativamente simples.

Mas isso não ocorre sempre. Por exemplo, se estivermos interessados no movimento de três estrelas de massas comparáveis que se movem em órbitas mútuas em um sistema trinário, não há nenhuma relação gravitacional cuja influência sobrepuje as demais. Por essa razão, não há nenhuma interação dominante que propicie uma estimativa inicial, cabendo às demais o papel de contribuir com os refinamentos menores. Se tentássemos usar o método perturbativo escolhendo uma das atrações gravitacionais entre duas das três estrelas para fazer o papel de estimativa inicial, logo veríamos que o método fracassaria. Os cálculos revelariam que os "refinamentos" decorrentes da inclusão da terceira estrela *não* seriam pequenos, mas sim tão significativos quanto a suposta aproximação inicial. Isso é normal: os movimentos de uma dança a três têm pouco a ver com os movimentos de uma dança a dois. Um refinamento grande demais significa que a aproximação inicial indicava um valor muito distante do correto e que todo o esquema estava baseado em um castelo de areia. Veja bem que não se trata apenas de que a inclusão do refinamento decorrente da inclusão da terceira estrela seja grande demais. Ocorre um efeito dominó: o tamanho do refinamento produz um impacto significativo sobre o movimento das duas outras estrelas, o que, por sua vez, produz um impacto considerável sobre o movimento da terceira estrela, e isto, por seu lado, produz um impacto substancial sobre as outras duas, e assim por diante. Todas as linhas da teia gravitacional têm a mesma importância e têm de ser tratadas simultaneamente. Muitas vezes, em casos assim, o nosso único recurso é utilizar a força bruta dos computadores para simular o movimento resultante.

Este exemplo mostra claramente que quando se emprega o método perturbativo, é preciso verificar se a suposta aproximação inicial é *realmente* uma aproximação, e, se for esse o caso, determinar quantos e quais são os detalhes menores que devem ser incluídos para que se alcance o grau desejado de exati-

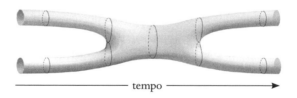

Figura 12.3 *As cordas interagem unindo-se e dividindo-se.*

dão. No contexto da nossa discussão, essas questões são verdadeiramente cruciais para que se possam aplicar os instrumentos perturbativos ao microcosmos.

UM MÉTODO PERTURBATIVO PARA A TEORIA DAS CORDAS

Na teoria das cordas, os processos físicos são construídos a partir das interações básicas entre cordas vibrantes. Como vimos ao final do capítulo 6,* essas interações envolvem a bifurcação e a reunião de laços de cordas, tal como na figura 6.7, reproduzida na figura 12.3 para maior conveniência. Os teóricos já revelaram como uma fórmula matemática precisa pode ser associada com o retrato esquemático da figura 12.3 — fórmula que expressa a influência que cada corda que se aproxima exerce sobre o movimento resultante da outra. (Os detalhes da fórmula diferem para cada uma das cinco teorias das cordas, mas por enquanto nós ignoraremos esses aspectos sutis.) Se não fosse pela mecânica quântica, essa fórmula encerraria o capítulo de como as cordas interagem. Mas o frenesi microscópico ditado pelo princípio da incerteza implica que pares de cordas e anticordas (duas cordas que executam padrões vibratórios opostos) podem materializar-se repentinamente, roubando energia do universo, desde que se aniquilem mutuamente com suficiente presteza e devolvam a energia roubada. Esses pares de cordas, nascidos do frenesi quântico e que devem a existência à energia roubada, razão por que têm de recombinar-se instantaneamente em um laço único, são conhecidos como *pares de cordas virtuais*. Ainda que apenas instantânea, a sua presença afeta as propriedades específicas da interação.

Isso é o que a figura 12.4 ilustra esquematicamente. As duas cordas iniciais chocam-se no ponto marcado (a), onde elas se unem para formar um só laço. Esse laço viaja algum tempo, mas em (b), flutuações quânticas frenéticas resultam na criação de um par de cordas virtuais, que continua a viagem e subsequentemente se aniquila em (c), produzindo novamente uma corda única. Finalmente, em (d), a corda escoa a sua energia dissociando-se em um par de cordas que prossegue a viagem em novas direções. A existência de um laço único no centro da figura 12.4 levou os cientistas a denominar esse caso de "processo

---

* Recomendo aos leitores que não se detiveram na leitura da seção "A resposta mais precisa", do capítulo 6, passar os olhos pela parte inicial daquela seção.

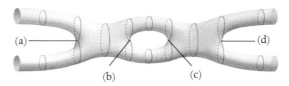

Figura 12.4 *O frenesi quântico pode levar um par corda/anticorda a nascer (b) e aniquilar-se (c), produzindo uma interação mais complexa.*

de um só laço". Tal como no caso da interação descrita na figura 12.3, uma fórmula matemática precisa pode ser associada a esse diagrama para sintetizar o efeito do par de cordas virtuais sobre o movimento das duas cordas originais.

Mas a história não termina aqui tampouco, porque as oscilações quânticas podem causar irrupções momentâneas de cordas virtuais em um número indefinido de vezes, produzindo assim uma sequência de pares de cordas virtuais. Isso produz diagramas com um número cada vez maior de laços, como mostra a figura 12.5. Cada um desses diagramas oferece uma maneira simples e prática de descrever os processos físicos envolvidos: as cordas que chegam se fundem, em seguida as oscilações quânticas provocam a bifurcação do laço resultante, formando um par de cordas virtuais, que viajam e se aniquilam, fundindo-se novamente em um laço único, que viaja e produz outro par de cordas virtuais e assim por diante. Tal como no caso dos outros diagramas, existe uma fórmula matemática para cada um desses processos, que sintetiza o efeito sobre o movimento do par de cordas originais.[4]

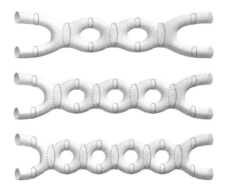

Figura 12.5 *O frenesi quântico pode causar a irrupção e o aniquilamento de numerosas sequências de pares de cordas/anticordas.*

Além disso, assim como o mecânico determinou a conta final do conserto do seu carro por meio de um refinamento da estimativa inicial de novecentos dólares, acrescentando cinquenta, 27 e dez dólares e 93 centavos, e assim como chegamos a um entendimento mais preciso do movimento da Terra por meio de um refinamento da influência do Sol, mediante a inclusão dos efeitos menores causados pela Lua e pelos outros planetas, os cientistas demonstraram que é possível compreender a interação de duas cordas somando-se as expressões matemáticas para os diagramas sem nenhum laço (sem pares de cordas virtuais), com um único laço (um único par de cordas virtuais), com dois laços (dois pares de cordas virtuais) e assim sucessivamente, como se vê na figura 12.6.

O cálculo exato requer que somemos as expressões matemáticas associadas a cada um desses diagramas, com um número crescente de laços. Mas como há um número infinito de diagramas e os cálculos matemáticos associados a cada um deles tornam-se mais difíceis à medida que o número de laços aumenta, essa tarefa é impossível. Por esse motivo, os estudiosos da teoria das cordas inseriram esses cálculos em um esquema perturbativo, baseado na expectativa de que os processos sem laços fornecem uma razoável aproximação inicial e de que os diagramas que contêm laços propiciem refinamentos cada vez menores à medida que o número de laços aumenta.

Com efeito, quase tudo o que sabemos a respeito da teoria das cordas — o que inclui a maior parte do que vimos nos capítulos anteriores — foi descoberto por cientistas que executaram cálculos específicos elaborados com base nesse método perturbativo. Mas para que possamos ter confiança na precisão dos resultados encontrados, é necessário determinar se as supostas aproximações iniciais, que ignoram tudo o que vai além dos diagramas iniciais da figura 12.6,

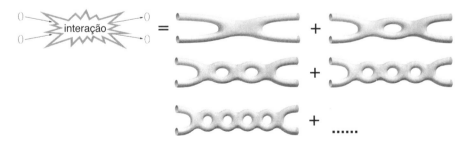

Figura 12.6 *A influência líquida que cada corda que chega exerce sobre as demais é o resultado da soma das influências que envolvem diagramas com número crescente de laços.*

são realmente aproximações. Isso nos leva à pergunta essencial: estamos nos aproximando?

A APROXIMAÇÃO APROXIMA?

Depende. Embora as fórmulas matemáticas associadas a cada diagrama se tornem cada vez mais complicadas à medida que o número de laços aumenta, os físicos já reconheceram uma característica básica e essencial. Assim como a resistência de um cabo determina a probabilidade de que um puxão violento possa parti-lo em dois, existe um número que determina a probabilidade de que as flutuações quânticas possam causar a bifurcação de uma corda, produzindo momentaneamente um par virtual. Esse número é conhecido como a *constante de acoplamento das cordas* (cada uma das cinco teorias tem a sua própria constante de acoplamento, como veremos em breve). O nome é bem descritivo: o valor da constante de acoplamento das cordas descreve a força da relação entre as oscilações quânticas de três cordas (o laço inicial e os dois laços virtuais em que ele se divide) — o vigor com que eles *se acoplam,* por assim dizer. A forma calculatória revela que quanto maior for a constante de acoplamento das cordas, tanto maior será a probabilidade de que as oscilações quânticas causem a bifurcação da corda inicial (e sua reunião subsequente); quanto menor for a constante de acoplamento das cordas, tanto menor será a probabilidade de que essas cordas virtuais irrompam em existência momentânea.

Antes de nos dedicar à questão de determinar o valor da constante de acoplamento das cordas para cada uma das cinco teorias das cordas, vejamos primeiro o que entendemos por "maior" ou "menor", quando nos referimos a esse valor. Os fundamentos matemáticos da teoria das cordas revelam que a linha divisória entre "maior" e "menor" é o número 1, da seguinte maneira: se o valor da constante de acoplamento for menor do que 1, o número de pares de cordas virtuais terá *probabilidade decrescente* — ou seja, quanto maior o número de pares virtuais, tanto menor será a probabilidade de sua ocorrência. Se, no entanto, a constante de acoplamento for igual ou maior do que 1, será cada vez *mais provável* que números crescentes de pares virtuais irrompam em cena.[5] A consequência é que se a constante de acoplamento das cordas for menor do que 1, o diagrama da frequência dos laços torna-se decrescente com o aumento do número

324

de laços. É exatamente isso o que é necessário para o esquema perturbativo, uma vez que obteremos resultados razoavelmente precisos mesmo que ignoremos todos os processos com muitos laços. Mas se o valor da constante de acoplamento das cordas não for inferior a 1, o diagrama de frequência dos laços torna-se crescente com o aumento do número de laços. Como no caso do sistema trinário de estrelas, isso invalida o método perturbativo. A suposta aproximação inicial — o processo sem laços — *não* constitui uma aproximação real. (Essa discussão se aplica igualmente a cada uma das cinco teorias das cordas — sendo que o valor da constante de acoplamento das cordas determina, em cada caso, a eficácia do método perturbativo.)

Isso nos leva à próxima questão crucial: qual é o valor da constante de acoplamento das cordas (ou melhor, quais são os valores das constantes de acoplamento das cordas em cada uma das cinco teorias)? *Até aqui, ninguém conseguiu dar resposta a essa pergunta.* Esse é um dos mais importantes problemas não resolvidos na teoria das cordas. Só podemos estar certos de que as conclusões baseadas no esquema perturbativo são apropriadas se a constante de acoplamento das cordas for menor do que 1. Além disso, o valor exato da constante de acoplamento exerce um impacto direto sobre as massas e cargas transportadas pelos diversos padrões vibratórios das cordas. Vemos, portanto, que uma boa parte da teoria depende do valor da constante de acoplamento das cordas. Examinemos então um pouco mais de perto por que a importante questão do seu valor — em qualquer das cinco teorias das cordas — permanece sem resposta.

AS EQUAÇÕES DA TEORIA DAS CORDAS

O método perturbativo para determinar como as cordas interagem umas com as outras também pode ser usado para determinar as equações fundamentais da teoria das cordas. Essencialmente, as equações da teoria das cordas determinam como as cordas interagem. Reciprocamente, a maneira como as cordas interagem determina as equações da teoria.

Como exemplo básico, em cada uma das cinco teorias das cordas há uma equação destinada a determinar o valor da constante de acoplamento da teoria. Até agora, contudo, os cientistas só foram capazes de obter aproximações dessa equação em cada uma das cinco teorias, avaliando matematicamente, com o método perturbativo, um pequeno número de diagramas relevantes. Isso é o que dizem as equações aproximativas: em qualquer das cinco teorias das cordas a constante de acoplamento tem um valor tal que, se for multiplicado por zero, o resultado será zero. Ora, essa equação é um terrível desapontamento; como qualquer número multiplicado por zero dá zero, a equação se resolve com qualquer valor para a constante de acoplamento das cordas. Desse modo, em qualquer das cinco teorias a equação aproximativa para a constante de acoplamento das cordas não nos dá nenhuma informação sobre o seu valor.

Já que estamos falando disso, em cada uma das cinco teorias das cordas há outra equação destinada a determinar a forma precisa das dimensões espaço-temporais, tanto das estendidas quanto das recurvadas. A versão aproximada dessa equação, de que dispomos atualmente, é bem mais específica que a anterior, mas ainda assim admite soluções múltiplas. Por exemplo, quatro dimensões espaço-temporais estendidas juntamente com qualquer espaço de Calabi-Yau de seis dimensões recurvadas fornecem toda uma classe de soluções, mas nem assim as possibilidades se esgotam, uma vez que podem haver diferentes repartições entre o número das dimensões estendidas e o das recurvadas.[6]

Que sentido têm essas conclusões? Há três possibilidades. Primeiro, começando pela mais pessimista, embora cada teoria das cordas esteja equipada com equações destinadas a determinar o valor da sua constante de acoplamento assim como a dimensionalidade e a forma geométrica precisa do espaço-tempo — algo que nenhuma outra teoria pode pretender —, mesmo as formas exatas e ainda desconhecidas dessas equações podem admitir um espectro amplo de soluções, o que enfraquece substancialmente o seu poder de previsão. Se for esse o caso, teremos uma frustração, visto que a promessa da teoria das cordas é a de *explicar* essas características do cosmos sem requerer que nós as determinemos a partir da observação experimental, para então inseri-las de maneira mais ou menos arbitrária na teoria. Voltaremos a essa possibilidade no capítulo 15. Segundo, a flexibilidade indesejada das equações aproximadas pode ser o reflexo de uma falha sutil no nosso raciocínio. Estamos tentando empregar um esquema perturbativo para determinar o valor da constante de acoplamento das cordas. Mas, como vimos, os métodos perturbativos funcionam apenas se a constante de acoplamento das cordas for menor do que 1, de modo que os nossos cálculos podem estar baseados em uma premissa falsa, ou seja, a de que o valor da constante é menor do que 1. O fracasso que experimentamos até aqui pode ser uma indicação de que a premissa é incorreta e de que a constante de acoplamento em qualquer das cinco teorias das cordas é maior do que 1. Terceiro, a flexibilidade indesejada pode dever-se simplesmente a que estamos usando equações aproximadas e não exatas. Por exemplo, mesmo que a constante de acoplamento de uma das teorias das cordas seja menor do que 1, as equações da teoria podem depender substancialmente da contribuição de *todos os* diagramas. Isso significa que a acumulação dos pequenos refinamentos resultantes de diagramas com números cada vez maiores de laços pode ser essencial para converter as equações aproximadas — que admitem soluções múltiplas — em equações exatas muito mais restritivas.

No começo da década de 90, essas duas últimas possibilidades já deixavam claro para a maioria dos estudiosos da teoria das cordas que a nossa total dependência dos métodos perturbativos estava impedindo que se alcançassem novos avanços. A superação dessa situação requeria, na opinião de quase todos, um método *não perturbativo* — um método que não estivesse preso às técnicas de cálculo aproximativo e que pudesse, desse modo, superar as limitações do esquema perturbativo. Até 1994, encontrar esse método parecia um sonho. Por vezes, todavia, os sonhos se realizam.

DUALIDADE

Centenas de estudiosos da teoria das cordas se reúnem anualmente para uma conferência dedicada a recapitular os progressos realizados no ano anterior e a discutir as possibilidades futuras das diferentes linhas de pesquisa. Dependendo do nível de progresso alcançado em um determinado ano, normalmente pode-se prever o grau de interesse e de animação dos participantes. Em meados da década de 80, no auge da primeira revolução das supercordas, as reuniões transcorriam em clima de euforia incontida. Havia uma grande esperança de que logo se alcançaria o domínio completo da teoria das cordas e de que ela se revelaria ser a teoria definitiva do universo. Agora se sabe que essa perspectiva era ingênua. Os anos subsequentes demonstraram que há muitos aspectos sutis e profundos da teoria das cordas cujo entendimento requererá, sem dúvida, esforços prolongados e intensos. Essa expectativa irrealista provocou uma mudança no estado de espírito; na medida em que os problemas não se resolviam, muitos pesquisadores sentiram-se desanimados. As conferências do final da década de 80 refletiam essa desilusão — ainda que os físicos apresentassem resultados interessantes, a atmosfera carecia de inspiração. Chegou-se mesmo a sugerir que as conferências deixassem de ser realizadas. Mas as coisas se reacenderam no início dos anos 90. Graças a vários avanços, alguns dos quais foram vistos nos capítulos anteriores, a teoria das cordas voltava a atrair interesse e os pesquisadores recobravam entusiasmo e otimismo. Nada pressagiava, porém, o que aconteceu na conferência de março de 1995, na University of Southern California.

Quando chegou a sua hora de falar, Edward Witten dirigiu-se ao pódio e proferiu a palestra que deu início à segunda revolução das supercordas. Inspirado em trabalhos anteriores de Duff, Hull e Townsend e elaborando conceitos formulados por Schwarz, o físico indiano Ashoke Sen e outros, Witten apresentou uma estratégia para superar o método perturbativo de análise da teoria das cordas. Uma parte fundamental do seu plano envolve o conceito de *dualidade.*

Os físicos empregam o termo dualidade para descrever modelos teóricos que parecem diferentes mas que descrevem exatamente a mesma estrutura física. Existem exemplos "triviais" de dualidade em que teorias que na verdade são idênticas parecem ser diferentes unicamente por causa da maneira pela qual são apresentadas. Uma pessoa que só conheça as línguas ocidentais pode não reconhecer imediatamente a teoria da relatividade geral de Einstein se ela lhe for apresentada em chinês. Um cientista fluente em ambas as línguas, no entanto, poderia facilmente comparar os dois textos e comprovar a sua equivalência. Consideramos esse exemplo como "trivial" porque nada se ganha, do ponto de vista da física, com a tradução feita. Se alguém fluente em sua língua e em chinês estivesse estudando um problema difícil da relatividade geral, o desafio teria o mesmo grau de dificuldade, independentemente da língua de trabalho. Passar de um idioma a outro não facilita nada.

Os exemplos não triviais de dualidade são aqueles em que as diferentes descrições de uma mesma situação física efetivamente *geram* percepções de fenômenos e métodos de análise matemática diferentes e complementares. Na verdade, já encontramos dois problemas de dualidade. No capítulo 10 discutimos como um universo com uma dimensão circular de raio R pode ser igualmente descrito pela teoria das cordas como um universo com uma dimensão circular de raio $1/R$. Essas são situações geometricamente diferentes que, por meio das propriedades da teoria das cordas, revelam-se fisicamente idênticas. A simetria especular é outro exemplo. Aqui, duas formas de Calabi-Yau diferentes para as seis dimensões espaciais adicionais — universos que à primeira vista pareceriam ser totalmente diferentes — produzem exatamente as mesmas propriedades físicas. Elas proporcionam descrições duais de um mesmo universo. O dado de importância crucial é que, ao contrário do caso dos idiomas, aqui *sim* há importantes modificações na percepção dos fenômenos, decorrentes do emprego de descrições duais, tais como um tamanho mínimo para as dimensões circulares e processos que modificam a topologia.

Na sua palestra perante a conferência de 1995, Witten apresentou os elementos de um tipo novo e profundo de dualidade. Como observamos rapidamente no início deste capítulo, ele sugeriu que as cinco teorias das cordas, embora aparentemente diferentes em sua construção básica, são apenas maneiras diferentes de descrever a mesma realidade física. Em vez de termos cinco teorias das cordas diferentes entre si, teríamos simplesmente cinco janelas diferentes que convergem para um mesmo esquema teórico comum a todas.

Antes dos avanços de meados da década de 90, a possibilidade de uma versão de dualidade que fosse majestosa como essa era um sonho que os físicos podiam ter, mas a respeito do qual eles nem sequer conversavam, tão irreal lhes parecia. Se as teorias das cordas diferem com relação a aspectos tão significativos da sua construção, é difícil imaginar que possam ser apenas descrições diferentes de uma mesma realidade física. No entanto, por meio do poder sutil da teoria das cordas, existem crescentes elementos de convicção de que todas as cinco teorias das cordas *são* duais. Além de tudo, Witten demonstrou ainda que até mesmo uma sexta teoria faz parte do ensopado.

Esses avanços estão intimamente interligados com as questões relativas à aplicabilidade dos métodos perturbativos que vimos ao final da seção precedente. A razão é que as cinco teorias das cordas são manifestamente diferentes quando são *fracamente acopladas* — expressão técnica que significa que a constante de acoplamento de uma teoria é menor do que um. Devido à dependência com relação aos métodos perturbativos, os cientistas viram-se impedidos, durante algum tempo, de resolver o problema de identificar as propriedades de qualquer das teorias das cordas se a sua constante de acoplamento for maior do que um — quando elas são *fortemente acopladas*. A afirmação de Witten e outros é que já é possível resolver essa questão. Os resultados obtidos por eles sugerem de maneira convincente que quando qualquer das teorias apresenta um comportamento fortemente acoplado, existe uma descrição dual correspondente que apresenta um comportamento fracamente acoplado em alguma das outras teorias, e vice-versa. E isso acontece também com relação a uma sexta teoria, que ainda não descrevemos.

Para que se tenha uma ideia mais tangível do que isso significa, convém ter em mente a seguinte analogia. Imagine dois indivíduos bem especiais. Um adora o gelo, mas, por incrível que pareça, nunca viu a água em sua forma líquida. O outro adora a água, mas nunca conheceu o gelo. Ambos se encontram para um piquenique no deserto e cada um fica fascinado com o equipamento que o outro leva. O que gosta do gelo não se cansa de admirar o líquido sedoso, macio e transparente que o outro leva, e esse contempla embevecido os fantásticos cubos de cristal sólido trazidos pelo colega. Nenhum dos dois tem qualquer ideia de que, na verdade, existe uma relação profunda entre a água e o gelo; para eles, essas duas substâncias são completamente diferentes. Caminhando de dia, sob o calor tórrido do deserto, no entanto, eles veem que o gelo pouco a pouco se converte em água e, de noite, quando a temperatura baixa fortemente, verificam que a água também se converte pouco a pouco em gelo sólido. Eles percebem então que as duas substâncias que inicialmente julgavam ser totalmente estranhas uma à outra estão, na verdade, intimamente associadas.

A dualidade entre as cinco teorias das cordas é algo semelhante. Em síntese, as constantes de acoplamento das cordas desempenham um papel análogo ao da temperatura na analogia do deserto. À primeira vista, as cinco teorias das cordas parecem totalmente diferentes entre si, como a água e o gelo. Mas se alterarmos as suas respectivas constantes de acoplamento, as teorias se transformam umas nas outras. Assim como o gelo se transforma em água com a elevação da temperatura, uma teoria das cordas se transforma em outra por meio do aumento do valor da sua constante de acoplamento. Esse é um grande passo no sentido de demonstrar que todas as teorias das cordas são descrições duais de uma única estrutura — correspondente ao H_2O para a água e o gelo.

O raciocínio que leva a essas conclusões deriva quase que inteiramente do uso de argumentos baseados em princípios de simetria. Vejamos como é isso.

O PODER DA SIMETRIA

Até pouco tempo atrás, ninguém sequer tentava estudar as propriedades de qualquer das cinco teorias das cordas para valores grandes da constante de acoplamento das cordas, porque não se tinha nenhuma ideia sobre como proceder sem o emprego do método perturbativo. Contudo, em fins da década de 80 e no começo da década de 90 teve início um progresso lento e contínuo na identificação de certas propriedades — inclusive certas massas e cargas de força — que fazem parte da física dos comportamentos fortemente acoplados de uma determinada teoria das cordas e que se encontram dentro dos limites da nossa atual capacidade de cálculo. A determinação dessas propriedades, que necessariamente transcendem os esquemas perturbativos, tem sido um elemento essencial para o progresso da segunda revolução das supercordas e tem suas raízes profundamente implantadas no poder da simetria.

Os princípios da simetria proporcionam excelentes instrumentos para o entendimento de muitos aspectos do mundo físico. Já vimos, por exemplo, que a ideia, claramente estabelecida, de que as leis da física não dão tratamento especial a nenhum lugar do universo e a nenhum momento do tempo nos permite argumentar que as leis físicas que nos governam aqui e agora são as mesmas que operam em todos os lugares e em todos os tempos. Esse é um exemplo de enorme alcance, mas os princípios da simetria podem ser igualmente importantes em circunstâncias mais específicas. Por exemplo, se você testemunhou um crime, mas pôde apenas ver de relance um lado do rosto do criminoso, um especialista da polícia poderá usar a sua informação para desenhar o rosto por inteiro. A razão é a simetria. Embora haja diferenças entre os dois lados do rosto de uma pessoa, eles são suficientemente simétricos para que a imagem de um dos lados possa ser rebatida para dar uma boa aproximação do outro.

Em cada uma dessas aplicações, tão diferentes uma da outra, o poder da simetria está na sua capacidade de identificar propriedades de maneira *indireta* — o que muitas vezes é bem mais fácil do que operar de maneira direta. Pode-se aprender sobre a física fundamental da galáxia de Andrômeda indo até lá para tentar encontrar um planeta propício, construir aceleradores de partículas e executar os mesmos tipos de experiências que se fazem aqui na Terra. Mas o método indireto de invocar a simetria com relação às mudanças de lugar é muito mais fácil. Também se podem conhecer as características do lado esquerdo do rosto do criminoso perseguindo-o e examinando-lhe a face. Mas com frequência é mais fácil invocar a simetria entre os dois lados dos rostos humanos.[7]

A supersimetria é um princípio mais abstrato da simetria, que estabelece relações entre as propriedades físicas dos componentes elementares com spins diferentes. Na melhor das hipóteses, há apenas indícios experimentais de que o microcosmos incorpora essa simetria, mas, pelas razões que já apontamos, a crença de que assim seja é geral e a supersimetria efetivamente faz parte da teoria das cordas. Na década de 90, com base nos trabalhos pioneiros de Nathan Seiberg, do Instituto de Estudos Avançados, os cientistas perceberam que a supersimetria constitui um instrumento de trabalho versátil e penetrante, que pode resolver, por meios indiretos, algumas das questões mais importantes e difíceis.

Mesmo que ainda não sejamos capazes de compreender bem os detalhes de uma teoria, o fato de que ela incorpora a supersimetria nos permite restringir significativamente as propriedades que pode apresentar. Usando uma analogia linguística, imagine que em um papel enfiado dentro de um envelope fechado escreveu-se uma sequência de letras em que ocorre exatamente, por exemplo, três vezes a letra *y*. Se não tivermos nenhuma outra informação, será impossível descobrir qual a sequência — que até onde sabemos poderia ser uma série aleatória de letras em que apareçam três *y*, como *mvcfojziyxidqfqzyycdi*, ou qualquer outra, dentre um número infinito de possibilidades. Mas imagine também que tenhamos duas outras pistas: a sequência oculta forma uma palavra na língua inglesa e contém o número mínimo de letras que satisfaça a condição já estabelecida dos três *y*. A partir do número infinito de sequências de letras inicial, essas pistas reduzem as possibilidades a uma *única* palavra — a palavra mais curta na língua inglesa contendo três *y*: *syzygy* (sizígia).

A supersimetria oferece pistas restritivas similares para as teorias que incorporam os seus princípios de simetria. Para ter uma ideia, imagine um quebra-cabeças de física semelhante ao de linguística que acabamos de ver. Dentro de uma caixa há algo — cuja identidade não é fornecida — que tem uma certa carga de força. A carga pode ser elétrica, magnética ou de qualquer outra natureza, mas, para sermos concretos, digamos que ela corresponde a três unidades de carga elétrica. Sem outras informações, a identidade do objeto não pode ser determinada: podem ser três partículas de carga 1, como prótons ou pósitrons; podem ser quatro partículas de carga 1 e uma partícula de carga –1 (como o elétron), uma vez que essa combinação também tem como resultado líquido uma carga de três; podem ser nove partículas de carga 1/3 (como o antiquark down); podem ser essas mesmas partículas acompanhadas de um número qualquer de partículas sem carga (como os fótons). Tal como no caso da sequência oculta de letras quando só tínhamos a pista referente ao número de vogais seguidas, as respostas possíveis são infindáveis.

Mas imaginemos agora, tal como no caso do quebra-cabeças linguístico, que temos duas novas pistas: a teoria que descreve o mundo — e que descreve, portanto, o conteúdo da caixa — é supersimétrica e o objeto oculto contém a *massa mínima* compatível com a condição inicialmente proposta. Com base nas conclusões de Eugene Bogomol'nyi, Manoj Prasad e Charles Sommerfield, verificou-se que a especificação de uma estrutura organizacional estrita (a estrutura da supersimetria, que é o análogo da língua inglesa, no exemplo anterior) e a "preferência pelo mínimo" (a massa mínima para um determinado montante de carga elétrica, que é o análogo da extensão mínima da palavra com três letras *y*) implicam que a identificação do conteúdo oculto reduz-se a uma possibilidade *única*. Ou seja, basta estabelecer que o conteúdo da caixa deve ser o mais leve possível e que satisfaça o requisito especificado para a carga, para que a identidade do objeto fique plenamente determinada. Os componentes de massa mínima para um determinado valor de carga são conhecidos como *estados BPS*, em homenagem a seus três descobridores.[8]

O importante a respeito dos estados BPS é que as suas propriedades podem ser determinadas de maneira específica, fácil e exata, sem recurso a cálculos perturbativos. Isso é válido independentemente dos valores das constantes de acoplamento. Ou seja, ainda que a constante de acoplamento das cordas seja alta, o que invalida o método perturbativo, continuaremos sendo capazes de deduzir as propriedades exatas das configurações BPS. As propriedades são denominadas muitas vezes massas e cargas *não perturbativas*, uma vez que os seus valores transcendem os esquemas perturbativos de aproximação. Por isso, a sigla BPS também pode significar "além dos estados perturbativos" (*beyond perturbative states*).

As propriedades BPS esgotam apenas uma pequena parte da física das teorias das cordas, quando a sua constante de acoplamento é alta, mas mesmo assim fornecem um bom ponto de apoio para o estudo das características do comportamento fortemente acoplado. À medida que a constante de acoplamento de uma das teorias das cordas eleva-se além do domínio acessível à teoria perturbativa, o avanço dos nossos limitados conhecimentos depende dos estados BPS. É como conhecer algumas palavras-chave em uma língua estrangeira: é pouco, mas pode levar-nos longe.

A DUALIDADE NA TEORIA DAS CORDAS

Vamos seguir Witten e começar com uma das cinco teorias das cordas, como a de Tipo I, por exemplo. Imaginemos que todas as suas nove dimensões espaciais são planas e estendidas. Naturalmente isso não é realista, mas torna a discussão mais simples; em breve voltaremos às dimensões recurvadas. Começamos por supor que a constante de acoplamento das cordas é bem menor do que 1. Neste caso, os instrumentos perturbativos são válidos e, portanto, muitas das propriedades específicas da teoria podem ser trabalhadas com precisão. Se aumentarmos o valor da constante de acoplamento mantendo-o ainda bem abaixo de 1, os métodos perturbativos continuam a ser utilizáveis. As propriedades específicas da teoria sofrerão alguma modificação — por exemplo, o valor numérico associado à frequência de bifurcação das cordas será um pouco diferente, porque os processos de laços múltiplos da figura 12.6 ocorrem com probabilidade crescente quando a constante de acoplamento aumenta. Mas além dessas mudanças nas propriedades numéricas específicas, as características físicas globais da teoria se mantêm, desde que a constante de acoplamento se conserve dentro dos domínios perturbativos.

Quando aumentamos a constante de acoplamento das cordas de Tipo I além do valor 1, os métodos perturbativos tornam-se inválidos e nós nos concentramos apenas no conjunto limitado de massas e cargas não perturbativas — os estados BPS — que permanecem dentro da nossa capacidade de discernir. Isso foi o que Witten afirmou, e posteriormente confirmou em um trabalho conjunto com Joe Polchinski, da Universidade da Califórnia em Santa Bárbara: *essas características do comportamento fortemente acoplado na teoria das cordas de Tipo I concordam exatamente com as propriedades conhecidas da teoria das cordas Heterótica-O quando a sua constante de acoplamento das cordas tem um valor pequeno.* Ou seja, quando a constante de acoplamento da teoria de Tipo I é grande, as massas e cargas cujo valor sabemos calcular são precisamente iguais às da teoria Heterótica-O quando a sua constante de acoplamento é pequena. Esse é um importante indício de que essas duas teorias das cordas, que à primeira vista parecem totalmente diferentes, como o gelo e a água, são, na verdade, duais. E nos deixa uma forte sugestão de que a estrutura física da teoria de Tipo I para valores altos da sua constante de acoplamento é *idêntica* à estrutura física da teoria Heterótica-O para valores baixos da sua constante de acoplamento. Outros argumentos propiciaram indícios igualmente persuasivos de que o oposto também é verdadeiro: a física da teoria de Tipo I para valores baixos da sua constante de acoplamento é idêntica à da teoria Heterótica-O para valores altos da sua constante de acoplamento.[9] Embora as duas teorias pareçam independentes uma em relação à outra, quando analisadas por meio do esquema perturbativo de aproximação, vemos que uma se transforma na outra — em analogia com a transmutação entre a água e o gelo — em função da variação do valor da constante de acoplamento.

Essa conclusão, nova e fundamental, em que a física do comportamento fortemente acoplado de uma teoria se vê descrita pela física do comportamento fracamente acoplado de outra é conhecida como *dualidade forte-fraca*. Tal como no caso das outras dualidades que discutimos antes, ela nos revela que as duas teorias na verdade não são diferentes. Em vez disso, elas correspondem a duas descrições diferentes de uma mesma teoria subjacente. Ao contrário da dualidade trivial entre a língua ocidental e o chinês, a dualidade do comportamento fortemente/fracamente acoplado é poderosa. Quando a constante de acoplamento de um dos membros de um par dual de teorias é pequena, as suas propriedades físicas podem ser analisadas por meio do uso de instrumentos perturbativos bem desenvolvidos. Mas se a constante de acoplamento da teoria for grande, o que faz com que os métodos perturbativos percam o seu valor, sabemos agora que se pode usar a descrição dual — na qual a constante de acoplamento respectiva é pequena — e voltar a empregar os instrumentos perturbativos. A transposição resulta em que contamos com métodos quantitativos para analisar uma teoria que inicialmente pensávamos estar além da nossa capacidade de teorizar.

A comprovação efetiva de que a física do comportamento fortemente acoplado da teoria das cordas de Tipo I é idêntica à física do comportamento fracamente acoplado da teoria Heterótica-O, e vice-versa, é uma tarefa extremamente difícil, que ainda não foi executada. A razão é simples. Um dos membros do par de teorias supostamente duais não se presta à análise perturbativa porque a sua constante de acoplamento é grande demais. Isso impede que se calculem diretamente muitas das suas propriedades físicas. Aliás, é exatamente por isso que a dualidade proposta, se for verdadeira, tem o poder de permitir a análise de uma teoria com comportamento fortemente acoplado, uma vez que torna possível o emprego de métodos perturbativos na teoria dual com comportamento fracamente acoplado.

Mas mesmo que não consigamos provar que as duas teorias são duais, o alinhamento perfeito entre as propriedades que *podemos* deduzir com confiança é uma indicação claríssima de que a relação de comportamento fortemente/fracamente acoplado entre as duas teorias é correta. Com efeito, cálculos cada vez mais sofisticados feitos para testar a dualidade proposta tiveram resultados positivos em todos os casos. A maioria dos estudiosos da teoria das cordas está convencida de que a dualidade é real.

Seguindo o mesmo método, podem-se estudar as propriedades do comportamento fortemente acoplado de outra das teorias das cordas, digamos a de Tipo IIB. Hull e Townsend propuseram, e as pesquisas de numerosos físicos confirmaram, que algo igualmente notável parece ocorrer. À medida que a constante de acoplamento da teoria de Tipo IIB aumenta, as propriedades físicas que continuam a poder ser entendidas parecem ter uma correspondência exata com as da própria teoria de Tipo IIB com comportamento fracamente acoplado. Em outras palavras, a teoria de Tipo IIB é *autodual*.[10] Especificamente, análises detalhadas sugerem de modo convincente que se a constante de acoplamento da teoria de Tipo IIB for maior do que 1 e se modificarmos o seu valor para o número recíproco (cujo valor será, portanto, menor do que 1), a teoria resultante será absolutamente idêntica àquela com que começamos a trabalhar. Tal como acontece quando se tenta contrair uma dimensão recurvada para abaixo da escala de Planck, quando se tenta aumentar o acoplamento da teoria de Tipo IIB para um valor superior a 1, a autodualidade revela que a teoria resultante é precisamente equivalente à teoria de Tipo IIB com o acoplamento recíproco menor do que 1.

SUMÁRIO (ATÉ AQUI)

Vejamos onde estamos. Em meados da década de 80, os cientistas haviam elaborado cinco teorias das supercordas diferentes. De acordo com os esquemas aproximativos da teoria da perturbação, todas pareciam diferentes entre si. Mas o método aproximativo só é válido se a constante de acoplamento das cordas da teoria for menor do que 1. O ideal seria que se pudesse calcular o valor preciso da constante de acoplamento das cordas para todas as teorias, mas a forma das equações aproximadas de que dispomos atualmente não nos permite fazê-lo. Por essa razão, os cientistas visam a estudar cada uma das teorias das cordas para um conjunto de valores possíveis para suas respectivas constantes de acoplamento, tanto menores quanto maiores do que 1 — isso é, tanto para o comportamento fortemente acoplado quanto para o comportamento fracamente acoplado. Mas os métodos perturbativos tradicionais não possibilitam o exame das características de comportamento fortemente acoplado de nenhuma das teorias das cordas.

Recentemente, por meio do uso do poder da supersimetria, os cientistas aprenderam a calcular algumas das propriedades do comportamento fortemente acoplado das teorias das cordas. E para a surpresa de quase todos os especialistas, as propriedades do comportamento fortemente acoplado da teoria Heterótica-O parecem idênticas às propriedades do comportamento fracamente acoplado da teoria de Tipo I, e vice-versa. Além disso, a física de comportamento fortemente acoplado da teoria de Tipo IIB é idêntica a ela própria quando o seu acoplamento é fraco. Esses vínculos inesperados encorajam-nos a seguir Witten e continuar investigando as outras duas teorias das cordas, a de Tipo IIA e a Heterótica-E, para observar como elas se inserem no quadro global.

Encontraremos surpresas ainda maiores. Para preparar-nos, vamos fazer agora uma pequena digressão histórica.

SUPERGRAVIDADE

Em fins da década de 70 e no início da década de 80, antes do auge de interesse pela teoria das cordas, muitos teóricos buscavam o arcabouço que unificaria a mecânica quântica, a gravidade e as demais forças no contexto de uma teoria quântica de campo para as partículas puntiformes. Havia a esperança de que as incoerências entre as teorias de partículas puntiformes que envolviam a gravidade e a mecânica quântica fossem superadas por meio do estudo de teorias que apresentassem um alto teor de simetria. Em 1976, Daniel Freedman, Sergio Ferrara e Peter Van Nieuwenhuizen, todos da Universidade de Nova York em Stony Brook, descobriram que as mais promissoras eram as teorias que envolvem a supersimetria, uma vez que a tendência dos bósons e dos férmions a produzir flutuações quânticas que se cancelam ajuda a acalmar o violento frenesi microcósmico. Os autores inventaram o termo *supergravidade* para descrever as teorias quânticas de campo supersimétricas que tratam de incorporar a relatividade geral. Essas tentativas de fundir a relatividade geral e a mecânica quântica acabaram por fracassar. Contudo, como vimos no capítulo 8, essas pesquisas renderam uma lição que pressagiava o desenvolvimento da teoria das cordas.

A lição, tornada mais clara, talvez, com os trabalhos de Eugene Cremmer, Bernard Julia e Scherk, todos da École Normale Supérieure em 1978, ensinava que as tentativas que mais se aproximaram do êxito foram as teorias de supergravidade formuladas não em quatro, e sim em um número maior de dimensões. Especificamente, as mais promissoras eram as versões que pediam dez ou onze dimensões, sendo onze o número mais alto possível.[11] O contato com as quatro dimensões observadas deu-se, uma vez mais, no contexto de Kaluza e Klein: as dimensões adicionais eram recurvadas. Nas teorias em dez dimensões, como na teoria das cordas, seis delas são recurvadas, enquanto na teoria em onze dimensões, sete são recurvadas.

Quando, em 1984, a teoria das cordas entrou em cena, de maneira súbita e revolucionária, a perspectiva das teorias de supergravidade para partículas puntiformes modificou-se extraordinariamente. Como já ressaltamos, quando examinamos uma corda com a precisão de que dispomos não só agora mas também no futuro previsível, ela *se parece* com uma partícula puntiforme. Podemos tornar essa observação mais precisa: ao estudar processos de baixa energia na teoria das cordas — os processos que não têm energia suficiente para sondar a extensão ultramicroscópica da corda — podemos usar as partículas puntiformes sem estrutura interna para fazer uma aproximação com as cordas, usando a teoria quântica de campo para as partículas. Não podemos usar essa aproximação ao trabalharmos com processos de curta distância ou de alta energia porque sabemos que a extensão da corda é crucial para a sua capacidade de resolver os conflitos entre a relatividade geral e a mecânica quântica, que uma teoria para partículas puntiformes não é capaz de resolver. Mas a energias suficientemente baixas, esses problemas não são encontrados e frequentemente se fazem essas aproximações, para facilidade de cálculo.

A teoria quântica de campo que mais se aproxima da teoria das cordas neste sentido não é outra senão a supergravidade em dez dimensões. As propriedades especiais da supergravidade em dez dimensões, descobertas nas décadas de 70 e 80, são hoje vistas como vestígios, nos níveis de baixa energia, do poder maior da teoria das cordas. Os pesquisadores que estudavam a supergravidade em dez dimensões haviam visto a ponta do iceberg — a rica estrutura da teoria das cordas. Na verdade, há quatro teorias diferentes de supergravidade em dez dimensões, que se distinguem nos detalhes relativos à maneira exata pela qual cada uma delas incorpora a supersimetria. Três delas revelaram-se os correspondentes de baixa energia das teorias das cordas de Tipo IIA, IIB e Heterótica-E. A quarta tem esse papel com relação às teorias das cordas de Tipo I e Heterótica-O; do ponto de vista atual, essas foram as primeiras indicações da relação íntima existente entre essas teorias das cordas.

Essa é uma bonita história, salvo pelo fato de que a supergravidade em onze dimensões ficou esquecida. A teoria das cordas formulada em dez dimensões parece não dar lugar para uma teoria em onze dimensões. Por muitos anos, a visão de muitos, se não de todos os teóricos das cordas, era a de que a supergravidade em onze dimensões era uma excentricidade matemática sem nenhuma ligação com a física da teoria das cordas.[12]

VISLUMBRES DA TEORIA M

A visão atual é bem diferente. Na Conferência Anual de Cordas de 1995, Witten sustentou que se começarmos com a teoria de Tipo IIA e aumentarmos a sua constante de acoplamento de um valor muito menor do que 1 para um valor muito maior do que 1, a estrutura física que continuamos a poder analisar (essencialmente a das configurações saturadas dos estados BPS) tem uma aproximação em baixas energias que é a supergravidade em onze dimensões.

Quando Witten anunciou essa descoberta, a plateia ficou em polvorosa e até hoje sentem-se os efeitos desse anúncio na comunidade científica interessada. Para quase todos os estudiosos do campo, o avanço anunciado era totalmente inesperado. A primeira reação à revelação foi fácil de imaginar: *como pode uma teoria que é específica para onze dimensões ser relevante para outra teoria feita para dez dimensões?*

A resposta tem um significado profundo. Para compreendê-la, é preciso descrever a afirmação de Witten com maior precisão. Aliás, será mais fácil referirmo-nos a uma descoberta intimamente ligada a essa, feita posteriormente pelo próprio Witten e por um pós-doutor da Universidade de Princeton, Petr Hor̆ava. Eles descobriram que a teoria Heterótica-E com comportamento fortemente acoplado também tem uma descrição em onze dimensões, que é ilustrada na figura 12.7. Na primeira parte da figura, a constante de acoplamento das cordas da teoria Heterótica-E é muito menor do que 1. Esse é o domínio em que estivemos trabalhando nos capítulos anteriores e que os teóricos da teoria das cordas vêm estudando por bem mais de uma década. À medida que avançamos para a direita na figura 12.7, vamos aumentando o valor da constante de acoplamento. Antes de 1995, os teóricos das cordas sabiam que isso tornaria os processos de laços múltiplos (ver a figura 12.6) cada vez mais importantes e, à medida que a constante de acoplamento aumentasse, isso acabaria por impossi-

Figura 12.7 *Quando a constante de acoplamento das cordas da teoria Heterótica-E aumentam, aparece uma nova dimensão espacial e a própria corda assume a forma de uma membrana cilíndrica.*

bilitar o emprego do esquema perturbativo. Mas o que ninguém suspeitava era que à medida que crescia a constante de acoplamento, uma nova dimensão se fazia visível! Trata-se da dimensão "vertical" que aparece na figura 12.7. Lembre--se de que nesta figura a malha bidimensional com que começamos representa todas as nove dimensões espaciais da teoria Heterótica-E. Desse modo, a nova dimensão vertical representa a *décima* dimensão espacial, a qual, juntamente com o tempo, nos leva a um total de onze dimensões espaço-temporais.

Além disso, a figura 12.7 ilustra uma consequência profunda dessa nova dimensão. A *estrutura* da corda Heterótica-E se modifica com o crescimento dessa dimensão. Ela passa de um laço unidimensional a uma fita e a um cilindro deformado, à medida que aumentamos o valor da constante de acoplamento! Em outras palavras, a corda Heterótica-E é, na verdade, uma *membrana bidimensional* cuja largura (a extensão vertical na figura 12.7) é determinada pelo valor da constante de acoplamento. Por mais de uma década, os teóricos empregaram apenas os métodos perturbativos, firmemente enraizados na premissa de que a constante de acoplamento é muito pequena. Como Witten expôs, essa premissa fez com que os componentes fundamentais parecessem ser cordas unidimensionais e se comportassem como tal, embora possuíssem uma segunda dimensão espacial oculta. Relativizando a premissa de que a constante de acoplamento é muito pequena e considerando o aspecto físico da corda Heterótica-E quando o valor da constante de acoplamento é alto, a segunda dimensão torna-se manifesta.

Esta constatação não invalida nenhuma das conclusões a que chegamos nos capítulos precedentes, mas força-nos a vê-las em um novo contexto. Por exemplo, como é que tudo isso se concilia com as nove dimensões espaciais e a única dimensão temporal requeridas pela teoria das cordas? Lembre-se de que no capítulo 8 vimos que essa especificação decorre da contagem do número de direções independentes em que uma corda pode vibrar e do requisito de que esse número tenha o valor necessário para que as probabilidades da mecânica quântica tenham valores coerentes com a realidade. A nova dimensão que acabamos de revelar *não* é uma dimensão em que uma corda Heterótica-E possa vibrar, por ser uma dimensão que está contida dentro da estrutura das próprias "cordas". Em outras palavras, o esquema perturbativo que os físicos empregaram para derivar o requisito de um espaço-tempo de dez dimensões assumia desde o princípio que a constante de acoplamento da teoria Heterótica-E é pequena. Embora isso só tenha sido reconhecido muito tempo depois, esse esquema implicitamente fez valer duas aproximações coerentes entre si: a de que a largura da membrana da figura 12.7 é pequena, o que a faz parecer-se a uma corda, e a de que a décima primeira dimensão é *tão* pequena que está aquém da sensibilidade das equações perturbativas. Dentro desse esquema aproximativo, somos levados à visão de um universo com dez dimensões, povoado de cordas unidimensionais. Agora vemos que isso é uma aproximação a um universo com onze dimensões que contém membranas bidimensionais.

Por motivos técnicos, Witten chegou à décima primeira dimensão ao estudar as propriedades do comportamento fortemente acoplado da teoria de Tipo IIA, tema com relação ao qual a história é muito parecida. Como no exemplo da teoria Heterótica-E, existe uma décima primeira dimensão cujo tamanho é determinado pela constante de acoplamento da teoria de Tipo IIA. Quando o seu valor aumenta, a nova dimensão cresce. Quando isso acontece, afirma Witten, a corda de Tipo IIA, em vez de esticar-se para formar uma fita, como no caso da teoria Heterótica-E, expande-se para formar um "tubo interno", ilustrado na figura 12.8. Novamente Witten argumentou que, embora os teóricos tenham sempre visto as cordas de Tipo IIA como objetos unidimensionais, dotados de comprimento mas não de espessura, essa visão era um reflexo do esquema perturbativo de aproximação que supõe que a constante de acoplamento das cordas é pequena. Se a natureza tiver como *requisito* que a constante de acoplamento tenha um valor pequeno, então a aproximação é válida. Todavia, a argumentação de Witten e de outros físicos durante a segunda revolução das supercordas introduz fortes elementos de convicção de que as "cordas" de Tipo IIA e Heterótica-E são, fundamentalmente, membranas bidimensionais que existem em um universo com onze dimensões.

Mas *em que consiste* essa teoria em onze dimensões? Segundo Witten e outros, a níveis baixos de energias (baixos em comparação com a energia de Planck), essa teoria tem como aproximação a esquecida teoria quântica de campo da supergravidade em onze dimensões. Mas a energias mais altas, como se pode

Figura 12.8 *Quando a constante de acoplamento das cordas da teoria de Tipo IIA aumenta, as cordas passam de laços unidimensionais a objetos bidimensionais que se assemelham à superfície de uma câmara de pneu de bicicleta.*

descrever a teoria? Esse tópico está atualmente sob intenso escrutínio. A partir das figuras 12.7 e 12.8, sabemos que a teoria em onze dimensões contém objetos que têm extensão em duas dimensões — membranas bidimensionais. Como logo veremos, outros objetos com extensão em mais dimensões também têm um papel importante. Mas além de um aglomerado de propriedades já conhecidas, *ninguém sabe em que consiste essa teoria em onze dimensões.* As membranas serão os seus componentes fundamentais? Quais são as propriedades que a definem? Como ela faz contato com a física tal como nós a conhecemos? Se as respectivas constantes de acoplamento forem pequenas, as nossas melhores respostas para essas perguntas são as que vimos nos capítulos anteriores, uma vez que com constantes de acoplamento pequenas somos levados de volta à teoria das cordas. Mas se as constantes de acoplamento não forem pequenas, ninguém sabe hoje quais são as respostas.

Seja lá o que for a teoria em onze dimensões, Witten deu-lhe provisoriamente o nome de *teoria M*. De acordo com a opinião de diversas pessoas, o nome pode ter diversos significados. Aqui estão alguns exemplos: Teoria Misteriosa, Teoria Mãe (a "mãe de todas as teorias"), Teoria das Membranas (uma vez que as membranas parecem fazer parte da história, qualquer que seja ela) e Teoria de Matrizes (de acordo com trabalhos recentes de Tom Banks, da Universidade de Rutgers, Willy Fischler, da Universidade do Texas em Austin, Stephen Shenker, de Rutgers, e Susskind, os quais oferecem uma interpretação nova da teoria). Mesmo que ainda não tenhamos um domínio satisfatório, seja do nome, seja das propriedades da teoria, já está claro que ela oferece um substrato promissor para a reunião das cinco teorias das cordas em uma só.

A TEORIA M E A REDE DE INTERCONEXÕES

Todos conhecem a velha anedota dos três cegos e o elefante. O primeiro cego apalpa a presa de marfim do elefante e descreve a superfície dura e lisa que toca. O segundo cego apalpa a perna do elefante e descreve um objeto áspero e musculoso. O terceiro segura a cauda do elefante e descreve um apêndice forte e delgado. Como as descrições mútuas são tão diferentes e como nenhum deles pode ver os demais, cada um pensa que tocou um animal diferente. Por muitos anos os físicos estiveram tão às escuras quanto os três cegos, pensando que as diferentes teorias das cordas fossem *realmente* muito diferentes. Mas agora, com as descobertas da segunda revolução das supercordas, eles constataram que a teoria M é o paquiderme unificador das cinco teorias.

Neste capítulo discutimos as mudanças pelas quais passou a nossa compreensão da teoria das cordas em função das aventuras para além do domínio do esquema perturbativo — um domínio que usamos implicitamente antes desse capítulo. A figura 12.9 resume as inter-relações que encontramos até aqui. As setas indicam as teorias duais. Como se vê, temos uma rede de conexões, mas ela ainda não está completa. Incluindo as dualidades do capítulo 10 podemos completar o trabalho.

Lembre-se da dualidade entre o raio grande e o raio pequeno do círculo, que torna intercambiáveis duas dimensões circulares de raios R e $1/R$. Anteriormente, afloramos um aspecto dessa dualidade, que agora devemos esclarecer. No capítulo 10 discutimos as propriedades das cordas em um universo com uma dimensão circular, sem especificar com cuidado qual das cinco formulações da teoria das cordas estávamos empregando. Sustentamos que a intercambialidade entre os modos de voltas e de vibrações de uma corda permite-nos, de acordo com a teoria das cordas, descrever em termos exatamente iguais universos cujas dimensões circulares tenham raios iguais a R e $1/R$. O aspecto que

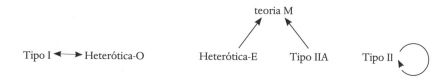

Figura 12.9 *As flechas mostram as dualidades existentes entre as diferentes teorias.*

344

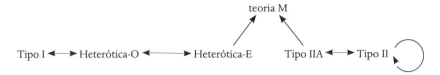

Figura 12.10 *Com a inclusão das dualidades que envolvem a forma geométrica do espaço-tempo (como no capítulo 10), as cinco teorias das cordas e a teoria M se unem em uma rede de dualidades.*

não explicitamos então é que as teorias das cordas de Tipo IIA e IIB também são intercambiáveis por meio dessa dualidade, assim como as teorias das cordas Heterótica-O e Heterótica-E. Assim, o enunciado mais preciso da dualidade entre o raio grande e o pequeno é o seguinte: a física das cordas de Tipo IIA em um universo com dimensão circular de raio R é absolutamente idêntica à física das cordas de Tipo IIB em um universo com dimensão circular de raio $1/R$ (um enunciado similar vale para as cordas Heterótica-O e Heterótica-E). Esse refinamento da dualidade entre o raio grande e o pequeno não produz efeitos significativos sobre as conclusões do capítulo 10, mas tem um impacto importante na presente discussão.

A razão está em que, ao proporcionar um vínculo entre as teorias das cordas de Tipo IIA e IIB, assim como entre a Heterótica-O e a Heterótica-E, a dualidade entre o raio grande e o pequeno completa a rede de conexões, o que é ilustrado pelas linhas pontilhadas da figura 12.10. Essa figura mostra que todas as cinco teorias, juntamente com a teoria M, são duais entre si. Todas estão integradas em um único esquema teórico; elas proporcionam cinco maneiras diferentes de descrever uma mesma estrutura física comum a todas. Para certas aplicações, uma delas pode ser muito mais efetiva que as outras. Por exemplo, é muito mais fácil trabalhar com a teoria Heterótica-O de comportamento fracamente acoplado do que com a teoria de Tipo I de comportamento fortemente acoplado. No entanto, elas descrevem exatamente a mesma estrutura física.

O QUADRO GERAL

Agora podemos compreender melhor as duas figuras — as figuras 12.1 e 12.2 — que apresentamos no início deste capítulo para resumir os pontos essenciais. Na figura 12.1, vemos que antes de 1995, sem levar em conta as dualidades, tínhamos cinco teorias das cordas aparentemente diferentes. Vários cientistas trabalharam em cada uma delas, que, sem a noção da dualidade, pareciam ser teorias diferentes. Cada uma das teorias tinha aspectos variáveis, como o tamanho da constante de acoplamento e os tamanhos e formas geométricas das dimensões recurvadas. Havia (e ainda há) a esperança de que essas propriedades definidoras possam ser determinadas pela própria teoria, mas, carentes da capacidade de determiná-las por meio das equações aproximadas de que dispomos, os físicos naturalmente estudaram as estruturas físicas que derivam de toda uma gama de possibilidades. Isso está representado na figura 12.1 por meio das áreas sombreadas — cada ponto nessa região denota uma escolha específica para a constante de acoplamento e a geometria recurvada. Sem invocar qualquer dualidade, temos ainda cinco (conjuntos de) teorias dissociadas.

Mas agora, se aplicarmos todas as dualidades que discutimos, ao variar o acoplamento e os parâmetros geométricos, podemos passar de uma teoria para qualquer das outras, desde que incluamos também a região central da teoria M; isso é o que mostra a figura 12.2. Mesmo que o nosso entendimento da teoria M seja ainda precário, esses argumentos indiretos dão grande apoio à afirmação de que ela proporciona o substrato unificador para as cinco teorias das cordas aparentemente diferentes. Além disso, vimos que a teoria M relaciona-se intimamente com uma sexta teoria — a supergravidade em onze dimen-

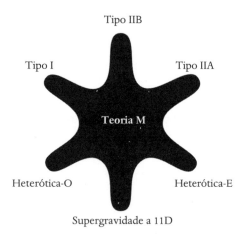

Figura 12.11 *Com a incorporação das dualidades, as cinco teorias das cordas, a supergravidade a 11 dimensões e a teoria M se fundem em um arcabouço unificado.*

sões —, o que é apresentado na figura 12.11, que é uma versão mais precisa da figura 12.2.[13]

A figura 12.11 ilustra que, embora o nosso conhecimento atual a seu respeito seja apenas parcial, as ideias e as equações fundamentais da teoria M unificam as ideias e as equações de todas as formulações da teoria das cordas. A teoria M é o elefante teórico que abriu os olhos dos estudiosos das cordas para um esquema unificador muito mais grandioso.

UM ASPECTO SURPREENDENTE DA TEORIA M:
DEMOCRACIA EM EXTENSÃO

Quando a constante de acoplamento das cordas é pequena em qualquer das regiões peninsulares do mapa teórico da figura 12.11, o componente fundamental da teoria parece ser a corda unidimensional. Mas agora podemos ver essa observação de uma nova perspectiva. Se começamos pelas regiões da teoria Heterótica-E ou da teoria de Tipo IIA, e aumentamos o valor das respectivas constantes de acoplamento das cordas, nós nos movemos em direção ao centro do mapa da figura 12.11, e o que parecia ser uma corda unidimensional se transmuta em uma membrana bidimensional. Além disso, por meio de uma série mais ou menos complexa de relações de dualidade que envolvem as constantes de acoplamento das cordas e a forma específica das dimensões espaciais recurvadas, podemos nos mover fácil e continuamente de qualquer ponto da figura 12.11 para qualquer outro. Como as membranas bidimensionais que encontramos nas teorias Heterótica-E e de Tipo IIA podem ser seguidas em nossos deslocamentos para qualquer uma das outras três formulações que aparecem na figura, vemos que cada uma das cinco formulações envolve também as membranas bidimensionais.

Isso levanta duas questões: primeiro, as membranas bidimensionais serão os componentes fundamentais da teoria das cordas? Segundo, depois dos saltos corajosos das décadas de 70 e 80, que nos levaram das partículas puntiformes de dimensão zero para as cordas unidimensionais, e depois de termos visto que a teoria das cordas envolve membranas bidimensionais, será que existem também componentes de maiores dimensões na teoria? No momento em que escrevemos, as respostas a essas perguntas não são bem conhecidas, mas a situação parece ser a seguinte.

Baseamo-nos firmemente na supersimetria para conseguir algum entendimento das distintas formulações da teoria das cordas além do domínio de validade dos métodos perturbativos de aproximação. Em particular, as propriedades dos estados BPS, suas massas e suas cargas de força, são determinadas exclusivamente pela supersimetria, o que nos permitiu compreender alguns dos aspectos do comportamento fortemente acoplado sem ter de executar cálculos diretos de dificuldade inimaginável. Com efeito, por meio dos esforços iniciais de Horowitz e Strominger e do trabalho posterior de desbravamento de Polchinski, temos agora maiores conhecimentos a respeito dos estados BPS. Em particular, não só conhecemos as massas e cargas de força que transportam, como temos uma clara noção da sua *aparência*. E esse quadro talvez seja o avanço mais surpreendente de todos. Alguns dos estados BPS são cordas unidimensionais. Outros são membranas bidimensionais. Já estamos familiarizados com essas formas. Mas a surpresa é que outros são *tri*dimensionais e *tetra*dimensionais — na verdade, o número de possibilidades compreende todas as dimensões espaciais até *nove*, inclusive. A teoria das cordas, ou a teoria M, ou qualquer outro nome que ela venha a ter, contém, assim, objetos com extensão em todas essas dimensões espaciais possíveis. Os físicos cunharam os termos 3-brana e 4-brana para descrever objetos com extensão em três e em quatro dimensões espaciais, e assim por diante, até as 9-branas (e, de modo mais geral, para um objeto com p dimensões espaciais, onde p representa um número inteiro, os físicos cunharam uma terminologia bem pouco eufônica: *p-brana*). Por vezes, de acordo com essa terminologia, as cordas são descritas como 1-brana e as membranas, como 2-brana. O fato de que todos esses objetos fazem parte da teoria levou Paul Townsend a proclamar a "democracia das branas".

Democracia das branas à parte, as cordas — os objetos com extensão unidimensional — são especiais pela seguinte razão. Os físicos demonstraram que a massa dos objetos com extensão em qualquer número de dimensões, com exceção das cordas unidimensionais, é *inversamente* proporcional ao valor da respectiva constante de acoplamento das cordas, quando nos encontramos em alguma das cinco regiões peninsulares da figura 12.11. Isso significa que com um comportamento fracamente acoplado, em qualquer das cinco formulações, todos os objetos, com exceção das cordas, terão massas enormes — muitas ordens de grandeza superiores à massa de Planck. Sendo tão pesadas, e tendo em vista que, por causa da equação $E = mc^2$, as branas requerem uma quantidade inimaginavelmente alta de energia para serem produzidas, elas têm efeito apenas marginal sobre grande parte da física (mas não sobre toda a física, como veremos no próximo capítulo). Contudo, quando saímos das regiões peninsulares da figura 12.11, as branas de maiores dimensões tornam-se mais leves e assumem importância crescente.[14]

Por conseguinte, a imagem a reter é esta: na região central da figura 12.11 temos uma teoria cujos principais componentes são não apenas cordas ou membranas, mas sim "branas" de várias dimensões, todas mais ou menos com a mesma importância. Neste momento ainda não temos um conhecimento adequado de muitos aspectos essenciais dessa teoria global. Mas uma coisa que sabemos é que ao nos deslocarmos da região central para as peninsulares, somente as cordas (ou membranas recurvadas a tal ponto que se parecem cada vez mais com as cordas, como se vê nas figuras 12.7 e 12.8) são suficientemente leves para poder estar presentes na física que nós conhecemos — a das partículas da tabela 1.1 e das quatro forças por meio das quais elas interagem. As análises perturbativas feitas pelos teóricos durante quase duas décadas não tinham refinamento suficiente sequer para descobrir a existência de objetos superpesados com extensão em outras dimensões; as cordas dominaram as análises e a teoria recebeu o nome pouco democrático de teoria das cordas. Convém repetir que, nas regiões peninsulares da figura 12.11, é lícito, para a maior parte dos propósitos, ignorar tudo o que não sejam as cordas. Essencialmente, isso é o que fizemos até aqui neste livro. Agora vemos, no entanto, que, na verdade, a teoria é mais rica do que antes havíamos imaginado.

ISSO RESOLVE AS PERGUNTAS NÃO RESPONDIDAS
DA TEORIA DAS CORDAS?

Sim e não. Conseguimos ampliar o nosso entendimento livrando-nos de certas conclusões que, em retrospecto, eram mais consequências das análises perturbativas de aproximação do que elementos reais da física das cordas. Mas o âmbito de aplicabilidade dos nossos instrumentos não perturbativos é ainda muito limitado. A descoberta da notável rede de relações de dualidade nos permite uma percepção bem mais profunda da teoria das cordas, mas muitas questões permanecem sem resposta. Atualmente, por exemplo, não sabemos como ir além das equações aproximadas para determinar o valor da constante de acoplamento das cordas — equações que, como vimos, são demasiado toscas para produzir informações úteis. Tampouco temos maior percepção sobre por que existem exatamente três dimensões espaciais estendidas, nem sobre como escolher a forma específica das dimensões recurvadas. Essas questões requerem métodos não perturbativos mais precisos e desenvolvidos do que os que atualmente possuímos.

O que realmente conseguimos foi uma compreensão bem mais profunda da estrutura lógica e do alcance teórico da teoria das cordas. Antes das constatações resumidas na figura 12.11, o comportamento fortemente acoplado de todas as cinco teorias das cordas era uma caixa-preta, um mistério completo. Como nos mapas de antigamente, o domínio do comportamento fortemente acoplado era a terra incógnita, potencialmente habitada por dragões e monstros marinhos. Agora vemos que, embora a viagem aos comportamentos fortemente acoplados possa conduzir-nos a regiões desconhecidas da teoria M, em última análise ela nos traz de volta às paisagens reconfortantes do comportamento fracamente acoplado — ainda que na linguagem dual do que antes era visto como outra teoria das cordas.

A dualidade e a teoria M unem as cinco teorias das cordas e sugerem uma conclusão importante. Pode ser que já não haja outras surpresas do porte das que temos visto, e que estejam ainda aguardando a nossa descoberta. Quando o cartógrafo consegue desenhar todas as regiões do globo terrestre, o mapa está feito e o conhecimento geográfico está completo. Isso não quer dizer que as expedições à Antártida ou às ilhotas remotas da Micronésia careçam de valor científico ou cultural. Significa apenas que a era dos descobrimentos geográficos terminou. A ausência de espaços em branco no mapa-múndi significa isso. O "mapa teórico" da figura 12.11 desempenha um papel similar para os teóricos das cordas. Ele cobre toda a gama de teorias que podem ser atingidas em uma viagem que pode partir de qualquer uma das cinco teorias das cordas. Embora estejamos longe de conhecer bem a terra incógnita da teoria M, já não há áreas em branco no mapa. Tal como o cartógrafo, o teórico das cordas pode proclamar agora, com certo otimismo, que o espectro de teorias logicamente corretas que incorporam as descobertas essenciais do último século — a relatividade geral e a especial; a mecânica quântica; as teorias de calibre das forças forte, fraca e eletromagnética; a supersimetria e as dimensões adicionais de Kaluza e Klein — está inteiramente contido no mapa da figura 12.11.

O desafio do estudioso da teoria das cordas — talvez seja melhor dizer o estudioso da teoria M — é o de mostrar que *algum* ponto do mapa teórico da figura 12.11 descreve o nosso universo. Isso requer que encontremos as equações completas e exatas cuja solução determinará a localização desse ponto no mapa e depois estudemos a estrutura física correspondente com precisão suficiente para permitir comparações com a experiência. Como disse Witten, "Compreender em que consiste realmente a teoria M — a física que ela encerra — transformaria a nossa compreensão da natureza de uma maneira pelo menos tão radical quanto a que ocorreu em todas as grandes revoluções científicas do passado".[15] Esse é o programa para a unificação no século XXI.

13. Buracos negros: uma perspectiva da teoria das cordas e da teoria M

O conflito entre a relatividade geral e a mecânica quântica, que vicejou antes do surgimento da teoria das cordas, era uma afronta à noção intuitiva de que as leis da natureza devem constituir um conjunto único, harmônico e coerente. Mas esse antagonismo era mais do que uma desunião abstrata. As condições físicas extremas que ocorreram no momento do big bang e que prevalecem no interior dos buracos negros *não podem* ser compreendidas sem uma formulação da força gravitacional em termos de mecânica quântica. Com a descoberta da teoria das cordas, temos agora a esperança de resolver esses mistérios profundos. Neste capítulo e no próximo, descreveremos o quanto avançou a teoria das cordas rumo à compreensão dos buracos negros e da origem do universo.

OS BURACOS NEGROS E AS PARTÍCULAS ELEMENTARES

À primeira vista, é difícil imaginar duas coisas tão diferentes entre si quanto os buracos negros e as partículas elementares. Normalmente vemos os buracos negros como colossais devoradores de corpos celestes e as partículas elementares como as mais diminutas fagulhas da matéria. Mas um bom número de pesquisas realizadas em fins da década de 60 e inícios da década de 70 por Demetrios Christodoulou, Werner Israel, Richard Price, Brandon Carter, Roy

Kerr, David Robinson, Hawking e Penrose, entre outros, revelaram que os buracos negros e as partículas elementares talvez não sejam entidades tão diferentes assim. Esses pesquisadores concluíram, com certeza cada vez maior, que, como disse John Wheeler, "os buracos negros não têm cabelo". Wheeler queria dizer com isso que, exceto por um pequeno número de características distintivas, todos os buracos negros são iguais. Quais são as características distintivas? Uma, evidentemente, é a massa do buraco negro. Quais as outras? As pesquisas revelaram que são a carga elétrica, assim como outras cargas de força que o buraco negro contenha, e a sua velocidade de rotação (spin). E isso é tudo. Quaisquer buracos negros que tenham a mesma massa, as mesmas cargas de força e a mesma velocidade de rotação são absolutamente idênticos. Eles não têm "penteados" elegantes — ou seja, outras características intrínsecas — que os diferenciem uns dos outros. Aí está uma coincidência interessante: lembre-se de que são precisamente essas propriedades — massa, cargas de força e spin — que tornam as partículas elementares diferentes entre si. Essa similaridade dos traços definidores levou diversos físicos a especular, ao longo dos anos, sobre a estranha possibilidade de que os buracos negros sejam, na verdade, gigantescas partículas elementares.

Com efeito, de acordo com a teoria de Einstein, não existe um limite mínimo para a massa de um buraco negro. Se comprimirmos um torrão de Terra, qualquer que seja a sua massa, a um volume suficientemente pequeno, a aplicação linear da relatividade geral mostra que ele se transformará em um buraco negro. (Quanto menor for a massa inicial, menor será o volume final.) Podemos, portanto, imaginar uma experiência abstrata em que começamos com glóbulos de matéria cada vez menores e os comprimimos para formar buracos negros, também cada vez menores, com o objetivo de comparar as propriedades dos buracos negros resultantes com as propriedades das partículas elementares. A calvície da frase de Wheeler nos leva à conclusão de que, com uma massa inicial suficientemente pequena, o buraco negro que formarmos dessa maneira será muito parecido a uma partícula elementar. Ambos serão objetos mínimos, caracterizados apenas pela massa, pelas cargas de força e pelo spin.

Mas há uma ressalva. Os buracos negros astrofísicos, cujas massas são muitas vezes maiores do que a do Sol, são tão grandes e pesados que a mecânica quântica é basicamente irrelevante e somente as equações da relatividade geral devem ser usadas para a compreensão das suas propriedades. (Estamos discutindo aqui a estrutura global do buraco negro, e não o ponto central do colapso, no interior do buraco negro, cujas mínimas dimensões certamente requerem tratamento pela mecânica quântica.) Mas à medida que avançamos no nosso processo de criação de buracos negros cada vez menores, chegamos a um ponto em que eles são tão leves que a mecânica quântica *tem* de entrar em cena. Isso é o que acontece quando a massa total do buraco negro é do porte da massa de Planck, ou menor. (Do ponto de vista da física elementar, a massa de Planck é enorme — cerca de 10 bilhões de bilhões de vezes maior do que a massa do próton. Do ponto de vista dos buracos negros, no entanto, a massa de Planck, que corresponde à de um grão de poeira comum, é pequeníssima.) Assim, os físicos que especulavam que os miniburacos negros e as partículas elementares pudessem estar intimamente relacionados encontraram-se frente a frente com a incompatibilidade entre a relatividade geral — o cerne teórico dos buracos negros — e a mecânica quântica. No passado, essa incompatibilidade estancou qualquer progresso nessa intrigante direção.

A TEORIA DAS CORDAS NOS PERMITE AVANÇAR?

Sim. Graças a uma concepção sofisticada e até certo ponto inesperada dos buracos negros, a teoria das cordas permite pela primeira vez estabelecer uma ligação teórica sólida entre os buracos negros e as partículas elementares. O caminho dessa ligação é um tanto indireto e passa por alguns dos mais interessantes avanços da teoria das cordas, de modo que a viagem vale a pena.

Ele começa com uma questão que os estudiosos das cordas vêm debatendo desde fins da década de 80. Os matemáticos e os físicos sabem já há algum tempo que quando seis dimensões espaciais se encontram recurvadas em uma forma de Calabi-Yau, geralmente há dois tipos de esferas contidas dentro desse espaço. Um tipo é o das esferas bidimensionais, como a superfície de uma bola, que exercem um papel vital nas transições de virada que vimos no capítulo 11. O outro tipo é mais difícil de descrever, mas ocorre com a mesma frequência. São esferas *tri*dimensionais — como a superfície de uma bola em um universo com *quatro* dimensões espaciais estendidas. Evidentemente, como vimos no capítulo 11, uma bola comum no nosso mundo também tem três dimensões, mas a sua *superfície*, tal como a de uma mangueira de jardim, tem *duas* dimensões: bastam dois números — basicamente longitude e latitude — para localizar qualquer posição nessa superfície. Mas aqui estamos imaginando uma dimensão espacial a mais: uma bola tetradimensional cuja superfície é *tri*dimensional. Como é praticamente impossível imaginar uma bola assim, na maior parte das vezes recorreremos a esquemas analógicos com menos dimensões, mais fáceis de visualizar. Mas, como veremos agora, um aspecto da natureza tridimensional das superfícies esféricas é de importância capital.

O estudo das equações da teoria das cordas revelou que é possível, e mesmo provável, que com o passar do tempo essas bolas venham a encolher-se — entrar em colapso — até um volume mínimo. Mas as perguntas são as seguintes: o que aconteceria se o tecido espacial entrasse em colapso desse mesmo modo? Esse encolhimento do tecido espacial causaria algum tipo de efeito catastrófico? A pergunta é muito semelhante à que fizemos e respondemos no capítulo 11, mas aqui estamos lidando com o colapso de esferas de três dimensões superficiais, enquanto no capítulo 11 nos ocupávamos do colapso de esferas com duas dimensões superficiais. (Tanto aqui quanto no capítulo 11, como o encolhimento se refere apenas a uma parte do espaço de Calabi-Yau, e não a esse espaço como um todo, a identificação entre raio pequeno e raio grande, que vimos no capítulo 10, não se aplica.) Essa é a diferença qualitativa essencial que decorre da mudança do número de dimensões.[1] Vimos no capítulo 11 que uma constatação crucial é que as cordas, ao se moverem através do espaço, podem envolver as esferas bidimensionais. Ou seja, a sua folha de mundo bidimensional pode envolver por completo a esfera bidimensional, como na figura 11.6. É exatamente isso o que é preciso para evitar que o colapso de uma esfera bidimensional cause catástrofes físicas. Mas, agora, estamos tratando de um outro tipo de esfera no interior de um espaço de Calabi-Yau, a qual tem demasiadas dimensões para poder ser envolvida por uma corda que se move. Se você tiver dificuldade em visualizar isso, pode perfeitamente recorrer à analogia que se obtém reduzindo o número de dimensões. É possível visualizar as esferas tridimensionais como se fossem as superfícies bidimensionais das bolas comuns, desde que você também visualize as cordas unidimensionais como se fossem partículas puntiformes com dimensão zero. Ora, como uma partícula puntiforme de dimensão zero não pode envolver coisa alguma — e muito menos uma esfera bidimensional —, assim também uma corda unidimensional não pode envolver uma esfera tridimensional.

Esse raciocínio levou os teóricos a especular que o colapso de uma esfera tridimensional no interior de um espaço de Calabi-Yau — evento que as equações aproximadas mostram ser perfeitamente possível e talvez mesmo uma extensão natural da teoria das cordas — pode produzir resultados catastróficos. Com efeito, as equações aproximadas da teoria das cordas desenvolvidas antes de meados da década de 90 pareciam indicar que o universo deixaria de funcionar se esse evento viesse a ocorrer; elas indicavam que alguns dos resultados infinitos domados pela teoria das cordas voltariam a aparecer, em consequência do colapso do tecido espacial. Por muitos anos os teóricos das cordas tiveram de conviver com essa possibilidade inquietante, ainda que inconclusiva. Mas em 1995, Andrew Strominger demonstrou que aquelas especulações eram infundadas.

Strominger, seguindo a linha desbravadora de Witten e Seiberg, pôs em prática a constatação de que a teoria das cordas, quando examinada com a maior precisão obtida com a segunda revolução das supercordas, não é apenas uma teoria sobre cordas unidimensionais. O seu raciocínio era o seguinte: uma corda unidimensional — ou uma 1-brana, na nova linguagem do meio acadêmico — pode envolver completamente um trecho de espaço unidimensional, como um círculo, como mostra a figura 13.1. (Note que essa figura é diferente da figura 11.6, na qual uma corda unidimensional, ao mover-se pelo espaço, envolve uma esfera bidimensional. A figura 13.1 deve ser vista como um instantâneo, tomado em um determinado momento no tempo.) Do mesmo modo, vemos na figura 13.1 que uma membrana bidimensional — uma 2-brana — pode envolver e cobrir completamente uma esfera bidimensional, basicamen-

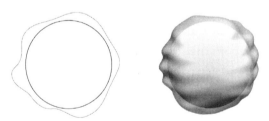

Figura 13.1 *Uma corda pode envolver uma porção unidimensional recurvada do tecido espacial; uma membrana bidimensional pode envolver uma porção bidimensional.*

te da mesma maneira como uma folha de plástico pode envolver e cobrir completamente a superfície de uma laranja. Embora a visualização neste caso seja mais difícil, Strominger deu seguimento ao raciocínio e constatou que os componentes tridimensionais recém-descobertos da teoria das cordas — as 3-branas — podem envolver e cobrir completamente uma esfera tridimensional. Com base nessa constatação, Strominger demonstrou a seguir, por meio de um cálculo simples, que a 3-brana envolvente propicia um escudo feito sob medida que cancela exatamente todos os efeitos potencialmente catastróficos que os teóricos temiam que pudessem ocorrer no caso do colapso de uma esfera tridimensional.

Esse foi um avanço extraordinário e importante. Mas o seu alcance só foi revelado por inteiro um pouco depois.

RASGANDO O TECIDO DO ESPAÇO — COM CONVICÇÃO

Uma das coisas mais fascinantes da física é como o nível do conhecimento pode mudar literalmente da noite para o dia. Na manhã que se seguiu ao dia em que Strominger publicou o seu texto no arquivo eletrônico da internet, eu o li em meu escritório em Cornell, após pegá-lo na World Wide Web. De um só golpe, Strominger havia utilizado os mais recentes avanços da teoria das cordas para resolver uma das questões mais espinhosas referentes às dimensões recurvadas em um espaço de Calabi-Yau. Mas à medida que eu refletia sobre o texto, tive a ideia de que ele só havia trabalhado uma parte da questão.

No trabalho relativo às transições de virada que rompem o espaço, descrito no capítulo 11, estudáramos um processo de duas partes em que uma esfera bidimensional comprime-se até se transformar em um ponto, o que faz com que o tecido espacial se rasgue. Em seguida, a esfera bidimensional volta a inflar-se com uma nova forma e com isso repara o rasgão. Em seu trabalho, Strominger havia estudado o que acontece quando uma esfera tridimensional se contrai até o tamanho de um ponto e revelara que os recém-descobertos objetos pluridimensionais da teoria das cordas permitem que a estrutura física continue a comportar-se bem. Até aí ele foi. Haveria ainda uma outra parte da história, envolvendo de novo o rompimento do espaço e a sua reparação por meio do reinflamento das esferas?

Dave Morrison estava me visitando em Cornell na primavera de 1995 e naquela tarde nos reunimos para discutir o texto de Strominger. Em umas duas horas já tínhamos um esboço do que poderia ser a "continuação da história". A partir de algumas observações feitas no final da década de 80 pelos matemáticos Herb Clemens, da Universidade de Utah, Robert Friedman, da Universidade de Columbia, e Miles Reid, da Universidade de Warwick, desenvolvidas por Candelas, Green e Tristan Hübsch, então na Universidade do Texas em Austin, constatamos que quando uma esfera tridimensional entra em colapso, é possível que o espaço de Calabi-Yau se rasgue e subsequentemente se repare por meio do reinflamento da esfera. Mas há uma surpresa importante. Enquanto a esfera que entrou em colapso tinha três dimensões, a que se reinfla tem apenas *duas*. É difícil visualizar o que sucede, mas podemos fazer uma ideia utilizando a analogia em menos dimensões. Em vez de imaginar o caso difícil de uma esfera tridimensional que entra em colapso e é substituída por uma esfera bidimensional, imaginemos uma esfera *uni*dimensional que entra em colapso e é substituída por outra esfera, com dimensão *zero*.

Em primeiro lugar, o que são essas esferas unidimensionais ou com dimensão zero? Pensemos por analogia. Uma esfera bidimensional é o conjunto dos pontos em um espaço tridimensional que estão à mesma distância de um centro escolhido, como mostra a figura 13.2(a). Seguindo a mesma ideia, uma esfera unidimensional é o conjunto dos pontos em um espaço bidimensional (como a superfície dessa página, por exemplo) que estão à mesma distância de um centro escolhido. Como se vê na figura 13.2(b), isso corresponde a um círculo. Finalmente, seguindo essa linha de raciocínio, uma esfera com dimensão zero é o conjunto dos pontos em um espaço unidimensional (uma linha) que estão à mesma distância de

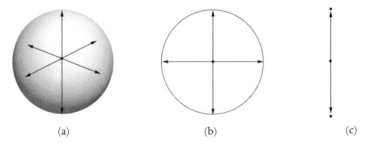

Figura 13.2 *Esfera de dimensões que podem ser visualizadas facilmente* — (a) duas dimensões; (b) uma; e (c) zero.

Figura 13.3 *Uma porção circular de um* doughnut *(um toro) entra em colapso e se reduz a um ponto. A superfície se rasga e se abre, produzindo duas perfurações. Uma esfera de dimensão zero (dois pontos) é "colada" para substituir a esfera unidimensional original (o círculo) reparando a superfície rasgada. Isso permite a transformação em uma forma totalmente diferente — uma bola.*

um centro escolhido. Como mostra a figura 13.2(c), isso corresponde a *dois pontos*, sendo o "raio" da esfera de dimensão zero igual à distância entre cada um dos pontos e o centro comum. Assim, a analogia em menos dimensões a que nos referimos no parágrafo anterior envolve um círculo (uma esfera unidimensional) que se desinfla, ao que se segue o rompimento do espaço e a substituição do círculo por uma esfera com dimensão zero (dois pontos). A figura 13.3 põe em prática essa ideia abstrata.

Comecemos com a superfície de um *doughnut*, na qual está contida uma esfera unidimensional (um círculo), como mostra a figura 13.3 Imaginemos agora que com o passar do tempo o círculo entre em colapso, o que causa a constrição do tecido espacial. O procedimento de reparação consiste em deixar que o tecido se rasgue momentaneamente e substituir a esfera unidimensional constrita — o círculo que entrou em colapso — por uma esfera com dimensão zero — dois pontos —, a qual tapa os buracos nas porções superior e inferior da forma que surge após o rompimento. Como se vê na figura 13.3, a forma resultante parece uma banana bem curva, a qual, por meio de uma deformação suave (que não rasga o espaço), pode ser tranquilamente convertida na superfície esférica de uma bola. Vemos, portanto, que quando uma esfera unidimensional entra em colapso e é substituída por uma esfera com dimensão zero, a topologia do *doughnut* inicial, ou seja, a sua forma fundamental, sofre uma alteração drástica. No contexto das dimensões espaciais recurvadas, o processo de rompimento do espaço retratado na figura 13.3 resultaria na transformação do universo descrito na figura 8.8 no da figura 8.7.

Embora essa seja uma analogia em menos dimensões, ela colhe os aspectos essenciais do que Morrison e eu calculamos ser a continuação da história de Strominger. Após o colapso de uma esfera tridimensional dentro de um espaço de Calabi-Yau, parecia-nos que o espaço podia se rasgar e subsequentemente reparar-se com o desenvolvimento de uma outra esfera bidimensional, o que levaria a mudanças topológicas muito mais drásticas do que as que Witten e nós mesmos encontráramos no trabalho anterior (discutido no capítulo 11). Desse modo, uma forma de Calabi-Yau poderia, essencialmente, transformar-se em outra forma de Calabi-Yau completamente diferente — de maneira muito semelhante à transformação do *doughnut* em bola, que vimos na figura 13.3 —, enquanto a física das cordas permaneceria absolutamente bem-comportada. Embora o quadro estivesse ficando claro, nós sabíamos que havia aspectos significativos que tinham de ser trabalhados antes que pudéssemos afirmar que a nossa continuação da história não provocaria nenhuma singularidade — ou seja, consequências perniciosas e fisicamente inaceitáveis. Fomos para casa aquela noite com a sensação de que estávamos às vésperas de uma descoberta nova.

CASCATAS DE E-MAILS

Na manhã seguinte recebi um e-mail de Strominger no qual pedia que eu lhe mandasse comentários e reações ao seu texto e mencionava que ele "deveria entrosar-se, de algum modo, com o trabalho que você fez com Aspinwall e Morrison", uma vez que também estivera explorando um possível vínculo com o fenômeno das alterações topológicas. Imediatamente enviei-lhe um e-mail que descrevia o esboço a que havíamos chegado, Morrison e eu. A resposta dele mostrou-nos que o seu nível de entusiasmo era comparável ao que Morrison e eu estávamos experimentando desde o dia anterior.

Nos dias seguintes, um fluxo contínuo de e-mails circulou entre nós três, enquanto buscávamos febrilmente dar algum rigor quantitativo à nossa ideia das alterações topológicas drásticas associadas ao rompimento do espaço. Com vagar, mas com segurança, todos os detalhes foram sendo inseridos. Na quarta-feira seguinte, uma semana depois que Strominger publicara a sua descoberta inicial, já tínhamos o rascunho de um trabalho conjunto que expunha as profundas transformações do tecido espacial que podem decorrer do colapso de uma esfera tridimensional.

Strominger tinha de dar uma conferência em Harvard no dia seguinte e viajou cedo pela manhã. Combinamos que Morrison e eu continuaríamos a trabalhar o texto para submetê-lo ao arquivo eletrônico aquela mesma noite. Às 23h45 já havíamos confirmado e reconfirmado os nossos cálculos e tudo parecia harmonizar-se perfeitamente. Assim, enviamos o trabalho e deixamos o prédio da universidade. Andando em direção ao meu carro (para levar Morrison à casa que ele alugara), passamos a fazer o papel de advogado do diabo. Imaginei então quais seriam as piores críticas que alguém que estivesse decidido a não aceitar as nossas conclusões poderia fazer ao nosso texto. Durante a viagem, verificamos que, embora a nossa argumentação fosse sólida e convincente, não era totalmente à prova de balas. Nenhum de nós achava que houvesse qualquer possibilidade de estarmos errados, mas admitimos que o vigor das nossas afirmações e as palavras que havíamos escolhido em alguns pontos poderiam deixar o caminho aberto para um debate ácido, o que talvez acabasse por ofuscar a importância das conclusões. Concordamos que teria sido melhor se tivéssemos escrito o texto com uma linguagem algo mais contida, com afirmações menos pretensiosas, de modo que a comunidade dos físicos pudesse julgar o trabalho desapaixonadamente, sem provocar reações à nossa forma de apresentação.

No carro, Morrison lembrou que, de acordo com as regras do arquivo eletrônico, poderíamos revisar o nosso trabalho até as duas da manhã, quando ele seria efetivamente liberado para acesso público na internet. No mesmo momento dei meia-volta com o carro e voltamos à universidade, recuperamos o texto enviado e passamos a suavizar a linguagem. Felizmente foi fácil. Umas poucas mudanças em alguns parágrafos críticos bastaram para limar as arestas das nossas afirmações sem prejudicar o conteúdo técnico. Em uma hora reapresentamos o texto e combinamos que não falaríamos nem uma palavra mais sobre isso durante todo o trajeto até a casa de Morrison.

No começo da tarde já estava claro que a reação ao nosso trabalho era de entusiasmo. Entre os muitos e-mails que recebemos estava um de Plesser, que nos mandava um dos maiores cumprimentos que um físico pode fazer: "Que pena que eu não pensei nisso antes!". Apesar dos nossos temores da noite anterior, havíamos convencido a comunidade da teoria das cordas não só de que o tecido espacial pode sofrer os pequenos rompimentos já descobertos (capítulo 11), mas também de que podem ocorrer alterações bem mais acentuadas, como mostra a figura 13.3.

DE VOLTA AOS BURACOS NEGROS E ÀS PARTÍCULAS ELEMENTARES

O que é que isso tudo tem a ver com os buracos negros e as partículas elementares? Muito. Para percebê-lo, temos de fazer a mesma pergunta que fizemos no capítulo 11. Quais são as consequências físicas observáveis que os rompimentos produzem no tecido espacial? Para o caso das transições de virada, como vimos, a surpresa da resposta estava em que afinal não acontece quase nada. No caso das *transições cônicas* — em inglês, *conifold transitions*, nome técnico dado às transições drásticas de rompimento que acabávamos de descobrir — tampouco havia catástrofes físicas (as quais ocorreriam segundo a relatividade geral convencional), mas, sim, ocorriam consequências observáveis mais pronunciadas.

Dois conceitos correlatos associam-se a essas consequências observáveis; explicaremos um de cada vez. Primeiro, como já vimos, a descoberta inicial de Strominger foi a de que uma esfera tridimensional no interior de um espaço de Calabi-Yau pode entrar em colapso sem provocar desastres porque uma 3-brana a envolve e propicia um escudo protetor perfeito. Mas qual é o aspecto da configuração dessa membrana envolvente? A resposta provém de um trabalho anterior de Horowitz e Strominger, o qual revelara que, para pessoas como nós, que conhecemos diretamente apenas as três dimensões espaciais estendidas, a 3-brana, que se "distribui" de maneira difusa em torno da esfera tridimensional, estabelece um campo gravitacional que se parece ao de um buraco negro.[2] Essa *não* é uma consequência evidente e só se torna clara a partir de um estudo detalhado das equações que comandam as membranas. Também nesse caso, é difícil desenhar com precisão em uma página as configurações em maiores dimensões, mas a figura 13.4 nos dá uma ideia básica por meio de uma analogia em menos dimensões, envolvendo esferas bidimensionais. Vemos que uma membrana bidimensional pode distribuir-se em volta de uma esfera bidimensional (a qual, por sua vez, está inserida em um espaço de Calabi-Yau localizado em algum ponto das dimensões estendidas). Uma pessoa que olhasse para esse ponto através das dimensões estendidas poderia perceber a membrana envolvente pela sua massa e pelas cargas de força que ela transporta, propriedades essas que Horowitz e Strominger já haviam demonstrado ser semelhantes às de um buraco negro. Além disso, no trabalho revolucionário que Strominger publicara em 1995, ele afirmava que a massa da 3-brana — ou seja, a massa do buraco negro — é proporcional ao volume da esfera tridimensional que ela envolve: quanto maior o volume da esfera, tanto maior terá de ser a 3-brana para poder envolvê-la e tanto maior será a sua massa. Do mesmo modo, quanto menor o volume da esfera, menor será a massa da 3-brana que a envolve. Com o colapso da esfera, a qual é percebida como um buraco negro, a 3-brana que a envolve parece tornar-se cada vez mais leve. Quando o colapso da esfera a transforma em um ponto, o buraco negro correspondente — controle-se — fica sem massa. Embora isso pareça absolutamente misterioso — afinal, como pode haver um buraco negro *sem massa*? —, logo veremos a ligação desse enigma com a física mais ortodoxa da teoria das cordas.

O segundo componente de que nos devemos lembrar é que o número de buracos em uma forma de Calabi-Yau, como vimos no capítulo 9, determina o número de padrões vibratórios das cordas de baixa energia e, por conseguinte de baixa massa, que são os que podem ocasionar as partículas da tabela 1.1, assim como os mensageiros das forças. Como as transições cônicas que rasgam o espaço modificam o número de buracos (como, por exemplo, na figura 13.3, em que o buraco do *doughnut* é eliminado pelo processo de rompimento e reparação), podemos esperar uma alteração no número de padrões vibratórios de baixa massa. Efetivamente, quando Morrison, Strominger e eu estudamos esse aspecto em detalhe, vimos que quando a esfera tridimensional constrita é substituída pela nova esfera bidimensional nas dimensões recurvadas do espaço de Calabi-

Figura 13.4 *Quando uma brana envolve uma esfera no interior das dimensões recurvadas, ela aparece como um buraco negro nas dimensões estendidas familiares.*

-Yau, o número de padrões vibratórios destituídos de massa aumenta exatamente em uma unidade. (O exemplo da transformação do *doughnut* em bola, na figura 13.3, levaria a crer que o número de buracos — e, portanto, o número de padrões — diminui, mas essa é uma consequência da analogia em menores dimensões, que nos induz ao erro.)

Para combinar as observações dos dois últimos parágrafos, imagine uma sequência de instantâneos de um espaço de Calabi-Yau em que o tamanho de uma determinada esfera tridimensional se torne cada vez menor. A primeira observação implica que uma 3-brana que envolva essa esfera tridimensional — a qual nos aparece como um buraco negro — terá massa cada vez menor até que, no ponto final do colapso, terá massa zero. Mas, como perguntamos acima, que significa isso? A resposta se tornou clara graças à segunda observação. O nosso trabalho mostrou que o novo padrão de vibração das cordas destituído de massa e derivado da transição cônica que rasga o espaço *é a descrição microscópica de uma partícula sem massa na qual o buraco negro se transforma.* Concluímos que com a evolução da transição cônica por que passa a forma de Calabi-Yau, um buraco negro inicial dotado de massa vai ficando cada vez mais leve até tornar-se sem massa, transformando-se então em uma partícula sem massa — como um fóton —, o que, na teoria das cordas, corresponde a uma corda que executa um padrão vibratório determinado. Dessa maneira, a teoria das cordas estabeleceu explicitamente e pela primeira vez um vínculo direto, concreto e quantitativamente inatacável entre os buracos negros e as partículas elementares.

BURACOS NEGROS DERRETIDOS

O vínculo entre os buracos negros e as partículas elementares que encontramos é bastante semelhante a algo que conhecemos na vida cotidiana e que recebe o nome técnico de transição de fase. Um exemplo simples de transição de fase foi mencionado no último capítulo: a água pode existir em forma sólida (gelo), líquida (água líquida) e gasosa (vapor). Essas são as *fases* da água e as transformações que ocorrem entre elas são as *transições de fase.* Morrison, Strominger e eu mostramos que existe uma estreita analogia matemática e física entre as transições de fase e as transições cônicas que rasgam o espaço e que ocorrem de uma forma de Calabi-Yau para outra. Aqui também, tal como alguém que nunca tivesse visto o gelo ou a água líquida, os físicos não haviam antes reconhecido que os tipos de buracos negros que estamos estudando e as partículas elementares são na verdade duas fases de uma mesma matéria que tem a corda como natureza. Assim como a temperatura ambiente determina a fase em que a água se apresenta, a forma topológica das dimensões Calabi-Yau adicionais determina quando certas configurações físicas da teoria das cordas aparecerão como buracos negros ou como partículas elementares. Ou seja, na primeira fase, que corresponde à forma de Calabi-Yau inicial (análoga ao gelo, no nosso exemplo), vemos que certos buracos negros estão presentes. Na segunda fase, a da segunda forma de Calabi-Yau (análoga à água líquida), esses buracos negros passam por uma transição de fase — "derretem-se", por assim dizer — e se transformam em padrões vibratórios fundamentais das cordas. O rompimento do espaço operado pelas transições cônicas leva de uma fase Calabi-Yau para a outra. Desse modo, vemos que os buracos negros e as partículas elementares, como a água e o gelo, são duas faces de uma mesma moeda. Vemos também que os buracos negros se inserem confortavelmente no contexto da teoria das cordas.

Utilizamos propositalmente a mesma analogia da água para transformações drásticas por meio de rompimentos espaciais e para as transformações entre as cinco diferentes formulações da teoria das cordas (capítulo 12) porque elas estão intimamente relacionadas. Lembre-se de que expressamos por meio da figura 12.11 que as cinco teorias das cordas são duais entre si e que, portanto, elas se unificam sob a égide de uma única teoria abrangente. Mas será que a capacidade de mover-nos continuamente de uma das teorias para outra — de viajar de qualquer ponto do mapa da figura 12.11 para qualquer outro — persiste mesmo depois que as dimensões adicionais se recurvem em alguma forma de Calabi-Yau? Antes da descoberta das alterações topológicas drásticas, a resposta que se esperava era negativa, uma vez que não se conhecia nenhuma maneira de transformar continuamente uma forma de Calabi-Yau em outra. Mas agora vemos que a resposta é positiva: por meio dessas transições cônicas que rompem o espaço e que são fisicamente plausíveis, podemos transformar continuamente qualquer espaço de Calabi-Yau em qualquer outro. Por meio da variação das constantes de acoplamento e da geometria recurvada dos espaços de Calabi-Yau, novamente vemos que todas as construções das várias teorias das cordas são fases diferentes de uma mesma teoria. Mesmo depois de todas as dimensões adicionais estarem recurvadas, a unidade da figura 12.11 permanece firme.

A ENTROPIA DOS BURACOS NEGROS

Durante muitos anos os mais renomados teóricos da física especularam a respeito da possibilidade dos processos de rompimento do espaço e de uma vinculação entre os buracos negros e as partículas elementares. Embora tais especulações parecessem a princípio coisas de ficção científica, a descoberta da teoria das cordas e da sua capacidade de harmonizar a relatividade geral e a mecânica quântica trouxe-as claramente para o primeiro plano da vanguarda da ciência. Tais êxitos nos animam a perguntar se outras propriedades misteriosas do universo, que têm resistido durante décadas aos esforços por resolvê-las, poderiam também ceder ao poder da teoria das cordas. Uma das principais dentre elas é a noção de *entropia dos buracos negros*. Essa é a arena onde a teoria das cordas demonstrou mais cabalmente a sua força, resolvendo um problema profundamente significativo que já durava um quarto de século.

A entropia é uma medida de desordem ou aleatoriedade. Por exemplo, se a sua mesa de trabalho está repleta de livros abertos, camadas e mais camadas de jornais velhos, artigos por ler e correspondência por abrir, ela se encontra em um estado de grande desordem, ou *alta entropia*. Por outro lado, se a mesa estiver totalmente organizada, com os artigos postos em arquivos em ordem alfabética, os jornais em ordem cronológica, os livros dispostos por assunto e por autor e com espaço para você escrever, pode-se dizer que ela está em estado de alta ordem, ou, o que é equivalente, de *baixa entropia*. Esse exemplo ilustra a ideia básica, mas os físicos têm uma definição inteiramente quantitativa de entropia, que permite descrever o grau de entropia de alguma coisa por meio de um valor numérico: quanto maior ele for, tanto maior será a entropia, e vice-versa. Embora os detalhes sejam um tanto complicados, esse valor representa o número de combinações em que os componentes de um determinado processo físico podem ser rearranjados de modo que a sua aparência geral permaneça intacta. Quando a sua mesa de trabalho está limpa e ordenada, praticamente qualquer rearranjo — mudar a ordem dos jornais, dos livros ou dos artigos, por exemplo — afeta o grau de organização. Isso mostra por que a sua entropia é baixa. Quando, ao contrário, a mesa está uma bagunça, numerosos rearranjos dos jornais, livros e cartas significam apenas a continuação da bagunça e não afetarão, portanto, a aparência geral da mesa. Isso mostra por que a sua entropia é alta.

Evidentemente, a definição dos rearranjos dos livros, jornais e artigos que estejam em cima de uma mesa e a decisão sobre quais dentre esses rearranjos "deixam a sua aparência geral intacta" carece de precisão científica. A definição rigorosa da entropia envolve a contagem ou o cálculo do número de rearranjos possíveis, em termos de mecânica quântica, das propriedades microscópicas dos componentes elementares de um sistema físico que não afetem as suas propriedades macroscópicas gerais (tais como a energia ou a pressão do sistema). Os detalhes não são essenciais, desde que se leve em conta que a entropia é um conceito totalmente quantitativo da mecânica quântica, que mede precisamente a desordem global de um sistema físico.

Em 1970, Jacob Bekenstein, então um aluno de John Wheeler em Princeton, fez uma sugestão audaciosa. Ele propôs a notável ideia de que os buracos negros possam ter entropia — e uma entropia bem grande. A motivação de Bekenstein estava na venerável e tantas vezes comprovada *segunda lei da termodinâmica*, que declara que a entropia de um sistema sempre aumenta: todas as coisas tendem a uma desordem maior. Mesmo que você arrume a desordem da sua mesa de trabalho, diminuindo assim a sua entropia, a entropia total, que inclui a do seu corpo e a do ar da sala, na verdade aumenta. Para arrumar a mesa você tem de dispender energia; tem de desorganizar algumas das moléculas de gordura do seu organismo para dar energia aos músculos; ao trabalhar, o seu corpo emite calor, que agita as moléculas circundantes de ar, agitando-as e desordenando-as. Quando se levam em conta todos esses efeitos, eles mais do que compensam a queda na entropia da sua mesa e a entropia geral aumenta.

Mas o que acontece — essa foi a pergunta de Bekenstein — se você arrumar a mesa bem perto do horizonte de eventos de um buraco negro e levar um aspirador de pó que suga todas as moléculas de ar recém-agitadas pelo seu trabalho para as profundezas do interior do buraco negro? Sejamos ainda mais radicais: e se o aspirador sugar todo o ar e tudo o que está em cima da mesa e a própria mesa para dentro do buraco negro, deixando-o sozinho na sua sala vazia e fria e, portanto, totalmente ordenada? Como não há dúvida de que a entropia da sua sala diminuiu, Bekenstein raciocinou que a única maneira pela qual a segunda lei da termodinâmica pode ser respeitada é atribuir entropia ao buraco negro e admitir que essa entropia aumenta com a absorção de matéria em um valor suficiente para compensar a diminuição observada na entropia no exterior do buraco negro.

Bekenstein consegue ainda apoiar-se em uma famosa conclusão de Stephen Hawking para fortalecer a sua argumentação. Hawking demonstrou que a área do horizonte de eventos de um buraco negro — o limite externo da região que envolve o buraco negro, a partir do qual nada pode regressar ao mundo exterior — sempre aumenta, em qualquer interação física. Ele demonstrou que se um asteroide, ou o gás da superfície de uma estrela vizinha, caírem em um buraco negro, ou se dois buracos negros colidirem e fundirem-se, em qualquer desses casos e em todos os demais a área total do horizonte de eventos do buraco negro sempre aumentará. Para Bekenstein, a evolução inexorável para uma área cada vez maior sugere um vínculo com a evolução inexorável para uma entropia cada vez maior, de que trata a segunda lei da termodinâmica. Ele propôs que a área do horizonte de eventos do buraco negro proporciona a medida precisa da sua entropia.

Examinando bem, no entanto, havia duas razões pelas quais a maioria dos físicos acreditava que a ideia de Bekenstein não poderia ser correta. Em primeiro lugar, os buracos negros pareciam estar entre os objetos mais bem ordenados e organizados de todo o universo. Uma vez medidas a massa, as cargas de força e o spin de um buraco negro, a sua identidade fica totalmente estabelecida. Com tão poucas características definidoras, os buracos negros parecem não ter estrutura suficiente para permitir a desordem. Assim como em uma mesa onde existam somente um livro e um lápis não há muito lugar para confusões, assim também os buracos negros parecem demasiado simples para abrigar desordens. A segunda razão pela qual é difícil aceitar a proposta de Bekenstein é que a entropia, tal como a examinamos aqui, é um conceito da mecânica quântica, enquanto os buracos negros, até pouco tempo atrás, permaneciam firmemente entrincheirados no campo antagônico da relatividade geral clássica. No começo da década de 70, quando não havia maneira de harmonizar a relatividade geral e a mecânica quântica, parecia no mínimo despropositado discutir a entropia dos buracos negros.

NEGRO ATÉ QUE PONTO?

Hawking também pensara a respeito da analogia entre a sua lei do aumento da área do buraco negro e a lei do aumento inevitável da entropia, mas pensou que aí houvesse apenas uma coincidência. Afinal de contas, argumentou ele, com base na lei do aumento da área e em outras conclusões a que ele próprio havia chegado, junto com James Bardeen e Brandon Carter, se se levasse realmente a sério a analogia entre as leis dos buracos negros e as leis da termodinâmica, não só seríamos forçados a identificar a área do horizonte de eventos do buraco negro com a entropia, mas também teríamos de atribuir uma *temperatura* ao buraco negro (cujo valor preciso seria determinado pela força do campo gravitacional do buraco negro no seu horizonte de eventos). Mas se a temperatura do buraco negro for diferente de zero — por menor que seja essa temperatura —, os princípios físicos mais básicos e claros *requereriam* que ele emitisse radiações, assim como um espeto de metal incandescente. Mas os buracos negros, como todos sabem, são negros; supostamente não emitem coisa alguma. Hawking, assim como quase todo o mundo, acreditava que isso descartava definitivamente a sugestão de Bekenstein. Com efeito, estava mesmo disposto a aceitar que se algum material dotado de entropia fosse sorvido por um buraco negro, essa entropia se perderia pura e simplesmente. Pior para a segunda lei da termodinâmica.

Assim estavam as coisas até 1974, quando Hawking descobriu algo verdadeiramente sensacional. Os buracos negros, ele disse, *não* são totalmente negros. Se ignorarmos a mecânica quântica e trabalharmos somente com as leis da relatividade geral clássica, então, tal como se descobrira sessenta anos antes, é certo que os buracos negros não permitem que nada — nem mesmo a luz — escape da sua atração gravitacional. Mas a inclusão da mecânica quântica modifica essa conclusão de maneira profunda. Mesmo sem possuir uma versão da relatividade geral em termos de mecânica quântica, Hawking alcançou uma união parcial dos dois instrumentos teóricos, chegando a conclusões limitadas mas confiáveis. E a conclusão mais importante que obteve foi a de que os buracos negros, *sim*, emitem radiação do ponto de vista da mecânica quântica.

Os cálculos são árduos e longos, mas a ideia básica de Hawking é simples. Vimos que o princípio da incerteza nos informa que mesmo o vácuo espacial abriga um frenesi de partículas virtuais que irrompem e se aniquilam mutuamente em questão de momentos. Esse comportamento quântico frenético também ocorre na região do espaço que está na beira do horizonte de eventos de um buraco negro. Hawking constatou que a força gravitacional do buraco negro pode injetar energia em um par de fótons virtuais, por exemplo, separando-os o suficiente para que um deles seja sugado para dentro do buraco negro. Com o desaparecimento de um dos membros do par no abismo do buraco, o outro fóton já não tem um parceiro com o qual se aniquilar. Hawking demonstrou que o fóton remanescente recebe, na verdade, um impulso de energia proveniente da força gravitacional do buraco negro e, enquanto o seu parceiro penetra no abismo, ele é arremessado para longe do buraco negro. Hawking constatou que alguém que ficasse olhando para o buraco negro veria o efeito cumulativo da separação desses pares de fótons virtuais que ocorrem a toda a volta do horizonte de eventos do buraco negro como um fluxo contínuo de radiação emitida. Os buracos negros *brilham*.

Além disso, Hawking calculou a temperatura que um observador distante associaria com a radiação emitida e verificou que ela é dada pela força do campo gravitacional no horizonte de eventos do buraco negro, exatamente como sugerira a analogia entre as leis da física dos buracos negros e as da termodinâmica.[3] Bekenstein estava certo: as conclusões de Hawking mostravam que a analogia devia ser levada a sério. Com efeito, tais conclusões revelaram que se trata de muito mais do que uma analogia — é uma *identidade*. Os buracos negros têm entropia. Os buracos negros têm temperatura. E as leis gravitacionais da física dos buracos negros não são mais do que as leis da termodinâmica reescritas em um contexto gravitacional totalmente exótico. Essa foi a bomba de Hawking em 1974.

Para dar uma ideia das escalas envolvidas, quando se levam em conta, cuidadosamente, todos os detalhes, um buraco negro cuja massa seja três vezes maior do que a do Sol terá uma temperatura de um centésimo milionésimo de grau acima do zero absoluto. Não é exatamente zero, mas quase. Os buracos negros não são exatamente negros, mas quase. Infelizmente, isso faz com que a radiação emitida por um buraco negro seja mínima e impossível de detectar experimentalmente. Mas há uma exceção. Os cálculos de Hawking demonstraram também que quanto menor for a massa do buraco negro, maior será a temperatura e mais intensa a radiação que ele emite. Um buraco negro que tivesse a massa de um asteroide pequeno, por exemplo, emitiria tanta energia quanto uma bomba nuclear de 1 milhão de megatons e a radiação estaria concentrada na parte do espectro eletromagnético relativa aos raios gama. Os astrônomos têm procurado encontrar essa radiação no céu, mas até agora não obtiveram indícios significativos, o que faz supor que esses buracos negros de pouca massa ou não existem, ou são muito raros.[4] Como observou jocosamente o próprio Hawking muitas vezes, é uma pena, pois se a radiação dos buracos negros prevista por ele fosse detectada, sem dúvida ele ganharia um prêmio Nobel.[5]

Em contraste com a pequenez da sua temperatura, inferior a um milionésimo de grau, a entropia de um buraco negro de massa três vezes maior do que a do Sol é um número incrivelmente enorme, com 78 zeros! E quanto maior o buraco negro, maior a sua entropia. O êxito dos cálculos de Hawking estabelecem inequivocamente que os buracos negros contêm uma enorme quantidade de desordem.

Mas desordem de quê? Como vimos, os buracos negros parecem ser objetos notavelmente simples. Qual será, portanto, a fonte de tanta desordem? Quanto a isso, os cálculos de Hawking não dizem nada. A fusão parcial entre a relatividade geral e a mecânica quântica que ele engendrou só era capaz de produzir o valor numérico da entropia do buraco negro, mas nada podia dizer sobre o seu significado microscópico. Por quase 25 anos, alguns dos maiores físicos tentaram entender quais seriam as possíveis propriedades microscópicas dos buracos negros que pudessem explicar a sua entropia. Mas sem um amálgama realmente confiável entre a mecânica quântica e a relatividade geral, só se podiam encontrar vislumbres de uma resposta. O mistério permanecia insolúvel.

ENTRA EM CENA A TEORIA DAS CORDAS

Isso durou até 1996, quando Strominger e Vafa — com base em trabalhos anteriores de Susskind e Sen — publicaram um texto nos arquivos eletrônicos da física intitulado "Origem microscópica da entropia de Bekenstein-Hawking". Nesse trabalho, Strominger e Vafa lograram utilizar a teoria das cordas para identificar os componentes microscópicos de uma certa classe de buracos negros e calcular com precisão a sua entropia. O seu trabalho beneficiou-se da recém--conquistada capacidade de contornar parcialmente os problemas das aproxi-mações perturbativas utilizadas até o começo da década de 90 e a conclusão a que chegaram concorda exatamente com o que era previsto por Bekenstein e Hawking. Completou-se, assim, o quadro que começara a ser pintado mais de vinte anos antes.

Strominger e Vafa concentraram-se na classe dos chamados buracos negros *extremos*, que são dotados de carga — a qual pode ser vista como carga elétrica — e têm a massa mínima possível consistente com a carga que levam. Como se pode ver por essa definição, eles se relacionam estreitamente com os estados BPS discutidos no capítulo 12. Com efeito, Strominger e Vafa exploraram essa semelhança ao máximo. Demonstraram ser possível construir — teoricamente, é claro — certos buracos negros extremos começando com um conjunto par-ticular de membranas BPS (em dimensões especificadas) e unindo-as de acordo com um modelo matemático preciso. Mais ou menos do mesmo modo pode-se construir um átomo — teoricamente, de novo — começando com um punha-do de quarks, organizando-os com precisão para formar prótons e nêutrons e envolvendo-os com órbitas de elétrons. Strominger e Vafa revelaram como alguns dos novos componentes da teoria das cordas poderiam congregar-se, de maneira similar, para produzir buracos negros particulares.

Na verdade, os buracos negros são um dos possíveis destinos finais das estrelas. Quando uma estrela queima a totalidade do seu combustível nuclear, depois de bilhões de anos, falta-lhe a força — pressão dirigida para fora — para resistir à enorme intensidade da sua própria gravidade. Em determinadas con-dições, relativamente frequentes, isso resulta em uma implosão catastrófica da massa da estrela; ela entra violentamente em colapso, recurvando-se sob o seu próprio peso e formando um buraco negro. Independentemente dessa maneira natural de formação, Strominger e Vafa propuseram buracos negros "feitos à mão", e mostraram como eles podem ser construídos de maneira sistemática — na imaginação do teórico — por meio de um processo cuidadoso, vagaroso e meticuloso de ordenamento das membranas que surgiram da segunda revolução das supercordas.

Rapidamente o alcance desse enfoque tornou-se claro. Graças ao controle teórico total sobre o processo de construção microscópica dos seus buracos negros, Strominger e Vafa podiam contar fácil e diretamente o número de rearranjos dos componentes microscópicos do buraco negro que manteriam inalteradas as suas propriedades gerais observáveis — a massa e as cargas de força. Desse modo, podiam também comparar o número assim obtido com a área do horizonte de eventos do buraco negro — a entropia prevista por Bekenstein e Hawking. A concordância foi perfeita. Pelo menos no caso dos buracos negros extremos, Strominger e Vafa conseguiram utilizar a teoria das cordas para revelar precisamente a associação entre os componentes microscópicos e a entropia. Estava resolvido um quebra-cabeças de 25 anos.[6]

Muitos teóricos das cordas veem nesse êxito uma prova importante e convincente a favor da teoria. O nosso domínio sobre a teoria das cordas é ainda muito frágil para que possamos fazer contatos diretos e precisos com observações experimentais, como as que permitiriam determinar teoricamente a massa do quark, ou do elétron. Mas agora podemos ver que a teoria das cordas proporcionou a primeira explicação fundamental para uma propriedade dos buracos negros que estava há muito estabelecida, mas que assombrou por tantos anos os cientistas que buscavam explicá-la por meio de teorias mais convencionais. E essa propriedade está intimamente ligada à previsão de Hawking de que os buracos negros emitem radiação, a qual, em princípio, deveria ser experimentalmente mensurável. Logicamente, isso requer que encontremos um buraco negro no céu e construamos um equipamento suficientemente sensível para detectar a radiação que ele emite. Se o buraco negro for suficientemente leve, a satisfação do último requisito estaria dentro do alcance atual da nossa tecnologia. Mesmo que esse programa experimental não tenha ainda tido êxito, não há dúvida de que ele ressalta novamente que o hiato atualmente existente entre a teoria das cordas e afirmações definitivas sobre a física do mundo natural pode ser superado. Até Sheldon Glashow — o arquirrival da teoria das cordas na década de 80 — disse recentemente que "quando os teóricos das cordas falam sobre buracos negros é quase como se estivessem falando sobre fenômenos observáveis — e isso é impressionante".[7]

OS MISTÉRIOS REMANESCENTES DOS BURACOS NEGROS

Dois grandes mistérios persistem a respeito dos buracos negros, apesar desses avanços impressionantes. O primeiro refere-se ao impacto dos buracos negros sobre o conceito de determinismo. No começo do século XIX, o matemático francês Pierre-Simon de Laplace enunciou a consequência mais estrita e penetrante do universo mecânico que se depreendia das leis de Newton sobre o movimento:

> Uma inteligência que, em um momento dado, pudesse compreender todas as forças que animam a natureza e a situação respectiva dos seres que a compõem, e que, além disso, fosse ampla o suficiente para proceder à análise de tais dados, abarcaria em uma mesma fórmula os movimentos dos maiores corpos do universo e os dos menores átomos. Para tal inteligência, nada seria incerto, e o futuro, como o passado, estaria aberto aos seus olhos.[8]

Em outras palavras, se em um momento dado você conhecer as posições e as velocidades de todas as partículas do universo, as leis de movimento de Newton poderão ser usadas para determinar — pelo menos em princípio — suas posições e velocidades em qualquer outro momento do passado ou do futuro. A partir dessa perspectiva, toda e qualquer ocorrência, desde a formação do Sol até a crucificação de Cristo e o movimento dos nossos olhos por esse mundo afora, derivam estritamente das posições e velocidades das partículas componentes do universo no momento que se seguiu ao big bang. Essa visão rígida do desenvolvimento do universo leva a todo tipo de dilemas filosóficos a respeito da questão do livre-arbítrio, mas a sua importância ficou substancialmente diminuída com a descoberta da mecânica quântica. Vimos que o princípio da incerteza de Heisenberg quebra o determinismo laplaciano, uma vez que, essencialmente, não podemos saber com precisão as posições e as velocidades dos componentes do universo. Em vez disso, as propriedades clássicas são substituídas por funções de ondas quânticas que nos informam apenas sobre a probabilidade de que essa ou aquela partícula determinada esteja neste ou naquele lugar ou tenha esta ou aquela velocidade.

A derrota da visão de Laplace, contudo, não causou a destruição total do conceito de determinismo. As funções de ondas — as ondas de probabilidade da mecânica quântica — evoluem no tempo de acordo com regras matemáticas precisas, como a equação de Schrödinger (ou as suas correspondentes relativísticas mais precisas, como a equação de Dirac e a equação de Klein-Gordon). Isso nos mostra que o *determinismo quântico* substituiu o determinismo clássico de Laplace: o conhecimento das funções de ondas de todos os componentes fundamentais do universo em um determinado momento permite que uma inteligência "ampla o suficiente" determine as funções de ondas em qualquer momento do passado ou do futuro. O determinismo quântico nos diz que a *probabilidade* de que qualquer evento específico venha a ocorrer em algum momento dado do futuro é inteiramente *determinada* pelo conhecimento das funções de ondas em qualquer momento do passado. O aspecto probabilístico da mecânica quântica suaviza significativamente o determinismo laplaciano transformando a inevitabilidade de um acontecimento em probabilidade, mas essa é totalmente determinada dentro do contexto convencional da teoria quântica.

Em 1976, Hawking declarou que mesmo essa forma mais suave de determinismo é violada pela presença dos buracos negros. Novamente, os cálculos que levam a tal declaração são dificílimos, mas a ideia essencial é relativamente fácil. Quando algo cai em um buraco negro, a sua função de onda também é sugada. Mas isso significa que na tentativa de estabelecer todas as funções de ondas em todos os tempos futuros, a nossa inteligência "ampla o suficiente" sofrerá uma perda irreparável. Para prever o futuro por completo é preciso conhecer todas as funções de ondas por completo no presente. Mas se alguma delas foi tragada pelo abismo de um buraco negro, a informação que ela contém se perde.

À primeira vista, essa complicação decorrente dos buracos negros não parece merecer preocupação. Como tudo o que está atrás do horizonte de eventos de um buraco negro fica isolado do resto do universo, será que não podemos simplesmente ignorar por completo algo que teve o infortúnio de cair lá dentro? Além do que, não poderíamos dizer, do ponto de vista filosófico, que o universo não chegou a perder a informação levada pelo objeto tragado, e sim que ela ficou trancada em uma região do espaço que nós, seres racionais, evitamos a qualquer custo? Antes da constatação de Hawking de que os buracos negros não são completamente negros, a resposta a essas perguntas era positiva. Mas depois que ele informou o mundo de que os buracos negros emitem radiação, a história mudou. A radiação transporta energia e, portanto, se os buracos negros a emitem, a sua massa diminui pouco a pouco — ele se evapora aos poucos. Ao fazê-lo, a distância entre o centro do buraco negro e o seu horizonte de eventos diminui pouco a pouco e, à medida que isso ocorre, as regiões do espaço que antes estavam isoladas do resto do universo reingressam na arena cósmica. Agora a nossa especulação filosófica tem de responder à seguinte pergunta: será que a informação contida nas coisas tragadas pelo buraco negro — os dados que imaginamos existirem no interior do buraco negro — ressurge com a sua evaporação? Essa é a informação necessária para que o determinismo quântico possa prevalecer, de modo que a pergunta penetra no cerne da questão sobre se os buracos negros conferem à evolução do nosso universo um elemento ainda maior de aleatoriedade.

No momento ainda não existe consenso entre os físicos a respeito da resposta a essa pergunta. Por muitos anos Hawking defendeu com vigor que a informação não ressurge — que os buracos negros a destroem, "introduzindo assim um novo nível de incerteza na física, além da incerteza usual, assinalada pela teoria quântica".[9] Aliás, Hawking e Kip Thorne, do California Institute of Technology, fizeram uma aposta com John Preskill, também do California Institute of Technology, a respeito do que acontece com a informação capturada por um buraco negro: Hawking e Thorne apostaram que a informação se perde para sempre e Preskill defende o ponto de vista contrário, afirmando que a informação ressurge quando o buraco negro emite radiação e se evapora. A aposta? Mais informação: "O(s) perdedor(es) presenteará(ão) o(s) vencedor(es) com uma enciclopédia da escolha desse(s)".

A aposta ainda não foi resolvida, mas recentemente Hawking admitiu que o novo entendimento dos buracos negros por meio da teoria das cordas, tal como vimos acima, revela que pode haver uma maneira pela qual a informação ressurge.[10] A ideia nova é a de que para a classe de buracos negros estudada por

Strominger e Vafa, e por muitos outros depois da publicação do seu trabalho inicial, a informação pode ser guardada e recuperada por meio das membranas componentes. Essa ideia, disse Strominger recentemente, "levou muitos estudiosos a tentar cantar vitória — a afirmar que a informação é recuperável quando o buraco negro se evapora. Na minha opinião, essa conclusão é prematura; falta ainda muito trabalho para determinar se ela é verdadeira".[11] Vafa concorda e diz que "é neutro neste caso — o resultado ainda pode ir tanto para um lado quanto para o outro".[12] A resposta a esse problema é um dos maiores desafios enfrentados pelas pesquisas atuais. Nas palavras de Hawking:

> A maioria dos físicos prefere acreditar que a informação não se perde, pois isso faria o mundo mais seguro e previsível. Mas creio que se levarmos a sério a relatividade geral de Einstein, é preciso admitir a possibilidade de que o espaço-tempo forme bolsas, fechadas por meio de nós, que isolam do resto do universo as informações que a bolsa contenha. Saber se a informação pode ou não pode perder-se é uma das principais questões da física teórica de hoje.[13]

O segundo mistério não resolvido refere-se à natureza do espaço-tempo no ponto central de um buraco negro.[14] Uma aplicação direta da relatividade geral, conhecida desde 1916, por meio de Schwarzschild, revela que a enorme quantidade de massa e energia comprimida no centro de um buraco negro provoca uma fenda devastadora no tecido do espaço-tempo, dobra-o radicalmente em um estado de curvatura infinita — perfura-o em uma singularidade espaço-temporal. Uma conclusão tirada pelos físicos a partir desse fenômeno é que uma vez que toda matéria que cruze o horizonte de eventos é inexoravelmente tragada para o centro do buraco negro e como, uma vez lá, a matéria não tem futuro, o próprio tempo chega ao fim no coração de um buraco negro. Outros físicos, que há anos exploram as propriedades do centro dos buracos negros utilizando as equações de Einstein, revelaram a estranha possibilidade de que ele possa ser a porta para outro universo que se liga ao nosso apenas através do centro do buraco negro. Por assim dizer, onde o tempo no nosso universo termina, começa o tempo em outro universo.

No próximo capítulo consideraremos algumas das implicações dessa possibilidade fascinante, mas por agora desejamos destacar um ponto importante.

Devemos lembrar-nos da lição principal: massas extremamente grandes e tamanhos extremamente pequenos, que levam a densidades inimaginavelmente altas, tornam impossível o uso exclusivo da teoria clássica de Einstein e requerem também o emprego da mecânica quântica. Isso nos leva a perguntar: o que é que a teoria das cordas tem a dizer a respeito da singularidade espacial do centro de um buraco negro? Atualmente desenvolvem-se intensas pesquisas a esse respeito, mas assim como na questão da perda de informação, o problema não foi ainda resolvido. A teoria das cordas lida destramente com várias outras singularidades — como os cortes e rompimentos do espaço, que discutimos no capítulo 11 e na primeira parte deste capítulo.[15] Mas *nem todas* as singularidades são semelhantes. O tecido do nosso universo pode ser rasgado, perfurado e amassado de muitas maneiras diferentes. A teoria das cordas nos propiciou um entendimento mais completo de algumas dessas singularidades, mas outras, entre as quais a dos buracos negros, continuam a resistir aos esforços dos estudiosos. A razão essencial para isso, novamente, é a necessidade do emprego de instrumentos perturbativos, cujas aproximações, neste caso, não ajudam a nossa capacidade de analisar de modo completo e confiável o que acontece no ponto mais profundo de um buraco negro.

Contudo, dado o tremendo progresso recente dos métodos não perturbativos e o êxito da sua aplicação a outros aspectos dos buracos negros, os estudiosos da teoria das cordas têm muitas esperanças de que em não muito tempo os mistérios que residem no centro dos buracos negros começarão a ser desvendados.

14. Reflexões sobre a cosmologia

Por todo o transcurso da história, os seres humanos buscaram apaixonadamente compreender a origem do universo. Talvez nenhuma questão seja capaz de transcender, mais do que esta, a passagem do tempo e a diferenciação das culturas e de inspirar a imaginação da humanidade, tanto a dos nossos ancestrais quanto a dos pesquisadores da cosmologia moderna. Existe uma ânsia coletiva, permanente e profunda por uma explicação para o fato de que o universo existe, para a razão pela qual ele tomou a forma que conhecemos e para a lógica, ou o princípio, que alimenta a sua evolução. O que é fabuloso é que pela primeira vez a humanidade chegou a um ponto em que começa a surgir um esquema capaz de fornecer respostas científicas a algumas dessas perguntas.

A teoria científica da criação hoje aceita declara que o universo experimentou as condições mais extraordinárias — energia, temperatura e densidade enormes — em seus primeiros momentos. Essas condições, como hoje sabemos, requerem que levemos em conta tanto a mecânica quântica quanto a gravitação, razão por que a origem do universo proporciona um profundo campo de estudo para que provemos as hipóteses e as conclusões da teoria das supercordas. Discutiremos aqui essas hipóteses e conclusões, mas primeiro devemos contar rapidamente a história da teoria cosmológica antes da teoria das cordas, conhecida em geral como o *modelo-padrão da cosmologia*.

O MODELO-PADRÃO DA COSMOLOGIA

A teoria moderna das origens cósmicas data de quinze anos depois que Einstein concluiu a relatividade geral. Embora ele próprio houvesse se recusado a reconhecer que a sua teoria implicava que o universo não era nem eterno nem estático, Alexander Friedmann o fez. E como vimos no capítulo 3, Friedmann descobriu o que agora se conhece como a solução do big bang para as equações de Einstein — solução que declara que o universo surgiu violentamente de um estado de compressão infinita e vive ainda hoje a fase de expansão dessa explosão inicial. Einstein estava tão certo de que esse tipo de solução não podia ser visto como resultado da sua teoria que publicou um pequeno artigo em que afirmava ter encontrado um erro capital no trabalho de Friedmann. Cerca de oito meses depois, no entanto, Friedmann conseguiu convencê-lo de que afinal não havia erro. Einstein retirou a sua objeção de maneira pública, mas lacônica. É claro, todavia, que ele não acreditava que as conclusões de Friedmann tivessem qualquer relevância para o universo. Cinco anos depois, no entanto, Hubble confirmou que observações detalhadas de dezenas de galáxias, feitas a partir do telescópio de cem polegadas do Observatório de Monte Wilson, revelaram que o universo realmente está em expansão. O trabalho de Friedmann, reelaborado de modo mais sistemático e eficiente por Howard Robertson e Arthur Walker, ainda hoje constitui a base da cosmologia moderna.

A visão moderna da origem do universo é a seguinte. Há cerca de 15 bilhões de anos o universo irrompeu a partir de um evento singular dotado de enorme energia, que expeliu todo o espaço e toda a matéria. (Não é preciso ir muito longe para localizar onde ocorreu o big bang, pois ele ocorreu aqui mesmo, assim como em todos os outros lugares; no início, todos os lugares que hoje percebemos como distantes eram o *mesmo* lugar.) A temperatura do universo apenas 10^{-43} segundos após o big bang, o chamado *tempo de Planck*, era de cerca de 10^{32} graus Kelvin, 10 trilhões de trilhões de vezes mais quente que o interior profundo do Sol. Rapidamente, o universo foi se expandindo e resfriando e, ao fazê-lo, o plasma cósmico primordial, homogêneo e torridamente quente, começou a formar rodamoinhos e concentrações. Cerca de um centésimo milésimo de segundo depois do big bang, as coisas haviam resfriado o suficiente (algo como 10 trilhões de graus Kelvin — 1 milhão de vezes mais quente que o interior do Sol) para que

380

os quarks pudessem organizar-se em grupos de três, formando os prótons e os nêutrons. Cerca de um centésimo de segundo depois as condições estavam prontas para que os núcleos dos elementos mais leves da tabela periódica começassem a tomar forma, a partir do plasma original. Nos três minutos que se seguiram, quando o universo esfriou-se a uma temperatura de 1 bilhão de graus, os núcleos predominantes eram os de hidrogênio e hélio, juntamente com traços residuais de deutério (hidrogênio "pesado") e lítio. Esse é o período da *nucleossíntese primordial.*

Durante as primeiras centenas de milhares de anos que se seguiram não aconteceu nada de especial, além do prosseguimento da expansão e do resfriamento. Mas quando a temperatura caiu a alguns milhares de graus, a velocidade dos elétrons que se moviam em um frenesi desordenado reduziu-se o suficiente para que os núcleos atômicos, especialmente os de hidrogênio e hélio, os capturassem, formando assim os primeiros átomos eletricamente neutros. Esse foi um momento crucial: a partir de então o universo como um todo tornou-se transparente. Antes da captura dos elétrons, o universo estava inundado por um denso plasma de partículas eletricamente ativas — umas, como os núcleos, com carga elétrica positiva, e outras, como os elétrons, com carga elétrica negativa. Os fótons, que interagem apenas com objetos dotados de carga elétrica, eram atirados incessantemente de um lado para o outro pelo denso mar de partículas ionizadas, e praticamente não chegavam a percorrer distância alguma sem serem desviados ou absorvidos. Essa nuvem espessa de partículas ionizadas impedia o movimento livre dos fótons, o que tornava o universo quase totalmente opaco, assim como o ar que conhecemos em uma neblina muito densa ou em uma vigorosa tempestade de neve. Mas quando os elétrons, com carga elétrica negativa, entraram em órbita em redor dos núcleos, com carga elétrica positiva, produzindo átomos eletricamente neutros, a neblina desapareceu. Desde então, os fótons criados com o big bang têm viajado livremente, e toda a extensão do universo tornou-se visível.

Mais ou menos 1 bilhão de anos depois, quando o universo já se achava substancialmente mais calmo, as galáxias, as estrelas e por último os planetas começaram a surgir como aglomerados dos elementos primordiais, unidos pela gravitação. Hoje, cerca de 15 bilhões de anos depois do big bang, nós nos maravilhamos com a magnificência do cosmos e com a nossa capacidade coletiva de reunir os nossos conhecimentos em uma teoria razoável e experimentalmente testável da origem do universo.

Mas quanta fé merece *realmente* a teoria do big bang?

O TESTE DO BIG BANG

Os astrônomos veem hoje nos seus telescópios a luz emitida pelas galáxias e pelos quasares alguns bilhões de anos depois do big bang. Isso permite verificar a expansão do universo prevista pela teoria do big bang desde essa época até agora e todos os resultados se encaixam perfeitamente. Para testar a teoria em épocas ainda mais remotas, os físicos e os astrônomos têm de recorrer a métodos mais indiretos. Um dos mais sofisticados envolve algo conhecido como *radiação cósmica de fundo.*

Se você tocar o pneu de uma bicicleta logo depois de enchê-lo vigorosamente, verá que ele está mais quente. Isso acontece porque quando algo é comprimido sua temperatura aumenta — é esse o princípio que está por trás, por exemplo, das panelas de pressão, em que o ar é fortemente comprimido dentro de um recipiente selado a fim de se atingir com rapidez temperaturas de cozimento anormalmente elevadas. O inverso também é verdadeiro: quando a pressão diminui e os elementos podem se expandir, eles se resfriam. Se você remover a tampa da panela — ou, de modo mais dramático, deixá-la explodir —, o ar que ela contém se expandirá até sua densidade normal à medida que esfria, atingindo a temperatura ambiente. Esse é o elemento científico subjacente à expressão *blow off steam*, "esfriar" em uma situação "quente". De repente essas simples observações corriqueiras revelam um profundo significado cósmico.

Vimos acima que quando os elétrons e os núcleos puderam juntar-se para formar os átomos, os fótons ficaram livres para viajar pelo universo afora, da mesma forma que os átomos de ar dentro de uma panela de pressão quente, mas, no mais, vazia. E exatamente como o ar na panela de pressão esfria quando a tampa é removida, permitindo-lhe se expandir, o mesmo ocorre com o "gás" de fótons que se move por todo o cosmos à medida que o universo se expande. Com efeito, já em seu tempo, George Gamow e seus alunos Ralph Alpher e Robert Hermann, na década de 50, e Robert Dicke e Jim Peebles, em

382

meados da década de 60, concluíram que o universo dos nossos dias deveria estar inundado por um mar praticamente uniforme desses fótons primordiais cuja temperatura, ao longo dos 15 bilhões de anos de expansão cósmica, teria caído para uns poucos graus acima do zero absoluto.[1] Em 1965, Arno Penzias e Robert Wilson, dos Laboratórios Bell em Nova Jersey, fizeram acidentalmente uma das descobertas mais importantes da nossa época ao detectar essa radiação remanescente do big bang enquanto trabalhavam em uma antena destinada à comunicação via satélite. As pesquisas posteriores trouxeram maior refinamento tanto para a teoria quanto para a experimentação, o que culminou com as medições feitas pelo satélite cobe (Cosmic Background Explorer), da Nasa, nos primeiros anos da década de 90. Com esses dados foi possível confirmar com alta precisão que o universo realmente é repleto de uma radiação em micro-ondas (se os nossos olhos fossem sensíveis a essa radiação, veríamos um brilho difuso no espaço à nossa volta) cuja temperatura é de aproximadamente 2,7 graus acima do zero absoluto, o que coincide exatamente com a expectativa da teoria do big bang. Em termos concretos, em *cada* metro cúbico do universo — inclusive esse em que você está — existem em média 400 milhões de fótons que compõem coletivamente o vasto mar cósmico da radiação em micro-ondas, o eco da criação. Uma fração do "chuvisco" que você vê na tela da televisão quando não está ligada a nenhuma emissora é, na verdade, resultado dessa discreta repercussão do big bang. Essa concordância entre a teoria e a experiência confirma o quadro da cosmologia do big bang, até o tempo em que os fótons puderam mover-se livremente através do universo pela primeira vez, algumas centenas de milhares de anos depois do big bang (DBB).

Será possível recuar ainda mais no tempo para testar a teoria do big bang? Sim. Utilizando princípios consagrados da teoria nuclear e da termodinâmica, podem-se fazer previsões específicas a respeito da abundância relativa dos elementos leves produzidos durante o período da nucleossíntese primordial, ocorrida entre um centésimo de segundo e alguns minutos DBB. De acordo com a teoria, por exemplo, cerca de 23 por cento do universo deveria consistir de hélio. Por meio da medição da presença de hélio nas estrelas e nas nebulosas, os astrônomos puderam reunir grande quantidade de dados que confirmam plenamente a previsão. Talvez mais impressionante ainda seja a previsão e a confirmação relativas à presença de deutério, uma vez que essencialmente não existe outro processo astrofísico, além do big bang, que possa explicar a presença, pequena mas clara, de deutério por todo o cosmos. A confirmação dessas previsões, a que se somou recentemente a do lítio, é um teste significativo da nossa compreensão da física do universo ao tempo da síntese primordial.

Isso é absolutamente impressionante. Todos os dados que possuímos confirmam que a teoria é capaz de descrever a cosmologia do universo desde um centésimo de segundo DBB até o presente, cerca de 15 bilhões de anos depois. Não devemos perder de vista, contudo, o fato de que o universo em seus inícios evoluiu com uma rapidez fenomenal. Frações mínimas de segundo — *muito* menores do que um centésimo — constituem épocas cósmicas, durante as quais se implantaram características duradouras do universo. Assim, os cientistas continuaram a pesquisar, buscando explicar o universo em tempos ainda mais remotos. Como o universo é menor, mais quente e mais denso quanto mais recuamos no tempo, torna-se cada vez mais importante descrever com precisão a matéria e as forças em termos de mecânica quântica. Como vimos em capítulos anteriores, a partir de outros pontos de vista, a teoria quântica de campo das partículas puntiformes funciona até que o nível de energia das partículas alcance a escala de Planck. No contexto cosmológico isso ocorreu quando a totalidade do universo estava contida em uma pepita do tamanho da escala de Planck, o que corresponde a uma densidade tão grande que escapa ao alcance de qualquer metáfora ou analogia. A densidade do universo no tempo de Planck era simplesmente *enorme*. Nesse nível de energias e densidades, a gravidade e a mecânica quântica já não podem ser tratadas como entidades separadas, como acontece na teoria quântica de campo das partículas puntiformes. Ao contrário, a mensagem principal desse livro é que a partir desse nível energético colossal é necessário recorrer à teoria das cordas. Em termos de tempo, encontramos essas energias e densidades quando buscamos examinar o cosmos antes do tempo de Planck de 10^{-43} segundos DBB, e assim essa época antiquíssima é a arena cosmológica da teoria das cordas.

Antes de chegar a essa era, vejamos primeiro o que a teoria cosmológica do modelo-padrão nos diz a respeito do universo antes de um centésimo de segundo DBB, mas depois do tempo de Planck.

DO TEMPO DE PLANCK ATÉ UM CENTÉSIMO DE SEGUNDO DBB

Lembre-se de que vimos no capítulo 7 (especialmente na figura 7.1) que as três forças não gravitacionais parecem fundir-se no ambiente extremamente quente do universo primordial. O cálculo da variação da intensidade dessas forças em função da energia e da temperatura revela que até 10^{-35} segundos DBB as forças forte, fraca e eletromagnética constituíam uma única "força unificada", ou "superforça". Nesse estado, o universo era muito mais simétrico do que é hoje. Assim como um conjunto díspar de metais diversos ao fundir-se com o calor atinge a homogeneidade de um líquido, do mesmo modo as diferenças significativas que agora observamos entre as forças deixam de existir nas condições extraordinárias de energia e temperatura encontradas no início imediato do universo. Com o passar do tempo e com a expansão e o resfriamento do universo, a formalização da teoria quântica de campo mostra que essa simetria foi se quebrando bruscamente em diversos saltos repentinos, o que levou, por fim, à forma comparativamente assimétrica que hoje nos parece familiar.

Não é difícil de entender a estrutura física que preside a essa redução de simetria, ou *quebra de simetria*, em uma linguagem mais técnica. Imagine um tanque cheio d'água. As moléculas de H_2O estão distribuídas uniformemente pelo tanque e independentemente do ângulo pelo qual as vejamos a água tem a mesma aparência. Observe agora o tanque à medida que baixamos a temperatura. Inicialmente não acontece nada de mais. Na escala microscópica a velocidade das moléculas de água diminui, mas isso é tudo. No entanto, quando a temperatura alcança zero grau Celsius, algo drástico repentinamente ocorre. A água líquida começa a transformar-se em gelo sólido. Como vimos no capítulo anterior, esse é um exemplo simples de transição de fase. No caso presente, o aspecto importante a reter é que a transição de fase resulta em uma diminuição do teor de simetria revelado pelas moléculas de H_2O. Enquanto a água líquida tem a mesma aparência qualquer que seja o ângulo em que a observemos — um caso de simetria rotacional —, o gelo é diferente. Ele se estrutura em blocos de cristal, o que significa que se você o examinar com a precisão adequada, a sua aparência mudará segundo o ângulo de visão. A transição de fase resulta em uma diminuição do teor de simetria rotacional.

Embora tenhamos discutido apenas um exemplo familiar, é possível generalizar: em muitos sistemas físicos, a diminuição da temperatura provoca em um ponto determinado uma transição de fase que tipicamente resulta em uma diminuição ou "quebra" de alguma das suas simetrias prévias. Aliás, o sistema pode passar por uma série de transições de fase se a temperatura variar o suficiente. A água proporciona um outro exemplo simples. Se começarmos com H_2O acima de cem graus Celsius, teremos um gás, o vapor d'água. Nessa forma, o sistema tem mais simetria do que no estado líquido, uma vez que as moléculas individuais de H_2O estão livres da forma congestionada e associativa do estado líquido. Elas passeiam livremente pelo tanque, em igualdade absoluta, sem formar "turmas" ou aglomerações, nas quais certos grupos de moléculas "escolhem-se" mutuamente para compor associações que excluem as demais. Nas temperaturas mais altas, prevalece a democracia molecular. Quando a temperatura cai abaixo dos cem graus, evidentemente dá-se a formação de gotas d'água quando ocorre a passagem pela transição de fase gás-líquido e o teor de simetria reduz-se bruscamente. Se a temperatura continuar a baixar, nada de mais acontecerá até chegarmos a zero grau Celsius, quando então, tal como vimos acima, a transição de fase líquido-sólido resultará em outra diminuição abrupta da simetria.

Os cientistas acreditam que entre o tempo de Planck e um centésimo de segundo DBB o universo comportou-se de maneira comparável e atravessou pelo menos duas transições de fase. A temperaturas superiores a 10^{28} graus Kelvin, as três forças não gravitacionais apareciam unidas, apresentando um máximo de simetria. (Ao final deste capítulo, discutiremos como a teoria das cordas inclui a força gravitacional nessa unificação a alta temperatura.) Mas quando a temperatura descendente passa pelo nível de 10^{28} graus Kelvin, o universo atravessa uma transição de fase em que as três forças se cristalizam individualmente, rompendo a união anterior. As suas respectivas intensidades e as características da sua ação passam a divergir. Assim, a simetria que existia entre as forças a temperaturas mais elevadas rompe-se com o resfriamento do universo. No entanto, o trabalho de Glashow, Salam e Weinberg (ver o capítulo 5) revela que a simetria não fica totalmente eliminada, pois as forças fraca e eletromagnética permanecem ainda profundamente interligadas.

Conforme o universo continua a sua expansão e o seu resfriamento, nada mais acontece até que a temperatura chega a 10^{15} graus Kelvin — cerca de 100 milhões de vezes a temperatura do centro do Sol —, quando o universo passa por outra transição de fase, que afeta as forças fraca e eletromagnética. A essa temperatura, também essas duas forças separam-se e cristalizam-se individualmente, rompendo a sua união anterior, mais simétrica, e à medida que o universo se resfria, mais as diferenças entre elas se magnificam. As duas transições de fase são responsáveis pela aparência diferenciada das três forças não gravitacionais que operam no mundo, apesar de que, como mostra esse breve resumo da história cósmica, elas são, na verdade, intimamente relacionadas.

UM QUEBRA-CABEÇA COSMOLÓGICO

A cosmologia da era pós-Planck proporciona um esquema elegante, coerente e factível de ser calculado para que possamos compreender o universo desde os primeiríssimos momentos após o big bang. Mas, como acontece com a maioria das teorias de êxito, as suas conquistas levantam um número ainda maior de perguntas. E acontece que algumas dessas perguntas, ainda que não invalidem o cenário cosmológico-padrão, mostram que ele apresenta certas deficiências que indicam a necessidade de uma teoria mais profunda. Vejamos um deles, *o problema do horizonte*, uma das questões mais importantes da cosmologia moderna.

A análise cuidadosa da radiação cósmica de fundo em micro-ondas revelou que qualquer que seja a direção do céu para a qual a antena aponte, a temperatura da radiação é sempre a mesma — com uma variação de uma unidade em 100 mil. Se você pensar um momento sobre esse aspecto, verá que é bem estranho. Por que razão os diferentes lugares do universo, separados por distâncias enormes, têm temperaturas tão precisamente iguais? Uma solução aparentemente natural para esse quebra-cabeça é dizer que, sim, dois lugares diametralmente opostos do universo hoje estão muito distantes, mas, assim como gêmeos separados ao nascer, eles (e tudo mais) estavam bem juntos nos primeiríssimos momentos do universo. Como ambos os lugares vieram do mesmo ponto de partida, pode-se admitir que o fato de que tenham características físicas comuns, como a temperatura, não chega a ser surpreendente.

Na cosmologia-padrão do big bang essa explicação não funciona. Eis por quê. Uma terrina de sopa resfria-se gradualmente até atingir a temperatura ambiente, porque está em contato com o ar circundante, que é mais frio. Com o passar do tempo, as temperaturas da sopa e do ar tenderão a igualar-se, graças ao seu contato mútuo. Mas se a sopa estiver em uma garrafa térmica, logicamente ela reterá o calor por muito mais tempo, por haver muito menos comunicação com o ambiente externo. Isso é consequência do fato de que a homogeneização da temperatura entre dois corpos é função de uma comunicação prolongada e desimpedida entre eles. Para testar a hipótese de que duas posições espaciais que hoje estejam separadas por vastas distâncias compartilham a mesma temperatura em consequência do seu contato inicial, precisamos, portanto, examinar a possibilidade de que tenha ocorrido uma troca de informações entre elas no início do universo. À primeira vista você pode pensar que, como as distâncias eram muito menores nos tempos iniciais, a comunicação seria cada vez mais fácil. Mas a proximidade espacial é apenas uma parte da história. A outra é a duração temporal.

Para examinarmos essa questão com mais detalhe, imaginemos um "filme" da expansão do cosmos, que passa do futuro para o passado, de hoje para o momento do big bang. Como a velocidade da luz marca o limite dentro do qual qualquer sinal ou informação pode viajar, os objetos materiais que estejam em duas áreas diferentes do espaço só podem trocar energia de calor — e chegar, portanto, a ter temperaturas comuns — se a distância entre eles houver sido, em algum momento, inferior à que a luz tenha percorrido desde o momento do big bang. Assim, à medida que o filme se desenrola, vemos que há uma competição entre a distância que existe, em um determinado momento, entre as duas áreas do espaço que aparecem no nosso exemplo e aquela que a luz pode percorrer desde o instante do big bang até aquele momento. Por exemplo, se a distância entre as duas áreas por nós escolhidas for maior do que 300 mil quilômetros antes de um segundo DBB, não existe maneira pela qual elas possam influenciar-se mutuamente, ainda que estejam relativamente tão próxima uma da outra, porque a própria luz precisaria de um segundo inteiro para atravessar a distância entre eles.[2] Dito de outra maneira, um segundo depois do big bang, apenas os corpos que estivessem a uma distância menor do que 300 mil quilômetros um do outro poderiam ter intercambiado sinais ou informações ou ter se influenciado mutuamente, pois essa é a distância máxima que a luz pode percorrer naquele tempo. O mesmo raciocínio se aplica a distâncias e tempos menores: um bilionésimo de segundo depois do big bang, lapso de tempo durante o qual a luz percorre trinta centímetros, duas áreas que tivessem entre si uma distância superior a essa não poderiam ter se influenciado mutuamente. Isso revela que o fato de que dois pontos quaisquer do universo estejam cada vez mais próximos um do outro à medida que recuamos no tempo e nos aproximamos do big bang não significa necessariamente que eles tenham tido o contato térmico — como o que ocorre entre a sopa e o ar — que lhes permitiria compartilhar a mesma temperatura.

Esse é o problema com o modelo-padrão do big bang. Os cálculos mostram que não há maneira de que as regiões do espaço que hoje se encontram separadas por grandes distâncias pudessem ter intercambiado energia térmica para apresentar hoje uma temperatura comum. Como a palavra *horizonte* refere-se à distância que alcança a nossa visão — a distância que alcança a luz, por assim dizer —, a uniformidade de temperatura em toda a extensão do cosmos, até aqui inexplicada, é conhecida como o "problema do horizonte". O enigma não significa que a teoria cosmológica-padrão esteja errada. Mas a uniformidade da temperatura é uma clara indicação de que está faltando algum elemento importante para compor a história do universo. Em 1979, Alan Guth, atualmente no MIT, escreveu o capítulo que faltava.

INFLAÇÃO

A origem do problema do horizonte está em que, para verificarmos a aproximação entre duas regiões do universo que hoje estão separadas por grandes distâncias, temos de ver o filme cósmico até o início dos tempos, quando não havia tempo algum para que qualquer influência física se pudesse fazer sentir viajando de uma região para a outra. E a dificuldade está em que, neste filme pelo qual recuamos no tempo, a velocidade com que o universo se comprime não é suficiente para isso.

Vamos aperfeiçoar um pouco mais essa afirmação. O problema do horizonte deriva de que o poder de atração da gravidade faz com que a velocidade da expansão do universo *diminua* progressivamente, tal como acontece com uma bola que lancemos para cima. Voltando ao filme em que recuamos no tempo, isso significa, por exemplo, que para que a distância que separa dois lugares do cosmos se reduza à metade é preciso rebobinar mais do que a metade do filme. Do mesmo modo, vemos que para que a distância se reduza à metade, é preciso percorrer mais do que a metade do tempo que nos separa do big bang. Proporcionalmente, portanto, havendo menos tempo "disponível" até o big bang, isso significa que é mais difícil para as duas regiões se comunicarem mesmo que elas se aproximem.

A solução dada por Guth ao problema do horizonte é simples. Ele encontrou uma solução para as equações de Einstein segundo a qual o universo primordial passa em um breve período por uma expansão extraordinariamente rápida — um período em que ele se "infla" a uma taxa *exponencial* inaudita. Ao contrário do que acontece com a bola que arremessamos para cima, a expansão exponencial *acelera-se* cada vez mais. Ao vermos o filme cósmico, a expansão cada vez mais rápida em direção ao futuro se converte em uma contração cada vez mais rápida em direção ao passado. Isso significa que para reduzir à metade a distância que separa dois lugares diferentes do cosmos (durante a época exponencial) temos de ver menos do que a metade da extensão do filme — muito menos, aliás. Quer dizer que os dois lugares terão tido mais tempo para estabelecer comunicação térmica e para chegar, tal como sopa quente e ar, a uma mesma temperatura.

Com a descoberta de Guth e importantes refinamentos posteriores de André Linde, agora na Universidade de Stanford, Paul Steinhardt e Andreas Albrecht, então na Universidade da Pensilvânia, e muitos outros, o modelo-padrão da cosmologia converteu-se no modelo cosmológico *inflacionário*. Nesse contexto, o modelo-padrão sofre uma modificação durante uma breve janela do tempo — de 10^{-36} a 10^{-34} segundos DBB — por meio da qual o universo multiplica o seu tamanho por um fator de pelo menos 10^{30} vezes, colossalmente maior do que o fator de cerca de cem vezes que ocorreria no cenário convencional. Isso quer dizer que em um intervalo de tempo absolutamente minúsculo, um trilionésimo de trilionésimo de trilionésimo de segundo DBB, o tamanho do universo aumentou percentualmente mais do que nos 15 bilhões de anos que se seguiram. De acordo com esse modelo, corpos que hoje estão em pontos opostos do espaço estavam muito mais próximos entre si do que no modelo-padrão da cosmologia, o que torna possível a existência de uma temperatura comum

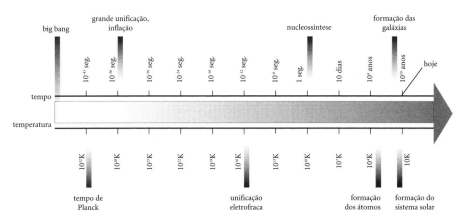

Figura 14.1 *Linha do tempo, indicando alguns momentos-chave da história do universo.*

entre eles. Assim, mediante o surto momentâneo de inflação cosmológica de Guth — seguido da expansão mais normal do modelo-padrão da cosmologia —, essas regiões do espaço foram capazes de se tornar separadas pelas vastas distâncias que observamos hoje. Desse modo, a breve mas profunda modificação inflacionária do modelo-padrão da cosmologia resolve o problema do horizonte (assim como vários outros problemas importantes que não discutimos), pelo que obteve grande aceitação entre os cosmólogos.[3]

Na figura 14.1 resumimos a história do universo desde o que ocorreu imediatamente após o tempo de Planck até o tempo presente, de acordo com a teoria atual.

A COSMOLOGIA E A TEORIA DAS SUPERCORDAS

Existe uma faixa da figura 14.1, entre o big bang e o tempo de Planck, que ainda não discutimos. A aplicação cega das equações da relatividade geral a essa região leva a uma situação em que o universo fica cada vez menor, mais quente e mais denso à medida que nos aproximamos do big bang. No tempo zero, o tamanho do universo desaparece e a temperatura e a densidade chegam ao infinito, o que nos dá uma indicação extrema de que esse modelo teórico do universo, derivado do esquema gravitacional clássico da relatividade geral, também entrou totalmente em colapso.

A natureza nos diz com ênfase que nessas condições temos de proceder a uma fusão entre a relatividade geral e a mecânica quântica — em outras palavras, somos forçados a utilizar a teoria das cordas. Atualmente, as pesquisas a respeito das implicações da teoria das cordas para a cosmologia ainda estão em fase inicial de desenvolvimento. O máximo que os métodos perturbativos podem nos fornecer são ideias esquemáticas, uma vez que os extremos de energia, de temperatura e de densidade requerem uma análise precisa. Embora a segunda revolução das supercordas tenha proporcionado algumas técnicas não perturbativas, algum tempo ainda será necessário para que elas possam gerar o tipo de cálculo requerido pelo cenário cosmológico. Todavia, durante os últimos dez anos os primeiros passos da cosmologia das cordas vêm sendo dados. Aqui está o que já se conseguiu.

Aparentemente, a teoria das cordas modifica o modelo-padrão da cosmologia de três maneiras essenciais. Primeiro, algo que as pesquisas atuais ainda estão explorando, a teoria das cordas implica que o tamanho do universo possui um valor mínimo. Isso traz consequências profundas para que possamos entender o universo no exato momento do big bang, quando a teoria-padrão afirma que o tamanho do cosmos reduz-se a zero. Segundo, a teoria das cordas tem uma dualidade entre o raio grande e o pequeno (intimamente ligada à questão do tamanho mínimo), que também tem um profundo significado cosmológico, como veremos em um momento. Finalmente, a teoria das cordas tem mais de quatro dimensões espaço-temporais e, do ponto de vista cosmológico, temos de considerar a evolução de todas elas. Vejamos esses pontos com maior detalhe.

NO PRINCÍPIO ERA UMA PEPITA DO TAMANHO DE PLANCK

No final da década de 80, Robert Brandenberger e Cumrun Vafa deram os primeiros passos no sentido de compreender como a aplicação das características teóricas das cordas modifica as conclusões do modelo-padrão da cosmologia. Eles chegaram a dois importantes resultados. Primeiro, à medida que nos aproximamos do começo, a temperatura continua a subir até que o tamanho do universo alcança a distância de Planck em todas as direções. Então, a temperatura alcança o valor *máximo* e começa a *baixar*. A razão intuitiva que está por trás dessa conclusão não é difícil de entender. Imagine, como fizeram

Brandenberger e Vafa, que todas as dimensões espaciais do universo são circulares. À medida que recuamos no tempo e o raio de cada um desses círculos diminui, a temperatura do universo aumenta. Mas à medida que o colapso dos raios leva à distância de Planck e a supera, sabemos que, de acordo com a teoria das cordas, isso corresponde fisicamente a que os raios diminuem até a distância de Planck e voltam a aumentar de tamanho. Como a temperatura baixa quando o universo se expande, podemos imaginar que a tentativa inútil de constringir o universo em um tamanho inferior ao da distância de Planck leva a que a temperatura chegue a um valor máximo e volte a baixar em seguida. Por meio de cálculos pormenorizados, Brandenberger e Vafa comprovaram explicitamente que esse é de fato o caso.

Isso levou a que ambos propusessem o seguinte quadro cosmológico. No princípio, todas as dimensões espaciais da teoria das cordas estão fortemente recurvadas em seu tamanho mínimo, que corresponde mais ou menos à distância de Planck. A temperatura e a energia são elevadas, mas não infinitas, uma vez que a teoria das cordas evita os impasses de um ponto de partida infinitamente comprimido de tamanho igual a zero. Nesse momento inicial do universo, todas as dimensões espaciais da teoria das cordas estão em completo pé de igualdade — são absolutamente simétricas —, todas recurvadas em uma pepita multidimensional com o tamanho de Planck. Então, segundo Brandenberger e Vafa, o universo passa pelo seu primeiro estágio de rompimento de simetria, quando, à altura do tempo de Planck, três das dimensões espaciais expandem-se, enquanto as outras retêm o tamanho inicial, na escala de Planck. São essas três dimensões espaciais que se identificam com o cenário cosmológico inflacionário, que marca a evolução posterior ao tempo de Planck, resumida na figura 14.1. A partir de então, essas três dimensões se expandem até o tamanho que têm atualmente.

POR QUE TRÊS?

A pergunta óbvia é: o que é que leva à redução de simetria que provoca a expansão de exatamente três dimensões espaciais? Ou seja, além do fato de que a observação experimental nos leva à conclusão de que apenas três dimensões espaciais se expandiram, será que a teoria das cordas é capaz de indicar uma razão fundamental para que a expansão não tenha alcançado um número maior de dimensões (quatro, cinco, seis e assim por diante), ou mesmo todas elas, o que seria mais simétrico? Brandenberger e Vafa encontraram uma explicação possível. Lembre-se de que a dualidade entre o raio grande e o pequeno que a teoria das cordas apresenta é uma consequência do fato de que quando uma dimensão se recurva como em um círculo uma corda pode envolvê-la. Brandenberger e Vafa concluíram que, assim como tiras de borracha envolvendo uma câmara de ar de um pneu de bicicleta, a corda envolvente tende a constringir as dimensões envolvidas, impedindo-as de expandir-se. À primeira vista, isso pareceria significar que todas as dimensões ficariam recurvadas, pois as cordas podem envolvê-las todas, e de fato o fazem. A resposta está em que se uma corda envolvente e a sua parceira anticorda (basicamente uma corda que envolve a dimensão na direção oposta) entram em contato, rapidamente elas se aniquilam, produzindo uma corda *não envolvente*. Se esses processos ocorrem com rapidez e eficiência bastantes, um número suficiente de casos de envolvimentos será eliminado, o que permitirá a expansão das dimensões. Brandenberger e Vafa sugeriram que essa redução do efeito sufocante das cordas envolventes acontece apenas com relação a três das dimensões espaciais. Eis por quê.

Imagine duas partículas puntiformes que correm ao longo de uma linha unidimensional, como a extensão espacial da Grande Linha. A menos que elas tenham velocidades iguais, mais cedo ou mais tarde uma alcançará a outra e elas se chocarão. Veja, porém, que se essas mesmas partículas puntiformes deslizarem aleatoriamente em um plano bidimensional, como a extensão espacial da Terra Plana, é provável que elas nunca venham a colidir. A segunda dimensão espacial abre um novo mundo de trajetórias para cada partícula e em sua grande maioria essas trajetórias não se cruzam em um mesmo ponto ao mesmo tempo. Em três, quatro ou mais dimensões, torna-se cada vez mais difícil que as duas partículas venham a encontrar-se. Brandenberger e Vafa verificaram que uma ideia análoga prevalece se substituirmos as partículas puntiformes por laços de cordas que envolvem as dimensões espaciais. Embora seja muito mais difícil visualizar, se houver *três* (ou menos) dimensões espaciais circulares, duas cordas envolventes provavelmente se chocarão uma com a outra — análogo ao que acontece com duas partículas puntiformes que se movem em uma só dimensão. Mas com quatro ou mais dimensões espaciais, é cada vez mais difícil que as cordas envolventes venham a colidir — análogo ao que acontece com as partículas puntiformes em duas ou mais dimensões.[4]

Isso leva ao seguinte quadro. No primeiro momento do universo, o tumulto decorrente da temperatura altíssima, mas finita, leva a que todas as dimensões circulares busquem expandir-se. Ao mesmo tempo, as cordas envolventes contêm a expansão, mantendo as dimensões com os seus raios originais do tamanho de Planck. Mais cedo ou mais tarde, no entanto, uma flutuação térmica aleatória levará a que três dimensões cresçam momentaneamente mais do que as outras. A nossa discussão nos diz que as cordas que envolvem essas dimensões muito provavelmente colidirão entre si. Cerca de metade das colisões atingirá os pares de cordas/anticordas, o que leva a aniquilamentos que continuamente fazem diminuir as constrições. Isso permite que essas três dimensões continuem a expandir-se. Quanto mais elas se expandem, mais difícil será que as cordas possam envolvê-las por completo, pois, à medida que elas crescem, as cordas precisariam ter cada vez mais energia para envolvê-las. Desse modo, a expansão se autoalimenta, tornando-se cada vez mais desimpedida à medida que as dimensões se tornam maiores. Agora podemos imaginar que essas três dimensões espaciais continuaram a evoluir da maneira que descrevemos nas seções precedentes, expandindo-se até alcançar o tamanho atual do universo.

A COSMOLOGIA E AS FORMAS DE CALABI-YAU

Para simplificar, Brandenberger e Vafa imaginaram que todas as dimensões espaciais são circulares. Com efeito, como notamos no capítulo 8, desde que as dimensões circulares sejam suficientemente grandes a ponto de que a sua curvatura fique fora do alcance dos nossos instrumentos de observação, a forma circular é coerente com o universo que percebemos. Mas para as dimensões que permanecem pequenas, é mais realista pensar que elas estejam recurvadas em um espaço de Calabi-Yau mais complexo. Evidentemente, a pergunta-chave é: qual espaço de Calabi-Yau? Como se determina esse espaço particular? Ainda não conhecemos a resposta. Mas combinando-se as alterações topológicas drásticas descritas no capítulo anterior com esses avanços da cosmologia, é possível sugerir um esquema explicativo. Sabemos que por meio dos rompimentos espaciais provocados pelas transições cônicas qualquer forma de Calabi-Yau pode transformar-se em qualquer outra. Podemos então imaginar que nos momentos tumultuados e tórridos que se seguiram ao big bang o componente Calabi-Yau recurvado do espaço mantém-se pequeno, mas entra em uma dança frenética na qual o seu próprio tecido se rompe e se reconstitui sucessivamente, metamorfoseando-se em uma longa série de formas de Calabi-Yau. Com o resfriamento do universo e a expansão de três das dimensões espaciais, as transições entre as formas de Calabi-Yau vão perdendo frequência até que as dimensões adicionais acabam por encontrar a forma de Calabi-Yau que supostamente dá lugar às características físicas que observamos no mundo à nossa volta. O desafio que os físicos enfrentam hoje é o de conhecer especificamente a evolução do componente Calabi-Yau do espaço de modo que a sua forma atual possa ser prevista a partir dos princípios teóricos. Com a recém-descoberta conversibilidade entre as diferentes formas de Calabi-Yau, vemos que a questão de selecionar uma dentre todas as formas de Calabi-Yau passa a ser um problema da cosmologia.[5]

ANTES DO PRINCÍPIO?

Sem as equações exatas da teoria das cordas, Brandenberger e Vafa viram-se forçados a recorrer a uma série de aproximações e de premissas em seus estudos cosmológicos. Vafa disse recentemente:

O nosso trabalho põe em destaque a nova maneira pela qual a teoria das cordas permite reestudar problemas persistentes do modelo-padrão da cosmologia. Vemos, por exemplo, que a própria noção de uma singularidade inicial pode ser totalmente evitada pela teoria das cordas. Mas devido às dificuldades que impedem a execução de cálculos inteiramente confiáveis nessas condições extremas, com o nosso nível atual de conhecimento sobre a teoria das cordas o nosso trabalho só pode proporcionar um vislumbre inicial da cosmologia das cordas e ainda está muito longe de dar a palavra final.[6]

Desde a publicação desse trabalho, a cosmologia das cordas tem feito contínuos progressos, graças, sobretudo, às contribuições de Gabriele Veneziano e seu colaborador Maurizio Gasperini, da Universidade de Turim, entre outros. Gasperini e Veneziano apresentaram a sua própria versão da cosmologia das cordas, interessante trabalho que compartilha certos aspectos com o cenário descrito acima, mas que também difere dele de modo significativo. Como no trabalho de Brandenberger e Vafa, eles se basearam na existência de um tamanho mínimo na teoria das cordas, que evita as temperaturas e as densidades de energia infinitas que decorrem do modelo-padrão e da teoria cosmológica inflacionária. Mas em vez de concluir que isso significa que o universo tem seu início como uma pepita do tamanho de Planck extremamente quente, Gasperini e Veneziano sugerem que pode ter havido toda uma *pré-história* do universo — que começa muito antes do que até aqui estamos chamando de tempo zero — que leva ao embrião cósmico planckiano.

Nesse cenário *pré-big bang*, o universo tem início em um estado amplamente diferente do que é apontado pelo esquema do big bang. Gasperini e Veneziano sugerem que, em vez de enormemente quente, recurvado e contido em uma fagulha de espaço, o universo teve um início frio e essencialmente *infinito*, do ponto de vista da extensão espacial. As equações da teoria das cordas indicam então a ocorrência de uma instabilidade — semelhante à da época inflacionária de Guth — que levou todos os pontos do universo a afastarem-se rapidamente uns dos outros. Gasperini e Veneziano demonstram que isso levou o espaço a tornar-se progressivamente mais curvo, o que resulta em um fortíssimo aumento da temperatura e da densidade de energia.[7] Depois de algum tempo, uma região tridimensional de tamanho milimétrico, *no interior desse* vasto espaço, poderia parecer exatamente igual ao volume superquente e denso que surge da expansão inflacionária de Guth. A partir daí, o processo de expansão previsto pela cosmologia convencional do big bang explica a transformação desse grão no universo que conhecemos. Como a época anterior ao big bang implica a sua própria expansão inflacionária, a solução de Guth para o problema do horizonte está automaticamente incorporada nesse cenário cosmológico. Nas palavras de Veneziano, "a teoria das cordas oferece-nos uma versão da cosmologia inflacionária em uma bandeja de prata".[8]

O estudo da cosmologia das supercordas está se tornando rapidamente uma área ativa e fértil de pesquisas. O cenário pré-big bang, por exemplo, já vem gerando um considerável debate, animado e frutífero, e não sabemos ainda qual o papel que ele desempenhará no arcabouço cosmológico que por fim surgirá da teoria das cordas. A realização dessa obra dependerá muito da nossa capacidade de equacionar todos os aspectos da segunda revolução das supercordas. Quais são, por exemplo, as consequências cosmológicas da existência de branas fundamentais de dimensões múltiplas? Que modificações sofreriam as propriedades cosmológicas que temos discutido se o valor da constante de acoplamento da teoria das cordas nos levar para a região central da figura 12.11 e não para as suas regiões peninsulares? Ou seja, qual será o impacto final da teoria M sobre a origem do universo? Essas questões capitais estão sendo estudadas vigorosamente e uma constatação importante já surgiu.

A TEORIA M E A FUSÃO DE TODAS AS FORÇAS

A figura 7.1 mostra como as intensidades das três forças não gravitacionais convergem quando a temperatura do universo alcança um determinado valor. Qual o comportamento da força gravitacional neste quadro? Antes do surgimento da teoria M, os teóricos das cordas puderam demonstrar que com as escolhas mais simples do componente Calabi-Yau do espaço a força gravitacional quase chega a fundir-se com as outras três, como se vê na figura 14.2. Os teóricos descobriram que essa diferença podia ser evitada por meio de expedientes como o de uma cuidadosa modelagem da forma de Calabi-Yau escolhida, mas essas correções *a posteriori* sempre causam insatisfação. Como até hoje ninguém sabe como prever a forma exata das dimensões Calabi-Yau, parece perigoso apoiar-se em soluções para problemas imbricados tão delicadamente com os ricos detalhes de sua forma.

Witten demonstrou, contudo, que a segunda revolução das supercordas oferece uma solução bem mais consistente. Ao examinar como a intensidade das forças varia quando a constante de acoplamento das cordas não é necessariamente pequena, Witten percebeu que a curva da força gravitacional pode ser corrigida suavemente de modo a confluir com as outras forças, como na figura 14.2, sem necessidade de nenhuma modelagem especial da parte Calabi-Yau do espaço. Embora seja demasiado cedo para que tenhamos certeza, isso pode indicar que a união cosmológica é alcançada com maior facilidade se utilizarmos o esquema mais amplo da teoria M.

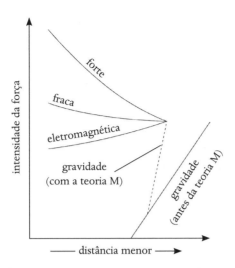

Figura 14.2 *Na teoria M, as intensidades das quatro forças podem unificar-se naturalmente.*

Os avanços discutidos aqui e nas seções precedentes representam os primeiros passos, ainda inseguros, no rumo do domínio das implicações cosmológicas da teoria das cordas/teoria M. Para os próximos anos, é de esperar que o aperfeiçoamento dos instrumentos não perturbativos da teoria das cordas/teoria M e sua aplicação às questões cosmológicas produzam conclusões de grande profundidade.

Mas como ainda não dispomos de métodos capazes de nos possibilitar o entendimento total da cosmologia de acordo com a teoria das cordas, vale a pena refletir a respeito de algumas considerações relativas ao possível papel da cosmologia na busca da teoria definitiva. Advertimos que algumas dessas ideias têm um caráter muito mais especulativo do que a maior parte do que já vimos até aqui. Mas elas se referem a questões que a teoria final, qualquer que seja ela, terá de enfrentar.

A ESPECULAÇÃO COSMOLÓGICA E A TEORIA DEFINITIVA

A cosmologia tem a capacidade de interessar-nos em um nível profundo e misterioso, pois saber como foi que as coisas tiveram início parece ser — pelo menos para algumas pessoas — a melhor maneira de chegar a saber *por que* elas existem. Isso não quer dizer que a ciência moderna proporcione um vínculo entre o como e o porquê das coisas — algo que ela realmente não faz — e também pode ser verdade que esse vínculo jamais seja encontrado. Mas o estudo da cosmologia sem dúvida acena para a possibilidade de propiciar-nos uma percepção mais completa do porquê — o nascimento do universo —, e isso, por sua vez, nos permite ao menos uma opinião bem informada a respeito do marco em que essas coisas acontecem e essas perguntas são formuladas. Às vezes, ganhar intimidade com a pergunta é o máximo que se pode esperar, na falta de uma boa resposta.

No contexto da busca da teoria definitiva, essas reflexões abstratas sobre a cosmologia dão lugar a considerações mais concretas. A maneira como as coisas aparecem aos nossos olhos no universo contemporâneo — bem à direita na linha do tempo da figura 14.1 — depende, evidentemente, das leis fundamentais da física, mas pode depender também de aspectos ligados à evolução cosmológica, bem à esquerda da linha do tempo, que potencialmente escapam ao alcance até mesmo das teorias mais profundas.

Não é difícil imaginar como isso ocorre. Pense, por exemplo, no que acontece quando você arremessa uma bola no ar. As leis da gravidade comandam os movimentos subsequentes da bola, mas não é possível prever com exatidão o lugar onde ela cairá se nos basearmos apenas nessas leis. É preciso conhecer também a velocidade e a direção da bola no momento em que ela deixa a sua mão. Ou seja, temos de conhecer as *condições iniciais* do movimento da bola. Do mesmo modo, há aspectos do universo que também têm uma contingência histórica: as razões que levam à formação de uma estrela aqui e de um planeta ali adiante dependem de uma complexa cadeia de eventos que, pelo menos em princípio, podem ser colocados em função de algum aspecto do universo que se formou quando tudo começou. Mas é possível que algumas características ainda mais básicas do universo, talvez mesmo as propriedades fundamentais da matéria e das forças, também estejam em dependência direta da evolução histórica — evolução que depende, ela própria, das condições iniciais do universo.

Aliás, já vimos uma possível encarnação dessa ideia na teoria das cordas: com a evolução do tórrido universo primordial, as dimensões adicionais podem ter se transfigurado sucessivamente de uma forma para outra, até estabilizar-se em um espaço de Calabi-Yau particular, quando o resfriamento universal o permitiu. Mas, tal como uma bola arremessada no ar, o resultado dessa viagem através de numerosas formas de Calabi-Yau pode muito bem depender, em primeiro lugar, de detalhes relativos à maneira pela qual a viagem teve início. A influência que a forma de Calabi-Yau resultante exerce sobre as massas das partículas e sobre as propriedades das forças mostra como a evolução cosmológica e o estado do universo quando de sua formação podem produzir impactos profundos sobre a estrutura física que observamos hoje.

Não sabemos quais eram as condições iniciais do universo, nem estamos certos das ideias, dos conceitos e da linguagem que devem ser empregados para descrevê-las. Cremos que o insólito estado inicial de energia, densidade e temperatura *infinitas* que decorre do modelo-padrão da cosmologia e do modelo inflacionário são antes um sinal de que essas teorias entraram em colapso do que uma descrição correta das condições físicas que realmente ocorreram. A teoria das cordas oferece um aperfeiçoamento ao revelar que esses extremos e esses infinitos podem ser evitados; contudo, ninguém tem ainda uma percepção clara sobre como as coisas realmente começaram. Na verdade, a nossa ignorância é manifesta até mesmo nos planos mais altos: não sabemos sequer se faz sentido formular a questão da determinação das condições iniciais, uma vez que ela pode simplesmente estar para todo o sempre fora do alcance das nossas teorias — pode ser assim como pedir à teoria da relatividade geral que determine qual a intensidade com que você arremessou a bola para o ar. Físicos como Hawking e James Hartle, da Universidade da Califórnia em Santa Bárbara, fizeram bravas tentativas de tratar a questão das condições cosmológicas iniciais no contexto da teoria física, mas todos os esforços feitos até aqui permanecem inconclusivos. O domínio que temos da teoria das cordas/teoria M até aqui é ainda muito primitivo e não nos permite um conhecimento cosmológico suficiente para determinar se a nossa candidata a "teoria sobre tudo" realmente merece esse nome e se revela capaz de estabelecer quais foram as condições cosmológicas iniciais, elevando-as assim à categoria de lei física. Essa é uma questão central para as pesquisas futuras.

Mas além mesmo da questão das condições iniciais e do seu impacto sobre os pormenores e circunstâncias da evolução cósmica, algumas ideias recentes, e altamente especulativas, apontam para outros limites potenciais à capacidade explicativa da teoria definitiva, qualquer que seja ela. Não se sabe se tais ideias são certas ou erradas e é verdade que hoje elas permanecem na periferia da corrente científica principal. Mas elas assinalam — ainda que de uma maneira altamente provocadora e especulativa — a existência de um obstáculo que a suposta teoria definitiva teria de enfrentar.

A ideia básica apoia-se na seguinte possibilidade. Imagine que o que nós chamamos *o* universo seja apenas uma parte mínima de um espaço cosmológico muitíssimo maior, um dentre um enorme número de universos-ilhas, espalhados por um majestoso arquipélago cosmológico. Muito embora isso possa parecer extravagante — o que bem pode ser verdade —, André Linde propôs um mecanismo concreto que pode produzir esse tipo gigantesco de universo. Linde verificou que o breve mas crucial surto de expansão inflacionária que discutimos antes pode não ter sido o único. Ele argumenta que as condições para a expansão inflacionária podem acontecer repetidamente em regiões isoladas espalhadas pelo cosmos, que sofrem, cada uma delas, o seu próprio processo de crescimento vertiginoso e se transformam em universos novos e separados. E em cada um desses universos o processo continua e novos universos surgem nas diversas regiões do espaço, gerando uma interminável onda de vertiginosa expansão cósmica. A terminologia parece estar pisando em falso, mas vamos seguir a moda e chamar de *multiverso* essa noção ampliadíssima do universo, e de universo cada um dos seus componentes.

A observação principal é que enquanto no capítulo 7 indicamos que tudo faz crer que as leis físicas são consistentemente iguais em todo o nosso universo, isso pode não ser verdadeiro com relação aos atributos físicos vigentes nos outros universos, desde que eles estejam separados de nós, ou pelo menos tão distantes que a sua luz ainda não tenha tido tempo de chegar até nós. Podemos então imaginar que a física varia de um universo a outro. Em alguns casos, a diferença pode ser sutil: por exemplo, a massa do elétron ou a intensidade da força forte poderiam ser um milésimo de um por cento maiores ou menores do que no nosso universo. Em outros casos, as diferenças podem ser mais pronunciadas: o quark up poderia pesar dez vezes mais e a intensidade da força eletromagnética poderia ser dez vezes maior, com todas as profundas implicações que isso traria para as estrelas e para a vida como a conhecemos (como vimos no capítulo 1). Em outros universos, as leis físicas podem ser ainda mais estranhas: a lista das partículas elementares e das forças pode ser completamente diferente da nossa e até mesmo o número de dimensões estendidas pode variar, com alguns universos tímidos tendo zero ou uma dimensão espacial estendida e outros, mais expansivos, tendo oito, nove ou mesmo dez dimensões espaciais estendidas. Se deixarmos voar a imaginação, as próprias leis podem variar drasticamente de universo a universo. O número de possibilidades é infinito.

A questão é a seguinte. Se examinarmos essa enorme teia de universos, a ampla maioria não terá condições propícias à vida, ou pelo menos a nada que se pareça, ainda que remotamente, com a vida como nós a conhecemos. Quanto às mudanças drásticas nas leis básicas, uma coisa é clara: se o nosso universo fosse parecido a um universo-mangueira, a vida como nós a conhecemos não existiria. Mas mesmo mudanças bem mais sutis interfeririam, por exemplo, com a formação das estrelas, o que afetaria a sua capacidade de atuar como fornalhas cósmicas que sintetizam os átomos complexos, como o carbono e o oxigênio, indispensáveis à vida, e que, no nosso universo, são arremessados ao espaço por meio das explosões das supernovas. Tendo em vista que a formação da vida depende crucialmente das características da estrutura física, se perguntarmos agora, por exemplo, por que as forças e as partículas da natureza têm as propriedades que têm, surge uma resposta possível: em toda a extensão do multiverso, essas características variam fortemente; as suas propriedades *podem* ser diferentes e *são* diferentes em outros universos. O que a combinação particular de propriedades das partículas e das forças que observamos no nosso universo tem de especial é que elas ensejam a formação da vida. E a vida, a vida inteligente em particular, é um pré-requisito até mesmo para que se possa perguntar por que o nosso universo tem as propriedades que tem. Em linguagem comum: as coisas são como são no nosso universo porque, se não fossem, nós não estaríamos aqui para poder notar. Em um jogo de roleta-russa, a surpresa de quem ganha é mitigada pela certeza de que se ele não tivesse ganho não poderia *não estar* surpreso. Assim também a hipótese do multiverso tem a capacidade de mitigar a nossa insistência em explicar por que o nosso universo é como é.

Essa linha de argumentação é uma das versões de uma ideia que vem de muito tempo atrás e que é conhecida como o *princípio antrópico*. Tal como aqui apresentado, esse princípio tem uma perspectiva diametralmente oposta ao sonho de uma teoria unificada, rígida e totalmente vaticinadora, na qual as coisas são como são porque o universo não poderia ser de outra maneira. Em vez de ser a realização máxima da graça poética, em que tudo se harmoniza com inflexível elegância, o multiverso e o princípio antrópico nos oferecem o quadro de um extraordinário conjunto de universos com apetite insaciável pela variedade. Será extremamente difícil, se não impossível, saber se o quadro do multiverso é verdadeiro. Mesmo que existam outros universos, é bem possível que nunca venhamos a entrar em contato com eles. Mas ao ampliar fantasticamente a perspectiva do que existe na realidade — de uma maneira que reduz ao mínimo a descoberta de Hubble de que a Via Láctea é apenas uma dentre tantas galáxias —, o conceito do multiverso serve ao menos para alertar-nos quanto à possibilidade de que talvez não possamos exigir tanto de uma teoria definitiva.

Devemos esperar que a nossa teoria definitiva nos dê uma descrição coerente de todas as forças e de toda a matéria em termos de mecânica quântica. Devemos esperar que a nossa teoria definitiva nos dê uma cosmologia convincente para o nosso próprio universo. Mas se o quadro do multiverso for correto — o que é uma enorme interrogação —, talvez tampouco possamos exigir que a nossa teoria explique também as propriedades específicas das massas e das cargas das partículas e as intensidades das forças.

Devemos ressaltar, contudo, que ainda que aceitemos a premissa especulativa do multiverso, a conclusão de que isso compromete a nossa capacidade vaticinadora está longe de ser incontestável. A razão, em linguagem simples, é a de que se dermos asas à imaginação e nos permitirmos considerar um multiverso, deveríamos dar asas também às especulações teóricas e contemplar maneiras de domar a aparente aleatoriedade do multiverso. Com uma especulação relativamente conservadora, podemos imaginar que — se o quadro do multiverso for correto — a nossa teoria definitiva se aplique a toda a sua extensão e que essa "teoria definitiva estendida" nos dirá com precisão por que e como os valores dos parâmetros fundamentais se distribuem pelos universos constituintes.

Uma especulação mais radical deriva de uma proposta de Lee Smolin, da Penn State University, que se inspirou na similaridade entre as condições existentes no big bang e no centro dos buracos negros — ambos caracterizados por uma densidade colossal de matéria comprimida — para sugerir que cada buraco negro é a semente de um novo universo que irrompe com uma explosão semelhante a um big bang, mas que permanece para sempre escondido de nós pelo seu próprio horizonte de eventos. Além de propor esse outro mecanismo para a geração de um multiverso, Smolin introduziu um novo elemento — a versão cósmica de uma mutação genética — que desafia as limitações científicas associadas ao princípio antrópico.[9] Ele sugere que imaginemos que quando um universo irrompe do coração de um buraco negro os seus atributos físicos, tais como as massas das partículas e as intensidades das forças, sejam próximos, mas não idênticos aos do universo-pai. Como os buracos negros resultam de estrelas extintas e como a formação das estrelas depende dos valores exatos das massas das partículas e das intensidades das forças, a fecundidade de um universo — o número de descendentes que os seus buracos negros pode produzir — depende crucialmente de tais parâmetros. Pequenas variações nos parâmetros dos universos descendentes levarão, portanto, a que alguns sejam mais propensos à produção de buracos negros do que o universo-pai e tenham, em consequência, uma descendência ainda maior.[10] Depois de muitas "gerações", os descendentes dos universos otimizados para produzir mais buracos negros serão tão numerosos que constituirão a parte dominante da população do multiverso. Assim, em vez de invocar o princípio antrópico, a sugestão de Smolin proporciona um mecanismo dinâmico que, em média, conduz os parâmetros de cada geração sucessiva de universos a se aproximar cada vez mais de valores particulares — os que são ótimos para a produção de buracos negros.

Esse enfoque fornece, mesmo no contexto do multiverso, um outro método para explicar os parâmetros fundamentais da matéria e das forças. Se a teoria de Smolin estiver certa, e se nós formos um membro típico de um multiverso maduro (esses são grandes "ses", e podem ser debatidos em diversas frentes, é claro), os parâmetros do nosso universo para as partículas e para as forças que medimos devem ser otimizados para a produção de buracos negros. Ou seja, qualquer alteração desses parâmetros tornaria mais difícil a formação de buracos negros no nosso universo. Essa previsão já vem sendo estudada; ainda não há consenso quanto à sua validade, mas mesmo que a proposta específica de Smolin se revele errônea, ela não deixa de apresentar uma forma alternativa para a teoria definitiva. À primeira vista, pode parecer que tal teoria careça de rigidez. Pode ser que ela descreva uma pletora de universos, a maioria dos quais não apresenta qualquer relevância para aquele em que vivemos. Podemos imaginar também que essa pletora de universos pode ser realizada fisicamente, levando a um multiverso — algo que, à primeira vista, limita para sempre o nosso poder de fazer previsões. Essa discussão ilustra, todavia, que ainda podemos alcançar uma explicação definitiva, desde que consideremos não apenas as leis físicas mas também as suas implicações para a evolução cosmológica em uma escala inesperadamente enorme.

Sem dúvida, as implicações cosmológicas da teoria das cordas/teoria M constituirão um campo importante de estudo pelo menos em boa parte do século XXI. Sem o auxílio de aceleradores de partículas capazes de produzir energias na escala de Planck, dependeremos cada vez mais do acelerador cosmológico do big bang e dos vestígios que ele deixou por todo o universo para a obtenção dos nossos dados experimentais. Com sorte e perseverança, talvez possamos finalmente resolver os problemas relativos a como o universo começou e por que ele evoluiu até tomar a forma que hoje vemos na Terra e no céu. Evidentemente, ainda há um longo caminho a percorrer até chegarmos a dar respostas completas a essas perguntas fundamentais. Mas o desenvolvimento de uma teoria quântica da gravidade no contexto da teoria das supercordas confirma a esperança de que já tenhamos o instrumental teórico para lançarmo-nos às vastas regiões do desconhecido e, quem sabe, depois de muitas lutas, encontrar as respostas para algumas das dúvidas mais profundas e antigas da humanidade.

PARTE V

Unificação no século XXI

15. Perspectivas

Dentro de alguns séculos, a teoria das supercordas, ou a sua evolução no contexto da teoria M, poderá ter sofrido tantas transformações diante de sua formulação atual que talvez se torne irreconhecível mesmo para os principais pesquisadores de hoje. Na nossa busca da teoria definitiva, é perfeitamente possível que a teoria das cordas seja apenas um dos passos capitais de um caminho que leva a uma concepção muito mais ampla do cosmos — concepção que envolve ideias que diferem radicalmente de qualquer coisa que tenhamos visto antes. A história da ciência nos ensina que cada vez que acreditamos ter chegado ao fim do caminho, a natureza abre a sua caixa de surpresas radicais e volta a exigir mudanças significativas e por vezes drásticas na nossa maneira de considerar o funcionamento do mundo. Aí novamente, em um rasgo de deslumbramento, podemos também imaginar, como outros antes de nós ingenuamente o fizeram, que vivemos um período decisivo da história da humanidade, durante o qual a busca das leis definitivas do universo finalmente chegará ao fim. Como disse Edward Witten,

Acho que já avançamos tanto com a teoria das cordas que — em meus momentos de maior otimismo — imagino que a qualquer hora a forma final da teoria cairá do céu no colo de alguém. Mas, mais realisticamente, estamos no processo de construir uma teoria muito mais profunda do que qualquer outra que tenhamos produzido antes e creio que, já bem entrados no século XXI, quando estarei velho demais para produzir qualquer conhecimento novo neste campo, os jovens cientistas da época poderão estar decidindo se de fato encontramos a teoria definitiva.[1]

Embora ainda estejamos sentindo as consequências da segunda revolução das supercordas e absorvendo a grande quantidade de novas formulações que ela engendrou, a maior parte dos teóricos concorda em que provavelmente serão necessárias uma terceira ou mesmo uma quarta revolução para poder desenvolver toda a potencialidade da teoria das cordas e avaliar o seu possível papel como teoria definitiva. Como vimos, a teoria das cordas já pintou um quadro novo e notável sobre como o universo funciona, mas ainda existem obstáculos importantes e peças soltas, sobre os quais, sem dúvida, as mentes dos cientistas do século XXI se concentrarão prioritariamente. Assim, neste último capítulo, não poderemos contar o fim da história da busca humana pelas leis mais profundas do universo, uma vez que a busca ainda não terminou. Em vez disso, dirigiremos o nosso olhar para o futuro da teoria das cordas e analisaremos cinco questões cruciais que os teóricos enfrentarão em sua jornada no rumo à teoria definitiva.

QUAL O PRINCÍPIO FUNDAMENTAL SUBJACENTE À TEORIA DAS CORDAS?

Uma das lições mais amplas que aprendemos nos últimos cem anos é a de que as leis físicas que conhecemos associam-se aos princípios da simetria. A relatividade especial baseia-se na simetria incorporada no princípio da relatividade — a simetria entre todos os referenciais com velocidade constante. A força gravitacional, tal como equacionada pela teoria da relatividade geral, baseia-se no princípio da equivalência — extensão do princípio da relatividade que abarca todos os pontos de vista possíveis, independentemente da complexidade do estado de movimento em que se encontrem. E as forças forte, fraca e eletromagnética baseiam-se em princípios mais abstratos de simetria de calibre.

Já assinalamos que os cientistas tendem a dar grande proeminência aos princípios de simetria, pondo-os explicitamente no pedestal das explicações. De acordo com esse ponto de vista, a gravidade *existe* para que haja uma igualda-de absoluta entre todos os referenciais observacionais possíveis — isto é, para que o princípio da equivalência prevaleça. Do mesmo modo, as forças não gra-vitacionais *existem* para que a natureza respeite as simetrias de calibre a elas associadas. Evidentemente, esse enfoque transforma a pergunta de por que existe certa força em por que a natureza respeita os princípios de simetria a elas associados. Mas isso não deixa de representar algum progresso, principalmente porque a simetria em questão parece eminentemente natural. Por exemplo, por que o ângulo de observação de uma pessoa deveria ser tratado de forma dife-rente do de qualquer outra? Parece muito mais natural que as leis do universo tratem todos os pontos de vista de maneira igualitária. Isto se consegue por meio do princípio da equivalência e da introdução da gravidade na estrutura do cosmos. Embora sejam necessários maiores conhecimentos matemáticos para a plena compreensão desse ponto, existe, como indicamos no capítulo 5, um raciocínio similar para as simetrias de calibre que orientam as três forças não gravitacionais.

A teoria das cordas nos conduz mais um nível abaixo na escala das profun-didades explanatórias porque todos esses princípios de simetria — assim como um outro, a supersimetria — surgem diretamente da sua estrutura. Com efeito, se a história tivesse seguido um outro curso — se os físicos tivessem descoberto a teoria das cordas, digamos, cem anos antes —, podemos supor que todos esses princípios de simetria teriam sido descobertos por meio do estudo das proprieda-des da teoria. Mas lembre-se de que, conquanto o princípio da equivalência nos possibilite compreender por que a gravidade existe e conquanto as simetrias de calibre nos deem uma ideia de por que as forças não gravitacionais existem, no contexto da teoria das cordas essas simetrias são *consequências*; embora isso em nada diminua a sua importância, elas são parte de um produto final que é uma estrutura teórica muito mais vasta.

Esta discussão põe em evidência a seguinte pergunta: será que a teoria das cordas é uma consequência inevitável de algum princípio mais amplo — talvez algum princípio de simetria, talvez não —, assim como o princípio da equivalência leva inexoravelmente à relatividade geral e as simetrias de calibre levam às forças não gravitacionais? Neste momento, ninguém tem ainda como responder a essas interrogações. Para avaliar a sua importância, basta imaginar

Einstein tentando formular a relatividade geral sem ter tido antes a inspiração que lhe veio no escritório de patentes de Berna, em 1907, e que o levou ao princípio da equivalência. Formular a relatividade geral sem ter passado antes por essa percepção crucial não teria sido impossível, mas certamente muitíssimo mais difícil. O princípio da equivalência, propicia um esquema organizacional sucinto, sistemático e poderoso para analisar a força gravitacional. A descrição da relatividade geral dada no capítulo 3, por exemplo, baseou-se essencialmente no princípio da equivalência, e o papel por ele desempenhado na formalização matemática da teoria é ainda mais decisivo.

Atualmente, os teóricos das cordas estão em uma posição análoga àquela em que Einstein se encontraria sem o princípio da equivalência. Desde a hipótese criativa de Veneziano em 1968, a teoria foi sendo desenvolvida aos saltos, de descoberta em descoberta, de revolução em revolução. Mas ainda está faltando um princípio organizador fundamental que reúna essas descobertas, revoluções e todos os demais aspectos da teoria em um único arcabouço sistemático e abrangente, que demonstre que a existência de cada um dos seus componentes é absolutamente inevitável. A descoberta desse princípio marcaria um momento crucial do desenvolvimento da teoria das cordas, inclusive porque provavelmente exporia com notável clareza o funcionamento interno da teoria. Logicamente não há garantia de que esse princípio fundamental exista, mas a evolução da física durante os últimos cem anos encoraja os teóricos das cordas a ter esperanças positivas. Com relação aos próximos estágios de desenvolvimento da teoria das cordas, encontrar o seu "princípio de inevitabilidade" — a ideia básica a partir da qual a teoria se desenvolve necessariamente — é algo da mais alta prioridade.[2]

O QUE SÃO REALMENTE O ESPAÇO E O TEMPO,
E PODEMOS CONSEGUIR SEM ELES?

Em muitos dos capítulos precedentes, utilizamos livremente os conceitos de espaço e espaço-tempo. No capítulo 2 dissemos que Einstein concluiu que o espaço e o tempo estão inextricavelmente entrelaçados devido ao fato inesperado de que o movimento de um objeto através do espaço influencia a sua passagem através do tempo. No capítulo 3 aprofundamos a compreensão do papel do espaço-tempo no desdobramento do cosmos por meio da relatividade geral, o que revela que a forma específica do tecido espaço-temporal transmite a força da gravidade de um ponto a outro. As violentas ondulações quânticas que ocorrem na estrutura microscópica do tecido, como vimos nos capítulos 4 e 5, demonstraram a necessidade de uma nova teoria, o que nos levou à teoria das cordas. Finalmente, em muitos dos capítulos seguintes, vimos que a teoria das cordas proclama que o universo tem muitas dimensões mais do que as que percebemos, algumas das quais estão recurvadas em formas mínimas, embora complexas, que podem passar por transformações fantásticas nas quais o seu tecido é perfurado e rasgado mas depois se repara por si só.

Tentamos ilustrar essas ideias por meio de visualizações gráficas, como nas figuras 3.4, 3.6 e 8.10, representando o tecido do espaço e do espaço-tempo como o material com o qual o universo é feito. Essas imagens têm um considerável poder de explicação e são utilizadas normalmente como orientação visual em trabalhos técnicos. Embora o seu estudo possa dar gradualmente uma impressão do seu significado, a pergunta continua: o que é *realmente* o tecido do universo?

Essa é uma dúvida profunda, que, de uma maneira ou de outra, vem sendo debatida há centenas de anos. Newton declarou que o espaço e o tempo são componentes eternos e imutáveis da configuração cósmica, estruturas primordiais que estão além dos limites das perguntas e respostas. Como ele escreveu nos *Principia*, "O espaço absoluto, por sua própria natureza, sem relação com qualquer coisa externa, permanece sempre igual e imóvel. O tempo verdadeiro, absoluto e matemático, por si próprio e segundo a sua natureza, flui por igual, sem relação com qualquer coisa externa".[3] Gottfried Leibniz e outros discordaram vivamente, afirmando que o espaço e o tempo são simples instrumentos de contabilidade, úteis para medir as relações entre os objetos e os eventos que ocorrem no universo. A localização de um objeto no espaço e no tempo só tem sentido em comparação com outro objeto. O espaço e o tempo são o vocabulário dessas relações e nada mais. Embora a visão de Newton, apoiada pelo êxito comprovado experimentalmente das suas três leis de movimento, tenha se sustentado por mais de duzentos anos, a concepção de Leibniz, desenvolvida pelo físico austríaco Ernst Mach, aproxima-se muito mais da visão atual.

Como vimos, as teorias da relatividade geral e especial de Einstein determinaram claramente o fim do conceito de um tempo e um espaço absolutos e universais. Mas ainda se pode perguntar se o modelo geométrico do espaço-tempo, que desempenha um papel tão crucial na relatividade geral e na teoria das cordas, é apenas um símbolo adequado para descrever as relações espaciais e temporais entre diversos lugares ou se, ao contrário, devemos realmente considerar-nos imersos em *algo* quando nos referimos ao tecido do espaço-tempo.

Embora estejamos entrando aqui em uma zona de especulação, a teoria das cordas sugere uma resposta a essa questão. O gráviton, o pacote mínimo da força gravitacional, é um padrão particular de vibração das cordas. E assim como um campo eletromagnético, tal como a luz visível, é composto por um número enorme de fótons, um campo gravitacional é composto por um número enorme de grávitons — ou seja, um número enorme de cordas que executam o padrão vibratório do gráviton. Os campos gravitacionais, por sua vez, incorporam-se à curvatura do tecido do espaço-tempo, razão por que somos levados a identificar esse próprio tecido com um número colossal de cordas que executam de maneira ordenada o padrão vibratório do gráviton. No jargão do meio, esse conjunto enorme e organizado de cordas que vibram por igual é descrito como um *estado coerente* das cordas. É uma imagem poética — as cordas da teoria das cordas são os fios do tecido espacial —, mas é bom assinalar que o seu significado preciso ainda não foi completamente estabelecido.

A descrição do tecido do espaço-tempo como uma trama de cordas, contudo, leva-nos a considerar a seguinte questão. Um tecido comum é o resultado do trabalho de alguém que interligou cuidadosamente os fios individuais, que são a matéria-prima dos têxteis. Do mesmo modo, podemos perguntar se existe uma matéria-prima para o tecido espacial — uma configuração anterior das cordas que agora compõem o tecido cósmico, na qual elas ainda não se tivessem entrelaçado na forma que corresponde ao que hoje definimos como o espaço-tempo. Note-se que não é propriamente correto imaginar esse estado como uma massa desordenada de cordas vibrantes que ainda estão por associar-se em um conjunto organizado, uma vez que, na nossa maneira usual de pensar, isso pressupõe a noção do espaço e do tempo — o espaço em que a corda vibra e a progressão do tempo que nos permite acompanhar as mudanças de forma de um momento para outro. Mas nesse estado inicial, antes que as cordas que conformam o tecido cósmico tivessem começado a dança vibratória coerente e organizada que estamos discutindo aqui, *a realização de espaço e de tempo não existia*. Na verdade, as nossas palavras são inadequadas para expressar essas ideias, porque tampouco existe a noção de *antes*. Em certo sentido, é como se as cordas fossem "fragmentos" de espaço e tempo e apenas quando elas se associam em vibrações coerentes e definidas é que as nossas noções convencionais de espaço e tempo tomam forma.

Imaginar esse estado inicial da existência, despido de toda estrutura e carente das noções de espaço e de tempo como as conhecemos, força ao máximo a capacidade de compreensão da maioria das pessoas (pelo menos a minha). Como na sentença de Stephen Wright sobre o fotógrafo que está obcecado em tirar um *close* do horizonte, terminaremos por nos defrontar com um choque de paradigmas se tentarmos visualizar um universo que *existe*, mas que de algum modo não necessita dos conceitos de espaço e tempo. Apesar de tudo, provavelmente teremos de enfrentar os desafios dessas ideias e tratar de compreender os seus mecanismos de operação para que possamos realmente avaliar o valor da teoria das cordas.

A razão está em que a nossa formulação atual da teoria pressupõe a existência do espaço e do tempo como o ambiente no qual as cordas (e os outros componentes encontrados na teoria M) vibram e se movem. Isso nos permite deduzir as propriedades físicas da teoria das cordas em um universo com uma dimensão de tempo, um certo número de dimensões espaciais estendidas (normalmente tidas como três) e dimensões adicionais recurvadas em uma das formas permitidas para as equações da teoria. Mas isso corresponde a avaliar o talento de uma artista pondo-a a trabalhar com um livrinho de colorir infantil, do tipo pinte o número tal com a cor tal. Sem dúvida, ela conseguirá mostrar aqui e ali um toque de criatividade, mas a forma do trabalho é tão acanhada que nos impede de apreciar algo mais do que uma pequena faixa das suas habilidades. Do mesmo modo, assim como o êxito da teoria das cordas está na incorporação natural da mecânica quântica e da gravidade em seu esquema, e assim como a gravidade está ligada à forma do espaço e do tempo, não devemos limitar a teoria forçando-a a operar dentro de um espaço-tempo que fosse preexistente. Em vez disso, assim como deveríamos permitir que a nossa artista trabalhasse livremente a partir de uma tela, do mesmo modo devemos permitir que a teoria das cordas crie o seu próprio ambiente espaço-temporal, começando com uma configuração destituída de espaço e de tempo.

Espera-se que tendo essa tela em branco como ponto de partida — possivelmente em uma era que existiu antes do big bang, ou do pré-big bang (se é que podemos empregar termos temporais, na falta de outros recursos linguísticos) — a teoria seja capaz de descrever um universo que evolui para uma forma na qual um pano de fundo de vibrações de cordas coerentes emerge, produzindo as noções convencionais de espaço e tempo. Tal versão revelaria que o espaço, o tempo e, por extensão, as dimensões não são elementos definidores essenciais do universo. São, ao contrário, noções convenientes que surgem a partir de um estado mais básico, atávico e primário.

Stephen Shenker, Edward Witten, Tom Banks, Willy Fischler, Leonard Susskind e outros, numerosos demais para mencionar, têm desenvolvido pesquisas de vanguarda sobre certos aspectos da teoria M que mostram algo conhecido como *0-brana* — possivelmente o componente mais fundamental da teoria M, um objeto que a grandes distâncias se comporta de modo comparável ao de uma partícula puntiforme, mas que a distâncias curtas tem propriedades radicalmente diferentes — pode vir a dar-nos a ideia do reino onde não há tempo nem espaço. A obra desses cientistas revela que, enquanto as cordas nos mostram que as noções convencionais de espaço e tempo deixam de ser relevantes abaixo da escala de Planck, as 0-brana permitem essencialmente a mesma conclusão, embora abram também uma janela minúscula para o novo esquema não convencional que surge. Os estudos sobre essas 0-brana indicam que a geometria comum é substituída por algo conhecido como *geometria não comutativa*, área da matemática desenvolvida em grande parte pelo francês Alain Connes.[4] Neste arcabouço geométrico, as noções convencionais de espaço e distância entre pontos dissolvem-se, deixando-nos em uma paisagem conceitual bem diferente. Mas note que se focalizamos a atenção em escalas maiores do que a de Planck, a noção convencional de espaço reaparece. É possível que o esquema da geometria não comutativa ainda esteja longe de adequar-se à tela em branco que imaginamos como estado inicial, mas sem dúvida ele nos dá uma ideia de como pode ser o esquema mais amplo de incorporação do espaço e do tempo.

Encontrar o aparato matemático correto para formular a teoria das cordas sem recorrer a uma noção preexistente de espaço e tempo é uma das questões mais importantes para os estudiosos das cordas. Se chegarmos a compreender o mecanismo de surgimento do espaço e do tempo, estaremos bem mais perto de responder a pergunta crucial sobre qual é a forma geométrica que *de fato* emerge.

A TEORIA DAS CORDAS PODERÁ LEVAR A UMA REFORMULAÇÃO DA MECÂNICA QUÂNTICA?

Os princípios da mecânica quântica comandam o universo com uma precisão fantástica. Mesmo assim, ao formular as suas teorias nos últimos cinquenta anos, os cientistas seguiram uma estratégia que, do ponto de vista estrutural, coloca a mecânica quântica em uma posição algo secundária. Ao conceber uma teoria, frequentemente eles começam trabalhando em uma linguagem puramente clássica que ignora as probabilidades quânticas, as funções de ondas e assim por diante — uma linguagem que seria perfeitamente entendida por físicos da época de Maxwell, e mesmo de Newton —, e depois aplicam os conceitos quânticos sobre esse esquema clássico. Tal método não chega a ser surpreendente, uma vez que reflete diretamente as nossas experiências. À primeira vista, o universo parece ser comandado por leis que se baseiam em conceitos clássicos, como o de que a posição e a velocidade de uma partícula podem ser definidas a qualquer momento. Só depois de um escrutínio microscópico detalhado é que reconhecemos que temos de modificar essas ideias clássicas e familiares. O nosso processo de descobrimentos foi evoluindo de um cenário clássico para um outro que incorpora as modificações trazidas pelas revelações quânticas, e essa progressão se reflete até os dias de hoje na maneira segundo a qual os físicos constroem as suas teorias.

Assim aconteceu com relação à teoria das cordas. A formalização matemática que descreve a teoria das cordas começa por equações que descrevem os movimentos de um filamento *clássico*, mínimo e infinitamente fino — equações que, em grande medida, Newton poderia ter escrito trezentos anos atrás. Essas equações são, então, *quantizadas*. Ou seja, por meio de um processo sistemático, desenvolvido ao longo de mais de cinquenta anos, as equações clássicas são convertidas em um esquema de mecânica quântica que incorpora diretamente as probabilidades, a incerteza, as oscilações quânticas e assim por diante.

Com efeito, no capítulo 12 vimos esse procedimento em ação: os processos de laço (ver figura 12.6) incorporam conceitos quânticos — nesse caso, a criação momentânea de pares virtuais de cordas, em termos de mecânica quântica —, em que o número de laços determina a precisão com que são explicados os efeitos em termos de mecânica quântica.

A estratégia de começar por uma descrição teórica que seja clássica para depois agregar-lhe aspectos da mecânica quântica rendeu muitos frutos durante muitos anos. Ela está por trás, por exemplo, do modelo-padrão da física das partículas. Mas é possível, e parece ser cada vez mais provável, que esse método seja demasiado conservador para lidar com teorias tão amplas quanto a teoria das cordas e a teoria M. A razão está em que uma vez que tenhamos concluído que o universo é comandado por princípios de mecânica quântica, as teorias já deveriam partir desde o início da mecânica quântica. Temos tido êxito até agora com o nosso método de começar por uma perspectiva clássica porque não temos sondado o universo em um nível profundo o suficiente para que essa abordagem grosseira nos induza a erro. Mas no nível de profundidade da teoria das cordas/teoria M, essa estratégia já tantas vezes testada talvez tenha chegado ao fim da linha.

Podemos comprovar esse ponto de vista reconsiderando algumas das conclusões derivadas da segunda revolução das supercordas (resumidas, por exemplo, na figura 12.11). Como vimos no capítulo 12, as dualidades subjacentes à unidade das cinco teorias das cordas mostram-nos que os processos físicos que ocorrem em qualquer dada formulação de cordas podem ser reinterpretados pela linguagem dual de qualquer uma das outras. À primeira vista, essa frase assim refeita não parece ter muito a ver com a descrição original, mas, na verdade, trata-se de uma aplicação do poder da dualidade: por meio da dualidade, um processo físico pode ser descrito de múltiplas maneiras, radicalmente diferentes entre si. Tais resultados são ao mesmo tempo notáveis e sutis, mas ainda não mencionamos o que pode ser a sua característica mais importante.

As traduções de dualidade muitas vezes seguem um processo, descrito em uma das cinco teorias, que depende *fortemente* da mecânica quântica (por exemplo, um processo que envolve interações de cordas que não aconteceriam se o mundo fosse comandado pela física clássica e não pela física quântica) e que é em seguida reformulado em um processo que depende *fracamente* dela, na perspectiva de uma das outras teorias das cordas (por exemplo, um processo cujas propriedades numéricas específicas são influenciadas por considerações quânticas, mas cuja forma qualitativa é similar à que teria em um mundo puramente clássico). Isso significa que a mecânica quântica está totalmente interligada com as simetrias de dualidade subjacentes à teoria das cordas/teoria M: elas são *simetrias inerentes à mecânica quântica*, uma vez que uma das descrições duais é fortemente influenciada por considerações quânticas. Isso indica necessariamente que a formulação integral da teoria das cordas/teoria M — formulação que incorpora em sua essência as recém-descobertas simetrias de dualidade — não pode começar de maneira clássica para depois ser quantizada, nos moldes tradicionais. O ponto de partida clássico omitirá necessariamente as simetrias de dualidade, uma vez que elas só se manifestam quando se leva em conta a mecânica quântica. Assim, parece que a formulação completa da teoria das cordas/teoria M terá de romper o molde tradicional e transformar-se em uma teoria totalmente formulada em termos de mecânica quântica.

Ninguém sabe ainda como fazê-lo, mas muitos estudiosos preveem que a reformulação da maneira de incorporar os princípios da mecânica quântica à nossa descrição teórica do universo será a próxima revolução do nosso conhecimento. Por exemplo, como disse Cumrun Vafa: "Acho que a reformulação da mecânica quântica, que haverá de resolver muitos dos seus enigmas, está prestes a acontecer. Acho que muitos de nós compartilham o ponto de vista de que as dualidades recém-descobertas levam a um esquema novo e mais geométrico para a mecânica quântica, no qual o espaço, o tempo e as propriedades quânticas estarão unidas inseparavelmente".[5] E nas palavras de Edward Witten: "Creio que o *status* lógico da mecânica quântica se modificará da mesma maneira como se modificou o *status* lógico da gravidade quando Einstein descobriu o princípio da equivalência. Esse processo está longe de completar-se com relação à mecânica quântica, mas creio que no futuro as pessoas dirão que ele teve início na nossa época".[6]

Podemos esperar, com certo otimismo, que a reestruturação dos princípios da mecânica quântica dentro da teoria das cordas venha a produzir um formalismo poderoso capaz de fornecer uma resposta à questão sobre como o universo começou e por que existem coisas como o espaço e o tempo — um formalismo que nos levará um passo mais adiante no nosso anseio de responder à pergunta de Leibniz de por que existe algo de preferência a nada.

A TEORIA DAS CORDAS PODERÁ SER TESTADA EXPERIMENTALMENTE?

Entre os múltiplos aspectos da teoria das cordas que discutimos nos capítulos anteriores, há três que talvez sejam mais importantes de ter em mente com firmeza. O primeiro é que tanto a gravidade quanto a mecânica quântica fazem parte dos mecanismos de funcionamento do universo e, portanto, qualquer teoria que pretenda ser unificadora tem de incorporá-las. A teoria das cordas consegue fazê-lo. O segundo é que os estudos realizados no último século revelaram que há outras ideias fundamentais — muitas das quais já foram confirmadas — que parecem ser essenciais para a compreensão do universo. Entre elas estão o conceito de spin, a organização das partículas da matéria em famílias, as partículas mensageiras, a simetria de calibre, o princípio da equivalência, a quebra de simetria e a supersimetria, para mencionar apenas algumas poucas. Todos esses conceitos surgem naturalmente da teoria das cordas. O terceiro é que, ao contrário do que acontece com teorias mais convencionais, como o modelo-padrão, que tem dezenove parâmetros livres, os quais têm de ser ajustados para pôr-se em concordância com os resultados experimentais, a teoria das cordas não tem parâmetros ajustáveis. Em princípio, as suas implicações devem ser absolutamente definidoras e a sua validade deve poder ser objeto de testes destituídos de qualquer ambiguidade.

Mas a estrada que leva desse raciocínio "em princípio" a um fato "na prática" é cheia de obstáculos. No capítulo 9 descrevemos alguns dos obstáculos de natureza técnica, tais como a determinação da forma das dimensões adicionais, que ainda estorvam o nosso caminho. Nos capítulos 12 e 13 pusemos esses e outros obstáculos no contexto mais amplo da necessidade de alcançar um entendimento exato da teoria das cordas, o que nos leva naturalmente, como vimos, à consideração da teoria M. Sem dúvida, para que alcancemos esse objetivo faltam ainda enormes quantidades de trabalho duro e engenhosidade.

A cada passo do caminho, estaremos sempre buscando encontrar consequências experimentalmente observáveis da teoria. Não devemos nos esquecer das possibilidades remotas de confirmação da teoria discutidas no capítulo 9. Além disso, à medida que se aprofunda o nosso conhecimento haverá, sem dúvida, outros processos ou aspectos raros da teoria das cordas que poderão sugerir outros possíveis sinais experimentais.

Acima de tudo, a confirmação da supersimetria por meio da descoberta de partículas superparceiras, discutida no capítulo 9, seria um marco extraordinário para a teoria das cordas. Lembremo-nos de que a supersimetria foi descoberta como consequência de pesquisas teóricas sobre a teoria das cordas e que constitui parte central da teoria. A sua confirmação experimental representaria uma comprovação clara, ainda que circunstancial, da teoria das cordas. Além do mais, encontrar as partículas superparceiras seria também um grande desafio, pois a confirmação da supersimetria faria muito mais do que simplesmente responder com um sim ou um não à dúvida sobre a sua existência real. As massas e as cargas das partículas superparceiras revelariam a maneira específica pela qual a supersimetria se incorpora às leis da natureza. Os teóricos enfrentariam então o desafio de ver se essa implementação pode ser totalmente alcançada ou explicada pela teoria das cordas. Logicamente, podemos ser ainda mais otimistas e esperar que já na próxima década — antes que o acelerador de partículas de Genebra, o Large Hadron Collider, entre em funcionamento — o entendimento da teoria das cordas tenha progredido o suficiente para que possamos fazer previsões específicas sobre os superparceiros antes da sua descoberta efetiva. A confirmação de tais previsões seria um dos maiores momentos da história da ciência.

AS EXPLICAÇÕES TÊM UM LIMITE?

Explicar tudo, ainda que no sentido mais limitado de compreender todos os aspectos das forças e dos componentes elementares do universo, é um dos maiores desafios que a ciência já enfrentou. Pela primeira vez, a teoria das supercordas nos proporciona um arcabouço que parece ter profundidade suficiente para pôr-se à altura do desafio. Mas será que conseguiremos realizar na plenitude as promessas da teoria e calcular, por exemplo, a massa dos quarks, ou a intensidade da força eletromagnética, descobrindo assim a razão desses números que tanta importância têm para a conformação do nosso universo? Tal como na seção anterior, teremos de superar numerosos obstáculos teóricos antes de alcançar esses objetivos — neste momento, o mais proeminente deles é o de alcançar uma formulação integralmente não perturbativa da teoria das cordas/teoria M.

Será possível, contudo, que mesmo que alcancemos um entendimento exato da teoria das cordas/teoria M, no contexto de uma formulação nova e muito mais transparente da mecânica quântica, possamos fracassar, ainda assim, em nossos esforços para calcular as massas e as cargas de força das partículas? Será possível que tenhamos de continuar a recorrer às medições experimentais, em vez de aos cálculos teóricos, para conhecer os seus valores? Mais ainda, será que esse fracasso significaria que, em vez de tentar prosseguir na nossa busca de uma outra teoria ainda mais profunda, deveríamos simplesmente concluir que *não há* explicação para as propriedades que encontramos na natureza?

A resposta imediata a todas essas perguntas é sim. Einstein disse, há muito tempo, que "A coisa mais incompreensível a respeito do universo é que ele é compreensível".[7] Em uma era de progresso rápido e impressionante como a nossa, é fácil perder contato com o caráter maravilhoso da nossa capacidade de compreender o universo. Mas pode haver um limite à compreensibilidade. Talvez tenhamos de aceitar que depois de atingirmos o nível mais profundo possível do conhecimento científico, haverá sempre aspectos do universo que permanecerão sem explicação. Talvez tenhamos de aceitar que certos aspectos do universo são como são por obra do acaso, ou por acidente, ou por escolha divina. O êxito do método científico no passado ensinou-nos a pensar que, com tempo e esforços suficientes, *é possível* desvendar os mistérios da natureza. Mas atingir o limite absoluto da explicação científica — o que é algo mais do que superar um obstáculo tecnológico ou fazer avançar o limite do conhecimento humano — seria um evento singular para o qual a experiência passada nada pode fazer para preparar-nos.

Esta é uma questão de grande relevância para a nossa busca da teoria definitiva e que não conseguimos ainda resolver. Na verdade, a possibilidade de que a explicação científica tenha limites, da maneira ampla em que a colocamos, é uma dúvida que talvez nunca possa ser solucionada. Vimos, por exemplo, que mesmo a noção especulativa de um multiverso, que à primeira vista parece impor um claro limite às explicações científicas, pode ser tratada por teorias igualmente especulativas que, pelo menos em princípio, são capazes de restabelecer a capacidade de fazer previsões.

Um caminho que surge a partir dessas considerações é o papel que a cosmologia pode ter na determinação das implicações da teoria definitiva. Como assinalamos, a cosmologia das supercordas é ainda um campo recente, mesmo em comparação com a pouca idade da própria teoria das cordas. Essa será, sem dúvida, uma área de intensas pesquisas nos próximos anos, na qual podem haver grandes progressos. À medida que ganhemos mais domínio sobre as propriedades da teoria das cordas/teoria M, mais se refinará a nossa capacidade de avaliar as implicações cosmológicas dessa tentativa potencialmente fértil de chegar à teoria definitiva. É possível, naturalmente, que esses estudos venham um dia a convencer-nos de que realmente há um limite para as explicações científicas. Mas também é possível que eles abram as portas de uma nova era — uma era em que finalmente poderemos declarar que encontramos a explicação fundamental do universo.

RUMO ÀS ESTRELAS

Embora estejamos tecnologicamente ligados à Terra e às suas cercanias no sistema solar, o poder do pensamento e da experimentação nos permite sondar as profundidades do espaço exterior e do espaço interior. Particularmente durante os últimos cem anos, o esforço coletivo de muitos físicos revelou alguns dos segredos mais bem guardados da natureza. E uma vez reveladas, essas jóias explicativas abriram novos panoramas sobre um mundo que pensávamos conhecer mas cujo esplendor nem sequer chegáramos perto de imaginar. Uma maneira de medir a profundidade de uma teoria física é verificar até que ponto ela desafia aspectos da nossa visão de mundo que antes pareciam imutáveis. Sob esse ponto de vista, a mecânica quântica e as teorias da relatividade foram muito além das nossas expectativas mais ousadas: funções de ondas, probabilidades, tunelamento quântico, o incessante tumulto das flutuações de energia no vácuo, o entrelaçamento do espaço e do tempo, a natureza relativa da simultaneidade, a curvatura do tecido do espaço-tempo, os buracos negros e o big bang. Quem poderia pensar que a perspectiva intuitiva, mecânica e precisa de Newton se tornaria tão provinciana — que havia um mundo novo e extraordinário logo abaixo da superfície das coisas que vemos todos os dias?

Mas mesmo essas descobertas que sacodem os nossos paradigmas são apenas uma parte de uma história maior, que tudo abarca. Com uma fé inquebrantável em que as leis do que é pequeno e as do que é grande devem harmonizar-se em um conjunto coerente, os físicos prosseguem em sua luta incessante por encontrar a teoria definitiva. A busca ainda não terminou, mas a teoria das supercordas e a sua evolução em termos da teoria M já fizeram surgir um esquema convincente para a fusão entre a mecânica quântica, a relatividade geral e as forças forte, fraca e eletromagnética. Os desafios trazidos por esses avanços à nossa maneira de ver o mundo são monumentais: laços de cordas e glóbulos oscilantes que unem toda a criação em padrões vibratórios executados meticulosamente em um universo que tem numerosas dimensões escondidas, capazes de sofrer contorções extremas, nas quais o seu tecido espacial se rompe e depois se repara. Quem poderia ter imaginado que a unificação entre a gravidade e a mecânica quântica em uma teoria unificada de toda a matéria e de todas as forças provocaria uma tal revolução no nosso entendimento de como o universo funciona?

Não há dúvida de que encontraremos surpresas ainda maiores à medida que avançamos na nossa busca de entender a teoria das supercordas de maneira total e factível do ponto de vista do cálculo. O estudo da teoria M já nos propiciou vislumbrar um reino estranho no universo, abaixo da distância de Planck, em que possivelmente não vigoram as noções de espaço e de tempo. No extremo oposto vimos também que o nosso universo pode ser simplesmente uma dentre inumeráveis bolhas que se espalham pela superfície de um oceano cósmico vasto e turbulento chamado multiverso. Essas ideias estão na vanguarda das especulações atuais e pressagiam os próximos saltos pelos quais passará a nossa concepção do universo.

Temos os olhos fixos no futuro, à espera dos deslumbramentos que nos estão reservados, mas não devemos deixar de olhar também para trás e maravilhar-nos com a viagem que já fizemos. A busca das leis fundamentais do universo é um drama eminentemente humano, que expande a nossa visão mental e enriquece o nosso espírito. Einstein deu-nos uma descrição vívida da sua própria luta por compreender a gravidade: "os anos ansiosos da busca no escuro, que provocavam sentimentos intensos de angústia e alternâncias entre estados de confiança e de exaustão, e, finalmente, a luz".[8] Aí vemos a profundidade desse drama humano. Todos nós buscamos a verdade, cada qual à sua maneira, e todos esperamos um dia poder dizer que sabemos por que estamos aqui. À medida que subimos a montanha do conhecimento, cada nova geração apoia-se sobre os ombros da anterior, aproximando-se coletivamente do cume. Não temos como prever se algum dia os nossos descendentes chegarão ao topo e gozarão da soberba vista que se abre sobre a vastidão e a elegância do universo, com clareza infinita. Mas ao trilharmos o caminho, subindo um pouco a cada nova geração, realizamos as palavras de Jacob Bronowski, que dizia que "a cada época corresponde um ponto de inflexão, uma nova maneira de ver e de afirmar a coerência do mundo".[9] Hoje a nossa geração se maravilha com a nossa nova visão do universo — a nova maneira de afirmar a coerência do mundo — e cumpre assim o seu papel, contribuindo com um degrau a mais na escada humana que conduz às estrelas.

Notas

I. VIBRANDO COM AS CORDAS (pp. 17-35)

1. A tabela abaixo é uma elaboração feita a partir da tabela 1.1. Ela registra as massas e as cargas de força das partículas das três famílias. Cada tipo de quark pode conter três possibilidades de carga da força forte, as quais receberam imaginativamente nomes de cores — elas representam valores numéricos das cargas da força forte. As cargas fracas registradas são, mais precisamente, o "terceiro componente" do isospin fraco. (Não incluímos os componentes "de mão direita" das partículas, que diferem por não ter cargas fracas.)

Partícula	Massa	Família 1 Carga elétrica	Carga fraca	Carga forte
Elétron	0,00054	−1	−1/2	0
Neutrino do elétron	$<10^{-8}$		1/2	0
Quark up	0,0047	2/3	1/2	vermelho, verde, azul
Quark down	0,0074	−1/3	−1/2	vermelho, verde, azul

427

Partícula	Massa	Família 2 Carga elétrica	Carga fraca	Carga forte
Múon	0,11	−1	−1/2	0
Neutrino do Múon	<0,0003	0	1/2	0
Quark charm	1,6	2/3	1/2	vermelho, verde, azul
Quark strange	0,16	−1/3	−1/2	vermelho, verde, azul

Partícula	Massa	Família 3 Carga elétrica	Carga fraca	Carga forte
Tau	1,9	−1	−1/2	0
Neutrino do tau	<0,033	0	1/2	0
Quark top	189	2/3	1/2	vermelho, verde, azul
Quark bottom	5,2	−1/3	−1/2	vermelho, verde, azul

2. As cordas também podem ter duas pontas que se movem livremente (as chamadas *cordas abertas*), além dos laços (*cordas fechadas*) ilustrados na figura 1.1. Para facilidade de apresentação, nos referiremos, na maior parte das vezes, às cordas fechadas, embora, de modo geral, tudo o que for dito se aplique a ambos os tipos de cordas.

3. Albert Einstein, em carta a um amigo, 1942, citada em *Einstein's Mirror*, de Tony Hey e Patrick Walters (Cambridge, Ingl.: Cambridge University Press, 1997).

4. Steven Weinberg, *Dreams of a Final Theory* (Nova York: Pantheon, 1992), p. 52.

5. Entrevista com Edward Witten, 11 de maio de 1998.

2. O ESPAÇO, O TEMPO E O OBSERVADOR (pp. 39-70)

1. A presença de corpos dotados de grande massa como a Terra torna as coisas mais complexas por envolver as forças gravitacionais. Como estamos agora concentrados no movimento na direção horizontal — e não na vertical — podemos ignorar a presença da Terra. No próximo capítulo empreenderemos uma discussão aprofundada da gravidade.

2. Para o leitor afeito à matemática, notamos que essas observações podem ser quantificadas. Por exemplo, se o relógio de luz que se move tem velocidade v e o seu fóton leva t segundos para completar uma viagem de ida e volta (medidos pelo nosso relógio de luz estacionário), então o relógio de luz terá viajado a distância vt quando o seu fóton houver regressado ao espelho de baixo. Podemos então usar o teorema de Pitágoras para calcular que a distância de cada um dos caminhos diagonais da figura 2.3 é $\sqrt{(vt/2)^2 + h^2}$, onde h é a distância entre os dois espelhos de um relógio de luz (considerado como quinze centímetros no texto). Os dois caminhos diagonais, tomados em conjunto, têm, portanto, o comprimento $2\sqrt{(vt/2)^2 + h^2}$. Como a velocidade da luz tem valor constante, representado convencionalmente por c, a luz leva $2\sqrt{(vt/2)^2 + h^2}/c$ segundos para completar a viagem pelas duas diagonais. Assim, temos a igualdade $t=2\sqrt{(vt/2)^2 + h^2}/c$, cuja solução para t é $2h/\sqrt{(c^2 - h^2)}$. Para evitar confusões, adotemos a seguinte notação $t_{móvel}=2h/\sqrt{c^2 - v^2}$, em que as letras pequenas indicam que esse é o tempo que dura um tique-taque no relógio que se move. Por outro lado, o tempo que dura um tique-taque no relógio estacionário é $t_{estacionário}=2h/c$ e um pouquinho de álgebra revela que $t_{móvel}=t_{estacionário}/\sqrt{1-v^2/c^2}$, o que mostra diretamente que um tique-taque no relógio que se move toma mais tempo que um tique-taque no relógio estacionário. Isso significa que entre eventos determinados haverá um total menor de tique-taques no relógio que se move do que no relógio estacionário, o que significa que o tempo transcorrido é menor para o observador em movimento.

3. Caso você se deixe convencer mais facilmente por uma experiência levada a cabo em um lugar menos esotérico que um acelerador de partículas, considere o seguinte. Em outubro de 1971, J. C. Hafele, então na Washington University, em St. Louis, e Richard Keating, do Observatório Naval dos Estados Unidos, puseram relógios atômicos de feixes de césio a bordo de aviões comerciais por cerca de quarenta horas. A relatividade especial afirma que, depois de descontar uma série de fatores relativos aos efeitos gravitacionais (que discutiremos no próximo capítulo), o tempo total transcorrido nos relógios atômicos em movimento será menor do que o tempo transcorrido nos relógios estacionários deixados na superfície da Terra em alguns centésimos bilionésimos de segundo. Esse foi o resultado obtido por Hafele e Keating: o tempo *realmente passa mais devagar* para um relógio em movimento.

4. Embora a figura 2.4 ilustre corretamente que um objeto se contrai na direção do seu movimento, a imagem não ilustra o que realmente veríamos se um objeto passasse por nós a uma velocidade próxima à da luz (supondo que os nossos olhos ou o nosso equipamento fotográfico fossem capazes de ver algo!). Para poder enxergar, os nossos olhos — ou a nossa câmara — têm de receber a luz refletida pela superfície do objeto. Mas como a luz refletida nos chega de diversos pontos do objeto, a luz que vemos, em qualquer momento dado, viaja até nós por caminhos de comprimentos diferentes. Isso resulta em um tipo de ilusão de óptica relativística em que o objeto nos parecerá mais curto e girado.

5. Para o leitor afeito à matemática, notamos que a partir da posição quadrivetorial espaço-temporal $x=(ct,x_1,x_2,x_3) = (ct, \vec{x})$ podemos produzir a velocidade quadrivetorial $u=dx/d\tau$, em que τ é o tempo definido por $d\tau^2=dt^2-c^{-2}(dx_1^2+dx_2^2+dx_3^2)$. Então, a "velocidade através do espaço-tempo" é a magnitude do quadrivetorial u, $\sqrt{((c^2dt^2 \cdot d\vec{x}^2)/(dt^2 - c^{-2}d\vec{x}^2))}$, que é idêntica à velocidade da luz, c. Podemos agora rearranjar a equação $c^2(dt/d\tau)^2-(d\vec{x}/d\tau)^2=c^2$, e escrevê-la assim $c^2(d\tau/dt)^2+(d\vec{x}/dt)^2=c^2$. Isto revela que o aumento da velocidade de um objeto através do espaço, $\sqrt{(d\vec{x}/dt)^2}$ tem de estar

acompanhado por uma diminuição em $d\tau/dt$, que é a velocidade do objeto através do tempo (o ritmo em que o tempo transcorre no seu próprio relógio, $d\tau$, em comparação com o do nosso relógio estacionário, dt).

3. DAS CURVAS E ONDULAÇÕES (pp. 71-103)

1. ISAAC NEWTON, SIR ISAAC NEWTON'S MATHEMATICAL PRINCIPLE OF NATURAL PHILOSOPHY AND HIS SYSTEM OF THE WORLD, TRAD. A. MOTTE E FLORIAN CAJORI (BERKELEY: UNIVERSITY OF CALIFORNIA PRESS, 1962), VOL. I, P. 634.

2. Mais precisamente, Einstein concluiu que o princípio da equivalência prevalece enquanto as observações estiverem confinadas a uma região relativamente pequena do espaço — ou seja, enquanto o seu "compartimento" for relativamente pequeno. A razão é a seguinte. Os campos gravitacionais podem variar em intensidade (e direção) de um lugar a outro. Mas nós estamos imaginando que o compartimento se acelera como um todo, pelo que a aceleração simula um campo de força gravitacional único e uniforme. À medida que consideramos um compartimento cada vez menor, haverá cada vez menos lugar disponível para as variações do campo gravitacional, e assim o princípio da equivalência torna-se cada vez mais aplicável. Tecnicamente, a diferença entre o campo gravitacional uniforme simulado em um ponto de vista acelerado e um campo gravitacional "real" e possivelmente não uniforme, criado por um conjunto de corpos dotados de grande massa, é conhecida como campo gravitacional de maré (em alusão ao efeito gravitacional da Lua sobre as marés na Terra). Essa nota pode, portanto, ser resumida dizendo-se que os campos gravitacionais de maré tornam-se menos perceptíveis à medida que o tamanho do compartimento de observação diminui, o que torna indistinguíveis o movimento acelerado e o campo gravitacional "real".

3. Albert Einstein, citado em Albrecht Fölsing, Albert Einstein (N. York: Viking, 1997), p. 315.

4. John Stachel, "Einstein and the Rigidly Rotating Disk"[Einstein e o disco rígido rotativo], em General Relativity and Gravitation, ed. A. Held (N. York: Plenum, 1980), p. 1.

5. A análise do passeio no Tornado, ou "disco rígido rotativo", como é chamado em linguagem mais técnica, leva facilmente a confusões. Com efeito, até hoje não há acordo universal a respeito de vários aspectos sutis desse exemplo. No texto seguimos o espírito da análise do próprio Einstein, e nesta nota continuamos adotando esse ponto de vista buscando esclarecer dois aspectos que podem ter ficado confusos. Em primeiro lugar, você pode ter ficado intrigado com o fato de que a circunferência do Tornado não sofre a contração de Lorentz exatamente do mesmo modo que a régua, o que faria com que ela tivesse, quando medida por Crispim, o mesmo comprimento encontrado originalmente. Tenha em mente, contudo, que em toda a discussão o Tornado esteve sempre girando; nunca o analisamos em repouso. Assim, da nossa perspectiva de observadores estacionários, a única diferença entre as medidas da circunferência do aparelho tomadas por nós e por Crispim provém de que a régua de Crispim sofreu a contração de Lorentz; o Tornado estava girando quando tomamos a nossa medida e ainda está girando quando Crispim toma a sua. Como vemos que a sua régua contraiu-se, concluímos que ele tem de usá-la um maior número de vezes para percorrer toda a circunferência, obtendo assim uma medida maior do que a nossa. A contração de Lorentz sofrida pela circunferência teria sido relevante apenas se compa-

430

rássemos as propriedades do aparelho em movimento e em repouso, mas não precisamos dessa comparação.

Em segundo lugar, apesar do fato de que não precisamos analisá-lo em repouso, você pode continuar pensando sobre o *que aconteceria* quando ele se desacelerasse e parasse. Aparentemente teríamos de levar em conta que a circunferência se altera com a mudança da velocidade, devido aos diferentes graus da contração de Lorentz. Mas como isso pode ser compatível com um raio invariável? Esse é um problema sutil cuja resolução relaciona-se com o fato de que não há objetos *inteiramente rígidos* no mundo real. Os objetos podem estirar-se ou curvar-se e acomodar dessa maneira o estiramento ou a contração que examinamos; se não fosse assim, como Einstein assinalou, um disco rotativo que fosse formado inicialmente por metal derretido derramado em um molde giratório e solidificado com o rotor em movimento se quebraria com qualquer alteração subsequente do ritmo de rotação. Para maiores detalhes da história do disco rígido rotativo, ver Stachel, "Einstein and the Rigidly Rotating Disk".

6. O leitor instruído reconhecerá que no exemplo do Tornado, ou seja, no caso de um sistema de referência em rotação uniforme, as seções espaciais tridimensionais curvas que focalizamos acomodam-se juntas em um espaço-tempo quadridimensional cuja curvatura ainda é nula.

7. Hermann Minkowski, citado em Fölsing, *Albert Einstein*, p. 189.

8. Entrevista com John Wheeler, 27 de janeiro de 1998.

9. Mesmo assim, os relógios atômicos existentes são suficientemente precisos para detectar essas pequeníssimas curvas do tempo, e outras menores ainda. Por exemplo, em 1976 Robert Vessot e Martin Levine, do Observatório Astrofísico Harvard-Smithsonian, juntamente com colaboradores da National Aeronautics and Space Administration (Nasa), lançaram um foguete Scout D a partir da ilha Wallops, na Virginia, com um relógio atômico cuja precisão chegava a um trilionésimo de segundo por hora. Esperavam comprovar que à medida que o foguete ganhava altura (diminuindo assim o efeito da gravidade terrestre), um relógio atômico idêntico que permaneceu na Terra (sofrendo assim toda a influência da gravidade terrestre) andaria mais devagar. Por meio de uma corrente de sinais de micro-ondas enviados nos dois sentidos, os pesquisadores puderam comparar o ritmo dos dois relógios e efetivamente, quando o foguete estava em sua altura máxima, a 9600 quilômetros da Terra, o seu relógio atômico marcava o tempo a um ritmo que era superior em quatro partes por bilhão com relação ao relógio que permaneceu no solo, o que concordava com a previsão teórica dentro de um intervalo de um centésimo de ponto percentual.

10. Em meados do século XIX, o cientista francês Urbain Jean Joseph le Verrier descobriu que o planeta Mercúrio desviava-se ligeiramente da órbita solar prevista pela lei da gravidade de Newton. Por mais de cinquenta anos ouviram-se explicações de todo tipo para esse fenômeno, chamado precessão excessiva do periélio orbital (em linguagem comum, ao final de cada órbita Mercúrio não se encontra no lugar exato previsto pela lei da gravidade de Newton) — influência gravitacional de um planeta ainda não descoberto, influência gravitacional de um anel planetário, ou uma Lua desconhecida, efeito de poeira interplanetária, achatamento polar do Sol —, mas nenhuma dessas hipóteses era convincente o bastante para obter aceitação geral. Em 1915, Einstein calculou a precessão do periélio de Mercúrio empregando as recém-descobertas equações da relatividade geral e encontrou uma resposta que, como ele próprio admite, fez seu coração bater mais rápido: o resultado coincidia perfeitamente com o comportamento observado. Evidentemente, esse êxito foi uma das razões principais por que Einstein tinha tanta fé na sua teoria, mas

quase todo mundo aguardava a confirmação de uma *previsão*, e não uma explicação para uma anomalia já conhecida. Para maiores detalhes, ver Abraham Pais, *Subtle is the Lord* (N. York: Oxford University Press, 1982), p. 253.

11. Robert P. Crease e Charles C. Mann, *The Second Creation* (New Brunswick, N.J.: Rutgers University Press, 1996), p. 39.

12. Surpreendentemente, as pesquisas recentes e detalhadas sobre a taxa de expansão cósmica sugerem que o universo possa, de fato, ter uma constante cosmológica, pequena mas diferente de zero.

4. LOUCURA MICROSCÓPICA (pp. 104-37)

1. Richard Feynman, *The Character of Physical Law* (Cambridge, Mass.: MIT Press, 1965), p. 129.

2. Embora o trabalho de Planck tenha efetivamente resolvido o enigma da energia infinita, aparentemente esse não era o seu objetivo específico. Em vez disso, Planck estava procurando compreender uma questão correlata: os resultados experimentais relativos à distribuição da energia entre os diversos comprimentos de onda em um forno aquecido — um "corpo negro", para ser mais preciso. Para maiores detalhes sobre a história desses desenvolvimentos, o leitor interessado pode consultar Thomas S. Khun, *Black Body Theory and the Quantum Discontinuity, 1894-1912* (Oxford, Inglaterra: Clarendon, 1978).

3. Mais precisamente, Planck demonstrou que as ondas cujo conteúdo energético mínimo supera a contribuição *média* de energia a elas atribuída (segundo a termodinâmica do século XIX) são suprimidas em termos exponenciais. Essa supressão se torna mais clara à medida que examinamos ondas de frequências cada vez maiores.

4. A constante de Planck é $1,05 \times 10^{-27}$ gramas-centímetro^2/segundo.

5. Timothy Ferris, *Coming of Age in the Milky Way* (Nova York: Anchor, 1989), p. 286.

6. Stephen Hawking, palestra no Simpósio de Amsterdã sobre Gravidade, Buracos Negros e Teoria das Cordas, 21 de junho de 1997.

7. Vale notar que o enfoque de Feynman para a mecânica quântica pode ser usado para derivar o enfoque baseado nas funções de ondas e vice-versa; os dois enfoques, portanto, são inteiramente equivalentes. Contudo, embora as respostas dadas por ambos sejam absolutamente idênticas, os conceitos, a linguagem e a interpretação adotados por cada enfoque são muito diferentes.

8. Richard Feynman, *QED: The Strange Theory of Light and Matter* (Princeton: Princeton University Press, 1988).

5. A NECESSIDADE DE UMA TEORIA NOVA: RELATIVIDADE GERAL *VERSUS* MECÂNICA QUÂNTICA (pp. 138-52)

1. Stephen Hawking, *A Brief History of Time* (Nova York: Bantam Books, 1988), p. 175.

2. Richard Feynman, citado por Timothy Ferris, *The Whole Shebang* (Nova York: Simon & Schuster, 1977), p. 97.

3. Caso você ainda esteja perplexo a respeito de como pode acontecer alguma coisa em uma região vazia do espaço, é importante lembrar que o princípio da incerteza impõe um limite a quão

"vazia" uma região do espaço possa ser. Ele modifica a nossa noção de espaço vazio. Por exemplo, quando aplicado a distúrbios ondulatórios em um campo (como ondas eletromagnéticas viajando em um campo eletromagnético), o princípio da incerteza revela que a amplitude de uma onda e a velocidade com que essa amplitude varia estão sujeitas à mesma relação inversa que caracteriza a posição e a velocidade de uma partícula: quanto mais precisa for a especificação da amplitude, tanto menor será a precisão com que podemos conhecer a velocidade com que essa amplitude varia. Quando dizemos que uma região do espaço está vazia, tipicamente queremos dizer, entre outras coisas, que não há ondas que passem por ela e que todos os campos têm valor zero. Usando uma expressão deselegante mas útil, podemos dizer que as amplitudes de todas as ondas que passam pela região são exatamente iguais a zero. Mas o princípio da incerteza implica que se conhecemos exatamente as amplitudes, a sua taxa de variação será completamente incerta e pode tomar qualquer valor. Se as amplitudes variam, isso significa que no momento seguinte elas *já não serão iguais a zero*, embora a região do espaço continue "vazia". Aqui também, *na média*, o campo *será* igual a zero, uma vez que em alguns lugares o seu valor será positivo e em outros será negativo; na média, a energia líquida da região não terá variado. Mas isso só acontece na média. A incerteza quântica implica que a energia do campo — mesmo em uma região vazia do espaço — flutua para cima e para baixo, e o tamanho das flutuações aumenta à medida que diminuem as escalas de distância e de tempo em que a região é examinada. Portanto, a energia incorporada nessas flutuações momentâneas de campo pode, graças a $E = mc^2$, ser empregada na criação momentânea de pares de partículas e antipartículas, que se aniquilam com grande rapidez de modo que, na média, o nível da energia mantém-se inalterado.

4. Embora a equação original escrita por Schrödinger — a que incorpora a relatividade especial — não descrevesse com precisão, em termos de mecânica quântica, as propriedades dos elétrons dos átomos de hidrogênio, logo se viu que ela era valiosa também quando utilizada apropriadamente em outros contextos, razão porque é utilizada até hoje. Contudo, ao tempo em que Schrödinger publicou a equação, já Oskar Klein e Walter Gordon o haviam feito. Por isso a sua equação relativística é conhecida como "equação de Klein-Gordon".

5. Para o leitor afeito à matemática, notamos que os princípios da simetria empregados na física das partículas elementares geralmente estão baseados em grupos, principalmente os grupos de Lie. As partículas elementares são arranjadas em representações de vários grupos e as equações que comandam a sua evolução no tempo têm de respeitar as transformações de simetria a elas correlatas. Para a força forte, essa simetria chama-se su(3) (análoga às rotações tridimensionais comuns, mas atuando em um espaço complexo), e as três cores de uma determinada espécie de quark transformam-se em uma representação tridimensional. A mudança (de vermelho, verde e azul para amarelo, anil e violeta) mencionada no texto é, mais precisamente, uma transformação su(3) que age sobre as "coordenadas de cores" de um quark. A simetria de calibre é aquela em que as transformações de grupo podem depender do espaço-tempo: neste caso, a "rotação" das cores do quark, de maneiras diferentes, em lugares diferentes do espaço e em momentos diferentes do tempo.

6. No transcurso do desenvolvimento das teorias quânticas das três forças não gravitacionais, os físicos depararam também com cálculos que davam resultados infinitos. Com o tempo, no entanto, eles foram compreendendo que esses infinitos podiam ser devidamente absorvidos por meio de um instrumento denominado *renormalização*. Os infinitos que surgem nas tentativas de fundir a relatividade geral e a mecânica quântica são muito mais difíceis e não se prestam à cura

pela renormalização. Mais recentemente, os cientistas verificaram que respostas infinitas são um sinal de que a teoria está sendo empregada para analisar um domínio além dos limites da sua aplicabilidade. Como o objetivo das pesquisas atuais é encontrar uma teoria cuja faixa de aplicabilidade seja, em princípio, ilimitada — a teoria "definitiva", ou "final" —, os físicos buscam uma teoria que não esteja infestada por resultados infinitos, mesmo quando o sistema físico que esteja sendo analisado tenha caráter extremo.

7. O tamanho da distância de Planck pode ser compreendido com base em um raciocínio simples, derivado do que os físicos chamam de *análise dimensional*. A ideia é assim: quando uma teoria é formulada como um conjunto de equações, os símbolos abstratos devem referir-se a aspectos físicos do mundo, para que a teoria faça sentido diante da realidade. Em particular, é preciso adotar um sistema de unidades, de modo que, por exemplo, para o símbolo referente ao comprimento exista uma escala de acordo com a qual os valores podem ser interpretados. Afinal, se o resultado de uma equação é cinco, precisamos saber se isso significa cinco centímetros, cinco quilômetros ou cinco anos-luz. Em uma teoria que envolve a relatividade geral e a mecânica quântica, a escolha das unidades surge naturalmente, pelo seguinte. Há duas constantes da natureza das quais depende a relatividade geral: a velocidade da luz, c, e a constante gravitacional de Newton, G. A mecânica quântica depende de uma constante da natureza $\hbar$. Examinando-se as unidades dessas constantes (por exemplo, c é uma velocidade, e portanto se expressa como distância dividida por tempo, etc.), verifica-se que a combinação $\sqrt{\hbar G/c^3}$ corresponde a unidades de distância; com efeito, o seu valor é $1,616 \times 10^{-33}$ centímetros. Essa é a distância de Planck. Como ela inclui insumos da gravidade e do espaço-tempo (G e c) e tem também uma vinculação com a mecânica quântica ($\hbar$), determina a escala de medidas — a unidade natural de distância — para qualquer teoria que tente unir a relatividade geral e a mecânica quântica. Quando empregamos o termo "distância de Planck" no texto, muitas vezes o fazemos de forma aproximada, indicando uma distância que está dentro de um intervalo de algumas ordens de magnitude em torno de 10^{-33} centímetros.

8. Atualmente, além da teoria das cordas, exploram-se ativamente dois outros enfoques com vistas à união entre a relatividade geral e a mecânica quântica. Um enfoque é capitaneado por Roger Penrose, da Universidade de Oxford, e é conhecido como a *teoria de "twistors"* (*twistor theory*). O outro — inspirado em parte pelo trabalho de Penrose — é conduzido por Abhay Ashtekar, da Pennsylvania State University, e é conhecido como o método das *novas variáveis*. Embora esses outros enfoques não sejam discutidos aqui, especula-se cada vez mais que eles podem ter uma ligação profunda com a teoria das cordas e que é possível que os três enfoques estejam convergindo rumo à mesma solução para a união entre a relatividade geral e a mecânica quântica.

6. PURA MÚSICA: A ESSÊNCIA DA TEORIA DAS SUPERCORDAS (pp. 155-87)

1. O leitor especializado reconhecerá que esse capítulo focaliza apenas a teoria *perturbativa* das cordas; os aspectos não perturbativos serão discutidos nos capítulos 12 e 13.

2. Entrevista com John Schwarz, 23 de dezembro de 1997.

3. Sugestões similares foram feitas independentemente por Tamiaki Yoneya e também por Korkut Bardakci e Martin Halpern. O físico sueco Lars Brink também contribuiu significativamente para o desenvolvimento inicial da teoria das cordas.

4. Entrevista com John Schwarz, 23 de dezembro de 1997.

5. Entrevista com Michael Green, 20 de dezembro de 1997.

6. O modelo-padrão efetivamente sugere um mecanismo pelo qual as partículas adquirem massa — o mecanismo de *Higgs*, que leva o nome do cientista escocês Peter Higgs. Mas no que se refere à explicação do valor das massas das partículas, ele simplesmente transfere o trabalho para explicar as propriedades de uma hipotética "partícula que confere massa" — o chamado *bóson de Higgs*. As pesquisas experimentais sobre essa partícula estão atualmente em curso, mas também aqui, se ela for encontrada e tiver as suas propriedades medidas, esses dados servirão de *input* para o modelo-padrão, para o qual a teoria não oferece explicação.

7. Para o leitor afeito à matemática, notamos que a associação entre os padrões vibratórios das cordas e as cargas de força pode ser descrita com maior precisão da seguinte maneira. Quando o movimento de uma corda é quantizado, os seus estados vibratórios possíveis são representados por vetores em um espaço de Hilbert, assim como em qualquer sistema de mecânica quântica em geral. Esses vetores podem ser designados pelos seus autovalores em um conjunto de operadores comutativos hermitianos. Entre esses operadores está a hamiltoniana, cujos autovalores dão a energia e, portanto, a massa dos estados vibratórios, e também estão operadores que geram várias simetrias de calibre que a teoria respeita. Os autovalores desses últimos operadores fornecem as cargas de força relativas ao estado correlato de vibração das cordas.

8. Com base em conhecimentos derivados da segunda revolução das supercordas, (discutidos no capítulo 12), Witten e, principalmente, Joe Lykken, do Fermi National Accelerator Laboratory, identificaram uma saída, sutil mas possível, para essa conclusão. Lykken, explorando essa hipótese, sugeriu que as cordas podem estar sujeitas a uma tensão muito menor e ter, portanto, um tamanho muito maior do que o que se pensava originalmente. Tão maior, na verdade, que elas poderiam ser observadas pela próxima geração dos aceleradores de partículas. Se essa possibilidade remota for real, abre-se a interessante perspectiva de que muitas das notáveis implicações da teoria das cordas discutidas neste e nos próximos capítulos possam ser verificadas experimentalmente já na próxima década. Mas mesmo no cenário mais convencional com que trabalham os estudiosos das cordas, em que o tamanho típico das cordas é de 10^{-33} centímetros, há maneiras indiretas de pesquisá-las experimentalmente, como veremos no capítulo 9.

9. O leitor especializado reconhecerá que o fóton produzido em uma colisão entre um elétron e um pósitron é um fóton virtual e, portanto, terá de devolver rapidamente a sua energia, dissociando-se em um par de partícula-antipartícula.

10. Evidentemente, uma câmara funciona coligindo fótons provenientes do objeto de interesse e registrando-os na película fotográfica. O uso que fazemos da câmara neste exemplo é simbólico, uma vez que não estamos imaginando fótons provenientes das cordas que se chocam. Em vez disso, simplesmente queremos registrar na figura 6.7(c) a história total da interação. Devemos mencionar, além disso, outro aspecto sutil de que a discussão no texto não tratou. Vimos no capítulo 4 que podemos formular a mecânica quântica usando o método da soma sobre as trajetórias, de Feynman, no qual analisamos os movimentos dos objetos combinando as contribuições de *todas* as trajetórias possíveis que levam de um determinado ponto de partida a um determinado ponto de chegada (processo no qual a contribuição de cada trajetória tem um peso estatístico,

determinado por Feynman). Nas figuras 6.6 e 6.7 mostramos *uma* dentre as infinitas trajetórias possíveis que podem ser seguidas por uma partícula puntiforme (figura 6.6) ou por uma corda (figura 6.7), para a viagem da posição inicial para a posição final. A exposição feita nesta seção aplica-se igualmente a qualquer outra das trajetórias possíveis e, portanto, ao próprio processo da mecânica quântica como um todo. (A formulação de Feynman para a mecânica quântica das partículas puntiformes no contexto da soma sobre as trajetórias foi generalizada para a teoria das cordas por meio dos trabalhos de Stanley Mandelstam, da Universidade da Califórnia em Berkeley, e do físico russo Alexandr Polyakov, que agora é professor do departamento de física da Universidade de Princeton.)

7. O "SUPER" DAS SUPERCORDAS (pp. 188-207)

1. Albert Einstein, citado por R. Clark, *Einstein: The Life and Times* (N. York: Avon Books, 1984), p. 287.

2. Mais precisamente, o spin-1/2 significa que o *momento angular* do elétron proveniente do seu spin é $\hbar/2$.

3. A história da descoberta e do desenvolvimento da supersimetria é complexa. Além dos cientistas que estão citados no texto, houve, na fase inicial, contribuições essenciais de R. Haag, M. Sohnius. J. T. Lopuszanski, Y. A. Gol'fand, E. P. Lichtman, J. L. Gervais, B. Sakita, V. P. Akulov, D. V. Volkov e V. A. Soroka, entre muitos outros. Alguns desses trabalhos estão documentados em Rosanne di Stefano, *Notes on the Conceptual Development of Supersymmetry*, Institute for Theoretical Physics, State University of New York at Stony Brook, preprint ITP-SB-8878.

4. Para o leitor afeito à matemática notamos que essa região do espaço-tempo requer que se acrescentem às coordenadas cartesianas familiares novas coordenadas quânticas, digamos *u* e *v*, que são *anticomutativas*: $u \times v = -v \times u$. A supersimetria pode então ser vista como uma passagem para essa forma do espaço-tempo aumentada pela mecânica quântica.

5. Para o leitor interessado em mais detalhes a respeito dessa questão técnica, notamos o seguinte. Na nota 6 do capítulo 6, mencionamos que o modelo-padrão invoca uma "partícula que confere massa" — o bóson de Higgs — para atribuir às partículas das tabelas 1.1 e 1.2 as massa que observamos. Para que esse procedimento funcione, a partícula de Higgs não pode ser demasiado pesada; os estudos indicam que a sua massa certamente não deve ser mais de mil vezes maior do que a do próton. Mas acontece que as flutuações quânticas tendem a aumentar substancialmente a massa da partícula de Higgs, o que potencialmente a faz subir até a escala de Planck. Os teóricos verificaram, contudo, que esse resultado, que revelaria uma falha importante do modelo-padrão, pode ser evitado se se ajustarem certos parâmetros do modelo-padrão (principalmente a chamada massa nua da partícula de Higgs) a uma variação menor do que uma unidade em 10^{15}, de modo a cancelar os efeitos dessas flutuações quânticas sobre a massa da partícula de Higgs.

6. Um ponto sutil a se observar na figura 7.1 é que a intensidade da força fraca aparece entre a da força forte e a da força eletromagnética, embora tenhamos dito anteriormente que ela é menor do que ambas. A razão disso está na tabela 1.2, em que vemos que as partículas mensageiras da força fraca têm grandes massas, enquanto as da força forte e da força eletromagnética são desprovidas de massa. Intrinsecamente, a intensidade da força fraca (medida pela sua constante de aco-

plamento — ideia a que chegaremos no capítulo 12) é a que mostramos na figura 7.1, mas as suas partículas mensageiras são pesadas e lentas ao transportar a sua influência, o que diminui os seus efeitos. No capítulo 14 veremos como a força gravitacional se insere na figura 7.1.

7. Edward Witten, conferência na Heinz Pagels Memorial Lecture Series, Aspen, Colorado, 1997.

8. Para uma discussão aprofundada dessa e de outras ideias correlatas, ver Steven Weinberg, *Dreams of a Final Theory*.

8. MAIS DIMENSÕES DO QUE O OLHAR ALCANÇA (pp. 208-33)

1. Essa é uma ideia simples, mas como a imprecisão da linguagem comum por vezes leva à confusão, é necessário fazer dois esclarecimentos. Em primeiro lugar, estamos supondo que a formiga está obrigada a viver na *superfície* da mangueira. Se, em vez disso, ela pudesse passar para o *interior* da mangueira — se pudesse penetrar na borracha que forma a mangueira —, necessitaríamos de três números para determinar a sua posição, pois teríamos de especificar também a profundidade da sua penetração. Mas se a formiga vive apenas na superfície da mangueira, a sua localização pode ser determinada com dois números. Isso nos leva ao segundo esclarecimento. Mesmo que a formiga viva apenas na superfície da mangueira, poderíamos, se o quiséssemos, especificar a sua localização por meio de três números: os prosaicos esquerda-direita, adiante--atrás e acima-abaixo de nosso familiar espaço tridimensional. Mas uma vez que sabemos que ela vive apenas na superfície da mangueira, os dois números a que nos referimos no texto nos fornecem os dados mínimos requeridos para especificar a sua posição. Isto é o que queremos dizer quando nos referimos a que a superfície da mangueira é bidimensional.

2. Surpreendentemente, os físicos Savas Dimopoulos, Nima Arkani-Hamed e Gia Dvali, elaborando conclusões anteriores de Ignatios Antoniadis e Joseph Lykken, assinalaram que mesmo que uma dimensão adicional recurvada tivesse o tamanho de um milímetro, seria possível que nós ainda não a tivéssemos detectado experimentalmente. A razão está em que os aceleradores de partículas sondam o micromundo utilizando as forças forte, fraca e eletromagnética. A força gravitacional é geralmente ignorada, por ser demasiado débil e inacessível à nossa tecnologia atual. Mas Dimopoulos e seus colaboradores notam que se a dimensão adicional recurvada operasse predominantemente sobre a força gravitacional (o que é muito plausível na teoria das cordas), nenhuma das experiências feitas até aqui a teria detectado. Experiências gravitacionais novas e de alta sensibilidade buscarão, no futuro próximo, essas dimensões recurvadas "grandes". Se o resultado for positivo, essa será uma das maiores descobertas de todos os tempos.

3. Edwin Abbot, *Flatland* (Princeton: Princeton University Press, 1991).

4. A. Einstein, carta a T. Kaluza, citada em Abraham Pais, *"Subtle is the Lord": The Science and the Life of Albert Einstein* (Oxford: Oxford University Press, 1982), p. 330.

5. A. Einstein, carta a T. Kaluza, citada em D. Freedman e P. van Nieuwenhuizen, "The Hidden Dimensions of Spacetime", *Scientific American* 252 (1985), p. 62.

6. Ibid.

7. Os físicos avaliam que o aspecto do modelo-padrão mais difícil de incorporar por meio de uma formulação em dimensões adicionais é algo conhecido como *quiralidade*. Não nos ocupamos desse conceito no texto principal para não tornar a discussão demasiado pesada, mas vamos fazê-lo brevemente aqui para os leitores interessados. Imagine que alguém lhe mostre um filme de uma experiência científica e lhe atribua a tarefa insólita de determinar se a experiência foi filmada diretamente ou através de um espelho. O fotógrafo era um excelente profissional, de modo que não há sinais aparentes de que a imagem tenha passado por um espelho. Estará você à altura do desafio? Em meados da década de 50, as conclusões teóricas de T. D. Lee e C. N. Yang, assim como os resultados experimentais de C. S. Wu e outros colaboradores mostraram que a tarefa *pode* ser realizada, desde que a experiência filmada seja adequada. Esses trabalhos confirmaram que as leis do universo não obedecem a uma perfeita simetria especular, no sentido de que as versões refletidas de certos processos — os que dependem diretamente da força fraca — *não podem existir no nosso mundo*, muito embora o processo original possa. Assim, se ao assistir ao filme você detecta a ocorrência de um desses processos proibidos, já sabe que está vendo a imagem refletida da experiência, e não a sua filmagem direta. Como os espelhos trocam a esquerda pela direita, o trabalho de Lee, Yang e Wu confirma que o universo não é perfeitamente simétrico do ponto de vista esquerda-direita. Na linguagem do meio acadêmico, o universo é *quiral*. Esse é o aspecto do modelo-padrão (em particular da força fraca) que os físicos acharam quase impossível incorporar ao esquema da supergravidade em maiores dimensões. Para evitar confusões futuras, assinalamos aqui que no capítulo 10 discutiremos um conceito da teoria das cordas denominado "simetria especular", mas o emprego da palavra "espelho" nesse contexto é completamente diferente do seu emprego aqui.

8. Para o leitor afeito à matemática, notamos que uma variedade de Calabi-Yau é um conjunto complexo de Kähler cuja primeira classe de Chern é nula. Em 1957, Calabi lançou a hipótese de que todos esses conjuntos admitem uma métrica Ricci-plana e em 1977 por Yau.

9. Essa ilustração é uma cortesia de Andrew Hanson, da Universidade de Indiana, e foi feita com o pacote gráfico de 3D *Mathematica*.

10. Para o leitor afeito à matemática, notamos que esse espaço de Calabi-Yau em particular é uma fatia real tridimensional de uma hipersuperfície quíntica em um espaço projetivo quadridimensional complexo.

9. A EVIDÊNCIA IRREFUTÁVEL: SINAIS EXPERIMENTAIS (pp. 234-53)

1. Edward Witten, "Reflections on the Fate of Spacetime". *Physics Today*, abril de 1996, p. 24.

2. Entrevista com Edward Witten, 11 de maio de 1998.

3. Sheldon Glashow e Paul Ginsparg, "Desperately Seeking Superstrings?". *Physics Today*, maio de 1986, p. 7.

4. Sheldon Glashow, em *The Superworld I*, ed. A. Zichichi (Nova York: Plenum, 1990), p. 250.

5. Sheldon Glashow, *Interactions* (Nova York: Warner Books, 1988), p. 335.

6. Richard Feynman, em *Superstrings: A Theory of Everything?* Ed. por Paul Davies e Julian Brown (Cambridge, Inglaterra: Cambridge University Press, 1988).

7. Howard Georgi, em *The New Physics*, ed. Paul Davies (Cambridge: Cambridge University Press, 1989), p. 446.

8. Entrevista com Edward Witten, 4 de março de 1998.

9. Entrevista com Cumrun Vafa, 12 de janeiro de 1998.

10. Murray Gell-Mann, citado em Robert P. Crease e Charles C. Mann, *The Second Creation* (N. Brunswick, N.J.: Rutgers University Press), 1996, p. 414.

11. Entrevista com Sheldon Glashow, 28 de dezembro de 1997.

12. Idem

13. Entrevista com Howard Georgi, 28 de dezembro de 1997. Durante a entrevista, Georgi observou também que a refutação experimental da previsão da desintegração do próton, decorrente da primeira proposta de grande unificação teórica apresentada por ele e por Glashow (ver capítulo 7), foi um fator importante na sua relutância em aceitar a teoria das supercordas. Ele observou enfaticamente que a sua teoria da grande unificação invocava um domínio energético vastamente superior aos que haviam sido considerados em qualquer teoria anterior e que quando a sua previsão foi refutada — quando ele "levou um tapa da natureza" —, a sua atitude com relação ao estudo da física de energias extremamente altas modificou-se abruptamente. Quando eu lhe perguntei se uma confirmação experimental da sua teoria da grande unificação talvez o tivesse inspirado a liderar o assalto à escala de Planck, ele respondeu que "sim, muito provavelmente".

14. David Gross, "Superstrings and Unification", em *Proceedings of the XXIV International Conference on High Energy Physics*, ed. R. Kotthaus e J. Kühn (Berlim: Springer-Verlag, 1988), p. 329.

15. Dito isso, convém ter em mente a possibilidade remota, assinalada na nota 8 do capítulo 6, de que as cordas *poderiam* ser muito maiores do que o que se supôs originalmente e poderiam, portanto, ser detectadas por observações experimentais por meio de aceleradores de partículas já nas próximas décadas.

16. Para o leitor afeito à matemática, notamos que a expressão matemática mais precisa é que o número de famílias corresponde à metade do valor absoluto do número de Euler do espaço de Calabi-Yau. O próprio número de Euler é a soma alternante das dimensões dos grupos de homologia do conjunto — em que os grupos de homologia são o que chamamos informalmente de buracos multidimensionais. Assim, três famílias surgem dos espaços de Calabi-Yau cujo número de Euler é ± 6.

17. Entrevista com John Schwarz, 23 de dezembro de 1997.

18. Para o leitor afeito à matemática, notamos que estamos nos referindo a conjuntos de Calabi-Yau com um grupo fundamental finito e não trivial, cuja ordem, em certos casos, determina os denominadores de carga fracionários.

19. Entrevista com Edward Witten, 4 de março de 1998.

20. Para o leitor especializado, notamos que alguns desses processos violam a conservação do número de léptons, assim como a simetria por reversão da paridade, da carga e do tempo.

IO. GEOMETRIA QUÂNTICA (pp. 257-90)

1. Para completar a exposição, notamos que, embora a maior parte do que cobrimos neste livro até aqui se aplique tanto às cordas abertas (cordas com as pontas soltas) quanto às fechadas (as cordas em que nos concentramos), no tópico que discutimos agora os dois tipos de cordas

parecem ter propriedades diferentes. Afinal, uma corda aberta não pode envolver uma dimensão circular. Mesmo assim, Joe Polchinski, da Universidade da Califórnia em Santa Bárbara, e dois dos seus alunos, Jian-Hui Dai e Robert Leigh, mostraram que as cordas abertas inserem-se perfeitamente nas conclusões a que chegamos neste capítulo.

2. Caso você se esteja perguntando por que as energias de vibração uniformes possíveis são múltiplos *inteiros* de $1/R$, basta lembrar-se da discussão do capítulo 4 sobre mecânica quântica (especialmente o depósito do velho tirânico). Ali aprendemos que a mecânica quântica implica que a energia, tal como o dinheiro, tem uma unidade mínima e aparece em números múltiplos desse mínimo. No caso do movimento vibratório uniforme das cordas no universo-mangueira, essa unidade é exatamente $1/R$, como demonstramos no texto, usando o princípio da incerteza. Assim, as energias de vibração uniformes são números inteiros múltiplos de $1/R$.

3. Matematicamente, a identidade entre as energias das cordas de universos com dimensão circular de raio R ou $1/R$ deriva do fato de que as energias têm a forma $v/R + wR$, onde v é o número de vibrações e w é o número de voltas. Essa equação é invariante com o intercâmbio simultâneo entre v e w e entre R e $1/R$ — isto é, com o intercâmbio entre os números de vibrações e de voltas e com a inversão do raio. Na nossa discussão estamos trabalhando em unidades de Planck, mas podemos trabalhar em unidades mais convencionais reescrevendo a fórmula da energia em termos de $\sqrt{\alpha'}$ — a chamada escala das cordas —, cujo valor corresponde ao da distância de Planck, 10^{-33} centímetros. As energias podem ser expressas, então como $v/R + wR/\alpha'$, que é invariante com o intercâmbio entre v e w, assim como entre R e α'/R, onde os dois últimos estão agora expressos em termos de unidades convencionais de distância.

4. Você pode estar se perguntando agora como é possível que uma corda que se estica em volta de uma dimensão circular de raio R possa aceitar que a medida seja $1/R$. Embora a pergunta seja absolutamente legítima, a resposta deriva, na verdade, da formulação imprecisa da própria frase. Quando dizemos que a corda envolve um círculo de raio R, estamos necessariamente invocando uma definição de distância (para que a expressão "raio R" tenha sentido). Mas *essa* definição de distância é a que é relevante para os modos desenrolados das cordas — ou seja, os modos vibratórios. Do ponto de vista dessa definição de distância — e só dessa definição — as configurações enroladas das cordas parecem esticar-se à volta da parte circular do espaço. Mas de acordo com a segunda definição de distância, a que atende às configurações das cordas enroladas, elas têm uma localização tão precisa no espaço quanto os modos vibratórios, do ponto de vista da primeira definição de distância, e o raio que elas "veem" é $1/R$, como se explica no texto.

Essa descrição dá algum sentido para a questão de por que as cordas enroladas e as desenroladas medem distâncias inversamente relacionadas. Mas como esse ponto é bastante sutil, talvez valha a pena registrar, para o leitor afeito à matemática, a análise técnica do caso. Na mecânica quântica comum, das partículas puntiformes, a distância e o momento (essencialmente a energia) relacionam-se pela transformação de Fourier. Ou seja, um autoestado de posição $|x>$ em um círculo de raio R pode ser definido por $|x> = \Sigma_v e^{ixp}|p>$, em que $p = v/R$ e em que $|p>$ é um autoestado de momento (o análogo direto do que denominamos modo vibratório uniforme de uma corda — movimento geral sem mudança de forma). Na teoria das cordas, contudo, existe uma segunda noção de autoestado de posição $|\tilde{x}>$, definida pelo uso dos estados das cordas enroladas: $|\tilde{x}> = \Sigma_w e^{i\tilde{x}\tilde{p}}|\tilde{p}>$, em que $|\tilde{p}>$ é um autoestado enrolado, sendo $\tilde{p} = wR$. A partir dessas definições, vê-se imediatamente que x é periódico, com um

440

período de $2\pi R$, enquanto $\tilde{x}$ é periódico com um período de $2\pi/R$, o que mostra que x é uma coordenada de posição em um círculo de raio R e $\tilde{x}$ é a coordenada de posição em um círculo de raio $1/R$. Podemos agora ser mais explícitos e imaginar que tomamos as duas ondas, $|x>$ e $|\tilde{x}>$. Digamos que ambas começam na origem e que nós as fazemos evoluir no tempo para executar o nosso método operacional para a definição de distâncias. O raio do círculo, medido por cada sonda, será então proporcional ao lapso de tempo requerido para que a onda volte à sua configuração inicial. Como um estado com energia E evolui com um fator de fase que envolve Et, vemos que o lapso de tempo, e por conseguinte o raio, é $t \sim 1/E \sim R$ para os modos vibratórios e $t \sim 1/E \sim 1/R$ para os modos de voltas.

5. Para o leitor afeito à matemática, notamos que o número de famílias de vibrações das cordas é, mais precisamente, a metade do valor absoluto da característica de Euler do espaço de Calabi-Yau, tal como mencionado na nota 16 do capítulo 9. Esse número é dado pelo valor absoluto da *diferença* entre $h^{2,1}$ e $h^{1,1}$, em que $h^{p,q}$ denota o número de Hodge (p,q). A menos de um fator numérico, essa é a conta do número de ciclos triplos de homologia não trivial ("buracos tridimensionais") e do número de ciclos duplos de homologia ("buracos bidimensionais"). Assim, conquanto falemos do número total de buracos no texto principal, uma análise mais precisa revela que o número de famílias depende do valor absoluto da diferença entre os buracos das dimensões ímpares e os das dimensões pares. A conclusão, contudo, é a mesma. Por exemplo, se dois espaços de Calabi-Yau diferem pelo intercâmbio entre os seus respectivos números de Hodge $h^{2,1}$ e $h^{1,1}$, o número das famílias de partículas — e o número total dos "buracos" — não variará.

6. O nome provém do fato de que os "diamantes de Hodge" — resumo matemático dos buracos de várias dimensões em um espaço de Calabi-Yau — para cada um dos espaços de Calabi-Yau de um par espelhado são reflexos um do outro.

7. O termo *simetria especular* também é empregado em outros contextos completamente diferentes da física, como na questão da quiralidade — ou seja, se o universo obedece à simetria esquerda-direita — discutida na nota 7 do capítulo 8.

II. A RUPTURA DO TECIDO ESPACIAL (pp. 291-311)

1. O leitor afeito à matemática reconhecerá que estamos perguntando se a topologia do espaço é dinâmica — ou seja, se ela pode se modificar. Notamos que embora usemos frequentemente a linguagem da modificação topológica dinâmica, na prática estamos considerando, usualmente, uma família de *espaços-tempos* com um só parâmetro, cuja topologia se modifica em função do parâmetro. Tecnicamente falando, esse parâmetro não é o tempo, mas dentro de certos limites pode ser essencialmente identificado com o tempo.

2. Para o leitor afeito à matemática, notamos que o procedimento envolve o cancelamento de curvas racionais de uma variedade de Calabi-Yau e a subsequente utilização do fato de que, em certas circunstâncias, a singularidade resultante pode ser restaurada por diferentes pequenas resoluções.

3. K. C. Cole, *New York Times Magazine*, 18 de outubro de 1987, p. 20.

12. ALÉM DAS CORDAS: EM BUSCA DA TEORIA M (pp. 312-51)

1. Albert Einstein, citado em John D. Barrow, *Theories of Everything* (Nova York: Fawcett-Columbine, 1992), p. 13.

2. Resumamos brevemente as diferenças entre as cinco teorias das cordas. Para fazê-lo, notemos que os distúrbios vibratórios ao longo de um laço de corda podem mover-se no sentido horário ou no anti-horário. As cordas de Tipo IIA e IIB diferem porque nesta última teoria as vibrações nos dois sentidos são idênticas, enquanto na primeira elas têm formas exatamente opostas. *Opostas* tem aqui um significado matemático preciso, mas o mais fácil é pensar em termos dos spins dos padrões vibratórios resultantes em cada teoria. Na teoria de Tipo IIB, todas as partículas têm spin na mesma direção (têm a mesma quiralidade), enquanto na teoria de Tipo IIA elas têm spin em ambas as direções (têm ambas as quiralidades). Todavia, cada teoria incorpora a supersimetria. As duas teorias heteróticas diferem de modo similar mas mais intenso. Todas as vibrações no sentido horário se parecem às das cordas do Tipo II (do ponto de vista apenas das vibrações no sentido horário, as teorias de Tipo IIA e IIB são iguais), mas as vibrações no sentido anti-horário são iguais às da primeira teoria das cordas bosônicas. Embora as cordas bosônicas tenham problemas insuperáveis quando são escolhidas tanto para as vibrações no sentido horário quanto no sentido anti-horário, em 1985 David Gross, Jeffrey Harvey, Emil Martinec e Ryan Rohm (todos então na Universidade de Princeton, razão por que eram conhecidos como o "quarteto de cordas de Princeton") demonstraram que a teoria pode ser perfeitamente normal se for usada em combinação com as cordas do Tipo II. O aspecto realmente estranho dessa união é que desde os trabalhos de Claude Lovelace, da Universidade de Rutgers, em 1971, e de Richard Brower, da Universidade de Boston, Peter Goddard, da Universidade de Cambridge, e Charles Thorn, da Universidade da Flórida em Gainesville, em 1972, sabe-se que as cordas bosônicas requerem um espaço-tempo de 26 dimensões, enquanto as supercordas, como sabemos, requerem um espaço-tempo de dez dimensões. Assim, as cordas heteróticas são um estranho híbrido — *heterosis* — em que os padrões vibratórios anti-horários existem em 26 dimensões e os padrões vibratórios horários existem em dez dimensões! Antes que você se esgote tentando compreender o sentido dessa estonteante união, saiba que Gross e seus colaboradores demonstraram que as dezesseis dimensões adicionais do lado bosônico têm de estar recurvadas em uma de duas formas muito especiais de *doughnuts* pluridimensionais, o que dá lugar à teoria Heterótica-O e à teoria Heterótica-E. Como as dezesseis dimensões adicionais do lado bosônico são rigidamente recurvadas, ambas as teorias se comportam como se tivessem dez dimensões, tal como no caso do Tipo II. Também as duas teorias heteróticas incorporam uma versão da supersimetria. Finalmente, a teoria de Tipo I é prima próxima da de Tipo IIB, à exceção de que, além dos laços de corda fechados que discutimos nos capítulos anteriores, ela tem também cordas com pontas desconectadas — as chamadas *cordas abertas*.

3. Quando falamos de respostas "exatas" neste capítulo, como o movimento "exato" da Terra, referimo-nos à previsão exata feita para uma quantidade física *dentro de um esquema teórico escolhido*. Até que verdadeiramente tenhamos a teoria definitiva — talvez já a tenhamos, talvez não a tenhamos nunca —, todas as nossas teorias serão aproximações da realidade. Mas essa noção de aproximação não tem nada a ver com a nossa discussão neste capítulo. O que nos interessa aqui é o fato de que no contexto de uma teoria muitas vezes é difícil, quando não impossível,

extrair as previsões exatas de que a teoria pode ser capaz. Em vez disso, temos de extrair tais previsões usando recursos aproximativos, baseados em métodos perturbativos.

4. Esses diagramas são versões da teoria das cordas para os chamados diagramas de Feynman, inventados por Richard Feynman para efetuar cálculos perturbativos na teoria quântica de campo para as partículas puntiformes.

5. Mais precisamente, todos os pares de cordas virtuais, ou seja, todos os laços de um dado diagrama contribuem — entre outros termos mais complexos — com um fator de multiplicação da constante de acoplamento das cordas. Mais laços significam mais multiplicadores da constante de acoplamento. Se a constante de acoplamento for menor do que 1, a repetição das multiplicações tornará a contribuição geral cada vez menor; se ela for igual ou maior do que 1, a repetição das multiplicações tornará a contribuição geral igual ou cada vez maior.

6. Para o leitor afeito à matemática, notamos que a equação requer que o espaço-tempo admita uma métrica plana de Ricci. Se dividirmos o espaço-tempo em um produto cartesiano de um espaço-tempo de Minkowski em quatro dimensões e um espaço compacto de Kähler em seis dimensões, a métrica plana de Ricci faz com que esse último seja uma variedade de Calabi-Yau. É por isso que os espaços de Calabi-Yau têm um papel tão importante na teoria das cordas.

7. Evidentemente, nada assegura de maneira absoluta que esses métodos indiretos possam ser aplicados. Por exemplo, assim como alguns rostos não obedecem plenamente à simetria esquerda-direita, *pode ser* que as leis da física sejam diferentes em outras regiões remotas do universo, como veremos brevemente no capítulo 14.

8. O leitor especializado reconhecerá que essas afirmações requerem a chamada supersimetria $N = 2$.

9. Para ser um pouco mais preciso, se denominarmos a constante de acoplamento da teoria Heterótica-O g_{HO} e a constante de acoplamento do Tipo I g_I, a relação entre as duas teorias diz que elas são fisicamente idênticas desde que $g_{HO} = 1/g_I$, o que equivale a $g_I = 1/g_{HO}$. Quando uma constante de acoplamento é grande, a outra é pequena.

10. Isto é análogo à dualidade entre R e $1/R$ que discutimos antes. Se denominarmos a constante de acoplamento das cordas do Tipo IIB g_{IIB}, a afirmação que parece verdadeira será que os valores g_{IIB} e $1/g_{IIB}$ descrevem a mesma estrutura física. Se g_{IIB} for grande, $1/g_{IIB}$ será pequeno, e vice-versa.

11. Se todas as dimensões, menos quatro, são recurvadas, uma teoria com um total de mais de onze dimensões necessariamente dá lugar a partículas sem massa com spin maior do que 2, o que não é compatível nem com considerações teóricas nem com a experiência.

12. Uma notável exceção é o importante trabalho realizado por Duff, Paul Howe, Takeo Inami e Kelley Stelle, em 1987, no qual eles se apoiaram nas conclusões de Eric Bergshoeff, Ergin Sezgin e Townsend para argumentar que a teoria das cordas em dez dimensões deveria ter uma vinculação profunda em onze dimensões.

13. Mais precisamente, esse diagrama deve ser interpretado no sentido de que temos uma teoria única, que depende de diversos parâmetros, os quais incluem as constantes de acoplamento e parâmetros geométricos de tamanho e forma. Em princípio, a teoria deve permitir o cálculo de valores específicos para todos esses parâmetros — um valor específico para a constante de

acoplamento e uma forma específica para a geometria do espaço-tempo —, mas, dentro dos limites atuais do nosso conhecimento teórico, não sabemos como operar tais cálculos. Assim, para melhor compreender a teoria, os estudiosos da teoria das cordas analisam as suas propriedades fazendo variar os parâmetros em toda a gama de possibilidades. Se os valores escolhidos para os parâmetros correspondem aos de qualquer uma das seis regiões peninsulares da figura 12.11, a teoria tem as propriedades inerentes a uma das cinco teorias das cordas ou à supergravidade em onze dimensões. Se os valores escolhidos para os parâmetros correspondem aos da região central, a estrutura física é comandada pela ainda misteriosa teoria M.

14. Devemos notar, contudo, que mesmo nas regiões peninsulares há maneiras exóticas pelas quais as membranas podem exercer efeitos na física comum. Por exemplo, já se sugeriu que as nossas três dimensões espaciais estendidas podem ser, *elas próprias*, uma 3-brana, grande e enfunada. Se for assim, isso significaria que em nossa vida diária estamos viajando pelo interior de uma membrana tridimensional. Atualmente estão se realizando pesquisas a propósito dessas possibilidades.

15. Entrevista com Edward Witten, 11 de maio de 1998.

13. BURACOS NEGROS: UMA PERSPECTIVA DA TEORIA DAS CORDAS E DA TEORIA M (pp. 352-78)

1. O leitor especializado reconhecerá que, de acordo com a simetria especular, uma esfera tridimensional que entra em colapso em um espaço de Calabi-Yau corresponde a uma esfera bidimensional que entra em colapso no espaço de Calabi-Yau espelhado — o que aparentemente nos coloca de volta na situação das viradas discutida no capítulo 11. A diferença, contudo, está em que um efeito de espelho desse tipo resulta no desaparecimento do campo tensorial antissimétrico $B_{\mu\nu}$ — a parte real da forma de Kähler complexificada do espaço de Calabi-Yau espelhado —, o que é um tipo de singularidade muito mais drástico do que o que discutimos no capítulo 11.

2. Mais precisamente, esses são exemplos de buracos negros *extremos*: buracos negros que têm a massa mínima coerente com as cargas de força que contêm, assim como os estados BPS do capítulo 12. Esses buracos negros terão um papel fundamental também na discussão seguinte, sobre a entropia dos buracos negros.

3. A radiação emitida por um buraco negro deve ser semelhante à de um forno quente — o mesmo problema, discutido no início do capítulo 4, que teve um papel tão importante no desenvolvimento da mecânica quântica.

4. Note-se que como os buracos negros envolvidos nas transições cônicas que rompem o espaço são extremos, eles não emitem a radiação de Hawking, por mais leves que se tornem.

5. Stephen Hawking, palestra no Simpósio de Amsterdã sobre Gravidade, Buracos Negros e Teoria das Cordas, 21 de junho de 1997.

6. Em seus cálculos iniciais, Strominger e Vafa verificaram que os aspectos matemáticos eram mais fáceis quando se operavam com cinco — e não quatro — dimensões espaço-temporais estendidas. Surpreendentemente, após completar o cálculo da entropia do buraco negro de cinco dimensões, viram que nenhum estudo teórico havia sido realizado sobre a hipótese desses bura-

cos negros extremos no contexto de uma teoria da relatividade geral em cinco dimensões. Uma vez que apenas por meio da comparação eles poderiam confirmar a conclusão a que chegaram quanto à área do horizonte de eventos do buraco negro hipotético, Strominger e Vafa puseram-se a construir o buraco negro de cinco dimensões. Tiveram êxito. A partir daí foi simples demonstrar que o cálculo microscópico da entropia pela teoria das cordas estava de acordo com o que Hawking teria previsto com base na área do horizonte de eventos do buraco negro. Mas é interessante observar que, como a solução do buraco negro foi encontrada depois, Strominger e Vafa não conheciam a resposta que buscavam enquanto faziam o cálculo da entropia. Depois da realização desse trabalho, numerosos pesquisadores, principalmente o físico de Princeton Curtis Callan, conseguiram estender os cálculos da entropia ao cenário mais familiar de quatro dimensões espaciais estendidas, e todos eles estão de acordo com as previsões de Hawking.

7. Entrevista com Sheldon Glashow, 29 de dezembro de 1997.

8. Laplace, *Philosophical Essay on Probabilities*, trad. Andrew I. Dale (Nova York: Springer-Verlag, 1995).

9. Stephen Hawking, em Hawking e Roger Penrose, *The Nature of Space and Time* (Princeton: Princeton University Press, 1995), p. 41.

10. Stephen Hawking, palestra no Simpósio de Amsterdã sobre Gravidade, Buracos Negros e Teoria das Cordas, 21 de junho de 1997.

11. Entrevista com Andrew Strominger, 29 de dezembro de 1997.

12. Entrevista com Cumrun Vafa, 12 de janeiro de 1998.

13. Stephen Hawking, palestra no Simpósio de Amsterdã sobre Gravidade, Buracos Negros e Teoria das Cordas, 21 de junho de 1997.

14. De certo modo, essa questão se relaciona com o problema da perda de informação, na medida em que há anos se especula que pode haver uma "pepita" entranhada nas profundezas do buraco negro, onde fica guardada toda a informação trazida pela matéria que é atraída para o interior do horizonte de eventos do buraco negro.

15. Com efeito, as transições cônicas que rompem o espaço, discutidas neste capítulo, envolvem buracos negros e, assim, podem parecer ligadas à questão das suas singularidades. Mas lembre-se de que o rompimento cônico ocorre apenas quando o buraco negro perde toda a sua massa e não está, portanto, diretamente sujeito às questões relativas às singularidades dos buracos negros.

14. REFLEXÕES SOBRE A COSMOLOGIA (pp. 379-406)

1. Mais precisamente, o universo deve estar cheio de fótons que se comportam de maneira compatível com a radiação térmica emitida por um corpo perfeitamente absorvente — um "corpo negro", na linguagem da termodinâmica — na faixa de temperatura especificada. Esse é o mesmo espectro de radiação emitido pelos buracos negros, como explica Hawking, de acordo com a mecânica quântica, e por um forno quente, como explica Planck.

2. A discussão revela o espírito das questões envolvidas, muito embora estejamos passando ao largo de certos aspectos sutis que têm a ver com o movimento da luz em um universo em expansão e que afetam os números específicos. Em particular, embora a relatividade especial

declare que nada pode viajar a uma velocidade maior do que a da luz, isso *não* impede que dois fótons que viajam no tecido espacial em expansão se afastem um do outro a uma velocidade superior à da luz. Por exemplo, ao tempo em que o universo tornou-se transparente pela primeira vez, cerca de 300 mil anos DBB, dois lugares do espaço que estivessem a cerca de 900 mil anos-luz um do outro teriam podido influenciar-se mutuamente, apesar de que a distância entre eles fosse maior do que 300 mil anos-luz. O fator multiplicador de três provém da expansão do tecido espacial. Isso significa que no nosso filme, que vai do futuro ao passado, quando estivermos a 300 mil anos DBB, para que dois pontos do espaço possam ter influenciado mutuamente as suas respectivas temperaturas basta que eles estejam a menos do que 900 mil anos-luz de distância um do outro. Esses pormenores numéricos não chegam a afetar os aspectos qualitativos das questões aqui discutidas.

3. Para uma discussão vívida e detalhada da descoberta do modelo cosmológico inflacionário e dos problemas que ele resolve, ver Alan Guth, *The Inflationary Universe* (Reading, Mass: Addison-Wesley, 1997).

4. Para o leitor afeito à matemática, notamos que a ideia que norteia essa conclusão é a seguinte: se a soma das dimensões espaço-temporais das trajetórias em que se move cada um de dois objetos for igual ou maior do que a dimensão espaço-temporal do ambiente em que eles se movem, então, genericamente, essas trajetórias se cruzarão. Por exemplo, as partículas puntiformes se movem em trajetórias espaço-temporais unidimensionais e a soma das dimensões espaço-temporais para as duas partículas é, portanto, igual a dois. A dimensão espaço-temporal da Grande Linha também é igual a dois e, portanto, as suas trajetórias geralmente se cruzarão (supondo que as velocidades não sejam absolutamente iguais). Do mesmo modo, as cordas se movem em trajetórias espaço-temporais bidimensionais (as suas folhas de mundo); para duas cordas, a soma em questão é, portanto, igual a quatro. Isto significa que as cordas que se movem em quatro dimensões espaço-temporais (três espaciais e uma temporal) geralmente se cruzarão.

5. Com a descoberta da teoria M e o reconhecimento de uma décima primeira dimensão, os estudiosos das cordas passaram a considerar as possibilidades de recurvar as *sete* dimensões adicionais de maneira a colocá-las todas mais ou menos em pé de igualdade. As escolhas possíveis para esses conjuntos de sete dimensões tomam o nome de conjuntos de *Joyce*, em homenagem a Domenic Joyce, da Universidade de Oxford, reconhecido como o primeiro a encontrar as técnicas da sua construção matemática.

6. Entrevista com Cumrun Vafa, 12 de janeiro de 1998.

7. O leitor instruído notará que a nossa descrição tem lugar no chamado referencial das cordas, em que a curvatura crescente durante o pré-big bang decorre de um aumento da intensidade da força gravitacional (provocado pelo campo do dilaton). No chamado referencial einsteiniano, a evolução seria descrita como uma fase de contração acelerada.

8. Entrevista com Gabriele Veneziano, 19 de maio de 1988.

9. As ideias de Smolin são discutidas em seu livro *The Life of the Cosmos* (Nova York: Oxford University Press, 1997).

10. Na teoria das cordas, por exemplo, essa evolução poderia decorrer de pequenas mudanças na forma das dimensões recurvadas de um universo para os seus descendentes. O nosso estu-

do sobre as transições cônicas que rompem o espaço indica que uma sequência suficientemente longa dessas pequenas mudanças pode levar de um espaço de Calabi-Yau a qualquer outro, o que permite que o multiverso reflita a eficiência reprodutiva de todos os universos com base nas cordas. A hipótese de Smolin leva a que depois que o multiverso passe por um número suficiente de estágios reprodutivos, possamos esperar que um universo típico tenha um componente Calabi-Yau de alta fertilidade.

15. PERSPECTIVAS (pp. 409-25)

1. Entrevista com Edward Witten, 4 de março de 1998.

2. Alguns teóricos veem uma alusão a essa ideia no *princípio holográfico*, conceito originado por Susskind e pelo renomado físico holandês Gerard 't Hooft. Assim como um holograma pode reproduzir uma imagem visual *tri*dimensional a partir de um filme *bi*dimensional especial, Susskind e 't Hooft sugeriram que todos os acontecimentos físicos que encontramos podem ser totalmente codificados por meio de equações definidas em um mundo com *menos* dimensões. Ainda que isso possa parecer tão estranho quanto fazer o retrato de uma pessoa vendo apenas a sua sombra, é possível ter uma ideia do seu sentido e compreender parte da motivação de Susskind e 't Hooft se pensarmos na entropia dos buracos negros, discutida no capítulo 13. Lembre-se de que a entropia de um buraco negro é determinada pela *área da superfície* do seu horizonte de eventos — e *não* pelo volume total do espaço encerrado pelo horizonte de eventos. Portanto, a desordem de um buraco negro, e, por conseguinte, a informação que ele pode conter, está codificada nos dados *bi*dimensionais da área da superfície. É quase como se o horizonte de eventos do buraco negro agisse como um holograma ao capturar todo o conteúdo de informação do interior tridimensional do buraco negro. Susskind e 't Hooft generalizaram essa ideia para todo o universo sugerindo que tudo o que ocorre no "interior" do universo é simplesmente um reflexo dos dados e equações definidos em uma superfície exterior limitante. Um trabalho mais recente do físico de Harvard Juan Maldacena, juntamente com importantes trabalhos subsequentes de Witten e dos físicos de Princeton Steven Gubser, Igor Klebanov e Alexander Polyakov, demonstraram que, pelo menos em certos casos, *a teoria das cordas incorpora o princípio holográfico*. Em um modo que está neste momento sendo investigado com afinco, aparentemente a física de um universo comandado pela teoria das cordas tem uma descrição equivalente que envolve apenas a física ocorrida nessa superfície exterior limitante — a qual, necessariamente, tem menos dimensões do que o interior. Há cientistas que creem que a compreensão integral do princípio holográfico e do seu papel na teoria das cordas pode perfeitamente levar à terceira revolução das supercordas.

3. *Sir Isaac Newton's Mathematical Principles of Natural Philosophy and His System of the World*, trad. Motte e Cajori (Books: University of California Press, 1962), vol. I, p. 6.

4. Se você conhece álgebra linear, uma maneira simples e adequada de pensar sobre a geometria não comutativa é substituir as coordenadas cartesianas convencionais, que se comutam por multiplicação, por matrizes, que não o fazem.

5. Entrevista com Cumrun Vafa, 12 de janeiro de 1998.

6. Entrevista com Edward Witten, 11 de maio de 1998.

7. Citado em Banesh Hoffman com Helen Dukas, *Albert Einstein, Creator and Rebel* (Nova York: Viking, 1972), p. 18.

8. Martin J. Klein, "Einstein: The Life and Times, by R. W. Clark" (comentário sobre o livro). *Science* 174, pp. 1315-6.

9. Jacob Bronkowski, *The Ascent of Man* (Boston: Little, Brown, 1973), p. 20.

Glossário de termos científicos*

ACELERAÇÃO. Modificação da velocidade ou da direção do movimento de um objeto. Ver também *Velocidade*.

ACELERADOR. Ver *acelerador de partículas*.

ACELERADOR DE PARTÍCULAS. Máquina que acelera partículas até velocidades próximas à da luz e faz com que elas se choquem com o fim de sondar a estrutura da matéria.

AMPLITUDE. A altura máxima do pico de uma onda ou a profundidade máxima da sua depressão.

ANTIMATÉRIA. Matéria que tem as mesmas propriedades gravitacionais da matéria comum, mas tem carga elétrica oposta, assim como *cargas de força* nucleares também opostas.

ANTIPARTÍCULA. Partícula de *antimatéria*.

ÁTOMO. Constituinte fundamental da matéria, que consiste de um *núcleo* (que compreende *prótons* e *nêutrons*) e de um enxame de *elétrons* orbitais.

BIG BANG. Teoria atualmente aceita segundo a qual o universo em expansão teve início cerca de 15 bilhões de anos atrás, a partir de um estado de energia, densidade e compressão enormes.

BRANA (*brane*). Qualquer dos objetos estendidos que surgem da *teoria das cordas*. Uma 1-brana é uma *corda*, uma 2-brana é uma membrana, uma 3-brana tem três dimensões espaciais estendidas etc. Em termos gerais, uma *p*-brana apresenta *p* dimensões espaciais.

BÓSON. Partícula ou padrão vibratório da *corda* cujo *spin* corresponde a um número inteiro; tipicamente uma *partícula mensageira*.

BÓSON DA FORÇA FRACA. Unidade mínima do *campo da força fraca*; *partícula mensageira* da *força fraca*; denominado bóson W ou Z.

---

* Os termos em inglês cujas traduções em português ainda não estão consagradas estão entre parêntese. (N.E.)

BÓSON Z. Ver *Bóson da força fraca*.

BURACO DE MINHOCA.(*wormhole*). Região do espaço, em forma de tubo, que conecta uma região a outra do universo.

BURACO MULTIDIMENSIONAL. Generalização do buraco encontrado em um *doughnut* para versões em maiores dimensões.

BURACO NEGRO. Objeto cujo imenso *campo* gravitacional suga qualquer coisa, mesmo a luz, que se aproxime demasiado (mais próximo do que o *horizonte de eventos* do buraco negro).

BURACO NEGRO SEM MASSA. Na teoria das cordas, tipo particular de *buraco negro* que pode ter grande massa inicialmente, mas que se torna cada vez mais leve à medida que uma parte da porção *Calabi-Yau* do espaço se contrai. Quando a contração alcança a dimensão de um ponto, o buraco negro já não tem qualquer massa. Nesse estado, ele já não manifesta propriedades normais dos buracos negros, como o *horizonte de eventos*.

BURACOS NEGROS EXTREMOS. *Buracos negros* dotados de intensidade máxima possível de *carga de força* para uma determinada massa total.

CAMPO, CAMPO DE FORÇA. Visto de uma perspectiva *macroscópica*, meio pelo qual uma força comunica a sua influência; descrito por um conjunto de números relativos a cada ponto do espaço, que refletem a intensidade e a direção da força em cada ponto.c

CAMPO ELETROMAGNÉTICO. Campo de força da *força eletromagnética*, que consiste de linhas de força elétricas e magnéticas em cada ponto do espaço.

CARGA DE FORÇA. Propriedade de uma partícula que determina como ela reage a uma força específica. Por exemplo, a *carga elétrica* de uma partícula determina como ela reage à *força eletromagnética*.

CLAUSTROFOBIA QUÂNTICA. Ver *Flutuações quânticas*.

COMPRIMENTO DE ONDA. Distância entre dois picos ou depressões sucessivos de uma onda.

CONDIÇÕES INICIAIS. Dados que descrevem o estado inicial de um sistema físico.

CONSTANTE COSMOLÓGICA. Modificação das equações originais da *relatividade geral* que satisfaz as condições para um universo estático; pode ser interpretada como uma densidade constante de energia no vácuo.

CONSTANTE DE ACOPLAMENTO. Ver *Constante de acoplamento das cordas*.

CCONSTANTE DE ACOPLAMENTO DAS CORDAS. Número (positivo) que comanda a probabilidade de uma *corda* dividir-se em duas ou de duas cordas unirem-se em uma — o processo básico da *teoria das cordas*. Cada uma das *teorias das cordas* tem a sua própria constante de acoplamento, cujo valor deve ser determinado por uma equação; atualmente, tais equações não são suficientemente bem conhecidas para produzir informações úteis. As constantes de acoplamento menores do que 1 implicam que os *métodos perturbativos* são válidos.

CONSTANTE DE PLANCK. Designada pelo símbolo $\hbar$, a constante de Planck é um parâmetro fundamental da *mecânica quântica*. Determina o tamanho das unidades mínimas de energia, massa, *spin* etc., em que se divide o mundo microscópico. Seu valor é $1,05 \times 10^{-27}$ g-cm^2/seg.

CONTRAÇÃO DE LORENTZ. Fenômeno decorrente da *relatividade especial* em que um objeto que se move mostra-se mais curto no sentido do seu movimento.

CONTRAÇÃO FINAL. (BIG CRUNCH). Futuro hipotético do universo em que a expansão atual cessa, reverte-se e resulta em que todo o espaço e toda a matéria entra conjuntamente em colapso; reversão do *big bang*.

450

CORDA. Objeto unidimensional fundamental que é o componente essencial da *teoria das cordas*.

CORDA ABERTA. Tipo de *corda* com duas pontas soltas.

CORDA FECHADA. Tipo de *corda* que tem a forma de um laço.

COSMOLOGIA INFLACIONÁRIA. Modificação do *modelo-padrão da cosmologia* nos primeiros momentos da existência do universo, em que ele passa por um brevíssimo período de enorme expansão.

CROMODINÂMICA QUÂNTICA (QCD) (*quantum chromodynamics*) *Teoria quântica de campo relativística da força forte* e dos *quarks*, que incorpora a *relatividade especial*.

CURVATURA. Desvio de um objeto, do espaço ou do *espaço-tempo* com relação à forma *plana* e, por conseguinte, com relação às regras da geometria euclidiana.

DBB. Iniciais de "depois do big bang"; empregadas normalmente para fazer referência ao tempo transcorrido desde o *big bang*.

DETERMINISMO LAPLACIANO. Concepção mecânica do universo em que o conhecimento total do estado do universo em certo momento determina por completo o seu estado em qualquer momento do futuro ou do passado.

DETERMINISMO QUÂNTICO. Propriedade da *mecânica quântica* segundo a qual o conhecimento do estado quântico de um sistema em um momento determina integralmente o seu estado quântico em qualquer momento do futuro e do passado. O conhecimento do estado quântico, contudo, determina apenas a probabilidade de que um ou outro futuro possa produzir-se.

DILAÇÃO DO TEMPO. Aspecto decorrente da *relatividade especial*, no qual o fluxo do tempo se retarda para um *observador* em movimento.

DIMENSÃO. Eixo ou direção independente do espaço ou do *espaço-tempo*. O espaço comum à nossa volta tem três dimensões (esquerda-direita, adiante- atrás, acima-abaixo) e o *espaço-tempo* comum tem quatro (os três eixos anteriores e o eixo passado-futuro). A *teoria das supercordas* requer que o universo tenha dimensões espaciais adicionais.

DIMENSÃO RECURVADA. *Dimensão* espacial que não tem extensão espacial observável; dimensão espacial comprimida, enrolada ou recurvada em um tamanho mínimo, que escapa à detecção direta.

DIMENSÕES ESTENDIDAS. *Dimensão* espacial (e *espaço-temporal*) grande e observável diretamente; dimensão com que mantemos contato normal, ao contrário das *dimensões recurvadas*.

DISTÂNCIA DE PLANCK. Cerca de 10^{-33} centímetros. Escala abaixo da qual as *flutuações quânticas* do tecido do *espaço-tempo* tornam-se enormes. Tamanho típico de uma *corda* na *teoria das cordas*.

DOIS-BRANA, 2-BRANA. Ver *brana*.

DUAL, DUALIDADE, SIMETRIAS DE DUALIDADE. Situação em que duas ou mais teorias parecem ser completamente diferentes mas dão lugar a consequências físicas idênticas.

DUALIDADE FORTE-FRACA. Situação em que uma teoria de *comportamento fortemente acoplado* é dual — fisicamente idêntica — a outra teoria, de *comportamento fracamente acoplado*.

DUALIDADE ONDA-PARTÍCULA. Característica básica da *mecânica quântica* segundo a qual os objetos manifestam tanto propriedades relativas a ondas quanto relativas a partículas.

EFEITO FOTOELÉTRICO. Fenômeno pelo qual *elétrons* são expelidos de uma superfície metálica quando sobre eles se lança luz.

ELETRODINÂMICA QUÂNTICA (QED) (*quantum electrodynamics*). *Teoria relativística quântica de campo* da *força eletromagnética* e dos *elétrons*, que incorpora a *relatividade especial*.

ELÉTRON. Partícula com carga negativa, tipicamente encontrada em órbita à volta do núcleo de um *átomo*.

ENERGIA DE PLANCK. Cerca de mil quilowatts-horas. Energia necessária para que se sondem distâncias da ordem da *distância de Planck*. Energia típica de uma *corda* vibrante na *teoria das cordas*.

ENERGIA DE VOLTAS. (*windind energy*). Energia incorporada por uma *corda* que se enrola à volta de uma *dimensão* espacial circular.

ENTROPIA. Medida da desordem de um sistema físico; número dos rearranjos dos componentes de um sistema que deixam intacta a sua aparência geral.

ENTROPIA DO BURACO NEGRO. *Entropia* incorporada dentro de um *buraco negro*.

EQUAÇÃO DE KLEIN-GORDON. Equação fundamental da *teoria quântica de campo relativística*.

EQUAÇÃO DE SCHRÖDINGER. Equação que comanda a evolução das ondas de probabilidade na *mecânica quântica*.

ESFERA. Superfície exterior de uma bola. A superfície de uma bola tridimensional comum tem duas dimensões (pelo que pode ter dois números como referência, tais como "latitude" e "longitude", assim como a superfície da Terra). O conceito de esfera, no entanto, aplica-se de maneira geral às bolas e às suas superfícies em qualquer número de dimensões. Uma esfera unidimensional é um nome pomposo para um círculo; uma esfera de zero dimensão são dois pontos (tal como explicado no texto). Uma esfera tridimensional é mais difícil de conceber; é a superfície de uma bola de quatro dimensões.

ESFERA BIDIMENSIONAL. Ver *Esfera*.

ESFERA DE DIMENSÃO ZERO. Ver *Esfera*.

ESFERA TRIDIMENSIONAL. Ver *Esfera*.

ESPAÇO DE CALABI-YAU, FORMA DE CALABI-YAU. Espaço (forma) em que as dimensões espaciais adicionais requeridas pela *teoria das cordas* podem recurvar-se de maneira coerente com as equações da teoria.

ESPAÇO SUAVE. Região espacial em que o tecido do espaço é plano ou ligeiramente curvo, sem constrições, rompimentos ou rugas de qualquer tipo.

ESPAÇO-TEMPO. União entre o espaço e o tempo que surge originalmente da *relatividade especial*. Pode ser visto como o "tecido" com o qual o universo é formado; constitui o ambiente dinâmico em que transcorrem os acontecimentos do universo.

ESPUMA. Ver *Espuma espaço-temporal*.

ESPUMA ESPAÇO-TEMPORAL (*space-time foam*). Caráter irregular, tênue e tumultuoso do tecido do *espaço-tempo* em escalas *ultramicroscópicas*, de acordo com a perspectiva convencional das partículas puntiformes. Razão essencial da incompatibilidade entre a *mecânica quântica* e a *relatividade geral*, antes da *teoria das cordas*.

ESPUMA QUÂNTICA. Ver *espuma espaço-temporal*.

ESTADOS BPS. Configurações de uma teoria *supersimétrica* cujas propriedades podem ser determinadas com exatidão por argumentos baseados na *simetria*.

FAMÍLIAS. Organização das partículas da matéria em três grupos, cada um dos quais é conhecido como uma família. As partículas de cada família sucessiva diferem das partículas das famílias anteriores por serem mais pesadas, mas transportam as mesmas *cargas de força* elétrica e nuclear.

FASE. Quando usado com referência à matéria, descreve os seus possíveis estados: fases sólida, líquida e gasosa. Em geral, refere-se às possíveis descrições de um sistema físico à medida que variam certos aspectos de que ele depende (temperatura, valores da *constante de acoplamento das cordas*, forma do *espaço-tempo*, etc.)

FÉRMION. Partícula ou padrão vibratório da *corda* cujo *spin* corresponde à metade de um número inteiro ímpar; tipicamente uma partícula de matéria.

FLUTUAÇÃO QUÂNTICA. Comportamento turbulento de um sistema em escalas microscópicas devido ao *princípio da incerteza*.

FOLHA DE MUNDO (*world sheet*). Superfície bidimensional que uma *corda* percorre ao mover-se.

FORÇA ELETROMAGNÉTICA. Uma das quatro forças fundamentais; união das forças elétrica e magnética.

FORÇA FORTE, FORÇA NUCLEAR FORTE. A mais forte das quatro forças fundamentais, responsável por manter os *quarks* presos dentro dos *prótons* e dos *nêutrons* e por manter os prótons e os nêutrons em formação compacta dentro dos núcleos atômicos.

FORÇA FRACA, FORÇA NUCLEAR FRACA. Uma das quatro forças fundamentais, mais conhecida por mediar a desintegração radioativa espontânea.

FORÇA GRAVITACIONAL. A mais fraca das quatro forças fundamentais da natureza. Descrita pela teoria universal da gravidade de Newton e, posteriormente, pela *relatividade geral* de Einstein.

FORTEMENTE ACOPLADA. Teoria cuja *constante de acoplamento das cordas* é maior do que 1.

FÓTON. Unidade mínima do *campo da força eletromagnética*; *partícula mensageira* da *força eletromagnética*; unidade mínima da luz.

FRACAMENTE ACOPLADA. Teoria cuja *constante de acoplamento das cordas* é menor do que 1.

FREQUÊNCIA. Número de ciclos ondulatórios completos que uma onda perfaz em um segundo.

FUNÇÃO DE ONDA. Ondas de probabilidade nas quais a *mecânica quântica* está baseada.

GEOMETRIA QUÂNTICA. Modificação da *geometria riemanniana* necessária para a descrição precisa da estrutura física do espaço em escalas *ultramicroscópicas*, nas quais os efeitos quânticos tornam-se importantes.

GEOMETRIA RIEMANNIANA. Esquema matemático que descreve formas curvas de qualquer dimensão. Desempenha um papel capital na descrição do *espaço-tempo* na *relatividade geral* de Einstein.

GLÚON. Unidade mínima do *campo da força forte*; *partícula mensageira* da força forte.

GRANDE UNIFICAÇÃO. Classe de teorias que fundem as três forças não gravitacionais em um esquema teórico único

GRAVITAÇÃO QUÂNTICA. Teoria que unifica com êxito a *mecânica quântica* e a *relatividade geral*, envolvendo, possivelmente, modificações em uma delas ou em ambas. A *teoria das cordas* é um exemplo de teoria da gravitação quântica.

GRÁVITON. Unidade mínima do *campo da força gravitacional*; *partícula mensageira* da força gravitacional.

HORIZONTE DE EVENTOS. Superfície de atração de um *buraco negro*; limite externo da região que envolve o buraco negro, a partir do qual nada pode regressar ao mundo exterior, pois não há como escapar do poder de atração gravitacional do buraco negro.

INFINITOS. Respostas carentes de sentido que ocorrem tipicamente nos cálculos que envolvem a *relatividade geral* e a *mecânica quântica* no contexto das partículas puntiformes.

INFLAÇÃO. Ver *cosmologia inflacionária*.

KELVIN. Escala de temperaturas em que elas são medidas a partir do *zero absoluto*.

LEIS DE MOVIMENTO DE NEWTON. Leis que descrevem o movimento dos corpos com base no conceito de que o espaço e o tempo são absolutos e imutáveis; tais leis mantiveram-se até que Einstein descobriu a *relatividade especial*.

MACROSCÓPICO. Refere-se às escalas que encontramos tipicamente no mundo quotidiano; basicamente o oposto de microscópico.

MASSA DE PLANCK. Cerca de 10 bilhões de bilhões de vezes maior do que a massa do *próton*; cerca de um centésimo milésimo de grama; corresponde à massa de um pequeno grão de poeira. Massa típica equivalente à de uma de uma *corda* vibrante na *teoria das cordas*.

MECÂNICA QUÂNTICA. Conjunto de leis que comanda o universo, cujas características incomuns, tais como a *incerteza*, as *flutuações quânticas* e a *dualidade onda-partícula* tornam-se mais flagrantes nas escalas microscópicas dos *átomos* e das partículas subnucleares.

MÉTODO PERTURBATIVO, ABORDAGEM PERTURBATIVA. Ver *Teoria da perturbação*.

MODELO-PADRÃO DA COSMOLOGIA. Teoria do *big bang* acoplada ao entendimento das três forças não gravitacionais, resumida no *modelo-padrão da física das partículas*.

MODELO-PADRÃO DA FÍSICA DAS PARTÍCULAS, MODELO-PADRÃO, TEORIA PADRÃO. Teoria imensamente bem-sucedida das três forças não gravitacionais e da sua ação sobre a matéria. União entre a *cromodinâmica quântica* e a *teoria eletrofraca*.

MODELO-PADRÃO SUPERSIMÉTRICO. Generalização do *modelo-padrão da física de partículas* que incorpora a *supersimetria*. Implica a duplicação das espécies conhecidas das partículas elementares.

MODO DAS CORDAS (*string mode*). Possível configuração (*padrão vibratório, configuração de envolvimento*) que uma *corda* pode assumir.

MODO DE VIBRAÇÃO (*vibrational mode*). Ver *Padrão vibratório*.

MODO DE VOLTAS (*winding mode*). Configuração de uma *corda* que se enrola à volta de uma *dimensão* espacial circular.

MULTI-DOUGHNUT, DOUGHNUT MÚLTIPLO. Generalização da forma do *doughnut* (um toro) que tem mais de um buraco.

MULTIVERSO (*multiverse*). Ampliação hipotética do cosmos em que o nosso universo é apenas um dentre um número enorme de universos separados e diferentes.

NÃO PERTURBATIVA. Característica de uma teoria cuja validade não depende de cálculos aproximados *perturbativos*; propriedade exata de uma teoria.

NEUTRINO. Partícula eletricamente neutra, sujeita apenas à *força fraca*.

NÊUTRON. Partícula eletricamente neutra, encontrada tipicamente no núcleo de um *átomo* e que consiste de três *quarks* (dois quarks down e um quark up).

NÚCLEO. O núcleo atômico, que consiste de *prótons* e *nêutrons*.

NUCLEOSSÍNTESE PRIMORDIAL. Produção de núcleos atômicos que ocorre durante os primeiros três minutos depois do *big bang*.

NÚMERO DE VIBRAÇÕES (*vibration number*). Número inteiro que descreve a energia do movimento *vibratório uniforme* de uma *corda*; a energia do seu movimento total, por oposição à que está associada às alterações de forma.

NÚMERO DE VOLTAS (*winding number*). Número de vezes que uma *corda* se enrola à volta de uma *dimensão* espacial circular.

OBSERVADOR. Pessoa ou equipamento idealizado, muitas vezes hipotético, que mede propriedades relevantes de um sistema físico.

ONDA ELETROMAGNÉTICA. Distúrbio ondulatório em um *campo eletromagnético*; tais ondas viajam à velocidade da luz. São exemplos a luz visível: os raios X, as micro-ondas e a radiação infravermelha.

PADRÃO DE INTERFERÊNCIA. Padrão ondulatório que resulta da justaposição e da interpenetração de ondas emitidas de diferentes locais.

PADRÃO OSCILATÓRIO. Ver *Padrão vibratório*.

PADRÃO VIBRATÓRIO. Número exato e amplitude dos picos e depressões formados pela oscilação de uma *corda*.

PARTÍCULA MENSAGEIRA. Unidade mínima de um *campo de força*; transportador microscópico de uma força.

PARTÍCULAS VIRTUAIS. Partículas que irrompem por um momento a partir do vácuo; existem devido à energia tomada de empréstimo, de maneira consistente com o *princípio da incerteza*, e se aniquilam rapidamente, pagando com isso o empréstimo de energia.

PLANO(A). Diz-se do que está sujeito às regras da geometria codificadas por Euclides; forma, como a superfície de uma mesa perfeitamente lisa e as suas generalizações em dimensões adicionais.

PRINCÍPIO ANTRÓPICO. Doutrina segundo a qual a explicação de por que o universo tem as propriedades que observamos está em que se essas propriedades fossem diferentes provavelmente a vida não se formaria e, portanto, não estaríamos aqui para observar as alterações.

PRINCÍPIO DA EQUIVALÊNCIA. Princípio central da *relatividade geral* que declara que o movimento acelerado e a imersão em um campo gravitacional (em regiões de observação suficientemente pequenas) são indistinguíveis entre si. Generaliza o *princípio da relatividade ao* demonstrar que todos os observadores, independentemente do seu estado de movimento, podem considerar-se em repouso, desde que reconheçam a presença de um campo gravitacional adequado.

PRINCÍPIO DA INCERTEZA. Princípio da *mecânica quântica* descoberto por Heisenberg segundo o qual há aspectos do universo, como a posição e a *velocidade* de uma partícula, que não podem ser conhecidos com precisão total. Esses aspectos de incerteza no mundo microscópico tornam-se mais pronunciados à medida que as escalas de distância e de tempo em que são considerados tornam-se menores. As partículas e os campos ondulam e saltam entre todos os valores possíveis de maneira coerente com a incerteza quântica. Isto implica que o mundo microscópico é um mar frenético e violento de *flutuações quânticas*.

PRINCÍPIO DA RELATIVIDADE. Princípio central da *relatividade especial* que declara que todos os *observadores* a *velocidades* constantes estão sujeitos a um conjunto idêntico de leis físicas e que, portanto, qualquer observador a velocidade constante pode considerar-se em repouso. Esse princípio é generalizado pelo *princípio da equivalência*.

PROBLEMA DO HORIZONTE. Quebra-cabeças cosmológico associado ao fato de que as regiões do universo que se acham separadas por distâncias enormes apresentam propriedades praticamente idênticas, como a temperatura. A *cosmologia inflacionária* oferece uma solução.

PROCESSO DE UM SÓ LAÇO (*one loop process*). Contribuição a um cálculo de *teoria perturbativa* que envolve um único par virtual de *cordas* (ou partículas, em uma teoria de partículas puntiformes).

PRODUTO. Resultado da multiplicação de dois números.

PRÓTON. Partícula com carga positiva, tipicamente encontrada no núcleo de um *átomo*, consistindo de três *quarks* (dois quarks up e um quark down).

QUANTA. As menores unidades físicas em que algo pode ser dividido, de acordo com as leis da *mecânica quântica*. Por exemplo, os *fótons* são os quanta do campo eletromagnético.

QUARK. Partícula sobre a qual age a *força forte*. Os quarks existem em seis variedades (up, down, charm, strange, top e bottom) e três "cores" (vermelho, verde e azul).

QUEBRA DE SIMETRIA. Redução da quantidade de simetria que um sistema parece ter, usualmente associado a uma *transição de fase*.

QUIRAL, QUIRALIDADE. Característica da física das partículas elementares que distingue entre uma orientação para a esquerda e a direita e mostra que o universo não obedece inteiramente à simetria esquerda-direita.

RADIAÇÃO. Energia transportada por ondas ou partículas.

RADIAÇÃO CÓSMICA DE FUNDO EM MICRO-ONDAS. Radiação em micro-ondas que abrange todo o universo, produzida durante o *big bang* e tornada progressivamente mais tênue e mais fria com a expansão do universo.

RADIAÇÃO ELETROMAGNÉTICA. Energia transportada por uma *onda eletromagnética*.

RECÍPROCO. O inverso de um número; por exemplo, o recíproco de 3 é 1/3 e o recíproco de 1/2 é 2.

RELATIVIDADE ESPECIAL. Leis einsteinianas do espaço e do tempo na ausência da gravidade (ver também *Relatividade geral*).

RELATIVIDADE GERAL. Formulação de Einstein para a gravidade, que revela que o espaço e o tempo comunicam a força gravitacional por meio da sua *curvatura*.

RELÓGIO DE LUZ. Relógio hipotético que mede o tempo transcorrido contando o número de viagens de ida e volta entre dois espelhos completadas por um único *fóton*.

RESSONÂNCIA. Um dos estados naturais de oscilação de um sistema físico.

SEGUNDA LEI DA TERMODINÂMICA. Lei que afirma que a *entropia* total sempre aumenta.

SEGUNDA REVOLUÇÃO DAS SUPERCORDAS. Período de desenvolvimento da *teoria das cordas* que começou por volta de 1995 e no qual alguns aspectos *não perturbativos* da teoria começaram a ser compreendidos.

SIMETRIA. Propriedade de um sistema físico que não se modifica quando o sistema é transformado de alguma maneira. Por exemplo, uma *esfera* tem simetria rotacional, uma vez que a sua aparência não muda se ela estiver em rotação.

SIMETRIA DA FORÇA FORTE. *Simetria de calibre* subjacente à *força forte*, associada à invariância de um sistema físico sob a alteração das cargas das cores dos *quarks*.

SIMETRIA DA FORÇA FRACA. *Simetria de calibre* que norteia a *força fraca*.

SIMETRIA DE CALIBRE (GAUGE SYMMETRY). Princípio da *simetria* que norteia a descrição das três forças não gravitacionais em termos de mecânica quântica; a simetria envolve a invariança de um sistema físico diante de diversas alterações nos valores das *cargas de forças*, alterações que podem variar de um lugar para outro e de um tempo para outro.

SIMETRIA DE CALIBRE ELETROMAGNÉTICA. *Simetria de calibre* que norteia a *eletrodinâmica quântica*.

SIMETRIA ESPECULAR (*mirror symmetry*). No contexto da *teoria das cordas*, *simetria* que mostra que duas *formas de Calabi-Yau* diferentes, conhecidas como par espelhado, dão lugar a estruturas físicas idênticas quando escolhidas para as *dimensões recurvadas* da *teoria das cordas*.

SINGULARIDADE. Lugar em que o tecido do espaço ou do *espaço-tempo* sofre um rompimento devastador.

SOLUÇÃO DE SCHWARZSCHILD. Solução das equações da *relatividade geral* para uma distribuição esférica da matéria; uma das implicações dessa solução é a possível existência dos *buracos negros*.

SOMA SOBRE AS TRAJETÓRIAS. Formulação da *mecânica quântica* segundo a qual as partículas viajam de um ponto a outro através de todos os caminhos possíveis que existem entre eles.

SOMA SOBRE AS TRAJETÓRIAS DE FEYNMAN. Ver *Soma sobre as trajetórias.*

SPIN. Versão da *mecânica quântica* para a noção familiar de rotação; as partículas têm um valor intrínseco de spin que corresponde ou a um número inteiro ou à metade de um número inteiro (em múltiplos da *constante de Planck*), e que nunca se altera.

SUPERGRAVIDADE. Classe de teorias de partículas puntiformes que combina a *relatividade geral* e a *supersimetria.*

SUPERGRAVIDADE EM MAIORES DIMENSÕES. Classe das teorias da *supergravidade* com mais de quatro dimensões no *espaço-tempo.*

SUPERGRAVIDADE EM ONZE DIMENSÕES. Promissora teoria da *supergravidade* em maiores dimensões, desenvolvida inicialmente na década de 70, subsequentemente ignorada e mais recentemente considerada como parte importante da *teoria das cordas.*

SUPERPARCEIRAS. Partículas cujos *spins* diferem entre si em 1/2 unidade e que se emparelham por meio da *supersimetria.*

SUPERSIMETRIA. Princípio da *simetria* que relaciona as propriedades das partículas que têm valor de *spin* equivalente a um número inteiro (*bósons*) com as das partículas que têm valor de *spin* equivalente à metade de um número inteiro (ímpar) (*férmions*).

TÁQUION. Partícula cuja massa (ao quadrado) é negativa; sua presença nas teorias geralmente produz incoerências.

TEMPO DE PLANCK. Cerca de 10^{-43} segundos. Tempo em que o tamanho do universo era aproximadamente igual à *distância de Planck*; mais precisamente, o tempo levado pela luz para a atravessar a *distância de Planck.*

TENSÃO DE PLANCK. Cerca de 10^{39} toneladas. Tensão típica de uma *corda* na *teoria das cordas.*

TEORIA DA GRAVITAÇÃO UNIVERSAL DE NEWTON. Teoria da gravitação que declara que a força de atração entre dois corpos é diretamente proporcional ao produto das suas massas e inversamente proporcional ao quadrado da distância entre eles. Posteriormente foi suplantada pela *relatividade geral* de Einstein.

TEORIA DA PERTURBAÇÃO. Esquema destinado a simplificar um problema difícil, encontrando-se primeiro uma solução aproximada que é subsequentemente refinada com a inclusão sistemática de novos detalhes anteriormente ignorados.

TEORIA DAS CORDAS. *Teoria unificada* do universo que postula que os componentes fundamentais da natureza não são partículas puntiformes de dimensão zero, mas sim filamentos mínimos e uni dimensionais denominados *cordas.* A teoria das cordas une harmoniosamente a *mecânica quântica* e a *relatividade geral*, as leis anteriormente conhecidas do pequeno e do grande e que, fora desse contexto, são incompatíveis. Forma abreviada de *teoria das supercordas.*

TEORIA DAS CORDAS BOSÔNICAS. Primeira versão da teoria das cordas; todos os *padrões vibratórios* que contém são *bósons.*

457

TEORIA DAS CORDAS DE TIPO I. Uma das cinco *teorias das supercordas*; envolve tanto as *cordas abertas* quanto as *fechadas*.

TEORIA DAS CORDAS DE TIPO IIA. Uma das cinco *teorias das supercordas*; envolve *cordas fechadas* com *padrões vibratórios* que obedecem à simetria esquerda-direita.

TEORIA DAS CORDAS DE TIPO IIB. Uma das cinco *teorias das supercordas*; envolve *cordas fechadas* com *padrões vibratórios* esquerda-direita assimétricos.

TEORIA DAS SUPERCORDAS. *Teoria das cordas* que incorpora a *supersimetria*.

TEORIA DE KALUZA-KLEIN. Classe de teorias que incorporam *dimensões recurvadas* adicionais no contexto da *mecânica quântica*.

TEORIA DE MAXWELL, TEORIA ELETROMAGNÉTICA DE MAXWELL. Teoria que une a eletricidade e o magnetismo com base no conceito de *campo eletromagnético*, concebido por Maxwell na década de 1880; revela que a luz visível é um exemplo de *onda eletromagnética*.

TEORIA ELETROFRACA. *Teoria quântica de campo relativística* que descreve a *força fraca* e a *força eletromagnética* em um esquema unificado.

TEORIA HETERÓTICA-E (TEORIA DAS CORDAS DE TIPO HETERÓTICA $E_8 \times E_8$). Uma das cinco *teorias das supercordas*; envolve cordas fechadas cujas vibrações à direita assemelham-se às das *cordas de Tipo II* e cujas vibrações à esquerda envolvem as das *cordas bosônicas*. Difere da *teoria Heterótica-O* de maneiras sutis mas importantes.

TEORIA HETERÓTICA-O (TEORIA DAS CORDAS DE TIPO HETERÓTICA-O (32)). Uma das cinco *teorias das supercordas*; envolve cordas fechadas cujas vibrações à direita assemelham-se às das *cordas de Tipo II* e cujas vibrações à esquerda envolvem as das *cordas bosônicas*. Difere da *teoria Heterótica-E* de maneiras sutis mas importantes.

TEORIA M. Teoria que surge da *segunda revolução das supercordas* e une as cinco *teorias das supercordas* preexistentes em um único esquema abrangente. A teoria M parece envolver onze *dimensões espaço-temporais*, mas muitas das suas propriedades específicas ainda não são bem compreendidas.

TEORIA QUÂNTICA DE CAMPO. Ver *Teoria relativística quântica de campo*.

TEORIA QUÂNTICA DE CAMPO SUPERSIMÉTRICA. *Teoria quântica de campo* que incorpora a *supersimetria*.

TEORIA QUÂNTICA ELETROFRACA. Ver *teoria eletrofraca*.

TEORIA QUÂNTICA DE CAMPO RELATIVÍSTICA. Teoria dos campos em termos de *mecânica quântica*, de que é exemplo o *campo eletromagnético*, que incorpora a *relatividade especial*.

TEORIA UNIFICADA, TEORIA DO CAMPO UNIFICADO. Qualquer teoria que descreva as quatro forças e toda a matéria em um esquema único e de abrangência total.

TERMODINÂMICA. Conjunto de leis desenvolvidas no século XIX para descrever aspectos de calor, trabalho, energia, *entropia* e sua evolução mútua em um sistema físico.

TOPOLOGIA. Classificação das formas em grupos que podem transformar-se uns nos outros sem rasgar ou romper as suas estruturas.

TOPOLOGICAMENTE DIFERENTES. Duas formas que não podem transformar-se uma na outra sem romper de algum modo a sua estrutura.

TORO. Superfície bi-dimensional de um *doughnut*.

TRANSIÇÃO CÔNICA (CONIFOLD TRANSITION). Evolução da porção *Calabi-Yau* do espaço em que o tecido espacial se rompe e se restaura, causando consequências físicas leves e aceitáveis no contexto da *teoria das cordas*. O rompimento neste caso é mais intenso do que em uma *transição de virada*.

TRANSIÇÃO DE FASE. Evolução de um sistema físico de uma *fase* a outra.

TRANSIÇÃO DE VIRADA (FLOP TRANSITION). Evolução da porção *Calabi-Yau* do espaço em que o tecido espacial se rompe e se repara, causando consequências físicas leves e aceitáveis no contexto da *teoria das cordas*.

TRANSIÇÃO DE VIRADA COM RUPTURA DO ESPAÇO. Ver *Transição de virada*.

TRANSIÇÃO QUE MODIFICA A TOPOLOGIA. Evolução do tecido espacial que envolve rompimentos ou rasgões que modificam a *topologia* do espaço.

TRÊS-BRANA, 3-BRANA. Ver *Brana*.

TST (TEORIA SOBRE TUDO) (T.O.E. - *theory of everythink*) Teoria quântico-mecânica que compreende todas as forças e toda a matéria.

TUNELAMENTO QUÂNTICO. Aspecto da *mecânica quântica* que demonstra que os objetos podem passar através de barreiras aparentemente impenetráveis de acordo com as leis clássicas da física newtoniana.

ULTRAMICROSCÓPICA. Escala de distâncias menores do que a *distância de Planck* (e também escalas de tempo menores do que o *tempo de Planck*).

VELOCIDADE. Conceito que envolve, além da velocidade propriamente dita, também a direção do movimento de um objeto.

VIBRAÇÃO UNIFORME. Movimento total de uma *corda* em que a sua forma não se altera.

ZERO ABSOLUTO. A menor temperatura possível, de cerca de –273 graus Celsius, ou zero na escala Kelvin.

Referências e sugestões de leitura

Abbott, Edwin A. *Flatland: A Romance of Many Dimensions*. Princeton: Princeton University Press, 1991.

Barrow, John D. *Theories of Everything*. Nova York: Fawcett-Columbine, 1992.

Bronowski, Jacob. *The Ascent of Man*. Boston: Little, Brown, 1973.

Clark, Ronald W. *Einstein, The Life and Times*. Nova York: Avon, 1984.

Crease, Robert P., e Charles C. Mann. *The Second Creation*. New Brunswick, N.J.: Rutgers University Press, 1966.

Davies, P. C. W. *Superforce*. Nova York: Simon & Schuster, 1984.

_____, e J. Brown (eds.). *Superstrings: A Theory of Everything?* Cambridge, Inglaterra: Cambridge University Press, 1988.

Deutsch, David. *The Fabric of Reality*. Nova York: Allen Lane, 1977.

Einstein, Albert. *The Meaning of Relativity*. Princeton: Princeton University Press, 1988.

_____. *Relativity*. Nova York: Crown, 1961

Ferris, Timothy. *Coming of Age in the Milky Way*. Nova York: Anchor, 1989.

_____. *The Whole Shebang*. Nova York: Simon & Schuster, 1997.

Fölsing, Albrecht. *Albert Einstein*. Nova York: Viking, 1997.

Feynman, Richard. *The Character of Physical Law*. Cambridge, Mass.: MIT Press, 1995.

Gamow, George. *Mr. Tompkins in Paperback*. Cambridge, Inglaterra: Cambridge University Press, 1993.

Gell-Mann, Murray. *The Quark and the Jaguar*. Nova York: Freeman, 1994.

Glashow, Sheldon. *Interactions*. Nova York: Time-Warner Books, 1988.

Guth, Alan H. *The Inflationary Universe*. Reading. Mass.: Addison-Wesley, 1997.

Hawking, Stephen. *A Brief History of Time*. Nova York: Bantam Books, 1988.

_____, e Roger Penrose. *The Nature of Space and Time.* Princeton: Princeton University Press, 1996.

Hey, Tony, e Patrick Walters. *Einstein's Mirror.* Cambridge, Inglaterra: Cambridge University Press, 1996.

Kaku, Michio. *Beyond Einstein.* Nova York: Anchor, 1987.

_____. *Hyperspace.* Nova York: Oxford University Press, 1994.

Lederman, Leon, com Dick Teresi. *The God Particle.* Boston: Houghton Mifflin, 1993.

Lindley, David. *The End of Physics.* Nova York: Basic Books, 1993.

_____. *Where Does the Weirdness Go?* Nova York: Basic Books, 1996.

Overbeye, Dennis. *Lonely Hearts of the Cosmos.* Nova York: HarperCollins, 1991.

Pais, Abraham. *Subtle is the Lord: The Science and the Life of Albert Einstein.* Nova York: Oxford University Press, 1982.

Penrose, Roger. *The Emperor's New Mind.* Oxford, Inglaterra: Oxford University Press, 1989.

Rees, Martin J. *Before the Beginning.* Reading, Mass.: Addison-Wesley, 1997.

Smolin, Lee. *The Life of the Cosmos.* Nova York: Oxford University Press, 1997.

Thorne, Kip. *Black Holes and Time Warps.* Nova York: Norton, 1994.

Weinberg, Steven. *The First Three Minutes.* Nova York: Basic Books, 1993.

_____. *Dreams of a Final Theory.* Nova York: Pantheon, 1992.

Wheeler, John A. *A Journey into Gravity and Spacetime.* Nova York: Scientific American Library, 1990.

Índice remissivo

Abbott, Edwin, 216

aceleradores de partículas, 59, 70, 157, 161, 163, 173, 202, 239, 247, 406, 421; partículas-sondas e, 174, 176

água, ondas de, 119-20, 129

Albrecht, Andreas, 390

Alpher, Ralph, 382

alta entropia, baixa entropia versus, 366

Amaldi, Ugo, 201

Amati, Danielle, 34

Ampère, André-Marie, 193

amplitude de onda, 108-9, 165; de ondas eletromagnéticas, 109

anos-luz, 274

anticordas, cordas versus, 394-5

antimatéria, matéria versus, 23, 141, 181, 199, 248, 322

antipartículas, 23, 141, 181, 199, 248

antiquarks, 248

Aspect, Alain, 135

Aspinwall, Paul, 297-310, 360

astrônomos, 249-50, 260, 278, 382

átomos, 17, 29, 156, 251; modelo de, 21; núcleos de, 21, 25, 27, 161, 193

Bach, Johann Sebastian, 197

baixa entropia, alta entropia, versus, 366-7

Banks, Tom, 343, 416

Bardeen, James, 369

Batyrev, Victor, 299, 301, 304

Bekenstein, Jacob, 34, 367-73

Bell, John, 135

big bang, 18-9, 23, 31, 69, 97, 100-3, 138, 144, 173, 177, 190, 200, 229, 249, 260, 281, 311, 352, 374, 380-92, 396-7, 404, 406, 416; como irrupção do espaço-tempo, 103, 380, 384-7, 391-5, 398-404; e a densidade crítica do universo, 261; na cosmologia da teoria das cordas, 281, 391-8, 400-6; no modelo padrão da cosmologia, 379-91

Bogomol'nyi, E., 333

Bohr, Niels, 21, 107, 123, 125, 132, 157

Bolyai, Janos, 259

Born, Max, 125-6, 129

Bose, Satyendra, 197

bóson W, 196; ver também bósons de calibre

bóson Z, 196; ver também bósons da força fraca

bósons da força fraca, 25; como partículas mensageiras da força fraca, 145-6; spin dos, 194; superparceiros dos, 196

bósons, spin dos, 197, 204, 206

branas, 348, 356, 372; como escudos protetores do espaço, 356-7, 362; configurações envolventes das, 362-4; massa das, 348, 362-3

Brandenberger, Robert, 276, 281, 392-7

Bronowski, Jacob, 425

buracos de minhoca e universo em forma de U, 292

buracos negros, 18, 97-100, 103, 138, 251; branas e, 362, 364, 371-3; como máquinas do tempo, 99; comprovação da existência dos, 100; denominação dos, 98; determinismo e, 374-5, 377; e a formação de novos universos, 404-5; e o rompimento do espaço-tempo, 293; entropia dos, ver entropia de Bekenstein-Hawking; entropia dos buracos negros; extremos, 372-3, 376; força gravitacional dos, 94, 99, 294, 369-70, 376; formação dos, 373; horizonte de eventos dos, ver horizonte de eventos; informações perdidas e, 375-7; massa dos, 98-100, 353, 362-3, 371; partículas elementares e, 352-4, 362-4, 366; radiação emitida por, 100, 369-71, 373, 376; temperatura dos, 369-71; teoria das cordas e, 34, 352-78; transições de fase dos, 363-4

buracos negros "feitos à mão", 373

Calabi, Eugenio, 232

campo eletromagnético, 39, 142, 145, 414

campo gravitacional, 414

Candelas, Philip, 232, 240-1, 286, 288-9, 299, 304, 358

carga elétrica, 25-6, 193; das partículas puntiformes, 249; e espaços de Calabi-Yau, 248-9

cargas de força, 25-8, 30, 353; dos buracos negros, 353; e padrões de ressonância das cordas, 164-7, 230, 247

Carter, Brandon, 352, 369

CERN, 157, 201

Chadwick, James, 21

Christodoulou, Demetrios, 352

círculos, 359; e transições cônicas, 359; em superfícies planas versus curvas, 81-3

Clemens, Herb, 358

COBE (satélite), 383

Coleman, Sidney, 192-5

comprimento da onda quântico, sensibilidade das partículas à sondagem e, 176

comprimento de onda, 108-9, 165; de ondas de matéria, 125

Conferência "Cordas 1995", 160

conjuntos espelhados, 285-8, 297, 302-7; em matemática versus construção da física, 299-300

Connes, Alain, 416

constante cosmológica, 101, 380; valor da, 251

constante de acoplamento das cordas, 324-7, 330, 332-6; estados BPS e, 333-5, 348; tamanho da, 324-5; valores da, 325-7, 333-43, 348-9

constante de Planck (h), 113, 125, 134, 137, 152

contração de Lorentz, 43, 81, 430-1, 450

contração inicial, 260-3; teoria das cordas e, 262, 266, 279, 281

cordas, 269; anticordas versus, 394-5; aproximação por meio das partículas puntiformes, 339; composição das, 162; desenroladas, 265, 276, 394; dimensionalidade das, 187, 341-2, 356; estado coerente das, 414; folha de mundo das, 182-6, 308-9, 355; interação das, 181-7, 321-7; laços de, 321-4, 418; massa das branas versus massa das, 348; movimento vibratório das, 266-73; padrões de ressonância das, 164-74, 176, 181, 194, 203-5, 226-7, 230 240, 242-50, 265, 267-73, 321-2, 363, 414-5; sensibilidade à sondagem das, 176-80,

276-8; superparceiros e, 196, 198; tamanho das, 29, 156-7, 161, 167-70, 177-8, 231, 236, 240, 249, 416; tensão das, 168-74

cordas desenroladas, 394; cordas enroladas *versus*, 265, 276

cordas enroladas, 264-5, 279; cordas desenroladas *versus*, 265, 276; e as propriedades geométricas das dimensões enroladas, 264-5; e expansão dimensional, 393, 395; energia das, 266-74; massa das, 265

cosmologia; espaços de Calabi-Yau e, 395, 400; modelo padrão da, 380-91; teoria das cordas e, 392-406; TST e especulação sobre, 399-406, 422-3

cosmologia das cordas, 392-406; cenário pré-big bang na, 397; condições cosmológicas iniciais e, 401; dimensões na, 392-4, 397, 400; modelo padrão da cosmologia *versus*, 392; TST e, 399-406, 423

cosmologia inflacionária, 390, 397

Cowan, Clyde, 22

Cremmer, Eugene, 338

Crommelin, Andrew, 97

cromodinâmica quântica, 143, 157

Davidson, Charles, 97

Davisson, Clinton, 124-5

DBB, *ver* depois do big bang

de Boer, Wim, 201

de Broglie, Louis, 123-7, 129

de Sitter, Willem, 49

depois do big bang (DBB), 381-6, 393-5

der Sitter, Willem, 49

desintegração espontânea, 25, 146

determinismo; clássico *versus* quântico, 375; e buracos negros, 374-7

deutério, 381-3

Dicke, Robert, 382

dilação do tempo, 43

dimensões; na Grande Linha, 217-20; na relatividade especial, 66-9, 209; na supergravidade, 338-43; na teoria das cordas, 20,

33, 208-34, 240-6, 262, 274-5, 281-311, 338-43, 356-66, 414-5; na teoria de Kaluza Klein, 210-7; nas transições cônicas, 357-9; nas transições de virada, 354; variedades de, *ver* dimensões recurvadas; dimensões estendidas

dimensões estendidas, 210-7, 228, 232, 274-8; buracos negros extremos, 372-3, 376; famílias de partículas elementares, 23, 145, 240-6, 282-5, 310; na teoria M, 340-3, 347-8, 357, 416; rompimento do espaço nas, 310, 355-9

dimensões recurvadas, 210-6, 220-33, 240-6, 274, 310, 393; curvatura do espaço-tempo, *ver* espaço-tempo, curvatura do; e padrões de ressonância das cordas, 231; formas geométricas das, 215, 224-5; partículas com cargas fracionárias e, 248, 250; supergravidade e, 338-43; tamanho das, 215-6, 437; tempo e, 229; *ver também* espaços de Calabi-Yau

Dirac, Paul, 141, 179, 187, 375

distância, 50; na teoria das cordas, 275-80

distância de Planck, 151, 156, 161-2, 169, 177-9, 200, 216, 239, 249, 258, 262, 265, 269, 270-81, 392-3, 416, 424

Dixon, Lance, 282-5

Dixon-Lerche-Vafa-Warner; conjetura de, 282-5

dualidade, 123, 328-7, 344-50, 365-6, 392-4, 418-9; constantes de acoplamento das cordas e, 333-7, 347-8; e geometria quântica, 343-5; forte-fraca, 330, 335-6, 350; simetria especular e, 329; supersimetria e, 332-7, 420

dualidade onda-partícula, 142; luz e, 117-23; matéria e, 123-6

Duff, Michael, 228, 328, 444

duração, 50

Dyson, Frank, 96

Dyson, Freeman, 141

$E=mc^2$, 69, 70, 124, 141-2, 166, 170, 265, 349

eclipses solares, 96

Eddington, Arthur, 96-7, 188

efeito fotoelétrico, 113-7; e propriedades da luz como partícula, 115-7, 123; energia do fóton no, 116-7; velocidade dos elétrons expelidos no, 114-7

Einstein, Albert, 17, 19-21, 29, 30, 35, 39, 40-6, 49, 50, 52, 60, 66-7, 69-98, 100-2, 106-7, 113-7, 121-4, 128, 134-5, 148, 156, 170, 188, 191-2, 208-9, 211, 217, 221-2, 226, 234, 251, 257-9, 262, 265, 282, 285-6, 291-2, 296, 301-3, 311-2, 319, 328, 353, 377-80, 390, 412-4, 419, 422, 424; e a confirmação experimental da teoria geral, 188; e a constante cosmológica, 101, 250, 380; e a probabilidade na física, 128, 226; e a teoria de Kaluza-Klein, 211, 221; e a teoria do campo unificado, 19-20, 30, 312; *ver também* teoria da relatividade geral; efeito fotoelétrico; teoria da relatividade especial

eletrodinâmica quântica; elétrons na, 143; fótons na, 143

elétrons, 17, 21-4, 29-30, 59. 72, 166, 171, 176, 242, 381; e o princípio da incerteza, 133-5. 139, 140; eletrodinâmica quântica e, 142-3; força eletrofraca, 143-4, 198, 387; interação dos pósitrons e, 181; nas experiências das duas fendas, 124, 129-34, 139; no efeito fotoelétrico, 113-7; spin dos, 193-4

Ellingsrud, Geir, 288-9

energia, 69; das ondas eletromagnéticas, 107-9, 111-4, 117; dos fótons no efeito fotoelétrico, 115-7; e frequência de onda, 111-5, 124; e padrões de ressonância das cordas, 165-6, 169-74, 177, 240-6, 266-73, 321-2; massa e, 70, 100, 143, 165-6, 170, 265

energia de Planck, 170-3, 245, 342

energia de voltas das cordas, 266-72

entropia; alta *versus* baixa, 366; buracos negros, 366-73; *ver também* entropia de Bekenstein-Hawking

entropia de Bekenstein-Hawking, 34, 366-73; confirmação por meio da teoria das cordas da, 372-3; discussões iniciais sobre, 368-9; segunda lei da termodinâmica e, 367-70

entropia dos buracos negros, 366-73

equação de Klein-Gordon, 375

equação de Schrödinger, 125-9, 141-2, 375

escala; na mecânica quântica, 20-4, 104-39, 148-52, 156, 199-201, 216, 222; na teoria da relatividade geral, 148-52; na teoria das cordas, 29, 156-7, 161, 167, 170-2, 176, 178, 186, 230-2, 236, 239, 242, 250, 258, 262, 279-81, 321, 337, 393-4, 416-7, 424

esferas, 358-9; bidimensionais, 295-7, 354, 357-8, 360, 363; de dimensão zero, 358; dimensões adicionais e, 223; tridimensionais, 355-9, 363; unidimensionais, *ver* círculos

espaço plano, 86, 92, 148

espaços (formas) de Calabi-Yau, 232, 240, 250, 274; cosmologia e, 395, 400; famílias de partículas e buracos nos, 240-6, 283-5, 310; força gravitacional e, 398; frações de carga elétrica e, 248-9; massa das partículas e, 242, 287, 310; orbidobra dos, 284; partículas mensageiras e, 243; simetria especular e, 282-9, 297, 302-7, 329; transições cónicas dos, 357-6, 396; transições de virada e, 294-307

espaço-tempo, 84; big bang como irrupção do, 102, 380; curvatura do, *ver* espaço-tempo, curvatura do; na teoria da relatividade especial, 19-20, 40-2, 49-69, 84, 413-4; na teoria da relatividade geral, *ver* teoria da relatividade geral, curvatura do espaço-tempo na, natureza do, 412-7; teoria das cordas e natureza do, 414-7

espaço-tempo, curvatura do; analogia da superfície de borracha e da bola de boliche e, 87-92; big bang e, 101-3, 260-1; buracos negros e, 94, 97-100; estrelas de nêutrons e, 94; geometria riemanniana e análise da, 257-8, 260; massa e, 86-94; na teoria da relatividade geral, 20, 71, 80-94, 260. 413; trajetórias da luz das estrelas como prova da, 96

espaço-tempo, rompimento do, 291-311; branas como barreira protetora no, 356-7, 362-3; buracos negros e, 293; folha de mundo da corda como barreira protetora no, 308-9, 355; na teoria das partículas puntiformes *versus* na teoria das cordas, 308; nas dimensões estendidas, 310, 356-9; no presente, 311; transições cônicas e, 310, 357-66, 395-6; transições de virada e, 294-311, 362; túneis do espaço tempo e, 292

espuma quântica, 149, 151

estado coerente das cordas, 414

estados BPS; aparecimento dos, 348; buracos negros extremos e, 372; dualidade das cordas e, 334-7; supersimetria e, 333-4, 348

estrelas, 17-9, 49, 72, 320; colapso das, 28, 372; formação das, 28. 381, 400, 403-5; posição aparente *versus* real das, 96

estrelas binárias, 19, 49

estrelas de nêutrons, 94, 251

Euler, Leonhard, 157

expectativa de vida humana, e efeito do movimento sobre o tempo, 58-60

experiências das duas fendas, 117-22; elétrons nas, 124, 129-34, 139; enfoque de Feynman para, 129-32; luz como ondas nas, 119-23; luz como partículas nas, 118-23; ondas de água e, 119-21; padrão de interferência nas, 120-6, 129

famílias de partículas e buracos, 282

Faraday, Michael, 39

Fermi, Enrico, 197

férmions, spin dos, 197-8, 204-6

Ferrara, Sergio, 338

Feynman, Richard, 105-6, 117, 122-3, 128-32, 141, 179, 237, 309; e formulação alternativa da mecânica quântica, 128-32, 309

Fischler, Willy, 343, 416

física clássica; mecânica quântica *versus*, 127, 132-5, 374-5; teoria da perturbação e, 318-9; *ver também* teoria eletromagnética de Maxwell; leis de movimento de Newton; teoria da gravitação universal de Newton

física, campo da; conflitos cruciais no, 19-20; construção de teorias na, 417-8; determinismo no, 374-5; matemática *versus*, 299, 304; trocar conquistas no, 138

Flatland (Abbott), 216, 219

folha de mundo, 182-6; como barreira protetora em rompimentos espaciais, 308-9

força eletrofraca, 143-4, 198, 387

força eletromagnética, 25-9, 142-8, 181, 198-9, 221, 402, 410, 421; cargas elétricas e, 25-6, 193; e eletrodinâmica quântica, 142-3; força forte e, 198, 223; força gravitacional *versus*, 27; intensidade intrínseca da, 199; na teoria de Kaluza-Klein, 210, 220-1, 316; no universo inicial, 384-6; partículas mensageiras da, *ver* fótons

força forte, 25-9, 143-5, 157, 223, 385; força eletromagnética e, 198-9, 223; quarks e, 25-7, 146-7; teoria das cordas e, 157-8

força fraca, 25-9. 223, 410; no universo inicial, 385-6; partículas mensageiras da, 145-6

força gravitacional, 29, 72, 85, 143, 155; da Lua e do Sol, 86-94, 319; densidade crítica e, 261; dos buracos negros, 94, 99, 294, 369-70, 376; e a formação e o colapso das estrelas, 28, 372; espaços de Calabi-Yau e, 242, 398; força eletromagnética *versus*, 26; horizonte de eventos e, 99, 294, 367-9; intensidade intrínseca da, 198; massa e, 25-6, 72-3, 86-8, 90, 97-101; na teoria da gravitação universal de Newton, *ver* teoria da gravitação universal de Newton; na teoria da relatividade geral, 20, 71, 80-94, 148, 260, 412; na teoria de Kaluza-Klein, 210, 220; nas estações espaciais, 17; no princípio da equivalência, 76-80, 86, 94, 145, 409-11, 419-20; teoria das cordas e, 180, 185-7, 234-5, 242, 338-45, 352; teoria quântica de campo da, 145-52, 157-8, 180, 352

forças fundamentais, 25-9; características comuns das, 25-6; diferenças nas intensidades intrínsecas das, 26; distância e intensidade intrínseca das, 199, 201, 385; e simetrias, 146-7; grande unificação e, 198-201; no universo inicial, 384, 387; partículas de forças das, 26, 28, 163, 167, 194; supersimetria e intensidades intrínsecas das, 201-2; teoria M e fusão das, 398

forças nucleares, *ver* força forte; força fraca

fotinos, 196

fóton; como quanta, 117; no universo inicial, 382

fótons, 25, 48, 69, 74, 93, 96, 145, 171, 174, 181-2, 278, 414; como partículas mensageiras eletromagnéticas, 145-6; como quanta de luz, 117-23; e eletrodinâmica quântica, 143; no efeito fotoelétrico, 115-7; no princípio da incerteza, 134, 139-40; no universo inicial, 382; nos relógios de luz, 55-8, 115; spin dos, 194; superparceiros dos, 196

funções de ondas, *ver* ondas de probabilidade

Freedman, Daniel, 338

Friedman, Robert, 358

Friedmann, Alexander, 101, 380

função beta de Euler, 157

Fürstenau, Heramnn, 201

fusão, 27, 69

galáxias, 17-8, 72, 260-1, 382, 404; formação das, 28, 381

Galileu, 46

Gamow, George, 113, 382

Gasperini, Maurizio, 397

Gauss, Carl Friedrich, 259

Gell-Mann, Murray, 22, 29, 237

geometria algébrica, 286

geometria euclidiana, 84, 257

geometria não comutativa, 416

geometria quântica, 257-89, 328-9; analogia do universo-mangueira na, 263-74; analogia entre energia das cordas e a bolsa de valores na, 268-9; dualidade e, 344-5; intercâmbio entre número de voltas e número de vibrações na, 266-73; simetria especular e, 282-9; tamanho mínimo na, 278-81

geometria riemanniana, 257-60; análise de distorções nas relações de distância na, 259-60, 291; e a teoria da relatividade geral, 101, 258-60, 291; e estudos cosmológicos, 260; teoria das cordas e, 258-60, 275-81

Georgi, Howard, 198-201, 237-8, 439

Gepner, Doron, 284

Germer, Lester, 124-5

Ginsparg, Paul, 236

Givental, Alexander, 289

Glashow, Sheldon, 143-4, 198, 236-8, 373, 386

Gliozzi, Ferdinando, 204

gluínos, 196

glúons, 25; como partícula mensageira da força forte, 145-6, 158; spin dos, 194; superparceiros dos, 196

Goudsmit, Samuel, 193

Grande Anel de Colisão de Hádrons (Large Hadron Collider), 247, 421

Grande Linha, 217-8, 263, 394,

grande unificação, 198-200, 203; distância e intensidade intrínseca das forças na, 199-203

grávitons, 26-7, 146, 414; como partículas mensageiras da força gravitacional, 158, 171, 185, 196, 243; e os padrões de ressonância das cordas, 166, 169, 180, 187, 234; spin dos, 194

Green, Michael, 156, 159-60, 358

Green, Paul, 288

Greenwich, observatório de, 96
Gross, David, 177, 199, 238
Guth, Alan, 389-91, 397

Hartle, james, 401
Harvey, jeffrey, 284, 442
Hawking, Stephen, 34, 128, 138, 353, 368-77, 401
Heisenberg, Werner, 133-6, 139-41, 171, 176, 179, 187, 374
Hermann, Robert, 382
Hertz, Heinrich, 113
Hoøava, Petr, 340
horizonte de eventos, 99-100, 375, 377; força gravitacional e, 99, 294, 369-70; lei do aumento da área e, 368-9, 373
Horowitz, Gary, 232, 240-1, 348, 362
Hubble, Edwin, 101-2, 260, 380, 404
Hübsch, Tristan, 358
Hull, Chris, 228, 328, 336
Huygens, Christian, 117

Instituto de Estudos Avançados, 298-300, 303, 306
Israel, Werner, 352

Julia, Bernard, 338

Kaluza, Theodor, 209, 211, 221
Katz, Sheldon, 299
Kepler, johannes, 72
Kerr, Roy, 353
Kikkawa, Keiji, 265
Kinoshita, Toishiro, 143
Klein, Oskar, 212
Kontsevich, Maxim, 289

laços de cordas, 29, 321-4, 424
Laplace, Pierre-Simon de, 374-5

Leibniz, Gottfried, 413
leis fisicas, simetrias da natureza e, 146-8, 190-2, 195
Lerche, Wolfgang, 282-5
Lewis, Gilbert, 115
LHC, ver Grande Anel de Colisão de Hádrons
Li, Jun, 289
Lian, Bong, 289
Linde, André, 390, 402
Liu, Kefeng, 289
Lobachevsky, Nikolai, 259
Lorentz, Hendrik, 188
Lua, 191; influência gravitacional da Terra e do Sol sobre, 88, 319; no eclipse solar, 97
Lütken, Andy, 297
Luz; buracos negros e, 100; composição da, 116-23; cor da, 42, 114-5; ver também ondas eletromagnéticas
luz e buracos; buracos negros e, 98
luz ultravioleta, 114
luz, velocidade da, 388; constância da, 48-52, 56-8, 65, 71, 74; distúrbios gravitacionais e, 74, 93; e leis de movimento de Newton, 19, 40-2, 47-9; e teoria da relatividade especial, 19, 40-2, 47-53, 57-64, 67-74, 93; e teoria eletromagnética de Maxwell, 19, 40-3, 49
Lynker, Monika, 286

Mach, Ernst, 413
magnetismo, 193
Mandula, Jeffrey, 192, 195
Manin, Yuri, 289
massa, 69; das branas, 348, 362-4; das cordas enroladas, 265; das estrelas, 372; das partículas elementares, 23-6, 30, 231, 242-3, 250; das partículas em espaços de Calabi-Yau, 242-3, 286, 310; dos buracos negros, 98-100, 353, 362-3, 371; dos superparceiros, 202, 247; e curvatura do espaço-tempo e do tempo, 86-94; e dualidade onda-partícula, 124; e força gra-

469

vitacional, 25-6, 72-3, 86-90, 97-100; e padrões de ressonância das cordas, 164-6, 172, 230, 245; e tensão das cordas, 170-4; energia e, 70, 101, 143, 165-6, 170, 265

massa de Planck, 170, 173, 198, 249, 349, 354

matéria, 29, 72; antimatéria *versus*, 23, 141, 181, 199, 248, 322; composição da, 21-5, 251; ondas de, 123-7

matéria escura, 250, 261

Maxwell, James Clerk, 19, 39, 121, 417

mecânica quântica, 30, 105-36; escala na, 21-4, 105-39, 148-52, 156, 199, 200-1, 216, 222; estrutura matemática da, 123-8; física clássica *versus*, 127, 133-5, 373-5; formulação alternativa de Feynman para a, 129-32, 309; o universo na, 127-8, 139-41, 149-52, 155; precisão e dificuldade inerente da, 105-6; probabilidade na, 126-8, 133-7, 226, 375; relatividade geral *versus*, 17-20, 29, 103, 138-52, 158, 173, 223, 226, 262, 354; significado da, 128; teoria das cordas e reformulação da, 417-9; teoria das cordas *versus* desenvolvimento da, 252; teoria de Kaluza-Klein e, 216

Mende, Paul, 177

micro-ondas, 383

Mills. Robert, 147

Minkowski, Hermann, 67, 84,

modelo padrão da cosmologia, 379-90; nucleossíntese primordial no, 381-3; o problema do horizonte e, 387-91, 397; quebra de simetria no, 385-6; radiação cósmica de fundo e, 382-3; teoria das cordas *versus*, 392

modelo padrão da física das partículas, 145, 222, 418; insuficiências do, 155, 163-4; partículas elementares no, ver partículas puntiformes; supersimetria e, 196-8, 204, 247; teoria das cordas *versus*, 155-9, 164, 168, 173-87, 249-51

modo de voltas, 264-6, 279

modos leves das cordas, 278-81

modos pesados das cordas, 278

momento, 140-1, 176

Morrison, David, 299-310, 358-64

Movimento; e efeito sobre o tempo, ver tempo, efeito do movimento sobre; no princípio da relatividade, 44-6; previsto na teoria da gravitação de Newton, 73-4, 319; *ver também* movimento acelerado, movimento a velocidade constante

movimento a velocidade constante, 45, 92; na teoria da relatividade especial, 40-6, 50-3, 57-64, 76, 94; relógios de luz e, 54-6

movimento acelerado, 45, 61-2; na teoria da relatividade geral, 76-94, 146, 412

movimento a velocidade não constante, *ver* movimento acelerado

movimento livre de forças, *ver* movimento a velocidade constante

multiverso, 402-6, 422-4; e princípio antrópico, 403; e TST, 404-6; formação do, 402-6; simetria e, 410

múons, 22-3, 70, 196; movimento e expectativa de vida dos, 58

Nambu, Yoichiro, 157

Nappi, Chiara, 303

neutrino-múon, 23

neutrinos, 22-3, 59, 166, 250-1; superparceiros dos, 196

neutrinos tau, 23

nêutrons, 21, 25-9, 72, 146, 381

Neveu, André, 204

Newton, Isaac, 19-20, 71-5, 413, 417-8; e a luz como partículas, 117-2

Newton, leis de movimento de, 19, 40, 49, 50, 123, 374, 413

Newton, teoria da gravitação universal de, 20, 71-6, 121, 191, 234, 319; atração na, 72-4, 77-8, 89; natureza da gravidade e, 75-6; previsões de movimentos de corpos na, 49, 73-4, 95; relatividade especial *versus*,

19, 20, 40, 49, 71-4, 92-3, 103; teoria da
relatividade geral e, 75-6, 86, 89-95, 257
Nielsen, Holger, 157
núcleos, de átomos, 21, 25, 27, 161, 193
nucleossíntese primordial, 381-3
número de vibrações, 270
número de voltas, 269
Nussinov, Shmuel, 240

Olive, David, 204
ondas; de água, 119-20, 129; de luz, *ver* ondas
eletromagnéticas; de matéria, 123-6;
de probabilidade, 125-9, 135, 139, 375;
frequência das, 108, 111-5, 122-4; picos e
depressões das, 108-10, 119-20, 124, 164,
170; sonoras, 109, 113, 164, 166
ondas de frequência, 108, 122-3; energia e,
111-5, 124
ondas de probabilidade, 125-9, 135, 139, 375
ondas de luz, ver ondas eletromagnéticas
ondas eletromagnéticas, 107-9; composição
das, 117; energia das, 107-4, 117; luz como,
40, 117-23
ondas eletrônicas, ver ondas de probabilidade
ondas sonoras, 109, 113, 164, 166
orbidobras, 284-5
Ossa, Xenia de Ia, 288

padrões de interferência, 120-5, 129, 132, 139
padrões de ressonância; das cordas, 164-81,
194, 203-5, 226-7, 230-1, 240-50, 265-73,
321-2, 363, 414-5; matéria escura e, 250,
261; nas ondas sonoras, 164-6
pares virtuais de cordas, 321-4, 418
Parkes, Linda, 288
partículas de força, 26, 28, 163, 167, 194; e a
teoria das cordas, 31, 162, 171, 242; no
modelo-padrão, 145; spin das, 194-5,
247; *ver também* partículas mensageiras; *partículas de foras específicas*

partículas elementares, 21-4, 164, 167, 189;
"matéria" das, 166; antipartículas e, 23,
141, 181, 199, 248, 322; buracos negros
e, 352-4, 362-6; cargas de força das, *ver*
cargas de força das forças, *ver* partículas de força; e teoria das cordas, 29-3,
155- 62, 166-8, 172-4, 198, 203-5, 240-8,
282-5, 309; eletrodinâmica quântica e,
142-3; famílias das, 23, 145, 240-1, 244,
282-5, 310; luz como, 115-23; massa das,
23-7, 30, 230-1, 242-3, 250; mensageiras,
145-6; na força forte, 25-7, 146-7, 157; no
modelo-padrão, *ver* partículas puntiformes; spin das, 193-7, 204-5, 247; teoria da perturbação, teoria perturbativa,
243; *ver também* partículas específicas
partículas mensageiras, 145-6, 158, 171, 189,
243; *ver também* partículas de força; *partículas mensageiras específicas*
partículas puntiformes, 155-7, 161-4, 168, 176,
178-82, 185-7, 193-4, 204, 226, 247-50,
262-6, 276, 308, 338-9, 347, 355, 384, 394;
carga elétrica das, 249; dimensionalidade das, 187, 263, 266; na aproximação às
cordas, 339; sensibilidade à sondagem
das, 176, 180; superparceiros das, 196
partículas sondas, 174-9
Pauli, Wolfgang, 22, 141, 179, 251
Peebles, Jim, 382
Penrose, Roger, 294, 353
Penzias, Arno, 383
Pitágoras, 155
Planck, Max, 39, 105, 124; e soluçao do paradoxo da energia infinita, 108-3
plano, 86, 92, 148
Plesser, Ronen, 283-8, 298-300, 361
Polchinski, Joe, 335, 348
Politzer, David, 199
Pontos; na geometria riemanniana, 258, 260;
origem do universo como um, 102; *ver
também* partículas puntiformes
pósitrons, 23, 141, 181; interação entre elétrons
e, 181

471

Prasad, Manoj, 333
Preskill, John, 376
Price, Richard, 352
primeira revolução das supercordas, 159-60, 327
princípio antrópico, 403-5
princípio da equivalência, 76-80, 86, 94, 146, 410-1, 419
princípio da incerteza, 133-6, 139-1, 149, 171, 176, 374; medições das partículas e, 134-9, 176-7
princípio da relatividade, 44-6, 57, 79
princípio de equivalência; simetria e, 191-2, 410-1
probabilidade, 139; e a natureza ondulatória da matéria, *ver* ondas de probabilidade; na mecânica quântica, 126-8, 132-7, 225-6, 374-5; teste de, 127
problema do horizonte, 387-9, 397; inflação e, 389
prótons, 21, 25-9, 72, 146, 171, 176, 250, 354, 381

quanta, 110-7, 139
quarks, 17-9, 23, 29, 146, 171, 248, 250, 421; descoberta dos, 22; força forte e, 25-7, 147. 196; nomes dos, 22; tipos de, 22-4
quasares, 100, 382
Quinn, Helen, 199-201

Rabi, Isidor Isaac, 22-3, 196
radiação cósmica de fundo, 382-3; temperatura da, 387-90
radiação infravermelha, 114
raio X, 100, 114
raios cósmicos, 22
raios de luz, eclipses solares e curvatura dos, 96
Ramond, Pierre, 204
reducionismo, teoria das cordas e, 31
Reid, Miles, 358

Reines, Frederick, 22
relógios de luz, 55-8; "tique-taques" dos, 54; diferenças de tempo entre relógios móveis e estacionários, 56-7
Resultado de Coleman-Mandula, 193, 195
Riemann, Georg Bernhard, 101, 257-60
Roan, Shi-Shyr, 300
Robertson, Howard, 380
Robinson, David, 353
Ross, Graham, 285, 298
Rutherford, Ernest, 21, 228

Salam, Abdus, 143, 198, 386
Scherk, Joël, 158, 169, 171, 194, 204, 338
Schimmrigk, Rolf, 286
Schrödinger, Erwin, 125
Schwarz, John, 156-9, 171, 194, 204, 247, 328
Schwarzschild, Karl, 97-100, 377
Schwinger, Julian, 141
segunda lei da termodinâmica, 367-70
segunda revolução das supercordas, 161, 187, 228, 314-7, 328, 331, 342-4, 356, 373, 392, 398, 410, 418
Seiberg, Nathan, 332, 356
selétron, 196
Sen, Ashoke, 328, 372
sensibilidade à sondagem, 279; das cordas, 176-80, 276-7; das partículas puntiformes, 176, 180
Shenker, Stephen, 343, 416
simetria, 191-2, 195, 331; de calibre, 146-7, 192, 410-1; de espelho, 282-90, 296-307, 329; e o princípio da equivalência, 191-2, 410-1; multiverso e, 402; quebra de simetria, 144; rotacional, 147-8, 192, 195; universo inicial e, 384-7, 393-5; *ver também* supersimetria
simetria da força forte, 147
simetria de calibre, 146-7, 192, 410-1
simetria especular, 282-9; conjuntos espelhados na, *ver* conjuntos espelhados; duali-

472

dade e, 329; física e matemática da, 286-9; transições de virada e, 296-307

simetria rotacional, 147, 192, 195

singularidades, 377-8; teoria das cordas e, 378

sistemas estelares trinários, 320

Smolin, Lee, 404-5

sneutrinos, 196

Sol, 74-5; eclipse do, ver eclipses solares; influência gravitacional do, 87-94, 319

som, velocidade do, 73-4

soma sobre as trajetórias, 131

Sommerfeld, Arnold, 80

Sommerfield, Charles, 333

spin, 195; das partículas de força, 194-5, 247; das partículas elementares, 193-7, 204-5, 247; dos bósons, 197, 204-6; dos buracos negros, 353

squarks, 196

Steinhardt, Paul, 390

Strominger, Andrew, 232, 240-2, 348, 356-64, 372-3, 377

Strømme, Stein Arilde, 288-9

suavidade do substrato, 291

Supercolisionador Supercondutor (Superconducting Supercollider), 240

supergravidade, 338-43, 346; aproximação às cordas por meio das partículas puntiformes na, 339; dimensões na, 338-43

supergravidade em maiores dimensões, 223-5

superparceiros; massa dos, 202, 247; supersimetria e, 195-8, 201, 204, 247, 421

supersimetria, 195-207, 411; argumentos a favor, 197-203; confirmação desejável para a, 421; dualidade e, 332-4, 337, 419; e a supergravidade em maiores dimensões, 225; e as intensidades intrínsecas das forças, 201-2; modelo-padrão e, 197-8, 205, 247; padrões de ressonância e, 203-5; sinais experimentais da, 246-8; superparceiros e, 196-8, 201, 205, 247-8, 421

supersimetria e intensidades intrínsecas das, 201-2

Susskind, Leonard, 157, 343, 372, 416

táquions, 204-5

taus, 23

temperatura dos buracos negros, 369-71; da radiação cósmica de fundo, 387-91

tempo; buracos negros e, 99; como dimensão, 66-7, 209, 228-9

tempo de Planck, 380, 384-6, 391-93; ver também cosmologia inflacionária; modelo padrão da cosmologia; cosmologia das cordas

tempo, efeito do movimento sobre o; curvatura do tempo e, ver teoria da relatividade geral; espaço-tempo, curvatura do; expectativa de vida do múon e, 58; expectativa de vida humana e, 58-60; medido por relógios de luz, 54-8; perspectivas divergentes dos observadores e, 40-2, 50-3, 57-67, 76, 79-85, 93-4, 146

tensão de Planck, 169

teoria definitiva, ver teoria sobre tudo

teoria da perturbação, teoria perturbativa, 317-27; cosmologia e, 392; e física clássica, 318-9; e teoria das cordas, 392; fracasso da, 320; teoria das cordas e, 317-27

teoria da relatividade especial, 39-70, 97, 106; caráter aparentemente contra-intuitivo da, 41-3, 53, 68, 71; dimensões na, 66-9, 209; espaço-tempo na, 19-20, 40, 42, 50-69, 84, 412, 414; na teoria quântica de campo, 20, 141-3, 252; observadores em movimento a velocidade constante e, 40-3, 51-3, 57-8, 61-4, 76, 94; teoria da gravitação universal de Newton versus, 19-20, 40, 49, 71-4, 91, 93, 103; velocidade da luz e, 20, 40, 43, 47, 49-3, 58-64, 67-74, 93

teoria da relatividade geral, 71-103, 106, 147, 191, 234, 319, 376, 414; aplicações da, 97-102; curvatura do espaço-tempo na, 20, 71, 80-94, 259, 414; e a teoria de Kaluza-Klein, 212, 221, 223, 316; escala na, 148-52; estética da, 95, 189; expansão e contração do universo e, 101-2,

251, 380, 392; identificação do agente da gravidade na, 86, 89; matemática da, 101, 257-89; mecânica quântica *versus*, 17-20, 29, 103, 138-49, 152, 158, 173, 222, 226, 262, 354; princípio da equivalência e, *ver* princípio da equivalência; teoria newtoniana da gravidade e, 75-6, 86, 89, 92-5, 319; verificação experimental da, 95-7, 102-3, 188

teoria das cordas, 29: buracos negros e, 34, 352-78; como TST, 29-32, 162, 167-8, 206, 398-9; como união entre relatividade geral e mecânica quântica, 18-21, 29, 33, 156, 158, 173-87, 205, 226, 246, 252, 294, 366, 378, 392, 415, 420, 424; contração inicial e, 262-3, 279-81; cosmologia e, *ver* cosmologia das cordas; crítica à, 236-7; desenvolvimento da mecânica quântica *versus*, 252; dimensões na, 21, 33, 208-34, 240, 242-6, 262, 274-5, 281-311, 338-9, 341-3, 355-66, 415-6; dualidade fortefraca da, 330, 335, 350; dualidade na, 328-37, 344-50, 365-6, 418-9; e a força forte, 157-8; e a reformulação da mecânica quântica, 417-19; e natureza do espaço-tempo, 413-7: e singularidades, 377-8; equações da, 314, 325-7, 350-1; escala na, 29, 156-8, 161, 167-72, 177-9, 186, 230-3, 236, 239, 241, 250, 258, 262, 274-6, 279, 281, 321, 337, 393-4, 416-7, 425; estado atual, 33-5; experimentalistas *versus* teóricos na, 238-40; força gravitacional e, 180, 185-7, 234-5, 243, 338-9, 341-4, 352; futuro da, 409-25; história da, 157-61; laços de corda na, *ver* cordas; matemática da, 34, 160, 227-9, 243, *ver também* geometria quântica; medidas da distância na, 275, 277-81; metáforas musicais para a, 30, 155, 167; modelo padrão da cosmologia *versus*, 392; modelo padrão *versus*, 155-56, 159, 163, 168, 173-87, 250; noções de distância na, 275-78; partículas de força e, 30, 163, 171, 243;

partículas elementares na, 29-33, 155-63, 166-8, 172, 174, 198, 203-5, 241-9, 282-6, 309-10; sinais experimentais na, 234-53, 420-1; spin na, 194-7, 204, 247; supersimetria na, *ver* teoria das supercordas; supersimetria; teoria da perturbação e, 317-27, 392; transições que modificam a topologia e, 294-311, 355-66, 395, *ver também* teoria M; cosmologia das cordas; teoria das supercordas; valores de probabilidade na, 226

teoria das cordas bosónicas, 204

teoria das cordas de Tipo I, 206, 313-5, 335-7, 345

teoria das cordas de Tipo IIA, 206, 313-5, 339, 342, 345-7

teoria das cordas de Tipo IIB, 206, 313-5, 336, 339, 345

teoria das supercordas, 189, 204-7; começo da, 204; versões da, 205-6, 313, 316; *ver também* teoria M; teoria das cordas

teoria de Kaluza-Klein, 210-27; analogia com o universo mangueira e, 210-20, 263; mecânica quântica e, 216; unificação da relatividade geral e da teoria eletromagnética pela, 211, 221, 223, 316

teoria do campo unificado; Einstein e, 19-20, 30, 312

teoria do caos, 32

teoria eletromagnética de Maxwell, 19, 39, 40, 43, 49, 108, 123, 142; e a teoria de Kaluza-Klein, 211, 221, 223, 316

teoria geral da relatividade; matemática da, 259, 291; mecânica quântica *versus*, 149

teoria Heterótica-E (teoria das cordas Heterótica $E_8 \times E_8$), 206, 313-6, 338-42, 345-7

teoria Heterótica-O (teoria das cordas Heterótica-O(32)), 206, 313-6, 333-9, 345

teoria M, 35, 312-51, 409-24; desafios futuros para a, 350-1; dualidade na, 344-50, 418-9; e fusão das forças fundamentais, 398-9; e princípio antrópico, 403; formação da, 401-6; interconexões na, 344-7, 365-

6; multiverso e, 402-6, 422, 424; nome da, 343; objetos dotados de extensão na, 187, 341-3, 347-9, 357, 416; supergravidade e, 338-43, 346; ver também teoria das cordas

teoria M e fusão das, 398

teoria quântica de campo, 141-5; da força gravitacional, 146-52, 158, 180, 352; relatividade especial e, 142-3, 252; supersimétricas, 197-8, 204, 338; ver também cromodinâmica quântica; eletrodinâmica quântica; teoria quântica eletrofraca

teoria quântica de campo das partículas puntiformes, 250, 384; interação das partículas na, 180-6;

teoria quântica eletrofraca, 143-4

Teoria relativística quântica de campo, ver teoria quântica de campo

teoria sobre tudo (TST); e desvios da inevitabilidade, 312-4; especulação cosmológica e, 399-406, 422-3; teoria das cordas como, 29-32, 162, 167-8, 206, 398-9

teoria supersimétrica das cordas, ver teoria das supercordas

teorias científicas; construção típica das, 417-8, ver também teorias específicas; estética das, 188-9

Terra, 85, 191, 261, 423; e a influência gravitacional do Sol, 88-94, 319, 431

Terra Plana, 219, 394

TST, ver teoria sobre tudo

Thomson, J. J., 21

Thorne, Kip, 376

Tian, Gang, 289, 294, 296

Tomonaga, Sin-Itiro, 141

toro, 224-5; como espaço (forma) Calabi-Yau, 240-3, 283

Townsend, Paul, 228, 328, 336, 348

transições cônicas, 361; dimensões e, 357-9; e de espaços de Calabi-Yau, 357-66, 395-6 esferas e, 354-9; ver também transições de virada

transições de fase; de buracos negros, 363-4; no universo inicial, 384-6

transições de virada, 294-311, 354-7, 362; simetria especular e, 296-307; ver também transições cônicas

transições que modificam a topologia, ver transições cônicas; transições de virada

túneis do espaço-tempo, 292-3

tunelamento quântico, 135-7

Uhlenbeck, George, 193

unidades de energia, energia das ondas eletromagnéticas como, ver quanta

universo, 17-9; bidimensional, ver universo-mangueira; buracos de minhoca e universo em forma de U, 292; densidade crítica do, 261; dimensões do, ver dimensões; estabilidade do, 190; expansão e contração do, ver big bang; contração inicial; limites à compreensibilidade do, 421-3; linha do tempo, 390; multiverso e, 402-6; origem dele como um ponto, 102; origem do, 379-406; propriedades microscópicas do, ver escala, na mecânica quântica; escala, na teoria das cordas; simetria da força forte, 147; tamanho do, 274, 278

universo-mangueira; e a teoria de Kaluza-Klein, 210-20, 263; geometria quântica e, 263-74; partículas puntiformes no, 263

urânio, 69

Vafa, Cumrun, 237, 276, 281-5, 303, 372-3, 377, 392-7, 419

Van Nieuwenhuizen, Peter, 338

velocidade, 49; da luz, ver luz, velocidade da; e efeitos da relatividade especial, 41-3, 52-3, 58-60, 67-71

Veneziano, Gabriele, 157, 203, 396-7, 412, 446

Via Láctea, 100, 102, 261, 404

vibração uniforme, 267-72

vibrações comuns das cordas, 266, 272-3

Walker, Arthur, 380
Warner, Nicholas, 282-5, 303
Weinberg, Steven, 31, 143-4, 198-201, 386
Wess, Julius, 204-5
Weyl, Hermann, 147
Wheeler, John, 91, 98, 149, 353, 367,
Wilczek, Frank, 199
Wilson, Robert, 380, 383
winos, 196
Witten, Edward, 34, 160, 187, 206, 228, 232-7,
240-3, 249, 284, 298, 302-10, 328-30, 334-
7, 340-3, 351, 356, 360, 398, 409, 416, 419;
e dualidade, 328-37; e transições de vira-
da na teoria das cordas, 298, 304-5, 308-

10; produtividade de, 303; teoria M e,
341-3, 351

Yamasaki, Masami, 265
Yang, Chen-Ning, 147
Yau, Shing-Tung, 232-3, 240-8, 282-9, 294-307,
310, 313, 326, 329, 354-65, 395-8, 401
Young, Thomas, 117, 121

zinos, 196
Zumino, Bruno, 204

1ª EDIÇÃO [2001] 16 reimpressões

ESTA OBRA FOI COMPOSTA PELA SPRESS EM DANTE E IMPRESSA PELA
LIS GRÁFICA EM OFSETE SOBRE PAPEL PÓLEN SOFT DA SUZANO S.A.
PARA A EDITORA SCHWARCZ EM SETEMBRO DE 2021

A marca FSC® é a garantia de que a madeira utilizada na fabricação do papel deste livro provém de florestas que foram gerenciadas de maneira ambientalmente correta, socialmente justa e economicamente viável, além de outras fontes de origem controlada.